ASSASSINATO DE REPUTAÇÕES

UM CRIME DE ESTADO

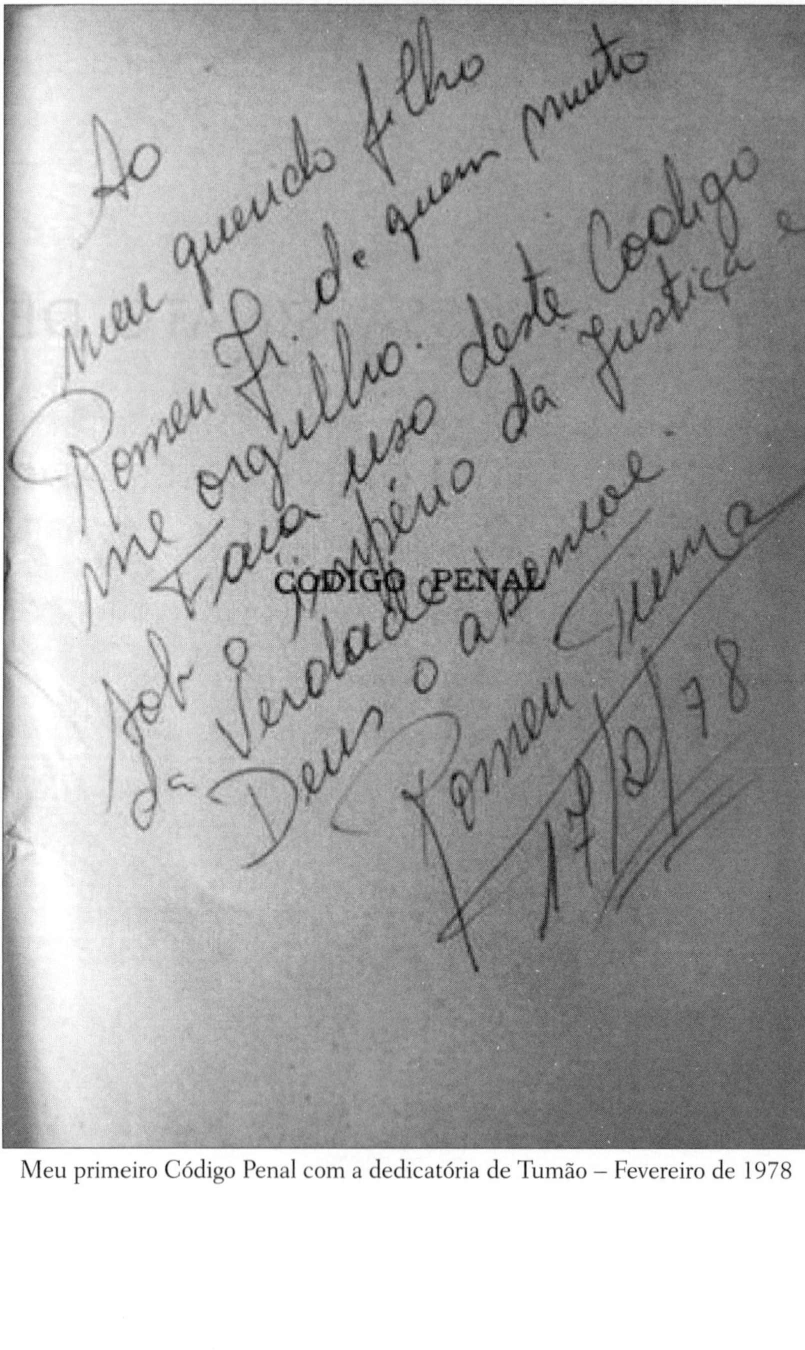

Meu primeiro Código Penal com a dedicatória de Tumão – Fevereiro de 1978

ROMEU TUMA JUNIOR

EM DEPOIMENTO A

CLAUDIO TOGNOLLI

ASSASSINATO DE REPUTAÇÕES

UM CRIME DE ESTADO

Como o PT de LULA, em seu projeto de PODER, montou a polícia de partido e a fábrica federal de DOSSIÊS

A verdadeira história da morte de CELSO DANIEL, as provas do grampo no STF e o uso do poder público para interesses privados e ideológicos

TOPBOOKS

EDITOR
José Mario Pereira

EDITORA ASSISTENTE
Christine Ajuz

REVISÃO
Miguel Barros

PRODUÇÃO
Mariângela Felix

CAPA
Julio Moreira

DIAGRAMAÇÃO
Arte das Letras

CIP-BRASIL CATALOGAÇÃO NA FONTE
SINDICATO NACIONAL DOS EDITORES DE LIVROS, RJ

T832a

Tuma Júnior, Romeu
Assassinato de reputações: um crime de estado / Romeu Tuma Júnior; organização Cláudio Tognolli – 1ª ed. – Rio de Janeiro: Topbooks, 2013.
557 p.; 23 cm.

ISBN 978-85-7475-228-0

1. Corrupção administrativa – Brasil. 2. Corrupção na política – Brasil. 3. Crimes políticos e ofensas – Brasil. I. Tognolli, Cláudio. II. Título.

13-07529 CDD: 353.460981
CDU: 342.343.35

Topbooks Editora e Distribuidora de Livros Ltda.
Rua Visconde de Inhaúma, 58 / gr. 203 – Centro
Rio de Janeiro – CEP: 20091-007
Telefax: (21) 2233-8718 e 2283-1039
topbooks@topbooks.com.br/www.topbooks.com.br
Estamos também no Facebook.

“O tempo é o senhor da razão”.
(citado por ULYSSES GUIMARÃES)

“Quem poupa a vida do lobo condena à morte as ovelhas”.
VICTOR HUGO

SUMÁRIO

DEDICATÓRIA

A Deus, por me deixar viver até o fim dessa obra, e pela dádiva que foi o pai que Ele me deu. Se eu tivesse recebido a oportunidade de escolher, certamente não teria escolhido melhor.

Ao amado Tumão, meu pai, meu amigo, meu exemplo. Saudade lancinante, ausência abissal, tristeza sempre, vergonha nunca!

Às mulheres da minha vida: Zilda, Luciane, Renata, Regiane, Roberta, Rafaela e Sophia – tatames da minha alma e repositórios de cada lágrima de tristeza e gota de angústia e amargura que nos foram impingidas.

AGRADECIMENTOS

Embora meu senso de justiça tenha se revelado perfeitamente obtuso a certos governos, sobretudo aos entregues a eles mesmos, quero agradecer-lhes por terem-me tornado um homem público. Afinal, todos os cargos que ocupei ativaram as recordações que se seguem.

Minha história de vida se funde a boa parte da história do país – e devo isso a meus pais e família.

Minha irresignação trouxe alguma cicatriz, a um só tempo chaga e lição de vida; mas uma sempre gera a outra, não?

Nivelei meu destino, em 35 anos de vida pública, com todo o espectro midiático possível. Ao trabalho sério, à vocação e a alguns jornalistas devo a perpetuação do bom nome Tuma.

Atrevo-me a dizer, assim, que fatiguei todas as vulgatas legais, sejam de "direita", sejam de "esquerda", sempre em busca da justiça.

Agradeço em particular a Mino Carta, por emprestar sua amizade, companhia e valiosíssimas tardes de inúmeras segundas-feiras nesse projeto de encontro de um injustiçado com a justiça. A Paulo Henrique Amorim e Sérgio Lírio, que, junto com Mino, me deram a ideia de escrever este livro. As entrevistas iniciais foram feitas por eles, sobretudo as que se referem aos casos mais clamorosos em que atuei, como Celso Daniel, Cacciola, Mengele, Satiagraha e Battisti.

Ao D'Urso, Cleber, Marcel, Massilon e Gaetano, pela confiança e acolhida quando tantos me faltaram.

Agradeço aos meus amigos e admiradores, aos quais sempre jurei jamais envergonhar por essa condição. Àqueles que não têm preço, mas valor.

Agradeço aos companheiros e companheiras que comigo trabalharam em todos os postos e cargos que ocupei, e que ajudaram, de maneira decisiva, na construção de minha carreira e reputação profissional.

Minhas homenagens mais sinceras a todos os advogados do Brasil, garimpeiros de justiça, em especial aos companheiros da OAB Seccional DF e da AASP, entidades das quais recebi mensagens que bem refletem o porquê de eu ter decidido trilhar um novo caminho com a advocacia. Ser advogado é buscar sem medo a legalidade e a liberdade, é lutar incansavelmente por uma sociedade mais justa e pelo progresso de todos. Sem Advogado não há Justiça e sem Justiça não há Democracia.

Fui honrado com a oferta de vários amigos, jurídica e profissionalmente renomados, para prefaciar essa obra. Agradeço a todos de coração, mas a experiência vivida, e a consciência adquirida, me obrigam a poupá-los de se tornar os próximos alvos. Não sou homem que se põe, em nome de vaidades pessoais ou profissionais, nas costas alheias. Tampouco abjuro da fé em poupar, sempre, os que me cercam com boa-fé e bem-aventurança infinitas.

Agradeço, sobretudo, a todos os ministros do STF, que sempre nos fizeram sentir o sol da lei antes mesmo que ele surgisse.

Romeu Tuma Jr.
Novembro de 2013

NOTA INTRODUTÓRIA

Estas linhas são escritas sob o clamor das ruas e demandas populares jamais vistas, ora a paralisar o Brasil, e a bestificar os governantes.

Os jovens e adolescentes de hoje, entre 15 e 25 anos, são as crianças cujos pais ouviram, há 10 anos, o mercador de ilusões dizer que a esperança vencera o medo.

São as gerações que, ao fim e ao cabo, sem esperança e com medo, receberam a conta do Mensalão.

Acabou a época do Amém: bolsa família, IPI do carro reduzido e empréstimos milionários do BNDES degeneraram em nada; e já são incapazes de comprar o silêncio e o inquietante conformismo de quem sempre compraram, nesta ordem: pobres, nova classe média e empresários.

O PT estava acostumado a governar para quem votava nele, fosse na expectativa das sinecuras do aparelho estatal, fosse na coquete esperança alimentada, sempre, pelos que se comprazem em ouvir promessas da boca para fora.

O lulo-petismo subestimou a fatia de 30% do eleitorado que votou em branco, nulo ou se absteve nas últimas eleições. Ao contrário do que reza a vulgata marxista, não eram alienados políticos, mas descontentes cujo ronco das vozes, impenitente e nas ruas, é aquele que ora os governos não conseguem interpretar.

O que sempre esteve em xeque não foram os 20 centavos, sabemos, e sim os 30% desse eleitorado, ora a ver uma luz no fim do túnel (que nada mais é do que o trem petista, vindo na contramão, e sem maquinista). Bastou que tais irresignados juntassem as duas partes do anel de Shazam para que o país começasse a se liquefazer pela vontade popular.

Eles, do PT, não querem entender o que está acontecendo, simplesmente porque custam a entender o que está acontecendo. Jamais acreditaram que havia tanta gente contra o atual estado das coisas.

Nos últimos anos o petismo absorveu, das demandas populares, extratos do discurso que interessava ao aparelho de estado. É o que, no íntimo do poder, em que as decisões petistas são tomadas, convencionou-se chamar de "criar agenda" e "puxar o protagonismo para o governo". Mas até tal mágica parou de encantar a quem deveria.

O país voltará aos trilhos, dirão. Mas, reimposta a ordem, não se iludam: não se cai mais nesse golpe de tirar o eco das ruas e convertê-lo em agenda de protagonismo governamental – como se esse, presciente em sua onipotência, já se soubesse capaz de antecipar o que o povo quer...

O controle das ONGS, do Judiciário, da PF, estes sonhos tão docemente acalentados por Lula e seus apaniguados já encontraram o seu fim. E, enquanto relatamos estas linhas, o monopólio sobre a consciência das massas tem seu futuro decretado como mais negro que asa de graúna...

Romeu Tuma Jr.
Claudio Tognolli

CAPÍTULO I

PÁGINAS EM BRANCO

Não se vira uma página em branco na vida – pelo menos na minha. Em quase trinta e cinco anos de Polícia, nunca estive a serviço de governos, mas tão somente da Justiça e, claro, da sociedade, pagadora do meu salário. A única coisa a ser levada para o túmulo, sei disso, é o meu nome. Minha honra é o único e valoroso bem moral e patrimonial a ser inventariado como herança por minhas filhas e neta. Os amigos a me cercar, ou que comigo conviveram, em momento algum dispuseram de qualquer tipo de privilégio, mas também jamais terão vergonha de dizer que privaram de minha amizade.

Minha petição de princípios é a de que o presidente Lula me usou como um fraldão, sumamente descartável. Ele age assim. Alguns cábulas seguram seus desvios orientando, corrigindo e evitando os abusos. Uns são descartados como fraldas geriátricas. E outros, autores do jogo sujo com ele, ou por ele, desovados como absorventes. É assim que Lula funciona: nunca sabe de nada, nunca viu nada, nunca ouviu nada. Sempre que pode silencia de forma ensurdecedora sobre temas desconfortáveis para ele e sua gente, usa a tática de se dizer "traído", mas o verdadeiro Judas nessa história é outro. Quer um exemplo?

Então responda para si mesmo, no silêncio da sua consciência e intimidade, se verdadeiramente acredita que o José Dirceu, sozinho, era o chefe da quadrilha condenada pelo Supremo Tribunal Federal. Aliás, oportuno recordar que, quando eclodiu o escândalo do Mensalão, objeto dessa condenação, o então presidente Lula, em pronunciamento, se declarou traído. Nunca apontou os traidores. Depois de tudo que se viu e ouviu, pergunto: estaria o ex-presidente no polo passivo ou ativo da traição?

Falo aqui como ex-secretário nacional de Justiça do governo petista. O que se segue é a história detalhada do descarte que sofri, e sobretudo de como o então presidente Luiz Inácio Lula da Silva – de resto, o melhor informante que meu pai, Romeu Tuma, dispôs no Dops – converteu uma Polícia Federal de Estado em instrumento a seu serviço, dos seus amigos e do PT, fazendo uso, às avessas, de todas as técnicas possíveis de lidar tanto com o crime quanto com a autoridade judicial, o que ele muito bem aprendeu com meu pai quando era seu "ganso", sempre usando o codinome "Barba".

Penso que, para se entender a dinâmica de poder do PT, há que se debruçar um pouco sobre a figura de meu pai, Tumão. Quando ele assumiu a diretoria geral do Dops (Departamento de Ordem Política e Social), em janeiro de 1977, procurou democratizar essa instituição que exercia as funções da Polícia Federal por um convênio. Naquele tempo os departamentos de Ordem Política e Social nos estados eram conveniados com a PF, estado e união, para exercer o papel de polícia de ordem política. E também atribuições como os serviços de Estrangeiro, controle migratório, de fronteiras aeroportuárias etc. A Federal não tinha estrutura. Meu pai morreu desgostoso porque se orgulhava de ter democratizado a polícia política, e estava vendo o Lula politizando a instituição. Há quem aposte firme e cegamente que Lula é uma cria engenhosa do general Golbery do Couto e Silva para se infiltrar em ambos os lados. Quem diria? O ganso que virou pavão! Tumão democratizava a polícia em plena ditadura; com isso se credenciou e foi o primeiro civil a dirigir a Polícia Federal em São Paulo. Passou pela direção da PF sob Sarney, Collor e Itamar, e teve como chefes dez ministros da Justiça. Foi colocado como primeiro diretor-geral civil da PF, no pós-militarismo, pelo ministro Fernando Lyra, da Justiça, infelizmente recém-falecido, um dos ícones das esquerdas, um camarada genial, registre-se. E saiu da PF para, naquela época, ser eleito senador com mais de cinco milhões de votos. Inequívoca demonstração de que Tumão, o Xerife do Brasil, como a própria imprensa e a população o apelidaram, sempre incólume, foi aprovado pelas esquerdas e pelo povo. Para mim ele é um exemplo de ética, moralidade e justiça.

Quando o Dops foi extinto pelo decreto 20.728 de 04.03.1983, do então governador José Maria Marin, as atribuições federais já haviam retornado à PF, haja vista que dias antes a União, através do Ministério da Justiça, denunciou o convênio que existia com o estado.

É importante registrar que, já naquela época, a PF tinha as atribuições de polícia política e, inclusive, uma delegacia especializada em Ordem Política e Social, que também se chamava Dops e que existiu até poucos anos atrás, de cujo funcionamento nunca ninguém reclamou. Reafirmo que essa delegacia funcionava em plena democracia nos governos eleitos pelo voto popular. Era uma em cada Superintendência Regional da PF, e todas ligadas a uma Divisão em Brasília.

Meu pai e a equipe que ele montou transformaram a PF em uma instituição profissional, tão boa e eficiente quanto era o Deops na questão da segurança pública. Antes da PF era o Deops quem prendia nazistas e mafiosos internacionais no Brasil, além de esclarecer todos os grandes sequestros. A PF nem rádio tinha para se comunicar: foi Romeu Tuma quem implantou tudo isso e a transformou num ícone. Ele soube instrumentalizá-la como superpolícia judiciária da União – a mesma PF que Lula usou pondo em ação um método de trabalho a seu serviço, numa prática de funcionamento movida a interesses pessoais e do seu partido, numa prática que certamente aprendeu com os chefes de regimes totalitários, alguns dos quais ele muito aprecia. Cabe aqui mais um esclarecimento para os navegantes de primeira viagem. Tanto Dops – Departamento de Ordem Política e Social, quanto Deops – Departamento Estadual de Ordem Política e Social estão corretos, é uma questão somente cronológica de nomenclatura face à mudança que ocorreu à época.

Por questão de justiça, devo fazer uma breve menção ao recém-falecido ministro Saulo Ramos, figura ímpar, apoiador decisivo da nossa ideia e pleito de retorno do Brasil à Interpol, dentre outras importantes medidas; ao ministro Bernardo Cabral, pelos avanços técnico-jurídicos no governo Collor; e a Delfim Netto, que, à frente do Ministério da Fazenda, possibilitou ao Tumão conquistar para a PF o reconhecimento salarial. Esse *status* financeiro permitiu-lhe, à época, dar um salto efetivo na valorização do pessoal e adquirir independência financeira para se transformar numa polícia de Estado.

Na gestão Tuma, a PF vira uma grife internacional. Lula a transformou numa etiqueta do PT, numa vestimenta dele mesmo. Aliás, algo incomum ocorreu com a atual PF: estranhamente, passou a ignorar suas raízes ao mudar a data de sua fundação, seu hino, e sua verdadeira história. No ritmo e na forma em que tem atuado, não me surpreenderia se viesse a adotar o Graham Bell como padroeiro. Afinal, o ex-líder do Planalto fez dela uma central de grampos a serviço de interesses políticos e pessoais, permitindo a frequente montagem de inquéritos com esse viés.

Uma Polícia que tem o "Guardião" como instrumento de investigação mais importante do que seu próprio contingente humano, seus agentes... Uma hora a cria engole o criador. Não foram poucas as vezes em que alertei o núcleo central do poder: "Quando a flauta desafinar, a cobra vai picar o faquir". Não deu outra! Se o *Rosegate* for abafado, deixaremos de conhecer as entranhas de um escândalo inédito na história do país, envolvendo sexo, traição, dinheiro, desvios de comportamento, desmandos e abusos dignos de uma produção hollywoodiana com potencialidade para concorrer ao Oscar.

Aqui só vou enveredar por bastidores quando eles estiverem em relação direta com a questão central que pretendo esmiuçar: como funciona a estrutura de poder do PT, e o motivo de terem me tirado da função, por meio de ataque cerrado à minha reputação, o que foi feito de forma sórdida. Tudo apenas porque não concordei com o *modus operandi* petista e mandei apurar o que de irregular e ilegal encontrei. Só me valerei de bastidores como exemplos iluminativos, aportes didáticos a desmascarar circunstâncias brotadas de necessidades ideológicas de poder.

Oportuno consignar de plano, também, o compromisso moral, intelectual e funcional que todo homem público deve ter com a história de seu país e de seu povo, especialmente da sociedade responsável por suprir seus proventos, legando a ela e às futuras gerações, quer de estudantes, professores, pesquisadores, ou simplesmente de cidadãos ou leitores curiosos, o direito à informação e ao conhecimento dos alicerces que balizam a construção de sua nação.

Bastidores virão, também, sempre como exemplificação das demandas de fritura que a estrutura petista excogitou. Voltome à engenharia reversa: trago informações de coxia sempre que tenham a função de magnificar a ideologia petista materializada sob a forma de dossiês contra os inimigos de ocasião – ou de companheiros que se queira dispor como escravos, pelo atalho do grampo. Esse tipo de rebotalho araponga tornou-se a ideologia secreta do PT sob o olhar complacente do"Barba".

Mas as raízes de tudo isso remontam aos anos 70 e 80, quando Lula passa a ter meu pai como *alter ego*. Quero que entendam bem isso: meu pai, para ações de segurança pública, usava os relatórios e caguetagens que Lula, o "Barba", lhe fazia e prestava. Colaboravam dentro de um conceito amplo de segurança pública. Explico: se houvesse greve de ônibus, de bancários, ou metalúrgicos, isso mexia com a segurança do cidadão. Meu pai operava no sentido do bem público. Lula aprendeu a vetorizar isso para o mal.

Meu pai usava por motivos de segurança pública os relatórios e histórias que Lula fazia e lhe contava. Para ele segurança pública não era esse cansativo discurso feito por burocratas e teóricos plantonistas. São todos, noto, metidos a entendidos, num construto em que, aliás, emprega-se muito gaiato, em meio a crises específicas na área. Só conhecem a velha política do cacete e bala – travestida, hoje em dia, na compra de mais viaturas, coletes e armas, sempre esquecendo a capacitação, treinamento e valorização de quem vai dispor do aparato. Quando muito, burocratas desprovidos da meritocracia que conhecem até a página 2 do manual, e mesmo assim porque decoraram....

Digo: se houver uma greve de ônibus, isso mexe com a segurança pública do cidadão diretamente. Porque este já não dorme direito, preocupado com o horário, com o transporte com o qual se deslocará. Frita-se a si mesmo em indagações muito incômodas: se vai passar por lugares seguros ou não, se o horário novo em que terá de sair é arriscado, se vai se atrasar e colocar o emprego em risco, se na volta chegará tarde, tendo de trafegar a pé por algum local mal iluminado... Enfim, milhares de sensações de insegurança que geram um estresse capaz de alimentar uma série de conflitos naqueles dias de manifestações ou de paralisações. Meu pai operava nessa área de segurança, extrapolando em muito a limitada visão de alguns que pensam que ela se resume a polícia, violência e criminalidade. O "Barba", depois presidente da República, usou o que aprendeu como aplicado aluno de meu pai para jogar duro contra adversários do seu governo e do seu partido, e até mesmo para dirimir arengas empresariais.

Uma das formas de contrainteligência é a arte de plantar informações falsas e produzir fatos inverídicos, misturados com pontinhas de verdade. A técnica consiste em colocar uma verdade muito verdadeira polvilhada com muitas mentiras: a força da verdade conduz o receptador da informação a acreditar nas mentiras. E a PF de Lula, por obra dele, tem sido insuperável nesse quesito. Você cria defesa quando não existe ataque, inventa ataques falsos e indefensáveis: é o que o PT de Lula faz todos os dias. Lula é mestre nisso, cria e inventa informações contra um próprio aliado. E, atemorizado, o cara vai correndo buscar o colo dele, pedindo "arrego" e proteção. Com isso, esse "aliado" já entra na lista dos contemplados pelo governo, em caso de solicitar algo mais, além de se circunscrever, por inércia da coreografia de poder, numa outra lista, que é a dos devedores eternos ao seu "salvador" Lula.

Quem está no governo, novinho na estrutura do poder, não fica sabendo disso: afinal, essa inapreciável técnica de Lula é restrita a um pequeno grupo, a um núcleo duro, ao comando central, que será exposto mais à frente em todos os seus detalhes. Nesse contexto, Lula e o PT são mestres em usar a imprensa e o dito jornalismo investigativo como peças de contrainteligência e de condenação *avant la lettre*: a imprensa acaba sendo levada a fazer o papel de um tribunal de condenação que precede toda a segurança jurídica.

Em um processo como o do Mensalão, muitos falaram em segurança jurídica: "Se o Supremo muda o entendimento, está mexendo com segurança jurídica". Falácia. Ora, segurança jurídica tem um amplo conceito. Garantir o cumprimento da lei é a própria essência do conceito de segurança jurídica. Você terá oportunidade de constatar o que de fato é insegurança jurídica em capítulos mais à frente.

O poder da informação é você construir outra informação, a correta e ágil difusão e também a contrainformação. Só que ninguém usou como o governo Lula usa, como a sua polícia usa, a contrainformação e a contrainteligência. Não é informação e inteligência, é a contrainformação e a contrainteligência. Esse que é o mais perigoso substrato do poder. É a destruição da inteligência oposta, adversária, inimiga. Usado contra a sociedade civil ou simples membros dela, é uma covardia.

Era muito comum no passado o jornalista fazer uso da polícia para esquentar uma matéria. Você chegava à autoridade, dava a dica de um crime, a autoridade investigava, prendia e devolvia a exclusividade da publicação ao jornalista que havia dado a dica. Isso é comum e, antes de mais nada, legítimo, porque se tratava de uma notícia-crime. Hoje em dia acontece justamente o contrário: a polícia usa um jornalista para esquentar informações falsas que, por serem noticiadas sem checagem, proporcionam a instauração de um inquérito. Depois também a autoridade usa de outro estratagema: planta informações falsas com um jornalista, informações que não estão no inquérito – que, na verdade, muitas vezes nem existe. Não é um processo, apesar de viral, rápido: é lento, opressivo, mas plural.

O jornalista publica o que recebe, e tal notícia acaba sendo anexada a um inquérito como verdadeira. Ou vira a peça inicial do inquérito. Tem mais: quando a reportagem de um jornalista é agregada ao inquérito com informações que você mesmo plantou, emprega-se outro truque: ao anexar o texto da reportagem nesse inquérito, você o "vitamina" com altas doses de mentiras. Ninguém vai checar se a reportagem que gerou o inquérito continha ou não essas informações. O truque é muito simples. Coloque pitadas de mentiras ainda mais mentirosas na reprodução, no corpo do inquérito, do que aquilo que foi publicado pelo jornal. Não sei como esse tipo de truque ainda não se tornou brutalmente óbvio aos por ele perseguidos.

Lula e seu aparato fizeram de certo jornalismo investigativo uma lavanderia de altas octanagens de informação. Sob o PT, jornalista fez-se também lavador de informação. Você entrega, o camarada publica. Veja os tribunais em que se transformaram os sites de busca, como o Google, por exemplo. Eles te condenam já na pesquisa sobre o teu nome: afinal de contas, na lei da selva, ninguém faz manchete dando defesa ou deixando espaço para o outro lado, não é? Essa é a herança maldita do "Barba"!

Vi isso no governo, *ad nauseam*. Nunca me calei, sempre mandei apurar. Até que chegou a minha vez. Gilberto Carvalho, braço direito de Lula, e ainda de Dilma, tentou negociar o meu silêncio sobre os trambiques e sinecuras que testemunhei, sobre tudo o que sei, como ninguém, a respeito da morte de Celso Daniel, em troca de uma cerveja, você verá. Não aceitei. Veio o refluxo. Fui levianamente acusado e covardemente frito.

A história que se segue é a história da tentativa de assassinato da minha reputação. Que, a bem da verdade, como uma estratégia das organizações criminosas, se consumou em boa parte e medida. Além de tirar a vida do meu querido e amado pai, tais estrategos do lulismo atingiram em cheio as outras duas coisas que mais prezo, e que valem muito mais que minha vida: a minha família e a minha honra.

O título primevo do livro seria "Assassinato de reputação". Mas, a bem da história, ele acabou passando para o plural. Afinal aqui vamos esclarecer como, sob Lula, reputações várias foram assassinadas, por encomenda, e sempre com uma expertise refinadíssima.

Escrevo também como prestação de contas de um homem público inocente, indevidamente inserido, julgado e condenado no Supremo Tribunal do Google, onde só há espaço para a acusação. E, sobretudo, para legar à história o que não me foi permitido em nenhum outro local, instância ou poder, apesar de minhas inúmeras tentativas, nos últimos três anos, no sentido de fazer a sociedade saber as verdadeiras razões pelas quais "caí". Espero que o acontecido comigo sirva de alerta vermelho para evitar episódios semelhantes e, pior, a definitiva instalação do Estado Policial disfarçado de Democrático e Social. Daí o título do livro.

E daí, também, eu já ter dito que na minha vida jamais serão viradas as páginas em branco; portanto, as páginas que se seguem só têm compromisso com a verdade – e, ao contrário do que afirmava o personagem famoso de Machado de Assis, não foram escritas com a pena da galhofa, a tinta da melancolia e rabugens de pessimismo. Sou delegado de polícia concursado, tendo sido promovido da 5ª classe à classe especial, ápice da carreira, sempre por merecimento. E, portanto, desposado da verdade, legado máximo que me deixou o finado Tumão, que também me ensinou que honestidade não é virtude mas obrigação. Tenho compromisso com a história do país, sobretudo. Lego meu testemunho por esse *leitmotif.*

Lembro ainda do meu primeiro *Código Penal*, vermelhinho de capa dura, da editora Forense, com o qual ele me presenteou em fevereiro de 1978, quando eu, ainda um adolescente de 17 anos, acabara de passar no vestibular e iniciava minha jornada na Faculdade de Direito. Ali ele escreveu uma dedicatória que marcou a minha formação pessoal, acadêmica e profissional, pois jurei seguir até o fim da vida aquela receita-pedido: "Ao querido filho Romeu Junior, de quem muito me orgulho, para que faça uso deste código sob o Império da Justiça e da Verdade". Passaram-se 35 anos, e não agi um milímetro sequer aquém ou além do conselho que meu pai me deixou como legado no exemplar do *Código Penal*, que continua aqui comigo, me acompanhando por onde eu vá profissionalmente.

Diariamente o jornalista Cláudio Humberto estampa em sua coluna um pensamento de Martin Niemöller, pastor luterano perseguido por Hitler, que reflete bem o que desejo ao afirmar ser este livro mais que uma autodefesa pública. Ele é um grito de alerta para que os episódios que narro não sejam reprisados, no futuro, com a conivência judicial e midiática. Diz Niemöller, que esteve preso nos campos de concentração de Sachsenhausen e Dachau:

> "Um dia vieram e levaram meu vizinho que era judeu. Como não sou judeu, não me incomodei.
> No dia seguinte, vieram e levaram meu outro vizinho que era comunista. Como não sou comunista, não me incomodei.
> No terceiro dia vieram e levaram meu vizinho católico. Como não sou católico, não me incomodei.
> No quarto dia, vieram e me levaram; já não havia mais ninguém para reclamar".

Por fim, não digam que só falei agora. Em público, é verdade, mas internamente, nas instâncias de poder, tudo que soube e vi, enquanto lá estive, mandei pra frente, mandei apurar. Não prevariquei nem por ação, nem por omissão. E o que descobri, após minha exoneração, obviamente não dispunha mais da competência legal para proceder às apurações. Eu teria preferido não retomar algumas cenas. Mas o que resolutamente me reconduz a elas é a minha constante (quiçá imprudente, dirão) sede de verdade: este livro abarcará, pois, um ato de fé, que já dura 35 anos de vida profissional.

Compraz-me, na obra, empregar reiteradamente o vocábulo SINCERICÍDIO. Porque, sob Lula no poder, ser sincero é o mesmo que entregar o berçário ao rei Herodes.

CAPÍTULO 2

A VISITA HOSPITALAR DO EX-AGENTE "BARBA" AO TUMÃO

Estou na porta da UTI do Hospital Sírio-Libanês, no 2º andar do seu prédio principal, no bloco C, em São Paulo. Meu pai está no leito 10 da ala 1.

É dia 25 de setembro de 2010. A chefia da enfermagem me transmite o recado reservado de que Lula vem a nós, nesse sábado luminoso, direto de seu apartamento em São Bernardo do Campo. Meu pai estava internado desde o dia 1º de setembro, ostentando um quadro infeccioso de afonia. Tumão, senador pelo PTB, mantinha o quarto lugar na disputa por uma vaga ao Senado por São Paulo, atrás da petista Marta Suplicy, de Netinho de Paula, do PC do B, e de Aloysio Nunes, do PSDB. No mesmo dia da visita de Lula, o Instituto Datafolha manchetava um empate técnico entre Tumão e Aloysio – este, herdeiro presuntivo do tempo no horário eleitoral gratuito de Orestes Quércia, do PMDB, que renunciara à candidatura – além de amigão, segundo ele mesmo, do petista Pedro Abramovay, ambos beneficiários diretos da desgraça causada à família Tuma. Um assumiu o lugar do pai no Senado, e o outro, o do filho na Secretaria de Justiça. Apenas um detalhe sutil, uma mera, ínfima e nanica coincidência.

Meu pai contava 78 anos, e, além da insuficiência respiratória, trazia outra, renal. Permanecia conectado a aparelhos de diálise e de respiração artificial. Num lampejo de intuição, daquelas de investigador, herdada de meu pai e aliada a puro tirocínio, eu já vislumbrava que Tumão poderia estar morrendo a conta-gotas, apesar de toda fé e esperança. Meu pai era um homem extremamente religioso, bondoso, fervoroso devoto de São Judas Tadeu, e um leão capaz de surpreender. Cito um exemplo extremo de sua resistência: durante uma de suas últimas cirurgias, acabou o oxigênio de todos os cilindros do centro cirúrgico. Um amigo da família, que acompanhava a operação, saiu correndo com um dos meus irmãos e foi até o Hospital das Clínicas para buscar emprestado um cilindro abastecido. Durante todo o tempo o velho aguentou firme. Se ele morresse e não houvesse testemunha, muito provavelmente diriam que não aguentou a cirurgia. E o responsável por isso estava ali, diante de mim, com toda a pompa e circunstância de seu cargo. Aquilo não poderia ficar barato, é óbvio, dentro dos limites da ética herdada do meu pai.

Tumão, morigerado na UTI, estava entre a vida e a morte. Como dito, é um sábado. No final da manhã, o ruído do helicóptero presidencial me traz um vazio no fígado – se eu olhasse, naquele momento, no espelho, certamente o meu olhar estaria liquefeito. Afinal, o presidente da República acabava de chegar e eu havia sido frito e defenestrado pela mídia depois que o governo Lula resolvera divulgar uma velha e falsa notícia – a de que eu teria favorecido um suposto contrabandista oriental, que sequer foi denunciado por isso. E mais: que eu era amigo do chefe de uma "máfia" que jamais disseram qual era, quem integrava, quais suas atividades. Tudo para atingir a reeleição de meu pai e inviabilizar minha permanência no seu governo, combatendo a corrupção e o crime organizado, que, como o tempo mostrou, nele se instalaram confortavelmente. De resto, eis aí os motivos que levaram meu pai à UTI.

Minha mãe, Zilda, sua amorosa e inseparável companheira, estava no box 10 com ele. Eu, no início do corredor da ala 1 da UTI. Logo avistei um empertigado Lula, com sua habitual jaquetinha de fim de semana sobre uma camisa polo, tendo a tiracolo o fiel conselheiro médico, o cardiologista Roberto Kalil – que, com certeza, já lhe tinha dado um relato particularíssimo sobre como andava, desandava ou tresandava a saúde de meu pai.

Roberto Kalil é meu amigo de infância: nos tempos de faculdade de medicina, estudava em nossa casa com meu irmão médico, Rogério Tuma. Trato seus pais, Roberto e Guiomar, por padrinhos desde a década de 80. A liberdade de que ele dispõe com nossa família é fraternal.

Lula havia saído do elevador que dava direto pro ambiente da UTI. Eu não queria que ele avançasse e visse meu pai naquele estado. Por isso, logo após a primeira frase de um breve diálogo que foi quase um monólogo, me postei no caminho de acesso aos leitos – ou boxes, como chamam os enfermeiros – de modo que Lula não conseguisse seguir em frente. Então ele deixa escapar um sorriso profissional e pergunta: "Oi Tuminha, tudo bem? E o velho?"

Respondi com o olhar injetado que herdei de meu pai: "O velho está lutando e sobrevivendo. Se o senhor veio aqui para saber se ele vai abandonar a candidatura, pode ficar descansado, pois meu pai, como sempre, vai lutar até o fim!"

Lula desconversou. Disparou novamente as mesmas assertivas, como se eu não as tivesse ouvido – ou como se não me supusesse capaz de dizer-lhe as verdades que ouvira 15 segundos antes: "Tuminha, e o velho?"

Repito, ainda que imerecidamente, ao Lula: "Está lutando e sobrevivendo".

E prossigo: "Aliás, ele está aqui porque o senhor não teve na democracia a coragem que ele teve na ditadura".

Lula tem o olhar falciforme, aperta as pálpebras, contrai as pupilas ágeis. Mesmo assim deixa vazar uma réstia de olhar ladino, aquele dos contrariados. Enquanto estudo as reações no seu rosto, ele devolve: "O que é isso, Tuma?", indagou. Era um Lula diverso do anterior: agora surpreso, num lampejo de reação defensiva. Foi uma das raras vezes em que o olhar inequívoco do Barba não falseou o que ele sentia.

Voltando à carga, respondi: "É isso, presidente! A sua covardia fez com meu pai exatamente o contrário do que a coragem dele fez com sua mãe há 30 anos. Ele se preocupou em preservar a saúde dela, enquanto o senhor ajudou a acabar com a dele. Mas com uma diferença: ela não sofreu pelo que o senhor fez, e ele está sofrendo pelo que o senhor sabe que eu não fiz! Presidente, ele não merecia isso! Mas o tempo é o senhor da razão! Espero que ele fique bom para que o senhor possa olhar nos olhos dele em pé, porque deitado não vai olhar não".

Fez-se um silêncio tenso, sufocado.

Falei tudo isso olhando fundo nos olhos de Lula. Perplexo ante a minha reação, o presidente baixava os olhos, embora eles estivessem acesos de ódio, que ele sabe cultivar como poucas pessoas que conheci. O gesto era tudo que lhe sobrava então. Mas ele, é óbvio, não daria o seu troco ali. Um dos raros axiomas seguidos por Lula é que, em política e sindicalismo, não se entrega o leite.

Com o ambiente adverso, o PR – Papa Romeu, ou presidente da República –, que é como em linguagem do código fonético internacional os mais próximos em serviço se referiam a ele – num misto de surpresa, perplexidade, contrariedade, raiva e tristeza, respondeu com os olhos baixos e habitual desfaçatez: "Faço votos de boa recuperação do Tuma!"

Com o meu "muito obrigado", ele partiu da forma que chegou, pelo elevador interno, reservado aos funcionários e enfermos, sem que fosse notado pelas atendentes, pessoas que se encontravam na sala de espera e na recepção da UTI. Lula saiu no sapatinho, como se estivesse vazando dali da mesma forma que uma prova vazava sob o Enem de seu governo. Pude notar seu rosto cortado por uma expressão muito fina de desdita, o que nele nunca era inusual. Não sem fatuidade, estudei a lenta ginga ornitológica de Lula, ao se afastar de mim, com seus passinhos contidos. E tenho certeza do que ele entrou no elevador, emitiu seu sorriso pantográfico e esfregou as mãos...

Eu sabia que ele não fora lá para ver o velho porque o Roberto Kalil passava as informações que ele quisesse. Lula foi lá para tirar a "febre": tentar saber se meu pai iria desistir da candidatura. Lula cavilava demovê-lo das ideias que prejudicassem seus planos, para Tumão não favorecer o Aloysio Nunes e o Ricardo Young – e assim não prejudicar, por conseguinte, a Marta Suplicy e o Netinho. Na verdade, o seu suplente, Ricardo Zarattini Filho, pai do deputado Carlos Zarattini, era um dos beneficiários do vazamento das calúnias contra mim, que visavam, em última instância, atingir meu pai. O outro entrudo que fazia uma ponta nesse bizarro espetáculo era o deputado William Woo, que tentou ser candidato ao Senado e depois a suplente do próprio Aloysio Nunes. Acabou não conseguindo nem uma coisa nem outra.

Os dois estavam metidos na jogada da alteração da data da Lei da Anistia de estrangeiros com o Planalto. É que o William Woo e o Carlos Zarattini fizeram uma emenda no projeto, mudando a data de entrada dos irregulares, para beneficiar também os "ilegais". Aumentava-se o prazo e criava-se oportunidade para a ação de quadrilhas de coiotes e de mafiosos – que transportavam, especialmente, chineses e bolivianos – para se cadastrarem e se beneficiarem daquela lei, cujo objeto era humanitário e não mercantilista.

O Paulo Lee (ou Li) denunciou isso e foi grampeado quando fazia essa denúncia para mim. Diante da denúncia dele, eu oficiei à PF e ao Planalto. Mas já estavam grampeando o Paulo Lee na má fé, com seletividade, sobretudo por ele ter denunciado um esquema ilegal que envolvia policiais federais. Lee acabou sendo vítima de represália: tornou-se o "mafioso chinês" que era meu "perigoso amigo", como você verá em detalhes ao final deste relato.

Tudo isso verberado por Paulo Lee está gravado, legalmente, mas, quando vazaram os grampos, ninguém vazou a verdade. E tampouco os jornais foram atrás para ouvir as gravações e conhecer a verdadeira história.

Voltando ao Lula. Ele havia ido visitar meu pai na UTI como um pequeno Maquiavel, como um índio batedor, como uma sonda dos interesses do PT. Por que sei disso, da falsa visita de Lula? Porque, três ou quatro dias antes, havia recebido uma ligação do ministro dos Esportes, Orlando Silva, preocupado com um forte boato dando conta de que o Tumão iria abandonar a corrida ao Senado, da mesma forma que o Quércia fizera. Disse ao ministro que isso era mais uma sacanagem para desestabilizar a candidatura do velho. Lula foi lá, pela autoimposta intimidade comigo, para pedir que o Tumão não desistisse.

Um dos outros raros axiomas que seguem o "Barba" é que o "toma-lá-dá-cá" ou o "chumbo trocado" não dóem, não se operam quando você está bulindo com alguém olho no olho (tecnicamente, o "Barba" pensa sempre algo como: "Deixa para depois que te pego do meu jeito, e de preferência mando alguém te pegar, no contrapé e no desaviso"). Ele veio ter comigo da forma petista: a facada ardida pelas costas, vazada a conta-gotas, pelas mãos de lugares-tenentes e demais teleguiados aparatados de dossiês. Vocês verão...

Eu vinha sendo acusado de ter me metido com uma pessoa da máfia chinesa. Eles, do PT, estavam enrolando para puxar o meu caso à defesa. Há uma explicação: faziam isso propositalmente para criar o desgaste político na campanha do Tumão. Meu pai, coitado, morreu sem saber que tudo tinha sido arquivado. Ele só soube do arquivamento das acusações contra mim na Comissão de Ética. Quando, lá no hospital, minha mulher lhe contou, ele, emocionado, disse que queria falar-me. Eu estava em Brasília e conversamos por telefone.

Com a voz claramente embargada, ele disse: "Romeu Junior, tudo bem? A Lu acabou de me dar a melhor notícia dos últimos tempos! Parabéns, filho! Vocês já divulgaram isso?"

Respondi que estava tentando, mas que ninguém daria destaque, como era de costume.

Aí ele retrucou, firme: "Não, porra, você tem que divulgar isso, eles fizeram para me prejudicar, tem que divulgar! Liga para a Eunice e fala com a Mércia!". Dona Eunice era sua secretária de muitos anos e a Mércia sua assessora de imprensa no Senado.

Não divulgaram! A bem da verdade, e por justiça, o único órgão da mídia que fez a veiculação no tempo correto, logo que soube e uma semana antes da eleição, foi o *Jornal Nacional*. Informei ao Evandro Guimarães, diretor da Globo e representante das Organizações Roberto Marinho na Abert – Associação Brasileira de Emissoras de Rádio e Televisão, a decisão unânime da Comissão de Ética Pública. Pode-se falar o que quiser, mas eles foram extremamente profissionais e justos. Nesse caso, deram o devido espaço e repercussão. O Tumão se emocionou pela última vez. O Evandro foi muito correto, e não tem ideia do bem pessoal que proporcionou à família Tuma. Aliás, quem pautou o tema do tráfico de pessoas para a Globo foi justamente ele, que teve sensibilidade e levou uma solicitação minha, em 2010, ao Núcleo de Produções, Dramaturgia e Jornalismo da emissora. O resultado apareceu na novela *Salve Jorge*. A inclusão do tema na agenda do governo brasileiro também fui eu, como secretário nacional de Justiça, quem alavancou – vide o número instalado de núcleos de enfrentamento a essa modalidade silenciosa de crime que hoje já supera em economia o tráfico de armas, só perdendo para o de drogas.

Jamais esquecerei os derradeiros minutos com meu pai, quando seu estado de saúde apresentou uma piora na noite de 25 para 26 de outubro de 2010. Até no último momento de seus 79 anos ele soube agregar, reunir e unir. Essa era uma característica indelével de sua personalidade. Mesmo ali, na hora de partir, ele soube promover o encontro dos filhos.

Por volta das 12h40, eu estava na entrada do quarto. O Rogério, meu irmão médico, chamou os demais irmãos na recepção da UTI. Com os olhos marejados e a fisionomia de um atleta dedicado, alguém que dera suas últimas gotas de suor para cumprir uma maratona que findava de forma extenuante e com resultado inesperado, disse: "O Tumão tá indo embora".

Entramos todos no quarto, rodeamos ele na cama, junto com mamãe, numa imagem que meu cérebro fotografou e expôs num porta-retratos que se mostra vivo, todos os dias, em minha mente. Em voz alta eu lhe pedi desculpa pelo que na verdade não fiz, mas, talvez, por não ter reagido fortemente àquela sacanagem. Meus irmãos e minha mãe me repreenderam, mas continuei a conversar com ele sem saber se ainda me escutava. Eu disse que, por minha causa, a PF e o governo o estavam matando, e o velho Tumão, para nossa eterna tristeza, às 13h daquela terça-feira, antevéspera do dia de São Judas Tadeu, se foi.

A morte do Tumão se deu cinco dias antes do segundo turno da eleição presidencial e dois dias após a publicação de matéria de capa da revista *Veja* sobre a fábrica de dossiês que continha diálogos explosivos, e onde eu era um dos interlocutores. Após aquela experiência vivida por Lula na UTI do Hospital

Sírio-Libanês, ele se acovardou e não compareceu à despedida do "velho". Certamente teve medo de me enfrentar e de olhar para o Tumão, sabedor de que sua dívida e sua culpa eram imensas. A íntima covardia do boquirroto, que eu já identificara, se confirmava.

Mas ele errou novamente. Eu seria incapaz, diante daquela multidão de pessoas que foram se despedir do papai, de causar algum constrangimento à figura do presidente da República – e era assim que ele seria recebido: não como o Lula, mas como o presidente do Brasil. Ainda mais que estávamos às vésperas do segundo turno da eleição presidencial, e eu jamais daria oportunidade para alguém tirar proveito político do que se pudesse ali protagonizar. Fora isso, não precisava repetir o que já havia falado no Sírio. Para completar, o enterro ocorreu no dia do aniversário de Lula.

Tem mais uma coisa: aquela história das fotos comprometedoras de Lula havia feito tanto mal a mim e, principalmente, ao Tumão, que eu já não sabia mais ao certo o que sentia por ele; francamente, me passava uma sensação de pena, como se tratasse de um doente.

Lula, como sempre, fugiu da raia sem ao menos procurar saber o que lhe esperava; se o fizesse, saberia que não haveria briga. Deu como desculpa um compromisso com Dilma no Paraná, mas com certeza terminou o dia em São Paulo, onde deve ter se trancado para soprar as 65 velinhas de seu bolo de aniversário.

Soltar uma nota onde enaltecia a figura de seu "anjo da guarda" e melhor carcereiro, e enviar o general Jorge Armando Félix para representá-lo, foi tudo que conseguiu fazer pelo Tumão na prestação de contas oficial. Aliás, sou obrigado a reconhecer que, com relação à representação, ele acertou na mosca. O general Jorge Félix já vinha na mesma função desde os tempos do presidente Fernando Henrique Cardoso, que também esteve presente no adeus ao Tumão, e era muito querido do velho. Além de grandes amigos, o general era muito mais bem-vindo no seio da família do que quem ele representava naquele momento.

Nota sobre o falecimento do senador Romeu Tuma:

> *A Secretaria de Imprensa da Presidência da República informa que o presidente da República, Luiz Inácio Lula da Silva, determinou ao ministro-chefe do Gabinete de Segurança Institucional (GSI), Jorge Armando Félix, que o represente na cerimônia fúnebre do senador Romeu Tuma, falecido nesta terça-feira (26/10).*
> *O presidente da República também decidiu divulgar a seguinte nota de pesar, a propósito do falecimento:*
> *"Romeu Tuma dedicou grande parte da vida à causa pública, atuando de forma coerente com a visão que tinha do mundo e, por isso, merece o reconhecimento e o respeito dos brasileiros.*
> *No Senado, deu contribuição especial ao debate da segurança pública no país, sempre com empenho e ideias inovadoras.*
> *Neste momento de dor, quero me solidarizar com sua família, amigos e admiradores.*
>
> LUIZ INÁCIO LULA DA SILVA
> Presidente da República Federativa do Brasil

O comunicado não foi uma tarefa insignificante, mas uma forma do "Barba" exercer as suas diversas soberbas. Nem a autoatribuída candura desse comunicado mitiga a sua desfaçatez, que em nenhum momento lhe exclui a sordidez.

Esse governo mudou muitos postulados, inclusive matemáticos. O duro é que você só constata isso depois que conhece seu intestino. Para ele a verdade tem um só lado, portanto a meia é inteira. Arquivo ditatorial não se classifica por conteúdo ou pela forma, mas por lapso temporal. A régua com a qual mede valores morais ele acha que é igual à de qualquer cidadão. O pau que bate em Chico não é o mesmo que bate em Francisco. O alho é igual ao bugalho. Os diferentes devem ser tratados igualmente e os iguais diferentemente.

E ainda se diz um governo social e de esquerda, do povo, pelo povo e para o povo. Não é verdade: povo para eles é claquete, é soldado de batalha, número para quórum, isca para tubarão. Esse governo é deles, por eles e só pra eles.

CAPITULO 3

LEVANDO TUMÃO AOS PALANQUES

Com honrosas e importantes exceções, a mídia de hoje aposta sempre no fácil, no que parece mais verossímil, óbvio, e muitas vezes, por isso, dá barrigada, comete injustiças, ou noticia inverdades que acabam ficando por isso mesmo. Não se tem mais interesse em se chegar às raízes dos fatos noticiados, é tudo muito superficial, meio no chute. Na verdade, depois do fenômeno internet e mídia digital, não dá tempo nem de conferir. No meu caso, isso aconteceu quando falei que estavam "tirando a tampa de um botijão de gás". Muitos ficaram tentando adivinhar o que eu estava querendo dizer, e eu tinha dito que era só acompanhar meu inquérito, que havia sido vazado pela metade, para saber o que tinha dentro. Ninguém, como sempre, foi atrás.

Vejam outro caso: quando assumi o cargo de secretário nacional de Justiça, todos diziam que era uma troca do governo com meu pai. Nunca esqueço da jornalista Tereza Cruvinel apostando tudo, e até me desmerecendo. Dias depois essa madame estava trabalhando na Empresa Pública de Comunicação com o Franklin Martins, tendo que me reconhecer o mérito; afinal, as grandes políticas de combate ao crime e à corrupção que funcionaram no governo fui eu que lancei ou coordenei.

Se ela e os outros tivessem checado com cuidado, relatariam como fui eu quem conduziu Tumão aos palanques de Lula, e não o contrário. Além disso, o governo nomeou o ex-governador de São Paulo, Cláudio Lembo, ao conselho da TV pública, por minha indicação ao presidente Lula, atendendo um pedido que o Tumão me fizera.

Vejam vocês: mesmo antes de entrar no governo do Lula, que me fez secretário nacional de Justiça, eu já fazia, como deputado da Assembleia de São Paulo, oposição aos tucanos.

Mas, quando assumi o cargo, o Lula passou a dizer: "O Tuminha entra no governo na minha cota pessoal". Já tínhamos essa proximidade desde que fui parar em Taboão da Serra, em 2000, quando investigava a máfia dos fiscais, em São Paulo. Lembrem-se de que prendi aquele monte de vereadores, e o José Eduardo Martins Cardozo se elegeu o vereador mais votado de São Paulo, com mais de 500 mil votos, graças a mim e aos promotores do Gaeco. Se eu fosse candidato, o José Eduardo não se elegeria, ou teria muita dificuldade. Ele pediu para eu não me candidatar. O Zé, como o chamava, tornou-se um amigo. Até hoje, ao se despedir das pessoas, diz: "Juízo", expressão que aprendeu comigo naquela época, após ter me apresentado um tipo de político que não imaginava que existisse. Numa bela sexta-feira de muito trabalho no combate à máfia dos fiscais, o então vereador José Eduardo Martins Cardozo chegou por volta das 20h, quando já estávamos exaustos, e pediu para que eu atendesse um colega dele que precisava muito falar comigo. Após um bom tempo nos trancamos numa sala, para desespero do amigo e promotor Roberto Porto, atual secretário do município de São Paulo: ele cochilava numa sala anexa e, ao despertar, chutava a porta irritado, pois queria porque queria ver o Zé e quem o acompanhava. Mas a solicitação era de uma conversa a três, pois se tratava de um desabafo, uma confidência, segundo o vereador. Muito bem: o Zé introduz a conversa e o vereador inicia a sua história: "Sabe o que é, delegado, quando entrei na política eu era 100% honesto, hoje posso garantir para o senhor que sou ao menos 50%, e vão tentar me acusar".

Eu o interrompi na hora. Olhei para o José Eduardo, num misto de quem segurava uma estrondosa gargalhada com uma baita raiva por ter que ouvir aquilo, e disse ao vereador: "Vereador, existe meio grávida?" E prossegui: "Pode ficar tranquilo que aqui só se investiga fatos com indícios". Levantei, agradeci a presença, disse que tinha um compromisso inadiável, xinguei o Zé no pé do ouvido, e disse "Zé, juíííííízo", ao que ele respondeu: "Xerife, pode deixar", e aí fui embora.

O "nobre" vereador, graças ao PT na última eleição municipal, está na ativa até hoje, e pelo tempo decorrido, segundo sua própria medida , deve ser uns 5% honesto agora.

Na época eu estava sendo perseguido pelo PSDB, e assim costumo dizer que fui o único exilado político na democracia. Eles me exilaram da cidade, me mandaram para Taboão da Serra. Então meu pai, que seria vice do Alckmin, ligou para o Covas e falou: "Vocês estão perseguindo o meu filho. Assim não tem mais acordo. Vou sair candidato a prefeito de São Paulo, disputar e dividir os votos com vocês". Minha cabeça havia sido pedida pelos partidos aliados ao governo, os quais vieram a compor a chapa do Geraldo, além de outros que lançaram candidatos próprios apenas para servir de língua de aluguel para atacar o "velho" durante a campanha. Resultado: promessa cumprida. Por cinco mil votos, o Tumão retirou-os do segundo turno, apoiou a Marta contra o Maluf, e ela venceu.

Eles me mandaram para Taboão da Serra como exílio soviético. Numa oportunidade, falei isso em Brasília, na Comissão da Anistia, para registrar que eles devem muito respeito ao Tumão. Lembrei da posse naquele município, no quintal de um casebre, sob uma jabuticabeira, em cima de um poço sobre o qual foi adaptado um pneu que, coberto com um pedaço de tapume forrado com um retalho de carpete velho, servia de púlpito. Realidade que mudei antes de sair de lá. Desde ali o PT não estava no meu serviço, quer dizer, sempre trabalhei contra o crime; se me usaram para se beneficiar, paciência, é problema ou sorte deles.

Mais à frente a imprensa falava que eu estava indo para a Secretaria pelas águas da política, porque tinha sido estabelecido um acordo do meu pai com o Lula: não é verdade. Fui porque o Lula queria que eu fosse. Com a minha ida, acabei forçando o meu pai. Então, em vez de ele ter me levado para o governo, fui eu quem o levou.

Isso começa um pouco antes. Já no governo federal, eu era suplente de deputado, estava no PMDB, e lancei uma chapa para enfrentar o Quércia (que era meu amigo), junto com o Francisco Rossi, na tentativa de assumir o diretório de São Paulo para apoiar o PT na eleição de 2010. Havia um compromisso do Quércia comigo porque eu tinha apoiado ele. E meu pai ia ser candidato a senador pelo PMDB. Com isso ia levar meu pai para a base do governo Lula pelo PMDB. Só que, seis meses antes da filiação, o Quércia estabeleceu um sonoro "acho melhor não!" . "Como acho melhor não? Agora é que você vem dizer não?", indaguei ao Quércia. Ele falou que era porque talvez saísse candidato a senador. "Porra, tinha que ter falado isso antes!"

Assim, fiquei numa mega saia justa com meu pai porque tinha prometido que ele vinha para o PMDB; eu sabia que o Kassab não ia dar mais legenda para ele pelo DEM, pois ele já estava acertado com parte dos tucanos, a ala serrista, com o Aloysio e companhia.

Criou-se uma situação chata. Passei a me preocupar com o que iria fazer. Naqueles dias eu pensava assim: "Já estou no governo, falo para o velho não ir para o PMDB porque o Quércia vai acabar sendo candidato, aí ele vai para o PTB comigo no governo. Então trago o velho, só que aí a gente, eu e o Chico Rossi, lançamos uma chapa para bater o Quércia, o Airton Sandoval, o Barbieri, enfim, a máquina partidária no estado". Para mim era estranho porque essa ala do PMDB em São Paulo era justamente a que eu havia ajudado, poucos anos antes, a vencer a disputa pelo mesmo Diretório Estadual, para apoiar o Lula na eleição de 2006. De todo modo, ao menos eu estava sendo coerente, continuava no mesmo lado do partido. O Quércia é que estava mudando porque tinha se cansado das promessas não cumpridas pelo PT e das ofensas da Marta. Resolvera se aliar aos tucanos.

O Wagner Rossi, ministro do Lula, não se mexeu, e o filho dele apoiando o Alckmin: sacanagem, não? Então lançamos uma chapa na tentativa de tomar o diretório, para apoiar o Mercadante na eleição do estado, repetindo 2006. O Quércia não queria mais, não aceitava, pois havia sido traído após o apoio daquela eleição, tinha lá seus motivos. No fim, por conta disso, o Quércia fez um acordão com todas as correntes, distribuiu espaço no diretório com o Caruso, Baleia, Paulo Lima, os deputados estaduais, federais, até com o Michel Temer. Resultado: a gente tomou um pau, perdemos de 75 a 25, mas nós tivemos peito de encarar e mostramos os dentes. Historicamente, foi ali que o MR8 se descolou do PMDB. Foi a derradeira gota d'água após o apoio ao Kassab na prefeitura.

Fiz a minha parte. Já o Francisco Rossi, coitado, dançou. Ele botou a cara para bater e o PT o largou na merda. Ninguém mais falou dele: tomou um chega-pra-lá e lançaram o João Paulo contra ele em Osasco. Tudo havia sido combinado com o Vacarezza. E com a ciência do presidente Michel Temer, pois aquele gesto o fortaleceria na indicação a vice da Dilma, tendo em vista que muita gente no PT não o queria sob o argumento de ser ele "muito tucano", e outros tantos não queriam por ser o PMDB.

Posto esse quadro, a mais clara verdade é que eu trouxe o Tumão para o governo, e não ele a mim. Enfrentei o Quércia porque ele descumpriu um acordo, e papai acabou sendo acolhido pelo deputado Campos Machado, que garantiu sua filiação ao PTB, e sua candidatura a reeleição ao Senado contra um forte e pesado esquema.

Então fui para o governo e houve a sinalização disso quando o Aldo Rebelo, à época presidente da Câmara, passou a mandar recados expressos, cursivos. Ele falava assim: "Gente, o Tuminha na Assembleia Legislativa de São Paulo é corregedor, foi presidente da Comissão de Segurança Pública, e na oposição vale mais que a bancada do PT inteira".

Foi em parceria com o deputado Vacarezza que articulei o primeiro acordo entre o PT e o PFL. Nós rachamos o PFL e sustentamos a candidatura do Rodrigo Garcia, deputado por esse partido, eleito presidente da Assembleia em março de 2005 contra o candidato do Alckmin. Fui o autor daquele grupo que levou todo mundo para se esconder no hotel em Atibaia, para não sucumbir às pressões do Palácio dos Bandeirantes, e votar na eleição na Assembleia com apoio do PT, quando eu era deputado em São Paulo.

Então virei alvo do PSDB paulista desde ali, inclusive quando saí para me reeleger. Tudo porque consegui juntar e segurar aqueles 25 votos até a hora da votação no plenário da Assembleia. Ainda mais: fiz o Tumão segurar e garantir o apoio dos senadores José Agripino Maia e Jorge Bornhausen à candidatura do Rodrigo Garcia, pois um informante do palácio avisou que o governador ligaria para os líderes do partido, em Brasília, para que determinassem a desistência do candidato. Fomos rápido e demos sorte. Quando liguei para o velho, ele estava com os dois em um jantar. Garanti que venceríamos. Passados alguns minutos, logo em seguida, durante o mesmo evento, o governador também ligou, mas já era tarde. Kassab e o Cláudio Lembo também estavam contra nós, era uma pressão absurda.

No telefonema, Alckmin disse: "Não, não pode manter a candidatura". E o presidente Agripino, já brifado, foi firme, confiou no meu prognóstico: "Se o nosso candidato está na disputa e tem chance de ganhar, sinto muito, governador, mas nós não podemos forçá-lo a desistir". No fim ganhou por um voto! Isso foi um negócio fenomenal, histórico. Kassab e Lembo contra nós, enfim, uma guerra...

Nós ganhamos do Alckmin a eleição para presidente da Assembleia por um voto, PT e PFL juntos. O PFL estava rachado, metade com o Rodrigo Garcia, metade não. Saí do PPS e fui para o PMDB porque eu era o presidente nacional da Comissão de Ética do PPS. Pedi para o PPS me apoiar, seria eu o candidato, mas iriam faltar dois votos. Como não apoiaram, para não votar contra o partido, por princípio ético e estatutário, me desfiliei. Com isso garanti a 1ª vice-presidência da Assembleia Legislativa de São Paulo e, na hora da votação, passei a vaga para o deputado Caruso.

O PT bateu palmas porque o Lula tinha perdido a eleição para o Severino, o Serra perdeu para o Trípoli, e ninguém imaginou que o Alckmin, na sequência, iria perder a eleição na Assembleia. Ele perdeu e espetou na minha conta. Os discursos inflamados de seus deputados, durante e após o processo eleitoral no plenário, e a perseguição que sofro na polícia desde que voltei, comprovam isso. Naquele momento eu era um ídolo para o PT.

Repito que, ao contrário do que se noticiava, fui eu que levei meu pai para o governo. Fui parar lá porque vi a oportunidade concreta de mudar os paradigmas no conceito de segurança e na forma de atuação da segurança pública. Como eu tinha sido delegado de polícia por quase 30 anos, conhecia bem a relação causa-efeito da violência, além dos demais aspectos da segurança pública como um todo. Estes não ficam adstritos à violência, mas também à sensação de segurança, algo abstrato, do subconsciente, que é muito diferente de violência, que é um sentimento que pode ser físico, moral e emocional. Tudo isso era importante para mim no governo federal.

Tinha sido deputado federal, e conseguira defender algumas boas causas na Câmara. Só que o poder da Assembleia Legislativa de aprovar leis é quase nulo, porque o governo estadual tem uma ascendência absoluta sobre ela. Fui presidente da Comissão de Segurança, combati até o PCC, mas na verdade na Assembleia se tem pouca força, embora se possa desempenhar bem um papel como formulador de propostas – mas daí a viabilizá-las vai uma distância monstruosa. Fiz a lei para acabar com o caça-níquel, o governo fez o veto, e o derrubei. Fiz de tudo e até hoje não consegui ver implantado. No fim, foi o Serra quem entrou com uma ADI e vetou definitivamente. Era proibido caça-níquel em bares, restaurantes e similares. Briguei com a máfia nacional e internacional, tenho certeza de que fiz uma boa coisa. Era uma das poucas legislações que atacava efetivamente causas de violência, de corrupção, de evasão escolar, de violência doméstica, enfim: era uma medida ampla de segurança pública. A força dessa gente que explora bingos e caça-níqueis, o mundo conhece. Eles derrubaram a lei. Mas o fato de a ter aprovado representou uma medida tão importante para mim que, em 2007, rendeu-me uma homenagem unânime do Conselho Superior do Ministério Público, por proposta do honrado e corajoso procurador-geral de Justiça de São Paulo à época, doutor Rodrigo César Rebello Pinho. Eis a transcrição na ata da reunião ordinária do Conselho, realizada no dia 16 de janeiro de 2007: "Sua Excelência apresentou congratulações ao deputado Romeu Tuma Junior pela aprovação do projeto de lei que proíbe a instalação, utilização, manutenção, locação, guarda ou depósito de máquinas caça-níqueis, de videobingo, videopôquer e assemelhadas, em bares, restaurantes e similares. Aprovado, por unanimidade. Expeça-se ofício".

Quando o Lula me convidou para assumir a secretaria nacional de Justiça, pensei: "Poxa, cheguei a um lugar em que eu consigo resolver entraves, porque é um lugar em que eu tenho o poder executivo federal, onde se pode resolver coisas em uma canetada". Ao mesmo tempo se tem um poder de legislador, porque no Ministério da Justiça você consegue fazer encaminhamentos para que o Executivo apresente propostas, emende outras, faça substitutivos, quer dizer, o próprio poder Executivo edite decretos, apresente projetos. Então era o ponto ideal para se conseguir atacar as causas da violência, da insegurança, e eu tinha propostas para mudar paradigmas.

Eu combatia efeitos há anos, portanto conhecia as causas. No executivo federal, teria muitas ferramentas à mão para propor e viabilizar mudanças. Era uma realização profissional sentir a oportunidade de se implantar uma política efetiva de segurança pública para o país, onde participassem a União, os estados e municípios. Em certa medida, o Pronasci iniciou esse caminho; pena que após a mudança de ministro, em 2010, foi completamente esvaziado. Deixou de ser uma política de estado para se tornar um instrumento de governo. Era o que faltava, e mesmo estando na SNJ, e não na SENASP, eu consegui avançar muito. Esse foi meu diferencial, minha marca registrada: mostrar ao Brasil que a criminalidade urbana só sobrevive porque também é uma empresa criminosa, também é um negócio lucrativo. As autoridades precisam aprender a entender isso e capacitarem-se para combater desse ponto de vista, como se combate a corrupção e o crime organizado. Era o que eu vinha implantando com o Programa Nacional de Capacitação contra a Lavagem de

Dinheiro – PNLD – e com a tentativa de viabilizar uma nova legislação, que eu diria de terceira geração: o projeto de Lei de Extinção de Domínio, cuja proposta visa potencializar a capacidade de recuperação de ativos, por meio da ação civil de perdimento de bens de origem ilícita – interrupção do gozo dos produtos obtidos. Todos sabem que o sistema de medidas cautelares no processo penal, tais como sequestro, arresto e indisponibilidade de bens, precisa de aperfeiçoamentos.

Hoje vejo os caras falando que tem que cortar o fluxo financeiro. Porra, digo isso há dez anos. Sinto-me frustrado porque minha obra ficou pelo meio, inacabada; vejo a criminalidade avançando, e o que vinha fazendo totalmente abandonado porque só tem burocrata ou PF lá, e essa gente não entende de política de macro segurança pública.

Na Secretaria eu estava prestando um serviço de alta relevância e interesse para o país. Não me preocupava só em saber quem estava roubando, mas em encontrar o produto do roubo e prender o ladrão. Eu não indico nem escolho alvos; investigo crimes e prendo criminosos.

CAPÍTULO 4

LULA: ALCAGUETE E APRENDIZ DO DOPS

Tratarei agora do uso que Lula viria a fazer do que aprendeu na estreita colaboração que manteve com o Tumão no Dops. Invertendo muitos conceitos caros ao meu pai, ele, ao chegar à presidência da República, teve prazer em manipular o Estado, valendo-se, para tanto, de setores da Justiça e da Polícia Federal. Na ditadura, Lula foi um dos mais importantes informantes do Dops capitaneado pelo meu pai. Já dei umas pitadas sobre isso, mas agora vamos ao prato principal.

O Dops contava com quatro tipos de fontes de informação humana: os informantes, os infiltrados, os delatores e os "caguetes" (ou alcaguetes). Lula pertencia à categoria dos informantes, e tinha o codinome "Barba". No sindicalismo, os informantes eram chamados também de "pelegos" ou de "judas". Não tenho dúvida de que a Lei da Anistia acabou abrindo indevido espaço ao peleguismo para uma injusta, falsa e oportunista apropriação da história de lutas contra a ditadura. Se soubessem que era informante pessoal de meu pai, Lula estaria morto há muito tempo. Creio que, à época, teria o mesmo efeito dos informantes que a polícia planta no xadrez para colher informações dos presos, os "passarinhos" ou "curiós"; estes, hoje em dia, só servem para denunciar fugas, mas antes ajudavam a esclarecer muitos crimes. Na categoria dos infiltrados tínhamos os policiais e tiras profissionais, que ganhavam do Estado, mas se travestiam de estudantes, operários e outros profissionais, frequentavam universidades e sindicatos. Suas presenças eram registradas por relatórios escritos, tendo em vista que não podiam aparecer na repartição sob o risco de se "queimarem" para a atividade. A terceira categoria, os delatores, era de pessoas que cometiam crimes e denunciavam os comparsas; *a priori* seriam os arrependidos que estavam participando de uma empreitada criminosa e entregavam os demais, com a particularidade de revelar fatos que, na maioria das vezes, as autoridades desconheciam nos detalhes, ou mesmo em sua integralidade. E, por fim, havia no Dops, como em qualquer repartição policial, os "caguetas" ou "gansos", os que entregavam os criminosos em troca de favor ou dinheiro das autoridades, ou simplesmente para poder se travestir de agente da lei. Em todas essas categorias, na maioria das vezes, esteve envolvida a contrapartida dinheiro e favores em troca de informação privilegiada. É um negócio, e é bom que seja assim para não haver "rabo preso". O agente "Barba", até onde alcanço saber, jamais negociou suas delações em troca de dinheiro. De favores, sim. Quais? Acho que o maior favor que meu pai lhe fez, numa franca demonstração de relação de confiança, foi mostrar a ele como funcionava o sistema policial e judicial sob a ditadura – um aprendizado que Lula viria a aplicar quando assumiu o governo ao designar Márcio Thomaz Bastos para ministro da Justiça e condutor intelectual de muitas das operações postas em circulação por sua PF dita "republicana".

É evidente que os que me leem já formularam a pergunta decisiva: "Que tipo de informação o agente-informante "Barba" costumava trazer para Tumão?" Bom, para contar isso, sem correr o risco de posar de mentiroso, preciso esclarecer: eu era agente da Polícia Civil de São Paulo, lotado no Dops, sob meu pai. Tudo o que se passava ali Tumão me contava, não só pela condição natural de filho como também, e isso muitas vezes, por dever de ofício. Agora vejam a ironia do destino: estou escrevendo em fevereiro de 2009, quando, vocês verão mais adiante, o governo já havia mandado me grampear por eu ter investigado o Zé Dirceu, o Daniel Dantas, o Greenhalgh, e os motivos que levaram à morte de Celso Daniel.

Certa vez pedi, como secretário nacional de Justiça, que os ministérios me remetessem livros notariais e oficialescos, em papel *couché*, ilustrativos, desses que a gente acaba usando para fazer volume e dar colorido às mesas das salas de espera da vida. Eu demandava esses livros para poder presentear as delegações estrangeiras que me visitavam com frequência. Eis que o Ministério da Cultura (justo ele!) me faz chegar um volume bem pesadinho, chamado *Os 200 anos de Justiça Militar no Brasil*. Perguntei-me, nada mais natural, o que iria fazer com aquilo. Afinal, que gringo vai querer uma coisa dessas, justamente de um país que teve quase 30 anos de ditadura?

Mas acabei folheando a obra com calma. Eis que, de repente, sou tomado por um sobressalto: lá estava a foto do Lula sindicalista, preso em 1980, entrando no Corcel que o Dops designara para servir ao meu pai. E quem está atrás de Lula? Eu, o investigador de polícia Romeu Tuma Jr.

Lula era o nosso melhor informante, por isso eu estava na missão de acompanhá-lo em sua prisão. O motorista do Corcel era o particular de meu pai, o tira Agnaldo Francisco Louzado (conhecido como Patinho), há alguns anos assassinado na zona leste de São Paulo numa tocaia promovida pelo PCC. Lula nos prestava informações muito valiosas: sobre as datas e locais de reuniões sindicais, quando haveria greve, onde o patrimônio das multinacionais poderia estar em risco por conta dessas paralisações.

Não direi que ele tinha ordens especiais, emanadas de meu pai, para trazer o máximo de informações sobre as ações da pessoa que mais nos preocupava na época: o líder do sindicato dos bancários de São Paulo, Luiz Gushiken[1], de resto um jovem nissei trotskista da facção Libelu. A troca de Lula com meu pai não era nos moldes patrão-empregado, tampouco remunerada, mas ele obtinha certas vantagens por conta de suas informações. Lula passava a Tumão dados que ele, Barba, não achava importantes, pois se julgava malandro. Mas eram relatos importantes demais, seminais. Tumão os sabia interpretar em sua profundidade, sem jamais dar a Lula a noção de quão armagedônicos, vitais, eles eram. Tumão era a tecla SAP do que Lula dava de barato.

O próprio Lula nos dizia que Gushiken era "o mais arredio, o mais preocupante, um verdadeiro louco incontrolável, o que merecia mais atenção". Foi ele quem despertou nossa atenção especial pelo "China". Dentre os metalúrgicos, afirmava que o difícil de ser controlado era o Edimilson, vulgo Alemãozinho.

Lula nos entregava tudo do Gushiken, que viria a ser seu ministro-chefe da secretaria de Comunicação e Gestão Estratégica da Presidência da República, hoje secretaria de Comunicação Social – e o principal instrumentalizador das causas sindicais junto à PF, sobretudo daquelas que propugnavam um extemporâneo combate aos "ricos". O "japonês" Gushiken foi o arauto do mundo bipolar do lulismo. Contrapôs ricos e pobres como

---

[1] Luiz Gushiken foi funcionário do Banespa de 1970 a 1999 e fez carreira como sindicalista. Foi deputado federal por três legislaturas, de 1987 a 1999, e coordenador das campanhas presidenciais de Lula em 1989 e 1998. Foi ainda chefe da Secretaria de Comunicação da presidência da República. Deixou a Secretaria e perdeu o status de ministro. Assumiu a função de chefe do Núcleo de Assuntos Estratégicos, NAE. Deixou o governo em 2006, após a reeleição de Lula. Faleceu em setembro de 2013, aos 63 anos.

ninguém. Contaram-me que Gushiken gostava de ouvir, além de Chico Buarque, a banda inglesa Pink Floyd, que ficou rica com uma música contra o dinheiro, "Money". Aprendeu direitinho: e foi da ala lulista que ganhou dinheiro falando mal de banqueiros e do capital financista e especulativo.

Lula[2] combinava as greves com empresários e avisava o Dops. Muitas das greves que ele armava com os empresários eram para aumentar o valor de venda dos veículos, para lastrear moralmente a ideia de que "vamos repassar aos preços dos carros o aumento de salário obtido pela categoria que Lula comanda".

Não é por menos que Miguel Jorge, um ex-presidente de montadora do ABC, virou ministro de Estado, sob Lula. Desde aquela época o Lula confiava muito nele. E o Miguel era um grande parceiro do papai, que o tinha na mais alta conta. Registre-se que é um cara sério, não conheço nada que o desabone.

O Lula[3] reportava seus relatos de informante do Dops diretamente a meu pai ou ao agente Machado, chefe dos inves-

---

[2] Lula era informante há muito tempo, antes de sua prisão em 1980. Pelo menos desde a época em que o Tumão era chefe do Serviço de Informações do Dops, antes de ser diretor do Departamento em 1977.

[3] Lula ainda é, em 2013, amigo pessoal de quem primeiro lhe entregou esse papel de olheiro-informante do poder, ninguém menos do que Mario Garnero. Ex-vice-presidente industrial da Volkswagen do Brasil e presidente da Anfavea, Mário Garnero, em seu livro *Jogo Duro* (Editora Best Seller, 1988, 3ª edição, páginas 130 a 132), dedura o papel de Lula:

> "Eu me vi obrigado, no final do ano passado, a enviar um bilhetinho pessoal a um velho conhecido, dos tempos das jornadas sindicais do ABC. Sentei e escrevi: Lula. Achei que tinha suficiente intimidade para chamá-lo assim, embora no envelope, dirigido ao Congresso Nacional, em Brasília, eu tenha endereçado, solenemente: 'À Sua Excelência, Luiz Inácio Lula da Silva'. Espero que o portador o te-

tigadores. Aliás, naquele tempo, ele fez uma forte amizade com o Celso Cipriani, um dos tiras de confiança do Tumão junto com o José Roberto Arruda. O Celso acabou saindo da polícia e virou um grande empresário, acho que até sócio dele em algum negócio o Lula acabou virando. Tinha o Dr. Massilon José

---

nha reconhecido por trás daquelas barbas. No bilhete, tentei recordar ao constituinte mais votado de São Paulo duas ou três coisas do passado, que dizem respeito ao mais ativo líder metalúrgico de São Bernardo: ele próprio, o Lula. Não sei como o nobre parlamentar, investido de novas preocupações, anda de memória. Não custa, portanto, lembrar-lhe. É uma preocupação justificável, pois o grande líder da esquerda brasileira costuma se esquecer, por exemplo, de que esteve recebendo lições de sindicalismo da Johns Hopkins University, nos Estados Unidos, ali por 1972, 1973, como vim a saber lá, um dia. Na universidade americana, até hoje, todos se lembram de um certo Lula com enorme carinho".

Em seu livro, Garnero bota Lula como um teleguiado montado pelos generais:

> "Além dos fatos que passarei a narrar, sinto-me no direito de externar minha estranheza quanto à facilidade com que se procedeu a ascensão irresistível de Lula, nos anos 70, época em que outros adversários do governo, às vezes muito mais inofensivos, foram tratados com impiedade. Lula, não – foi em frente, progrediu. Longe de mim querer acusá-lo de ser o cabo Anselmo do ABC, mesmo porque, ao contrário do que ocorre com o próprio Lula, eu só acuso com as devidas provas. Só me reservo o direito de achar estranho. Lembro-me do primeiro Lula, lá por 1976, sendo apresentado por seu patrão, Paulo Villares, ao Werner Jessen, da Mercedes-Benz, e, de repente, eis que aparece o tal Lula à frente da primeira greve que houve na indústria automobilística durante o regime militar, ele que até então era apenas o amigo do Paulo Villares, seu patrão. Recordo-me de a imprensa cobrir o Lula de elogio, estimulando-o, no momento em que a distensão apenas começava, e de um episódio que é capaz de deixar qualquer um, mesmo os desatentos, com o pé atrás".

Bernardes Filho, *expert* em inteligência policial, que reputávamos como o sucessor natural do meu pai na área de inteligência e informações, o que, em certa medida, acabou ocorrendo na Polícia Civil de SP. Por fim o chefe dos escrivães, Armando Panicchi Filho, que junto com o chefe dos tiras, Osvaldo Machado de Oliveira, foram disfarçados de operários, acompanhando o Lula na célebre visita à sua mãe hospitalizada.

Vale a pena abrir parêntese para acabar de vez com um erro histórico que, vira e mexe, vejo alguém que escreve ou fala sobre aquela época, ou sobre a ditadura, cometer, certamente no afã de criar fatos fantasiosos. Até porque isso, hoje em dia, dá um ibope danado.

Os delegados Romeu Tuma e Sérgio Paranhos Fleury jamais foram subordinados um ao outro; por consequência óbvia, jamais um foi chefe do outro. O delegado Fleury trabalhou na Di-

---

Garnero prossegue:

> "Só isso pode explicar que, naquele mesmo ano, o governo Geisel tenha cassado o deputado Alencar Furtado, que falou uma ou outra besteira, e uns políticos inofensivos de Santos, e tenha poupado o Lula, que levantava a massa em São Bernardo. É provável que, no ABC, o governo quisesse experimentar, de fato, a distensão. Lula fez a sua parte. Mais tarde, ele chegou a ser preso, julgado pelo Supremo Tribunal Federal, enfrentou ameaça de helicópteros do Exército voando rasantes sobre o Estádio de Vila Euclides, mas tenho um outro testemunho pessoal que demonstra tratamento respeitoso, eu diria quase especial, conferido pelo governo Geisel ao Lula – por governo Geisel eu entendo, particularmente, o general Golbery".

Esclareço aqui a dúvida de Garnero. Sabia sim, e realmente fez sua parte. Aliás, meu irmão Rogério, que estudou medicina na Universidade Johns Hopkins em Baltimore, no estado de Maryland, EUA, já havia confirmado ao Tumão sobre a presença de um jovem sindicalista brasileiro por lá no início dos anos 1970. Outra dúvida que pairou no ar, por um bom tempo.

visão de Ordem Social do Dops, de onde saiu para assumir a diretoria do Deic[4] em 1977. Ele nunca foi diretor do Dops. Por sua vez, o delegado Tuma foi chefe da Divisão de Informações – DI do Dops, antes SI – Serviço de Informações, onde não se fazia inquéritos nem interrogatórios, e dali assumiu a direção do departamento em janeiro de 1977, tendo-o dirigido até sua extinção, em fevereiro de 1983, por ato do então governador José Maria Marin.

Alguém há de perguntar: Lula recebia dinheiro por essa colaboração com meu pai? Não. Contudo, até as crianças sabem que informação é poder, e ele era o mestre no escambo de informação em troca de poder, sob os militares. Mas regalias e deferências que dinheiro nenhum compra, isso nunca lhe faltou.

Aliás, graças à maneira humana, carismática, simples e respeitosa no trato com as pessoas, independentemente da condição jurídica, que era peculiar ao Tumão, posso afirmar com segurança que a hoje propalada figura jurídica da "Delação Premiada" surgiu da relação do então delegado Romeu Tuma e de seu informante Luiz Inácio, vulgo "Barba". Daí poder-se estipular geograficamente que a Vila Euclides foi o "berço da cagoetagem oficial recompensada".

Dona Lindu, a mãe de Lula, jamais soube que ele foi preso. Ele ia visitá-la, escondido, por autorização do meu pai, que peitava o regime sem nenhum medo, afrontando intimorato a decisão judicial que mantinha Lula atrás das grades. Era uma questão de humanidade e bom senso, o que o "velho" sempre teve. Ele pensava: que mal aquilo poderia fazer? Ao deixar Lula visitar a mãe doente, estava pondo em andamento uma profunda mudança de paradigma, democratizando a polícia política.

---

[4] Departamento Estadual de Investigações Gerais, da Polícia Civil de São Paulo.

O Lula saiu escondido, pelas mãos do meu pai, para visitar sua mãe, internada. Naquele dia, a ordem do Tumão foi expressa: "A mãe dele nem pode sonhar que ele está preso". Era uma decisão corajosa e humanitária que, como disse, contrariava a justiça militar, mas o velho não queria que Eurídice Ferreira Mello, a Dona Lindu, tivesse agravado seu estado de saúde devido à notícia da prisão do filho. Como já dito, o Tumão escalou Armando Panicchi Filho e Osvaldo Machado de Oliveira para acompanharem o Lula. Eles foram travestidos de operários, companheiros de fábrica. Ou seja: meu pai o protegeu, e ele aparentava então ser grato por essas atenções do Tumão.

Mas, 30 anos depois, veio o gesto de ingratidão: Lula me rifou, de forma desumana e impiedosa, mesmo sabendo que eu era inocente. Com isso, liquidou a saúde daquele que protegeu com eficiência a sua integridade física, e silenciou por três décadas sobre a natureza da colaboração que mantiveram no Dops, quando tinha acesso livre ao 4º andar, onde estava baseado o meu pai. Parece ironia do destino mas, mexendo há pouco numa pasta com preciosas anotações do Tumão, encontrei um trecho da fala de Lula, em junho de 2003, no 8º Congresso da Central Única dos Trabalhadores – CUT, onde afirmava: "Se alguém, em algum momento, teve vergonha do que foi um dia, eu não tenho. Não tenho vergonha do que fui, não tenho vergonha do que sou e não tenho vergonha do que serei".

Muita gente confunde o episódio da visita de Lula à sua mãe no hospital, que foi reservada e secreta, com o que se passou por ocasião da morte de Dona Lindu. Na verdade esses fatos que narro aqui nunca vieram a público com clareza.

O que foi público, e não poderia ter sido diferente, é que o Lula pôde acompanhar o enterro da mãe, em maio de 1980, graças a uma autorização da Justiça Militar conseguida a fórceps pelo meu pai. Se não fosse o empenho do Tumão, as autoridades militares não teriam permitido que Lula estivesse presente. A orientação militar era no sentido de que Lula não poderia ir, por conta da aglomeração de pessoas e do risco de "resgatarem-no", num possível gesto (atentado) político contra o Estado. Com relação ao velório, a determinação era a mesma; tanto que durante a noite foi proibida a sua ida.

Quando Lula foi preso, comigo atrás dele, como mostra a foto, ele terá passado só um ou dois dias no xadrez, se tanto. Ele tinha os seus privilégios de informante. Dormia no sofá de couro vinho, no quarto andar do Dops, no Largo General Osório, no centro de São Paulo. Dormia naquela sala em que, em dezembro de 1989, foram apresentados à imprensa os sequestradores de Abílio Diniz. Era a sala de reuniões do diretor.

Repito: Lula não dormia no xilindró, como os demais. Instalava-se no bem-bom, em um sofá de couro. De vez em quando, ele ficava na carceragem, no ambiente, na mesinha do carcereiro, em um colchãozinho lá, mas no xadrez, negativo. Acho até possível que tenha ficado uma ou duas noites lá, estrategicamente, apenas para mostrar a cara para os detentos e marcar presença na história.

Dona Marisa tinha "motorista" do Dops para visitá-lo diariamente. Lula era mais que um preso especial, era como um agente especial em missão secreta. Privilégio que nem a Dona Zilda, mulher do diretor, jamais tivera. Essa pegava até quatro ônibus por dia para, como professora da rede de ensino do estado, ir ao Sapopemba, bairro retirado da zona leste de São Paulo, ou ainda ao Brás, dar suas aulas, de modo a poder, no final do mês, ajudar seu marido nas despesas do lar. Invariavelmente, para isso, deixava os filhos menores em uma creche no "buraco do Adhemar", no vale do Anhangabaú. Local onde, ainda pequeno, também me "hospedava" pelos mesmos motivos, com meu irmão Rogério, e onde pendurávamos uma enorme medalha de identificação, redonda e numerada, no pescoço, enquanto aguardávamos nossa mãe cumprir sua profissão de fé: educar e emprestar conhecimento aos filhos dos outros.

Greenhalgh, novinho, já arrogante, frequentava o Dops para cuidar de seu cliente, que certamente não lhe contava da missa um terço.

Mino Carta, um "Bento XVI" do jornalismo – sem renúncia, que fique bem claro – foi capaz de testemunhar.

Aliás, por falar no Mino, vem-me à lembrança um seu caríssimo amigo, o Dr. Raymundo Faoro, que chegou a visitar Lula no Dops e ofereceu-lhe os préstimos profissionais gratuitamente.

Lula agradeceu e dispensou, dizendo que o Greenhalgh daria conta do recado, pois tudo já estava combinado. É verdade que já estava, mas tenho certeza de que, com Faoro, Lula teria feito melhor negócio e muito mais barato mesmo. Dizem, e eu sempre acreditei, que o "de graça" muita vez sai caro.

Em seu livro lançado em 2013, *O Brasil*, o jornalista Mino Carta relata esse episódio à página 216:

> "Prenderam Lula, para quem foi mal menor ter sido entregue aos cuidados do Tuma. Todo dia, uma perua da polícia vai buscar Marisa e os filhos e os traz para visitar o preso em uma grande sala anexa ao gabinete de Tuma. Quando no período a mãe de Lula adoece, permite-se que a visite conforme decisão do chefe do Dops tomada às escondidas do governo. Quando ela morre, tem licença para ir ao enterro secundado por dois agentes disfarçados em cidadãos comuns. De vez em quando, lulas à doré preparadas em restaurante próximo são almoçadas pelo homônimo. Me animo a ligar para Tuma, que não conheço, para solicitar uma visita ao presidente do sin-

dicato. 'Venha quando quiser'. Vou com Faoro (Raymundo) que pretende oferecer a Lula seus préstimos de advogado. O chefe do Dops é um ser cortês, e assim nos recebe, com cordialidade, e nos convida a sentar em um canto do gabinete tornado saleta de estar burguesota. Manda chamar Lula, diz 'fiquem à vontade'."

Mino Carta ainda relata que Lula lhe fala "do bom tratamento que recebe, faz elogios ao Tuma, declara sua fé no surgimento do Partido dos Trabalhadores".

Essa visita de Mino a Lula mostra os privilégios que ambos gozavam junto ao Tumão. Sobre Mino, é óbvio e não requer explicações; quanto a Lula, era uma prova cabal das benesses da relação de proximidade e confiança que ele tinha com o "velho". Um tratamento que nem todo agente do sistema teria, quanto mais um "detento".

Nunca antes nem depois, na história desse país, um preso teve tanta regalia quanto Lula sob a guarda e custódia do Tumão. Nem os líderes do PCC que comandam as cadeias de SP poderiam sonhar com tantos privilégios, como o de despachar na sala do diretor, por exemplo.

Imagine o diretor do Dops saindo de sua sala para deixar o Lula, um "presidiário" em plena ditadura, anos de chumbo, conversar à vontade com seus visitantes. Inimaginável.

Na verdade para ele era a "ditabranda". Era muita deferência. É verdade que os visitantes eram Mino Carta e Raymundo Faoro, isso poderia tornar a coisa mais fácil de ser compreendida, mas, ainda assim, só crível mesmo para quem conhece porque viveu a história. Caso contrário, seria inacreditável. Lula não era um preso, era um hóspede – eu sei e ele sabe.

A fraternidade existente entre Tumão e Lula transcendia a boa prática republicana de convívio entre o "homem da lei" e o "malfeitor". Era coisa de irmandade, de parceria.

Sou capaz de adivinhar que muitos vão espernear, especialmente os historiadores do período, os que acham que sabem de todos os bastidores, mas o fato é que não só estive lá, vi e acompanhei como funcionário, como também privei da intimidade de quem mais sabia do que se passava: o meu pai. A bem da verdade, o *animus esperniandi* não será de todo incompreensível. Também, pudera: se mais alguém soubesse que ele era informante, ele não seria informante, e sim agente! No livro *O Brasil*, de Mino Carta, ele descreve com alma e como testemunha esse impensável episódio. Todas as regalias que o Tumão dava ao Lula renderam uma verdadeira guerra nos bastidores da época. Os milicos mais perfilados com a linha dura não gostavam dessa proximidade de ambos. Na verdade, não entendiam.

Houve momentos muito delicados; em mais de um, agentes do SNI estiveram no Dops para "entrevistar" Lula, buscando descobrir se ele seria um "agente" a serviço da repressão. Obviamente, Lula tirava de letra aquelas "entrevistas-interrogatórios", até porque qualquer escorregão e, provavelmente, dois corpos apareceriam no Tietê: o dele e o do Tumão.

A desconfiança era muito grande. Ele era um informante do Tumão, que eventualmente dividia isso com Golbery. A ala radical queria despachar os dois. Quanto aos entendimentos entre o Tumão e Golbery, tudo muito secreto: não sei até que ponto eram parceiros de verdade ou por conveniência da autodefesa de ambos. Tumão não abria o jogo, até recentemente não tocava no assunto; após muita insistência, admitiu que Golbery mandava seus agentes conversarem, reservadamente, com Lula no Dops. Não sei, entretanto, se aqueles que vieram "interrogar" Lula eram do mesmo grupo do Golbery, do SNI ou da contrainteligência do Exército.

As pessoas pouco conhecem da verdadeira história. Sempre rotularam o velho como malufista, mas não dizem que o governador, desde o dia em que assumiu, tentou tirar o Tumão do Dops. Maluf nunca desejou que o velho permanecesse lá. Ele queria agradar a ala mais radical do sistema tirando o velho, o que, ele supunha, lhe garantiria apoio para a indicação à eleição presidencial. Quem sustentou a permanência do Tumão foi o Secretário de segurança do governo do próprio Maluf, o saudoso desembargador legalista Octávio Gonzaga Júnior, e a ala menos radical do Exército, sob o argumento da redemocratização da polícia política e as sucessivas vitórias policiais do Dops na área da segurança pública. O Dops esclarecia tudo que investigava. Era difícil trocar o diretor de uma polícia extremamente bem-sucedida.

Houve até uma ocasião em que participávamos de um evento junto com o Exército, e, num desentendimento entre o delegado Vergilio Guerreiro Neto e um oficial, o doutor pregou a mão na orelha do milico. Foi o suficiente para o Maluf usar aquilo como pretexto para demitir o Tumão. No fim acabou ficando por isso mesmo, com a interferência de diversos panos quentes.

É importante reconhecer que Lula, como presidente do Brasil, cumpriu seus compromissos com o passado e com a caserna. Nisso ele foi leal. Afora um ou outro discurso inflamado dos ministros Paulo Vannuchi e Tarso Genro em questões pontuais que geralmente diziam respeito à anistia, até compreensível para demarcar terreno e jogar para a militância mais radical, a verdade é que Lula não criou qualquer embaraço aos militares, não tocou no assunto anistia, rezou na cartilha do "o que passou, passou", e foi firme em não instalar a Comissão da Verdade se ela não fosse para valer por inteiro, ou para os dois lados, como queriam as Forças armadas.

Nisso ele foi firme. Talvez até por temer ser descoberto, especulo. E nesse aspecto, justiça seja feita, o então ministro Nelson Jobim teve grande mérito ao segurar a onda. Até porque, na minha opinião, é muito perigoso o precedente de se reabrir feridas de um só lado. A busca constante, e a meu ver injusta, de se vitimizar com certa parcialidade apenas determinados "combatentes" daquela guerra de má lembrança, a pretexto de se revelar os porões da história, acaba proporcionando rara oportunidade para que ladrões da ditadura que também roubaram na democracia, portanto contumazes, posem de falsos heróis, guerreiros do apocalipse e vítimas do sistema. Quando na verdade a sociedade de ontem e de hoje é que foi vítima deles.

Enfim, nas reuniões que tínhamos no Planalto, várias vezes me pegava lembrando daquele líder sindical, forjado na ditadura como opção ao radicalismo que queria o poder pela luta armada, e que havia chegado ali na condição de chefe da Nação, numa demonstração inequívoca de que aquele projeto do Golbery, com a decisiva colaboração do Tumão, havia dado certo. Ele me fitava com um olhar complacente, terno, por vezes cúmplice e carinhoso. Muitos já haviam observado e me dito isso: "O presidente demonstra ter muito carinho por você".

Ele adorava um bom charuto e não largava a cigarrilha. Naquelas reuniões, a toda hora acionava o ajudante de ordens para lhe trazer aquela latinha de cigarrilhas "café creme". Aí vinha o general Gonçalves Dias, chefe da segurança, que acabou conhecido como o "General do Lula", trazendo a encomenda, que sempre lhe entregava com um recado da Dona Marisa para ele parar de fumar. Ele resmungava, mas concordava, o que eu achava hilário, porque ela também fumava.

Sobre Barba no Dops, diferentemente do fumante na Presidência, lembro de detalhes vivíssimos: suas unhas insalubres moendo o cigarro, e o reduzindo a nada (num gesto alegremente austero). Ainda escuto, numa proximidade alarmante, os alaridos de sua voz (sob a guarda de meu pai), tresnoitada pelos travos das guimbas. Quem diria: cigarro converteu-se em cigarrilha, e as mãos mal cuidadas viraram um primor de esmero cosmético, pouco calejadas...

Jornalistas bem informados dizem ter escutado as fitas que o SNI foi gravar com o Lula lá no Dops. Dois me garantem que ele foi "brilhante, sem entregar ninguém". Também pudera! Alerto aos fãs salivantes do Barba repetindo em letra de fôrma: se mais alguém, além de nós, soubesse que ele era informante, ele não seria informante e sim agente, ou não estaria vivo para fazer tanta lambança!

O fato revelador é esse. Eu vivi aquilo, e sou filho do delegado que era o dono do "ganso", do "X9", respectivamente os nomes que informantes ganham em São Paulo e no Rio de Janeiro. Diferentemente de diversas relações entre pais e filhos, onde os mais velhos contam suas histórias aos mais novos, eu vivi essa história com o meu "velho". Sou protagonista; eu já era policial, não esqueçam. O detalhe do fato simplesmente é o fato. Nesse caso não se trata de versão.

É importante esclarecer um tema polêmico: a acusação de que Lula teria mantido sexo, não consentido, com um colega de cela. Vou usar os dados de uma reportagem do *Estadão*, de 28 de novembro de 2009, que repica o artigo de César Benjamin publicado na *Folha de S. Paulo*. O jornal verberou: "Isso é coisa de psicopata, só a psicopatia pode explicar", disse ontem o chefe de gabinete da Presidência da República, Gilberto Carvalho, ao comentar acusações feitas pelo cientista político e ex-militante petista César Benjamin contra o presidente da República, Luiz Inácio Lula da Silva. Em artigo publicado na *Folha de S. Paulo*, Benjamin – que não quis comentar o assunto ontem – afirmou que Lula tentou abusar sexualmente de um colega de cela, quando esteve preso no Dops, em 1980". Carvalho também relatou que o presidente ficou "triste" ao ler o artigo. "Ele disse que é uma loucura", afirmou.

Benjamin ajudou a fundar o PT e se manteve ligado ao partido até 1995. No seu artigo ele narra um encontro que teria tido, em 1994, com Lula, então em campanha. Na ocasião, o ex-líder sindical lhe teria feito perguntas sobre a prisão e revelado que não suportaria o isolamento – por não conseguir viver sem relações sexuais com mulheres.

Em seguida, Lula teria narrado a tentativa de violação sexual do companheiro de cela. O trecho do artigo de Benjamin foi taxativo: "Para comprovar essa afirmação, passou a narrar com fluência como havia tentado subjugar outro preso nos 30 dias em que ficara detido. Chamava-o de "menino do MEP", em referência a uma organização de esquerda que já deixou de existir. Ficara surpreso com a resistência do "menino", que frustrara a investida com cotoveladas e socos. E prossegue: "Foi um dos momentos mais kafkianos que vivi. Enquanto ouvia a narrativa do nosso candidato, eu relembrava as vezes em que poderia ter sido, digamos assim, o "menino do MEP" nas mãos de criminosos comuns considerados perigosos, condenados a penas longas".

A conversa, segundo Benjamin, teria ocorrido durante um almoço com a participação de mais três pessoas: o publicitário Paulo de Tarso Santos, que coordenava a campanha; um segundo publicitário, cujo nome o autor não recorda; e um americano, também não nomeado, que não entendia português.

Vamos botar pingos nos "is". Lula foi detido pelo Dops no dia 19 de abril de 1980 e libertado no dia 20 de maio. Nesses 31 dias chegou a dividir, raríssimas vezes, a cela com até 18 pessoas. MEP era a sigla do Movimento de Emancipação do Proletariado, tendência que surgiu em 1976 e cujos principais dirigentes ficavam no Rio. Entre seus militantes encontrava-se o ex-presidente do PT, José Eduardo Dutra. Ontem ele classificou o artigo de "repugnante".

Tudo isso não é repugnante: é mentira. Porque o Barba não ficou no xadrez! Ele era o nosso cara no movimento sindical. Não tentou fazer sexo com o menino porque só de vez em quando Lula ficava na carceragem, geralmente de noite, conversando, poucas vezes dentro do xadrez – e quando esteve foi para criar um cenário que o protegesse da desconfiança dos presos.

De tão à vontade, um dia Lula começou a fazer graça. Ele passou a acenar da janela do quarto andar para seus fãs, que se acumulavam no largo defronte aos postigos do Dops. Eu lhe disse naqueles dias: "Cara, você vai foder com o meu pai, vão descobrir que não está no xadrez, pare com isso!" Lula no xadrez tinha para mim a mesma sensação daquelas luas diurnas: algo pálido e raro de ser ver...

Pois bem: quando Tarso Genro, na qualidade de ministro da Justiça, leu essa história da suposta tentativa de Lula em fazer sexo com um menino, em pleno catre, ficou incomodado. Eu lhe disse ao telefone: "Ministro Tarso, é tudo mentira. Lula nunca esteve encarcerado de verdade. O senhor quer que testemunhe e desminta isso publicamente?". Ele respondeu, meio açodado: "Não, doutor Tuma, deixa isso quieto!"

Voltando no tempo: num belo dia, Lula resolveu fazer aquela greve de fome no Dops. Meu pai lhe disse: "Se fizer isso vai me criar problemas com os militares e com a Justiça Militar, porque vai ter gente, comissões de direitos humanos, advogados, querendo te ver, e eles vão se tocar que você está preso de 'araque' e fora do xadrez". Acho que Lula parou para pensar um pouco, depois conversou com Luiz Eduardo Greenhalgh, seu clínico geral e do PT, daquela época e durante anos, até a chegada do Dr. Roberto Teixeira e do Márcio Thomaz Bastos, este já na fase das vacas gordas, ou da transposição do contra-filé para o filé mignon. Então meu pai foi ao Acrópole, um restaurante grego na rua José Paulino, no bairro do Bom Retiro, e comprou quilos de lula à dorê. Levou pro Lula e desceu para encontrá-lo na carceragem, onde eles comeram juntos com os presos de verdade, no xadrez. A greve de fome do Lula durou o que duram os sonhos e os saborosos moluscos.

Diante desse quadro, e em plena ditadura, Tumão sabia que não podia fazer uso das informações do dedo-duro Barba de uma maneira irresponsável: imagina se alguém ficasse sabendo que o Lula era informante do Dops? Que era agente duplo! Nem sou capaz de mensurar o que poderia vir a ocorrer. Se meu pai deixasse vazar a mínima parte do que sabia, ou se não tivesse dado a cobertura e proteção que deu ao futuro presidente da República, não tenho dúvida de que ou os militares linha dura ou os próprios operários teriam matado Lula. Meu pai honrou sua palavra e seus compromissos até com os seus informantes, levando este e outros muitos segredos para o túmulo. Mas, no futuro, suas memórias certamente contribuirão, com esclarecimentos preciosos, para o melhor conhecimento desse conturbado período da vida política brasileira que ele testemunhou e vivenciou como poucos. No tempo certo, o que deixou escrito certamente contribuirá.

Ele sempre me alertava para um axioma da *Arte da guerra*, de Sun Tzu: se uma pessoa não conhece as suas deficiências e as do inimigo, ou se não conhece o seu exército nem o do adversário, então já perdeu a batalha. Nas expansões íntimas comigo, Tumão dizia: "Eu jogava a responsabilidade em cima do Lula, filho. As informações que me passava eu inseria naquilo que as Forças Armadas chamavam de 'cadeia de difusão'. E depois jogava a responsabilidade em cima do próprio Lula, porque, afinal, ele era o líder do movimento. Eu falava: 'Olha, Barba, a responsabilidade de segurar as massas e contê-la nos seus limites é sua, você é o líder respeitado por elas. Você conhece o seu poder de comando sobre as ações dessas massas então, se algo ocorrer de grave, o Exército vai responsabilizá-lo". E era assim com as demais categorias. Nas passeatas dos bancários, estudantes, enfim, para um diálogo franco, os líderes eram chamados antecipadamente no Dops e advertidos de que, se houvesse qualquer descontrole durante o ato, eles, assim como os organizadores e responsáveis pelas "palavras de ordem", seriam indiciados. Isso funcionava bem. Em várias ocasiões, as manifestações foram suspensas porque os líderes sentiram não ter o controle nem do movimento nem das pessoas e, assim, preferiam cancelar as passeatas. Foi também devido a esse tipo de comportamento que o Tumão foi chamado pela revista *Veja* de "o xerife que dialoga".

O PROJETO DE PODER DO PT DE LULA

Como um partido tenta subjugar o Estado para viabilizar um projeto de propriedade privada

1. O ESTADO POLICIAL

A PF como instrumento político. O método cronológico-científico dedutivo, o PCD, a indústria dos grampos, os Relints (Relatórios de Inteligência)...

É totalmente inaceitável chamar de polícia republicana uma instituição de repressão estatal que procede a suas investigações na contramão técnica elementar da ciência investigativa, qual seja, a que parte de um crime para chegar ao criminoso. Até as crianças sabem que o gato corre atrás do rato. Polícia que nomina, posiciona e escolhe "alvos" é instrumento de governo, portanto pode ser tudo, menos republicana. Nem Lombroso apostaria nesse método. É contraditório.

Lula aprendeu com meu pai, Romeu Tuma, o que era o poder da informação, o de polícia, e o do policial. E, por tabela, conheceu os mecanismos de controle desses poderes. Assim, durante os seus dois governos, preparou-se para fazer uso deles, o que fez às avessas, para tornar a Polícia Federal uma polícia não de Estado, mas um instrumento pessoal de pressão e intimidação, uma polícia de partido, uma versão tupiniquim da Stasi alemã ou da tcheca.

Vamos botar em perspectiva, só para lembrar: as operações da PF aumentaram quinze vezes durante o governo Lula. Pularam, por exemplo, de 16 em 2003 para 143 até agosto de 2009. De 2003 para 2010, o número de funcionários da PF saltou de 9.231 para 14.575, um crescimento de 58%. Lula botou nas ruas, na maioria das vezes sob o comando de Márcio Thomaz Bastos, 1.244 operações, o que representa 25 vezes mais do que as 48 realizadas pela PF no governo Fernando Henrique Cardoso. O resultado final, digo, na justiça, é pífio. Mas os resultados nos sites de pesquisa, que é o "tribunal" que efetivamente condena junto à opinião pública, os números, a depender do interesse de quem os divulga ou da ótica de quem os vê, impressionam e enganam bem.

Basta conferir com isenção para se verificar outro dado alarmante: 80%, para ser bem favorável a eles, são casos que nascem de "grampos" ou de compartilhamento de relatórios produzidos em inquéritos ou nos anômalos PCDs – Procedimentos Criminais Diversos – iniciados com as tais escutas que a lei diz que só devem ser realizadas em último caso, ou quando não houver outro meio de prova. Mas eu pergunto: quando se escolhe um alvo para se investigar, e não um crime, como usar outro tipo de diligência que não o "grampo"?

Importante registrar: o nosso finado Serviço Nacional de Informações, o SNI, fazia com que seus agentes produzissem informes, sob a ditadura e mesmo durante a democracia. Tais informes viraram arquivos. São esses arquivos e os do Dops que, volta e meia, são abertos por aí. Sabe o que era feito deles? Juridicamente nada: não eram agregados a inquéritos, tampouco a processos judiciais. Sempre se prestaram a produzir conhecimento, que, repassado em forma de relatórios de informações, levava as notícias reservadas, sigilosas ou secretas de interesse do poder aos seus detentores, para sua ciência e como forma de subsídio a alicerçar decisões.

Mas Lula, que aprendeu tudo isso com meu pai, e viveu (ele, Lula) infiltrado nos aparelhos policiais e de repressão e nos movimentos sindicais como um agente duplo, como um dos melhores informantes do Dops, marotamente aplicou tal aprendizado, anos depois, na Polícia Federal. Com uma significativa diferença: o que deveria servir para formar um juízo pessoal, e fundamentar suas decisões, passou a servir como instrumento de julgamento público. Em vez de usados para a segurança do estado e da sociedade, documentos passaram a ser produzidos para uso pessoal e de interesse antirrepublicano.

O problema não é a polícia, o órgão de inteligência e o de informações, mas sim como opera a polícia, como operam o órgão de inteligência e o aparato de informações, que mecanismos e instrumentos utilizam e para quais fins.

Lula instrumentalizou a Polícia Federal e agregou nela o que chamo de "poder de informação"; não é o da informação, é o "de informação" mesmo, no mau sentido. Os informes dos agentes do SNI passaram por uma metamorfose. Tudo foi deslocado para a PF após a constatação de que na Abin não daria resultado, simplesmente por falta do poder de polícia. Daí, sob Lula, a Polícia Federal passou a fazer os informes sob o título de "relatórios de inteligência", ou de "relatórios circunstanciados de inteligência", que são depois juntados a inquéritos e a processos.

Os informes passaram a ter poder de peça de polícia judiciária, e, portanto, converteram-se em substrato material para indiciamentos, acusações e condenações. Nem a ditadura tinha pensado nisso. As pessoas hoje podem ser condenadas pelo que agentes federais, diga-se, sem atribuição legal para fazer relatórios de inteligência, simplesmente acham ou deduzem.

Tudo é maravilhosamente maquiavélico e esdrúxulo: Lula, com a douta colaboração de Márcio Thomaz Bastos, aparelhou a Polícia Federal para seus propósitos partidários. A etapa que não deu certo foi estender isso ao Judiciário como um todo, ao Superior Tribunal de Justiça e, principalmente, ao Supremo Tribunal Federal.

Sob Lula, a PF teve tantas e tamanhas operações porque a lógica foi invertida: ela estipulava primeiro o "alvo" e depois passava a gerar supostas informações sobre ele. Sempre com dossiês ou grampos.

Só o vocábulo "alvo", em si, já induz que ninguém mira em algo para errar.

Sob Lula, tivemos, industriosamente, a juntada de relatórios do *bunker* da PF em inquéritos, e pior: sem qualquer compromisso cronológico com a realidade dos fatos. Aí, antes de qualquer coisa, você vaza na imprensa esses relatórios, e condena o acusado no tribunal em que os sites de pesquisa se transformaram. Sob Lula, passa-se a investigar alvos, não crimes, e cria-se uma polícia de estado totalitário.

Não é para menos que Márcio Thomaz Bastos me sugeria, antes mesmo que eu assumisse, a ideia de se criar a Super Secretaria Nacional de Justiça, absorvendo a Senad, o Coaf, o Arquivo Nacional e, a depender das condições políticas, até a Abin, além de criar o documento único de identidade sob o nome de Registro de Identidade Civil – RIC. Eu não viabilizei as mudanças porque temia a aglomeração e concentração demasiada e absoluta de poder num mesmo órgão. Parece até que eu já pressentia os riscos e acontecimentos futuros.

"Eles" já vinham tentando fazer algumas dessas mudanças antes da minha chegada, mas o Antenor Madruga, que era um dos mentores, não tinha a força política, a legitimidade do cargo, nem conhecimento administrativo sobre as diversas matérias para viabilizar, segundo o próprio ministro Márcio me disse. Ele substituía interinamente a Cláudia Chagas, que era muito séria, e que duvido que aceitasse uma empreitada dessas. Findo o primeiro governo Lula, ela estava adoentada, e depois acabou saindo para retornar ao Ministério Público do Distrito Federal, de onde era originária. Tampouco o Biscaia, que sequer esquentou a cadeira e era um tipo de "rainha da Inglaterra" na secretaria, porque todos os departamentos falavam direto com o gabinete do ministro ou interpostas pessoas.

O DRCI então obedecia ordens de gente de fora, de um ex-dirigente, o Madruga, que então já trabalhava para o Daniel Dantas no escritório de advocacia do Francisco Müssnich. Antonio Biscaia só esperava a hora de assumir a secretaria nacional de Segurança Pública – Senasp. Quem tinha conhecimento técnico e força política para isso era eu. ("Esse cara sou eu": parêntesis para uma homenagem ao rei Roberto Carlos, ídolo incondicional do velho Tumão, que mantinha com ele uma relação de confiança e amizade muito sincera.)

Voltando ao ponto: justamente por conhecer a matéria e poder fazer é que não fiz! Podem ter certeza de que prestei um relevante serviço ao estado de direito e à democracia deste país. Imaginem um aloprado comandando uma estrutura dessas?

Ademais, no meu ponto de vista, alguns deles funcionavam adequadamente e na estrutura correta, e a ideia do RIC, que eu recusei, acabou indo para a PF: CPF, RG, CNPJ, carteira nacional de habilitação, título de eleitor, tudo num número só, num só documento, num único arquivo ou banco de dados.

Era a forma da PF totalitária de Lula poder armar inquéritos contra alvos, bastando um único "clique" para levantar toda a vida de qualquer cidadão (ou "alvo") sem controle judicial; sobre esses retalhos de atropelos da lei foi construída a bandeira da PF "republicana" do Barba e de Márcio Thomaz Bastos.

A PF é o braço armado e indispensável do projeto de poder. Ela opera com fachada de legalidade, como os núcleos e aparelhos da subversão operavam na clandestinidade. Subverte a ordem aproveitando-se, na maioria das vezes, da leniência e tibieza da justiça, especialmente no primeiro grau de jurisdição.

Eu também estou afirmando isso não só como vítima. Já o fazia no governo quando discordava desses métodos, pois como policial estou acostumado a investigar, aliás, a usar tirocínio. É uma profissão emocionante, onde você parte do crime para o criminoso; aprende a conversar com o corpo de delito, a observar o local do crime, a ouvir o corpo da vítima do homicídio, a dialogar com o silêncio, enfim, a investigar. Não a apontar "alvos" para acertar alguma coisa! Dá até vergonha de se dizer policial com esses métodos.

É muito grave constatar, com certa regularidade, que a PF altera os números de inquéritos para disfarçar a prescrição do eventual delito que se apurava. Era só renumerar e registrar novamente o mesmo inquérito, agregando-se o número do ano em que se vai relatar o feito. Também se registram inquéritos em delegacia especializada completamente diversa da tipicidade penal do enquadramento dado, para dificultar ao máximo o acesso da defesa dos interessados.

O uso de mandados de busca para fazer provas, em vez de provas para fazer buscas, é algo que chama a atenção pela maneira contrária à boa prática republicana e pelo desrespeito ao princípio constitucional da inviolabilidade e da presunção de inocência, completamente preterido.

A invenção do método científico cronológico dedutivo para aplicar na transcrição dos diálogos das escutas telefônicas é algo insuperável do ponto de vista da violação dos princípios e garantias fundamentais. Algo sem qualquer precedente histórico e que beira a insanidade – de quem o concebeu no uso policial, de quem o aplica e de quem o admite. A PF só trabalha com o produto da escuta. Ela não diligencia durante as interceptações, pois, com esse método, cria, supõe e monta diálogos que não ocorreram. Na prática, fabrica indícios e, por consequência, falsas provas.

A verdade nua e crua é que o governo – que se diz de esquerda, democrático, social, preocupado com os direitos humanos e que repudia a "ditadura" – tem sob seu comando uma polícia que grampeia as pessoas, seleciona trechos de conversas, pinça frases, descontextualiza diálogos, cria enredos e manda gente para a prisão por *achismo* e dedução.

Aliás, dentro desse cardápio de impropriedades, executam um truque fenomenal, do ponto de vista da criatividade perversa. E trata-se de uma prática contumaz frente à banalização e prostituição em que se tornou essa história de se violar o sigilo das comunicações no país. Para burlar a justiça e falsear uma realidade, a PF investiga e grampeia um determinado indivíduo "alvo", afirmando categoricamente que esse mesmo indivíduo não é investigado, e muito menos grampeado.

A coisa funciona assim: suponha que você tem contato por telefone celular com dez pessoas. Contando com o seu aparelho, são onze linhas, obviamente. Normalmente eles nominam os alvos, mas, quando se trata de grampo, o alvo é o aparelho e não o interlocutor. Eles não apontam o titular ou usuário da linha como alvo, mas o número da linha, sem qualquer justificativa ou explicação, simplesmente argumentando que aquela linha está fazendo contato com o "alvo laranja" que escolhem para tal propósito.

Iniciam uma investigação monitorando duas dessas linhas, e vão encadeando novos grampos através do "Guardião", sempre com uma história de cobertura que serve para enganar a justiça, que autoriza o golpe, até chegarem a grampear os dez telefones com os quais você – no caso o "alvo" real, mas omitido – faz contato. Nesse caso, todos são grampeados, menos o seu aparelho; ainda assim, todas as suas conversas estarão gravadas. Se houver questionamentos, você nunca foi "alvo" de grampo, nem de investigação direta. Após o vazamento, dirão simplesmente que você caiu num grampo de terceiros. É assim que eles monitoram autoridades com alta patente nos poderes: parlamentares, magistrados e "alvos" do governo, quer sejam aliados ou adversários.

Tem gente que defende a vinculação direta da PF ao presidente da República, como demonstração de independência política e funcional. Nestes últimos 12 anos, em algumas oportunidades, isso já ocorreu na prática. Variava de acordo com o titular da pasta da Justiça. Mas como projeto efetivo mesmo, hierarquicamente falando, julgo ser uma grande roubada. É um modelo de país totalitário.

Primeiro, porque tem que haver uma instância de segurança institucional, em especial num país em que os organismos ainda não são totalmente de Estado, mas sim de governo. Imagine se cada falha da polícia gerar uma discussão política sobre eventual responsabilização político-administrativa, ou mesmo criminal, do presidente da República?

Segundo, porque não é isso que determina a independência de uma instituição. Independência política e funcional começa com a inamovibilidade de seus membros, eleição de seus dirigentes, orçamento próprio, compromisso com o princípio da legalidade, entre outras medidas. Talvez fosse bem-vindo um Ministério da Segurança Pública que absorvesse as polícias nacionais – PF e PRF – e outros órgãos, e intercambiasse as políticas sociais com outras áreas.

A PF, como instrumento de governo e braço armado do poder, também e sobretudo nas investigações, é usada seletivamente ao fazer seus inquéritos. Depende de quem está do outro lado da escrivaninha. Quando se trata de adversário e este for inocente, o inquérito fica aberto, tramitando *ad eternum* para se dizer: "Ele está sendo investigado"; ou seja, a pessoa estará sempre sob suspeita.

Quando se trata de aliado e se for culpado, também o inquérito se arrasta, só que engavetado com outro propósito, o de permitir que digam: "ninguém pode ser acusado antes do final das investigações; enquanto não houver condenação em última instância, transitada em julgado, todos são inocentes".

Como já visto, existe um rosário de ilegalidades, irregularidades e artimanhas, das quais se lança mão para implantar e manter o estado policial. Há muito mais: são fatos e evidências incontestáveis.

No caso de quebra de sigilo das comunicações telefônicas, a PF atribui um número de telefone a você, que é "alvo", sem fazer prova de uso habitual ou mesmo esporádico, tampouco de titularidade da linha, e a justiça autoriza a quebra do sigilo.

Pior ainda é que ela não demonstra como chegou àquele número, e por que atribui ao investigado o uso daquele número. Isso se tornou uma prática corriqueira que nem a justiça, nem ninguém tem observado, e tampouco contestado. Não pode ser assim. Para se atribuir o número de uma linha telefônica a alguém, a polícia precisa provar que aquela linha é efetivamente de uso ou titularidade do indivíduo. Não basta dizer que é. É preciso provar.

Uma das maneiras de se provar é por meio dos dados cadastrais. Alguém poderá questionar: e se estiver em nome de terceiros? Simples: proceda-se a oitiva do titular para que indique quem é o usuário. Só então, comprovada a utilização, é que a justiça poderá analisar e decidir se defere ou não a interceptação e/ou a quebra do sigilo. Enfim, dá trabalho, mas é um problema da polícia e da justiça, não da defesa, medida que, aliás, previne muito abuso de autoridade.

Para a dominação política do país, em especial das forças policiais, formulou-se um falacioso discurso de que o governo federal trataria com mais simpatia, mais recursos e maior proximidade as polícias com chefes policiais federais. Como na secretaria nacional de Segurança Pública – Senasp havia um delegado federal, o governo foi conseguindo "indicar" policiais federais em vários estados como secretários de segurança pública. Dos cerca de 20 secretários de segurança da PF que assumiram os estados, poucos tinham compromisso de lealdade maior com os governadores do que com a cúpula da instituição ou com o poder central. A esmagadora maioria devia o cargo ao comando federal.

Com a viabilização dessa fase do projeto, garantiu-se uma situação interessante e importante no domínio do território e no monopólio da informação. As forças policiais estaduais, através das secretarias de Segurança Pública na maioria dos estados, estavam "amarradas". Os governadores seriam tornados reféns e espionados em suas próprias "casas" sem se dar conta. O coração do poder estadual passava a funcionar sob monitoramento. Era a infiltração oficial, que serviria para repassar todo tipo de informação necessária para o governo federal, inclusive sobre as movimentações político-partidárias dentro do secretariado, do governo e do poder local. Uma vigilância diuturna.

Ademais, criaram-se núcleos de inteligência paralelos dentro dos gabinetes dos secretários estaduais de Segurança Pública, comandados por policiais federais cedidos ao estado. Esses núcleos passaram a disputar espaço e atribuição com os já tradicionais setores e departamentos de inteligência das instituições policiais.

Isso possibilitou a posse, mesmo que temporária, e o acesso irrestrito aos arquivos estaduais, como os seus bancos de dados de identificação civil e criminal, de propriedade de veículos automotores dos Detrans, das carteiras nacionais de habilitação, das secretarias da Fazenda dos estados, do IPVA, dentre outros. Isso sem qualquer auditoria, controle ou supervisão, o que por si só já representaria uma ameaça.

O caso envolvendo o governador do Distrito Federal, José Roberto Arruda, prosperou com o uso desse *modus operandi.* Era preciso criar um grande embaraço para o principal partido de oposição ao governo à época. O então secretário de Segurança Pública do Distrito Federal ocupa hoje um dos postos mais importantes na estrutura da PF: o de superintendente regional no estado do Rio de Janeiro.

O controle sobre forças policiais estaduais permite ao governo central, por exemplo, impedir reivindicações no âmbito federal que lhe possam criar constrangimento. As mobilizações, caravanas e movimentos reivindicatórios das categorias policiais ficam completamente amarrados aos desígnios do governo federal, que, se entender interessante, é capaz de criar embaraços aos governadores e decidir tudo o que pode e o que não pode acontecer. Se o poder central decidisse que um determinado movimento não devia ocorrer, ele era prontamente sufocado já na base. O projeto do Plano de Carreira para as Polícias Civis, a PEC 300, é um exemplo, entre tantos outros.

A instauração de inquéritos policiais ou de PCD em delegacias diversas das especializadas, presididos e conduzidos por policiais do setor de inteligência e no interior dos SIPs, nas superintendências regionais – SRs e da DIP em Brasília, órgãos que não têm atribuição de polícia judiciária cartorial e, portanto, não sofrem controle externo e sequer interno, é algo que não tem precedente na história do Brasil e, pelo que sei, nem no mundo. Nem mesmo na ditadura e em outros regimes de exceção essa aberração jurídica ocorreu.

Registre-se que esses setores são áreas tratadas na PF como reservadas e secretas, com acesso restrito ao pessoal que nelas trabalha. Se advogados não podem entrar, se não tem livro para registro e escrituração de inquéritos, como é que se pode conduzir um feito de polícia judiciária nesses locais?

Serviços secretos, de inteligência, ou mesmo polícias mundialmente famosas não usam nem nunca usaram os métodos da PF de fazer IP (Inquérito Policial) ou procedimentos similares no setor de inteligência. Cito como exemplos: o FSB (Serviço de Inteligência Russo), a antiga KGB da ex-União Soviética, a CIA americana, o Mossad israelense, e o Serviço de Inteligência Britânico MI5; ou ainda a Direção de Inteligência Militar (DIM) e os Serviços de Inteligência Bolivariana (Sebin), antiga Direção de Serviços de Inteligência e Prevenção (DISIP), da Venezuela. É possível que somente a temida Gestapo tenha se aproximado dessa atuação, mas sem as mesmas tecnologias de hoje. Enfim, uma vergonhosa invenção brasileira, um produto que sequer a ditadura concebeu. Um *hecho en Brasil* que ninguém copiou.

Porque a Polícia Federal não é a polícia do governo Lula, do Fernando Henrique, minha, do Tuma, de qualquer um. Essa é a Polícia Judiciária da União. Ela não pode ser de alguém; ela é da Justiça da União, é a do Código, é a da Constituição.

Não me refiro aqui aos homens e mulheres honestos e honrados que compõem a maioria dos quadros da PF. Essa Polícia Federal a que estamos nos referindo é uma parcela dela, que representa a cúpula que se deixou instrumentalizar propositalmente porque também se beneficia disso. Quando ela se deixa instrumentalizar não é porque é burra, manipulável. Quando a gente fala aqui que a PF se instrumentalizou, parece que eles são uns bonecos na mão do Lula; não é isso, francamente. Eles se deixam instrumentalizar porque aí eles vão para o vale tudo. Vejamos: essa DIP, Divisão de Inteligência Policial, é um *bunker*, onde se coleciona uma série de informes, informações, relatórios e dossiês contra o "mundo" sem que seja dada a necessária e correta difusão. A Polícia Federal usa isso como um *bunker*, acessado no momento em que interessa atacar ou promover uma investigação contra um novo "alvo", da polícia ou do governo. Fala-se tanto nos tempos da ditadura, em seus arquivos, mas isso ocorre nas barbas desse governo; pior: com sua condescendência, e ninguém toma qualquer providência.

Vislumbremos uma situação: você vai à PF e fala que quer saber tudo que tem contra si na corporação, com base nessa lei nova de acesso à informação. Ou diz: "Quero saber tudo que há contra mim em um relatório de inteligência da PF". Eles falam: "Não pode porque isso é segredo de justiça". Eu devolvo: "Por quê? Isso não está subordinado ao controle externo da atividade policial!" Pelo menos é o que eles falam quando o MP vai atrás.

Na verdade eles jogam conforme o interesse. Depende de quem questiona, se é um particular, um cidadão ou um outro órgão ou poder. Isso é uma insegurança jurídica, um abuso e uma vergonha para quem diz que vivemos numa democracia e sob um governo legalista e transparente.

Aliás, é bom alguém lembrar à presidente Dilma e seus comandados que, na solenidade de assinatura do decreto que regulamentou a Lei de Acesso à Informação e de posse dos membros da Comissão da Verdade, em 16.05.2012, ela disse: "A transparência, a partir de agora obrigatória, também por lei, funciona como o inibidor eficiente de todos os maus usos do dinheiro público, e, também, de todas as violações dos direitos humanos". E disse mais: que a Comissão da Verdade não representa a busca por revanchismo, ódio ou o desejo de reescrever a história de uma forma diferente do que aconteceu. "[Temos] a necessidade imperiosa de conhecê-la em sua plenitude, sem ocultamentos, sem camuflagens, sem vetos e sem proibições". Nesse caso, é preciso lembrar a Sua Excelência que a história do Brasil não parou, por mais que possa parecer, mas continua sendo escrita; e os métodos devem seguir os mesmos apregoados para revê-la.

Não é demais relembrar que, seis meses antes, em 18.11.2011, durante o ato de sansão das duas leis – a que criou a comissão da verdade e a da LAI – ela já tinha dito em alto e bom som, ao saudar aquela nova legislação, que "nenhum ato nem documento que atente aos direitos humanos possa ficar sob sigilo". E sob muitos aplausos arrematou: "O sigilo não oferecerá nunca mais guarida ao desrespeito aos direitos humanos no Brasil".

É preciso refrescar a memória dos agentes de governo, ou seria plenamente possível afirmar que tudo se tratava de estelionato verbal, apenas para arrancar aplausos da seleta claque. Vejam, por exemplo, o que disse na época, no mesmo dia 18, o ministro da Justiça, chefe imediato da Polícia Federal, à Agência Brasil, órgão midiático do governo: "Para o ministro da Justiça, José Eduardo Cardozo, a informação não deve ser de poder de quem governa, mas de toda a sociedade. A questão dos direitos humanos é chave e, portanto, a lei [de Acesso a Informações Públicas] foi clara. Nesse segmento não há restrições de informação".

Digo eu: procure saber como ele despacha os pedidos negados pela sua polícia nesse sentido, quando não transfere para sua substituta. É fácil falar; discursar para seleta claque, então, uma moleza. Quanta hipocrisia e incoerência! Então, se é documento de inteligência, não é documento de polícia judiciária. Nesse caso, eles vão guardando e depositando os relatórios em um *bunker*, e os usam quando interessa. E trocam as catalogações dos documentos.

Digamos que alguém chegasse hoje, pegasse um relatório do Dops, ou do SNI, em que um agente infiltrado supostamente estivesse dizendo o seguinte: "Olha, tem um grupo armado, chamado VAR-Palmares, que vai explodir uma bomba e sequestrar um embaixador; no grupo, quem está preparando esse sequestro é um camarada chamado José Dirceu, e há uma senhora chamada Dilma Roussef, mais não sei quem...” Aí você chega lá e prende eles hoje, e coloca no inquérito como bandidos. E aí?

Mas isso aí era relatório de inteligência, porque relatório de inteligência é baseado numa sensação, num sentimento, numa informação, numa impressão, suposição. Você fala: “Cara, eu fui lá, deu para sentir que esses caras são bandidos”. O “eu acho” serve para sua avaliação na relação de confiança que você tem comigo. Será que a sua opinião é importante? Se sim, aí então eu vou avaliar. Não posso botar isso como peça de polícia judiciária; o achismo não pode servir para julgar ninguém. Serve para o seu julgamento íntimo; o que eu acho serve para você como delegado, ou como detentor do poder decisório, avaliar. É uma opinião, e opinião não é prova nem aqui nem na China. Mas nesse governo, na PF “republicana”, tem sido.

O diretor de inteligência é sempre o homem de maior confiança do chefe da Polícia Federal. Seus maiores operantes constituem um corpo policial muito perigoso. Tais práticas temerárias de inteligência se tornaram um negócio descontrolado. Vejamos o caso do ex-senador Demóstenes Torres. Eles arquivaram um relatório de inteligência feito contra ele e que datava de 2006. Por que não fizeram nada na época? Porque não interessava. O tal relatório ficou cozinhando nas gavetas do *bunker*. No momento político oportuno, tais papéis saíram do forno para atingir Demóstenes, figadal adversário do governo petista.

Tudo isso porque o governo estava operando para Demóstenes migrar para a base petista aliada. E quando definitivamente ele não foi, chegou a hora de o galo cantar; e o relatório de inteligência veio, altissonante, à luz do dia e para toda a mídia.

Não é por acaso que a PF sob Lula criou esse *bunker* de informações e dossiês. Escolada com os "arquivos" da ditadura, que só possuíam fichas e relatórios de informação, criou o seu modelo próprio, com o rótulo de documentos de polícia judiciária, para fugir do risco de ter que torná-lo público. Mas, contraditoriamente, não os submete ao controle externo do MPF.

Verifica-se, com certa frequência, o desaparecimento e/ou engavetamento de depoimentos tomados no bojo de inquéritos policiais, ou ainda a omissão de conteúdo, ou seu falseamento para autoridade judicial em relatórios circunstanciados. Fato criminoso que não tem sensibilizado nem a justiça nem as instâncias correcionais, numa clara demonstração da banalização das garantias individuais e do princípio basilar do devido processo legal. Quando interessa, esses documentos podem reaparecer em absoluta dissonância com a cronologia dos fatos. Ainda assim, verificam-se prevaricações em cascata e fraude processual.

Eles produzem e trabalham com documentos de polícia judiciária como se fossem documentos de inteligência; e trabalham com documentos de inteligência como se fossem de polícia judiciária.

Nesse sentido, são escamoteados depoimentos e juntados relatórios de inteligência: Relints produzidos na base do achismo por agentes que não têm qualificação, capacitação, treinamento e, pior, não têm atribuição legal para isso. Repito que se trata de uma aberração jurídica e, diga-se, sem precedentes. É importante lembrar que a Justiça tem sido tíbia ao não observar essas denúncias. Diga-se o mesmo do Ministério Público Federal, que, ainda mais e para piorar, é o titular da ação, o controlador externo da atividade policial e o fiscal da lei.

Não conheço exemplos na esfera estadual. Pode até haver, pois, como já mencionei, mais de vinte estados chegaram a ter secretários de Segurança Pública vinculados à PF. Mas com essa abundância isso só ocorre na esfera federal. Se na minha polícia o indivíduo fizer isso, vai em cana, pode estar certo.

O uso absurdo e excessivo do Auto de Investigação Preliminar – AIP, que, como o Procedimento Criminal Diverso – PCD, não sofre qualquer correição, controle interno e externo, é outra aberração. Esse tipo de procedimento não tem respaldo na legislação penal. Quando a polícia quer ou tem que investigar algum fato típico, o faz no bojo de um inquérito policial, nos termos do Código de Processo Penal. Esse procedimento, uma vez instaurado, não pode ser arquivado sem ordem judicial. Esses PCDs ou AIPs, ao contrário, são procedimentos anômalos que podem se prestar a uma série de arbitrariedades e desmandos de toda ordem. Podem, inclusive, servir como um instrumento muito eficiente para corrupção, na medida em que não sofrem qualquer controle e não possuem qualquer registro. Quem manda começar pode mandar encerrar.

Ainda com relação às escutas e à degravação das mesmas, ou à decupagem, que é na verdade o que eles fazem, o que preocupa não é só a seleção de trechos de conversas, mas também a seleção com inclusão ou exclusão de conversas, dependendo dos interlocutores. Se for alguém contra quem não interessa investigação, a conversa é excluída, ou o trecho que pode comprometer é eliminado com o famoso "nada que interesse à investigação", ou HNI (Homem não identificado) ou MNI (Mulher não identificada), dependendo do sexo.

O grande volume de conversas gravadas é proposital para facilitar esse manuseio e impedir que alguém tenha tempo de ouvir sua totalidade. Isso serve também para explicar ou "justificar" a decupagem (resumo) e não a degravação (íntegra), contrariando a lei; fica a critério de um agente ou papiloscopista, o que pode propiciar um ambiente fértil à perseguição e à corrupção. É um clássico exemplo de criar dificuldade para se vender facilidade. É possível vender-se trechos de telefonemas. É a escuta pré-paga, onde o pagamento não precisa ser necessariamente em dinheiro.

Portanto, aviso aos navegantes, em especial aos senhores doutores advogados: muita atenção ao se depararem com...

1. (...) Trecho ininteligível
2. (...) Trecho sem relevância.
3. HNI...
4. MNI...

Ouçam as gravações para confirmar; exijam degravação integral, realizada por instituição pericial. Decupagens podem esconder assuntos que não interessam aos investigadores revelar, em prejuízo da defesa; ou, ainda, podem esconder pessoas, selecionadas para não aparecer na investigação. Por isso o legislador sabiamente disse: "Tudo será degravado e transcrito em autos apartados e destruído aquilo que não interessar para a investigação".

Nessa mesma seara estão a fábrica de sinônimos, fruto da desfaçatez indiscriminada e sem qualquer nexo, e as elucubrações criadas a partir da vontade individual e própria de quem está a proceder as degravações, com absoluta liberdade de inventar o que bem entender para dizer que tal coisa é sinônimo do que lhe convém.

Como nas polícias estaduais, em que o delegado, sem a atuação das demais carreiras, em especial os escrivães e investigadores de polícia, não chegaria a bom termo em 100% das investigações, na PF ocorre o mesmo com relação aos agentes, mas com uma importante diferença que revela uma triste realidade. Os delegados federais, institucionalmente, não têm essa consciência. Usam e abusam de seus agentes e, na hora do reconhecimento profissional, uma banana. E mais: se precisar escolher "alvos" em casa para encobrir falhas administrativas da corporação, ou mesmo para empurrar a culpa por erros de incompetência de gestão ou de execução, prepare a bandeja que a cabeça será oferecida sob o velho e falso argumento do "estamos cortando na própria carne". Não estão, não! Estão escolhendo um "alvo", ou uma "fralda", para descartar no lugar de uma autoridade. Faz parte da contumaz desídia que se verifica na administração e na condução das coisas, por parte de quem tem o dever de chefiar, naquela instituição.

Anotem ainda que a lei protege a voz, o diálogo, a fala, não a linha telefônica. Portanto, no meu entendimento, qualquer conversa que contenha a fala de pessoa cuja posição, jurídica ou administrativa, requeira foro de prerrogativa, não pode ser utilizada, independentemente de ter sido ela alvo ou não da diligência, independentemente de ter sido obtida direta ou indiretamente. A fala dessa pessoa é protegida por lei. Ou seja: se numa quebra de sigilo de comunicação aparecer conversa de alguém cuja prerrogativa de foro se encaixe, tem que suspender na hora.

É muito comum se usar o argumento de que a pessoa que foi gravada não era "alvo". Então, por que foi gravada?

Outro fato falacioso que objetiva o monopólio da escuta telefônica, sem qualquer possibilidade de auditoria, é o projeto para que as companhias telefônicas não possam mais interferir nas escutas autorizadas pela Justiça. A PF faria o *link* direto no "Guardião", sem necessidade de apoio, participação ou conhecimento das operadoras. O "argumento desculpa" é evitar vazamento e ainda impedir que os funcionários das operadoras possam corromper o sistema. Mas a realidade é mesmo o monopólio do "grampo", e a impossibilidade de que a justiça ou algum órgão possa fazer "auditoria" para saber se as pesquisas e os "grampos" se limitaram ao que foi autorizado, o que, aliás, a Justiça já não faz muito bem.

É isso que está por trás do debate sobre a confiabilidade das operadoras de telefonia móvel, falsamente lançado pela PF. Mas é bom lembrar que as operadoras têm um órgão de regulação ativo, além da Justiça, da própria polícia e do Ministério Público, à parte sua preocupação com a imagem institucional perante a opinião pública e o mercado.

Hoje, as operadoras realizam essa auditoria ao informarem ao juízo a relação das linhas cujos cadastros são pesquisados e aquelas cujo sigilo é suspenso para serem interceptadas. Se as autoridades judiciais não fiscalizam, não conferem, é um outro problema a ser considerado por suas corregedorias, ou pelo Conselho Nacional de Justiça, mas que o afastamento das operadoras desse processo vai provocar um total e absoluto descontrole, não há dúvidas.

Outro aspecto que já se mostrou imperativo por ser tecnicamente e plenamente possível – registre-se, aliás, que no próprio Departamento de Inteligência da Polícia Civil de São Paulo, Dipol, conseguimos viabilizar – é a edição de uma portaria do Conselho Nacional de Justiça, ou do STJ, exigindo que toda e qualquer gravação proveniente do "Guardião" tenha uma identificação como marca do tipo "DNA" da escuta e do aparelho, que permita identificar a origem em caso de vazamento. Essa medida é tecnicamente viável e eliminaria os problemas com a famigerada indústria do vazamento e com o maior concorrente da própria justiça: os sites de busca e pesquisa nominal, tais como o "STG – Supremo Tribunal do Google".

A total obstrução, por parte da PF, que disputou absurdamente um espaço indevido com a Abin, além de buscar esvaziar as atribuições da agência na aprovação da Política Nacional de Informações – PNI, fez com que o projeto fosse engavetado no

Palácio do Planalto desde o final de 2009. Esse projeto estipula as regras para uma política que dificultaria o aparelhamento das instituições de informações e o uso indevido das mesmas.

A falta de capacitação, treinamento e, principalmente, a inexistência de atribuição legal para elaboração de Relatórios de Inteligência – Relints e Termos Circunstanciados de Inteligência por parte de agentes, escrivães e papiloscopistas federais é uma absurda prova de abuso cometido ao arrepio da lei. Essas peças já não poderiam ser tratadas como peças de polícia judiciária aptas a integrarem inquéritos e processos, e, nessas condições, deveriam torná-los nulos.

Os abusos nos procedimentos são escabrosos. E eles são sádicos, não se contentam com a pessoa perseguida: invadem a privacidade dos filhos, da esposa, do marido, sogro, pai, mãe, enfim, da família do indivíduo "alvo". É a "lei do cão" e da "selva". Para eles, a pena e o ódio obrigatoriamente vão além da pessoa alvejada!

Importante registrar outro abuso, que é o constatado no pagamento de diárias. Enquanto o governo gasta milhões em diárias para pagar, disfarçadamente, aumentos salariais de alguns delegados, escolhidos a dedo para praticarem esses abusos e verdadeiras lambanças jurídicas, a criminalidade urbana cresce desenfreada, e aterroriza a população, que já não se ilude tanto com a pirotecnia eleitoral das operações federais. O povo percebe claramente que isso tudo não traz nenhum benefício prático para a sociedade, a cada dia mais vitimada, agora não só pelos bandidos de sempre, mas também por aqueles que simulam combatê-los. E o governo, sempre fingindo que o problema não é com ele, politiza o debate da segurança pública e joga nas costas dos estados toda a responsabilidade. O povo não se engana mais.

Toda vez que um delegado da PF, ligado à cúpula ou parte dela, dá uma entrevista sobre o uso de grampo na Polícia Federal, diz que é mínimo. Falta com a verdade, mente. O que ocorre é que eles usam um truque simples: a partir de uma escuta, instauram 10 inquéritos, mas só um é considerado iniciado através de escuta, ou com grampo. Ou seja: os outros se iniciam com os relatórios de "inteligência" (degravações seletivas e dedutivas) ou com prova emprestada daquele primeiro, que na verdade são as mesmas gravações e degravações provenientes das mesmas quebras de sigilos telefônicos.

Outra aberração jurídica, totalmente descomprometida com os princípios fundamentais e constitucionais do estado democrático de direito, da ampla defesa, do contraditório e principalmente o do devido processo legal, é fazer inquérito policial no setor de Inteligência policial. Isso é absolutamente anômalo. Só as SIPs e a DIP da PF fazem. Eles não têm cartório e não sofrem correição nem interna nem externa; e pior: registram os inquéritos irregularmente em outras delegacias. Uma balbúrdia que, inclusive, impossibilita à defesa localizar onde seu cliente é investigado.

Isso é a essência do Estado Policial que a justiça deveria coibir, exigindo que o MPF exerça seu controle externo, fiscalizando os livros com o devido registro dos autos. Não adianta querer fazer investigação estando conivente com abusos. O que será da sociedade quando o objetivo for atingido? Quem fará o controle externo do controlador externo que se mostra conivente?

Recentemente, vi uma manifestação da Polícia Federal, ao defender a PEC 37 – que trata da exclusividade das polícias para realizar investigações – onde dizia que "a PF não corrobora investigações secretas, nem fora dos ditames legais". Considero que fazer essa afirmação não é a melhor defesa. Simplesmente porque não é verdade.

Aliás, para que não sirva ao uso indevido de campanhas corporativas daqueles que, ao meu ver, em total contrariedade ao princípio da isonomia das partes, buscam mais poder, quero deixar claro que todos esses abusos só ocorrem porque o controle externo da atividade policial, que deveria ser realizado pelo MP, é absolutamente falho, ineficiente e inexistente. Diante disso, sinto-me mais assustado ao constatar que o MP, falaciando argumentos, luta contra a PEC 37, pregando que deve investigar. Tomando por base o descontrole na sua atuação de fiscalizador, imagine-se como seria na de investigador, fazendo polícia sem qualquer controle externo. O x da questão: se não se presta a controlar quem investiga, como se prestará a investigar sem controle?

Investigar as pessoas, quando for o caso, na forma e nos limites da lei, é tudo que a PF prega e é tudo que ela não faz, embora isso seja o mínimo que se possa esperar de um governo que diz comandar uma polícia republicana. Republicana é exatamente o que a nossa polícia não tem sido.

Essa técnica de gravar, editar e vazar, sobejamente usada, é uma nova modalidade de violação dos direitos e garantias fundamentais em forma de tortura psíquico-física. Trata-se do moderno "pau de arara" virtual, um legado desse governo.

O que se espera de uma polícia republicana é que ela entenda que o objetivo da investigação criminal, sua principal atribuição, não é servir ao titular da ação penal, mas à própria Justiça. A finalidade da investigação preliminar, representada pelo inquérito policial e tão somente pela formalidade do inquérito policial, é a clara e perfeita elucidação do crime, de todas as suas circunstâncias e de sua autoria, quando houver, fundamentando, assim, a necessidade ou não do processo. Tanto isso é verdade que o inquérito policial em inúmeras ocasiões reúne elementos que são favoráveis ao próprio investigado. Ele é uma peça que deve primar pelas garantias fundamentais. Não pode ser um instrumento de tortura moderno, instrumentalizado por uma polícia político-partidária a serviço de uns poucos.

O crime hoje não se limita a corromper o funcionário público. O crime investe no servidor até mesmo antes dele atingir essa condição. Paga estudos, paga aluguel, mantém, e lhe presta serviços junto ao Estado; ou pior: como se fora o próprio Estado. A infiltração é um investimento, e os órgãos de controle de contrainteligência do Estado não funcionam para impedir que isso ocorra. Ao contrário, bisbilhotam políticos adversários do Poder. Seguem o exemplo da máquina do Poder. Criam raízes na frouxidão moral da autoridade administrativa.

2. RIC – REGISTRO DE IDENTIDADE CIVIL

Um clique para ter controle de todo o Brasil: sonho de Márcio Thomaz Bastos – que eu recusei viabilizar na SNJ

Veja a notícia abaixo publicada no jornal *Metro Brasília* em 24.12.2012:

Implantação de nova identidade fica no papel

A implantação da nova identidade, um cartão magnético lançado em 2010 e que reuniria quatro documentos, não saiu do papel até hoje. O motivo é a burocracia – a ideia nem ao menos passou da fase inicial de emissão. O lançamento do RIC (Registro de Identidade Civil) teve ampla publicidade e foi apresentado como um dos mais modernos do mundo há cerca de três anos. A justificativa é de que hoje é possível retirar 27 carteiras de identidade diferentes – número que seria único e evitaria que pessoas com o mesmo nome fossem confundidas, ou documentos clonados. O investimento previsto era de

> R$ 1,5 bilhão, mas foi identificado que os sistemas estaduais que concentravam os registros não se comunicavam, e a criação do Cadastro Nacional de Registro de Identificação ficou inviabilizada, até porque havia também dificuldades tecnológicas para fabricar os chips. A meta do governo era universalizar o RIC até o final de 2019, mas agora segue sem prazo definido.

Com a manobra descrita acima, eles tentavam criar um projeto de erigir um banco de dados único nacional, com proposta interessante para o público que não conhece o plano de fundo da criação desse Registro de Identidade Civil: era o sonho pelo qual você teria o RG, passaporte, CPF, certidão de nascimento, título de eleitor, tudo no mesmo documento. Embora tal sonho absconso de controle total sobre o cidadão ainda não tenha sido implantado, com a estrutura de fachada já criada, boa parte dele pulsa e age em segredo, no íntimo da inteligência petista, nos dias que correm.

As secretarias de segurança de todo o Brasil começaram a ser provocadas a fornecer os arquivos de identificação civil e criminal das pessoas. São Paulo e Rio de Janeiro começaram a ser obrigados a passar tudo para o governo federal. Eles, da Polícia Federal, não tinham o que dar como contrapartida. Eu havia concebido a ideia de ter uma rede única de inteligência de laboratórios nacionais, a rede Lab-LD. Tais laboratórios eram o ovário de todos os cadastros de tipologia de lavagem de dinheiro, todos os casos que já foram examinados nos laboratórios (para serem comparados a casos semelhantes, ou a continuação do mesmo caso para que, quando fosse fazer a pesquisa, houvesse uma forma de acessar a raiz de tudo).

Imagine que estou investigando, por exemplo, um caso que tem tal tipologia, referente ao PCC, digamos. Aí você tem, também por suposição, no Rio de Janeiro um caso investigado que é parecido. Então entra em contato com aquela equipe que tem autorização, e possivelmente interesse, em trocar informações. A Federal diz que quer trocar informações com a secretaria de tal estado, mas que você, em contrapartida, tem que passar esse cadastro como troca de gentileza. A PF adorou essa ideia e viu nela uma excelente moeda de troca com os estados para repassar os Labs, em contrapartida aos cadastros de identificação civil e criminal. Com isso poderia, de quebra, administrar essa rede também.

Tive um encontro com parte do CONCPC – Conselho Nacional dos Chefes das Polícias Civis, e os alertei sobre esses fatos; inclusive, na época, contabilizamos que já havia pelo menos 17 secretários de Segurança Pública chefiando-os, e que esses secretários eram oriundos da PF. Com aquele alerta, lembro bem que São Paulo começou a rediscutir a ideia, e o Rio de Janeiro, cujo delegado geral era o Dr. Gilberto da Cruz Ribeiro, interrompeu o projeto de repasse dos cadastros e acabou caindo por isso. O Maurício Lemos Freire, em São Paulo, criou caso também e não repassou seus dados do IIRGD para a PF. Isso acabou inviabilizando o projeto. A PF queria ter acesso a nossos dados da polícia do estado e almejava também os dados da secretaria da Fazenda estadual.

Eles queriam centralizar em seu banco de dados todas as informações relativas ao cadastro de identidade civil e federal. A PF com isso nas mãos seria maior que a CIA e a KGB juntas. Queriam os estados oxigenando isso para eles, mas sem nada oferecer aos estados. Se esse sonho do Márcio Thomaz Bastos se realizasse, eles teriam acesso, num clique, a todas as informações sobre a carteira de habilitação, carro, imposto de renda, Ministério da Fazenda, nota fiscal paulista... tudo sem ordem judicial. E sob o lindo pretexto de se criar um registro único, para que você não precisasse mais ficar andando com um monte de documentos – e você não tiraria mais RG em seis estados, digamos, para poder enganar a polícia com seis documentos diferentes.

Outra situação interessante nesse caso de documento único é o AFIS. Eles compraram esse sistema e o TSE também entrou na confusão. Cláudio Humberto, sempre bem informado, noticiou que "bilionárias operações estão em curso no nosso período eleitoral para adquirir 2.500 kits biométricos que permitem recadastrar eleitores por impressão digital. O valor inicial de R$ 29,5 milhões é só o começo. O software é da francesa Sagen, o único compatível com o Instituto de Identificação da Polícia Federal".

A PF se amarrou com essa empresa, e aí dane-se todo mundo. A PF tinha que ter feito licitação em vez de ter comprado deles. Mas eles, do governo, queriam acessar as informações do Tribunal Superior Eleitoral para obter os dados do título de eleitor de todos os brasileiros...

A chave do mistério: em 2009 a Polícia Federal pagou 46 milhões de reais pelo sistema biométrico AFIS, para emissão de passaporte. Cada cadastramento custa 7,5 dólares, *topsecret*. O TCU questionou a compra do sistema AFIS, mas a Federal alegou que era assunto de segurança, portanto secreto, e não se falou mais no assunto.

O TSE estava para enviar à Federal os dados de 40 milhões de brasileiros para montar sua base de novas carteiras de identidade. Para produzir as novas carteiras, teria que adquirir mais sistemas biométricos do AFIS; fazendo as contas, é negócio para 1 bilhão de reais.

E mais: eles também estavam atrás dos dados de todos os eleitores. É um banco de dados que provavelmente será absoluto: vão linkar até a rede de dados da Receita, é o monopólio absoluto da informação.

Na verdade, essa era a bula do poder totalitário, e olha que eles estão tentando isso até hoje. O Márcio Thomaz Bastos projetou toda uma estrutura para isso. Foi quando ele quis criar esse projeto sob a direção da Polícia Federal. O PT tem ainda um projeto da Super Secretaria Nacional de Justiça. Márcio Thomaz Bastos, ministro da Justiça, não conseguiu instituir quando eu estava lá mas me orientou a fazê-lo. Ele me dizia: "Romeu, temos que chegar nisso um dia".

Você tinha as secretarias estaduais de Segurança com delegados da Polícia Federal, tinha um núcleo de inteligência dentro dos gabinetes dos secretários para se apoderar de tudo isso, e assim criar um elo do governo federal sobre a atuação dos governadores. Era um grupo de inteligência do gabinete do secretário para vigiar governadores estaduais. Uma forma de ter o controle sob as forças estaduais – inclusive e principalmente para impedir que policiais dos estados continuem reivindicando legislações e medidas federais que possam criar constrangimento ao governo central.

Por esse sistema eles não teriam atribuição de polícia judiciária e cartorária, não teriam controle externo. Mas eu digo que isso já existe: a DIP, Divisão de Inteligência Policial, e o SIP, Serviço de Inteligência Policial, são áreas reservadas e secretas. Ali nem o Ministério Público entra, nem o próprio pessoal da PF que não for dali entra! Eles não têm cartório; você não pode consultar os registros dos inquéritos porque são inquéritos "fantasmas".

O golpe tem vagos fundamentos no direito e nenhum deles na democracia, porque, quando registram o inquérito, fazem-no de forma errada, para nos confundir. Vai descrito como um crime para ser apurado na "delegacia de Crimes contra a Previdência Social", mas é possível mandá-lo pra outro lugar, sem declarar. Na DIP ninguém pode entrar, o cara vem te receber na porta. É um órgão que não sofre correição, ninguém vai lá, nem o Ministério Público faz correição lá. Não tem controle externo nem interno. É o diabo à solta.

Os advogados estão ferrados, meu caro. Se chegam lá, não têm acesso, não entram na sala, ficam de fora. Eles mandam algum meirinho, ou esbirro, que fala para o advogado: "Olha, doutor, aqui não tem inquérito". O advogado só conseguirá achar o inquérito depois de um mês, na delegacia errada.

O cara foi preso por contrabando, digamos, mas seu caso foi desviado para a divisão de Crimes contra a Previdência. A justiça é conivente com isso. É uma vergonha, nem a Abin tem algo semelhante. No mundo, nenhum órgão de inteligência tem isso; nem no Brasil no tempo da ditadura se tem notícia de que órgão de inteligência fizesse polícia judiciária. O único que faz é a divisão de Inteligência Policial da Polícia Federal. É exemplo de Estado totalitário, nem sei se é um péssimo exemplo, mas é o único.

A Polícia Civil teve o Dops, que não podia fazer inquérito, e só repassava informação para as divisões de inteligência. A divisão de Inteligência do Dops não fazia isso, a Abin não faz, o FBI nunca fez, a CIA não faz, ninguém nunca fez. Só a divisão de Inteligência da Polícia Federal. É a única que eu conheço nesse quesito de cava obscuridade, uma típica criação do governo Lula. Com mais um agravante: você vai, presta depoimento e o depoimento some. E aparece de novo quando interessa ao governo te fritar.

Há sumiço de depoimentos, omissão de conteúdos, falseamento para autoridade judicial em relatórios. Eles trabalham com documento do Judiciário como se fosse documento de inteligência, com documento de inteligência como se fosse de polícia judiciária. Então, engavetam documentos e juntam os relatórios de inteligência. É uma aberração que eles não poderiam permitir. O pai é essa cúpula: começou nesse governo.

É o uso absurdo, excessivo e ilegal do AIP, Auto de Investigação Preliminar, e do PCD, Procedimento Criminal Diverso, que não sofrem qualquer tipo de correção externa ou interna. Eles fazem inquérito e tiram pelos Autos de Investigação Preliminar ou pelo Procedimento Criminal Diverso, e não dão acesso a ninguém.

Ninguém pode ver porque é um procedimento em que se pede busca, escuta, prisão, e só depois vira inquérito. Eu nunca vi nada igual. O Código Penal não tem isso, é um procedimento anômalo. Eles falam que não houve nenhum inquérito e começam com escuta no Procedimento Criminal Diverso, e a justiça autoriza. Como instalam um Procedimento Criminal, onde inventaram esse termo? E de onde vem essa quantidade esdrúxula de gravações? Ficam lá dois anos gravando, e depois vêm com um analista que "supõe" que a pessoa falou isso ou aquilo. Se você gravar meia hora, o cara tem que degravar a íntegra do que se falou. Como eles gravam 500 horas, pegam um trechinho e ninguém mais vai ouvir nada.

Quando eu insisto que essa prática é ilegal é porque no decreto que regulamenta as atribuições do delegado, do escrivão de polícia, do agente da Polícia Federal, enfim, das carreiras policiais federais isso é claro, explícito. Só o delegado de polícia pode produzir documento de inteligência. O agente e o escrivão só podem colaborar.

Quando um funcionário pega um documento, vai lá e decupa trechos, ele cria um documento. Quando ele resume, supõe, fica analisando, fazendo interpretações, construindo uma fábrica aleatória de sinônimos, o documento deve ser nulo, porque não é atribuição legal do agente fazer isso.

Aliás, a bem da verdade, no meu caso, foi a única vez em toda a minha carreira em que vi um inquérito cuja portaria inaugural, ou inicial, foi assinada por dois delegados. Isso mesmo, dois delegados. Nunca havia visto isso antes, e não sei se mais alguém viu. Pior, estava lá: "por ordem superior...". Ora, portaria que instaura inquérito se assina de ofício por convicção, por requisição do MP ou por ordem judicial, mas de ordem superior e dois delegados? Só mesmo na PF republicana, e contra "alvos" da vez.

Então todas essas escutas, todos esses relatórios de inteligência assinados por agentes deveriam ser anulados. Sobre o documento de identidade eu já falei. Agora quero falar sobre a montagem de dossiê. Para mim, dossiê é uma coisa; para a imprensa é outra; para dois quartos da advocacia, dossiê é outra coisa; para publicidade é outra; dependendo do órgão, o sentido pode ser legal ou não.

O problema não é a palavra dossiê, o sentido legal ou não; o problema é o conteúdo e a forma de utilização. Para o médico é uma pasta com todos os exames do paciente. O seu médico tem o seu dossiê. É legítimo, mas tornar público não. Contudo tem gente que cria dossiês falsos e faz a exposição de forma criminosa.

3. A INSTRUMENTALIZAÇÃO DA ABIN

Nessa toada de poder de informação secreta, eles, do governo tentaram instrumentalizar a Abin quando o Mauro Marcelo foi para lá, no primeiro mandato do Lula. Não conseguiram, porque o Mauro é safo e, quando peitou a CPI, o governo entregou sua cabeça e ele saiu. Quando o Paulo Lacerda foi para a Abin ele já foi rachado com o governo, com o ex-diretor da Polícia Federal. Aí houve aquele episódio com a gravação do Supremo, que tentaram jogar nas costas dele. Eu ainda acho que foi o pessoal da Operação Satiagraha, como vou demonstrar mais à frente.

Eu acompanhei, como membro do Ministério da Justiça, a criação da Política Nacional de Inteligência, que infelizmente está no papel até hoje, e virei alvo de uma guerra entre a Abin e a Polícia Federal. Sempre defendi, no governo, que a Abin fizesse escutas, como órgão de inteligência de Estado que é – desde que monitorada pelo STF. A Abin, sempre defendi, não trazia risco ao estado democrático de direito porque seus relatórios não eram peças de polícia judiciária. Tratava-se apenas de inteligência de Estado.

A Polícia Federal queria tomar da Abin essa atribuição de órgão de informação de Estado. O ministro Nelson Jobim se aliou à Polícia Federal contra a Abin, e fui o único que defendia a posição da Agência. Eu inclusive defendia a condição da Abin de fazer grampo nos casos de Inteligência de Estado sob o controle e autorização do Supremo e do STJ.

Sempre defendi que quem faz grampo em Inteligência não pode fazer em polícia judiciária. É o que não acontece hoje nesses DIP e SIP que são órgãos vinculados ao Estado. É setor de Inteligência Policial, subordinado à Polícia Federal. Você tem a DIP em Brasília, e nos estados você tem as superintendências, vinculadas à DIP em Brasília.

São setores de inteligência policial na superintendência regional da Polícia Federal. Então eu defendo que as SIPs e as DIPs não podem fazer inquérito. Se estão fazendo grampos, têm que preparar a operação e passar para os órgãos de execução, delegacia Fazendária, delegacia Marítima, delegacia de Crimes Financeiros, delegacia de Crimes Organizados. A partir do momento em que o órgão de inteligência faz escuta e faz informação, essa informação vira seletiva, porque se eu pego em um grampo um parente, eu tiro fora. É evidente que é seletiva, a maior parte. Veja o meu caso: quantos caras me deixaram de fora e quantos me botaram para dentro?

O padrinho é o chefe do setor de inteligência que está fazendo os grampos, é ele que decide. Não tenho dúvida que é do PT porque eu nunca vi isso antes, nem aqui, nem no mundo. Nenhum órgão de inteligência faz escuta e inquérito; eles não têm livro de registro de inquérito, não podem fazer inquérito. Tanto que os registros de inquérito em outras delegacias ninguém acha, nem as partes que são presas.

Então a grande problemática é essa: por que eu acho que a Abin não estava envolvida? Porque a Abin teve esse racha com o pessoal da PF. No plano da Política Nacional de Inteligência, que foi uma comissão designada pelo presidente, o representante no Ministério da Justiça fui eu; depois me tiraram e não consegui ir mais. Defendi que a Abin fizesse escuta com a Inteligência do Estado, só que, quando chegou na reunião, eu fiz. No final a coisa ficou tão complicada que precisou de uma reunião com o presidente da República para arbitrar, porque a minha posição foi dura junto com a Abin. O presidente da Abin entrou, o Jobim foi contra nós, se aliou ao Luiz Fernando Corrêa, ex-diretor da PF.

Até hoje não saiu no papel a Política Nacional de Inteligência, não foi enviada ao Congresso. Por isso está esse descompasso armagedônico, com esses caras de segurança pública, onde foi criada a política de segurança pública. Essa é outra que o governo deve a mim: na discussão de quais seriam os pontos fracos do país que deveriam ser defendidos em uma política nacional de inteligência, quem colocou o crime organizado e a corrupção fui eu.

Isso eu fiz contra a vontade do governo; o governo achava que crime organizado e corrupção não eram pontos vulneráveis de um país. Falei: "Espera um pouquinho, vocês estão loucos? Vocês têm que pensar na questão macro, num país que tenha autoridade para descobrir as estratégias militares, as estratégias das empresas governamentais, para descobrir as produções de remédio na Amazônia, para descobrir a nossa biodiversidade através da corrupção".

A corrupção não é um ponto nevrálgico a se combater no país? Tornou-se um dos oito pontos que devem ser defendidos. Na política nacional que está no papel e não vai para o Congresso fui eu que coloquei. A Abin não está nisso porque ela tem um racha com a Polícia Federal justamente nesse aspecto; na prática ela não pode fazer polícia judiciária, então só pode produzir informação. Quem não pode fazer o que faz é a Polícia Federal, que produz inteligência, informações e peças de polícia judiciária dentro da unidade de inteligência. Primeiro tem que obrigar o governo a ter vergonha na cara, fazer na prática o que ele faz no discurso. Eles atacam todos os arquivos da ditadura que nunca prejudicou juridicamente ninguém no papel, vamos dizer, processualmente. Porque, no discurso, a Dilma fala: "Nesse país nunca mais haverá segredo de arquivos de inteligência".

O governo dela faz até hoje e não deixa ninguém ver. Primeiro tem que desmontar a cara de pau do governo ao mandar produzir arquivo sem consistência de embasamento técnico, profissional e jurídico. Segundo: parar de usar a bel prazer qualquer tipo de informação. Terceiro: cumprir a lei, transcrevendo tudo o que foi efetivamente falado. Vejam que qualquer relatório de inteligência traz apenas resumo de conversa telefônica. São apenas amostragens que permitem edições, descontextualizações e direcionamentos de conteúdo, sempre de acordo com as intenções e interesses daquele que faz a decupagem das conversas gravadas.

Nós não podemos esquecer que, antes de se criar o grampo, na época da ditadura, todo relatório de inteligência era feito por infiltração; não havia escuta telefônica naquela época, não havia telefone, celular, nada. Lá o cara tinha que se infiltrar, ouvir, o cara tinha que ditar a fonte: "Olha, eu vi lá numa reunião do

Zezinho do Ouro que ele falou isso, isso e isso". Não tinha resumo. Os relatórios de inteligência de hoje são 99,99% feitos de decupagem, que não é transcrição mas dedução de conversa gravada em telefone. Pior: eles são feitos por agentes, escrivães ou papiloscopistas policiais, contrariando frontalmente a lei, porque não é atribuição desse pessoal da Polícia Federal. O único que tem atribuição para produzir documento de inteligência é o delegado de polícia, conforme o decreto do Ministério do Planejamento que nós temos aqui. Se for produzido por agente, escrivão ou papiloscopista, é ilegal.

A justiça é vergonhosamente conivente. Hoje se cometem mais ilegalidades que na época da ditadura. Prendem suspeitos e jogam a notícia na mídia (Google), porque não deu tempo para investigar... Antigamente, faziam as provas e depois prendiam. Vejam a minha conduta em 35 anos de polícia: primeiro eu fazia a prova, depois é que a justiça me autorizava a prender.

Hoje eles prendem para depois fazer a prova... Onde nós estamos?

Não é para menos que o Brasil é o país que mais processa jornalistas no mundo, segundo levantamento do site Consultor Jurídico. Você chama a coletiva, sai na TV, nos sites, jornais, no diabo. Passa-se o tempo, as cortes superiores não recepcionam as ações iniciais da polícia. Ato contínuo, os acusados metem processos goela abaixo da mídia.

Com a desconfiança gerada entre o governo e a PF, após os últimos episódios de espionagem interna, certamente a Abin será instrumentalizada para monitorar adversários ou desafetos do governo e do partido. Haverá algumas diferenças, o pano de fundo na maioria dos casos não será crimes, mas movimentos sociais, manipulação de massa, de categoria ou de risco que envolva clamor. Esses "inimigos" do governo serão jogados contra a opinião pública como inimigos do país.

4. VANT: VEÍCULO AÉREO NÃO TRIPULADO

O caso dos Vant – veículos aéreos não tripulados – é interessante. Houve uma reunião no Planalto, logo no ano em que cheguei lá, para a compra desses equipamentos.

Um Veículo Aéreo Não Tripulado (Vant) ou Veículo Aéreo Remotamente Pilotado (Varp), também chamado UAV (do inglês *Unmanned Aerial Vehicle*) e mais conhecido como drone (zangão, em inglês), é todo e qualquer tipo de aeronave que não necessita de pilotos embarcados para ser guiada.

Em uma reunião com o presidente, fui perguntado sobre assuntos de segurança, sobre os delegados de polícia de São Paulo que tinham um péssimo salário, enfim, falamos de vários aspectos de segurança. Essa reunião foi no final de 2007. A gente estava discutindo o tema de segurança e lá citou-se o Vant. Eu não sei se o Vant já estava comprado ou se a negociação ainda estava em andamento. Lembro que cometi o primeiro sincericídio. Eles ficaram fazendo comentários sobre o Vant para combater o narcotráfico e o tráfico de armas nas fronteiras etc. Falei que era um alto investimento, com muito dinheiro, e que não acreditava que traria resultado para a polícia. Justifiquei que se com gente a bordo era difícil combater, imagine sem tripulação? Me parecia mais eficiente para as forças armadas em operação de guerra. No emprego civil, eu disse que era mais parecido a um instrumento para fazer espionagem. O Luiz Fernando me olhou como se quisesse me fuzilar. Na frente do presidente mantivemos um diálogo, no qual o Lula se mostrou muito interessado e atento, concordando com a cabeça nas sinceras ponderações que eu fazia.

A pergunta era a seguinte: se nas fronteiras, nos locais onde se tem gente policiando *in loco,* na maioria esmagadora das vezes não se consegue pegar ninguém, como poderíamos com um avião não tripulado? Ele falou que o avião não tripulado ia pegar, ia filmar. Mas vamos supor que ele está pegando, passando ao vivo para o cara, que está aqui em Brasília monitorando: quem iria se deslocar, de onde e com qual agilidade correr e pegar algum suspeito?

É uma pergunta lógica, até porque eles conhecem todas as rotas de tráfico de drogas, de pessoas e de armas e do próprio contrabando e do descaminho. As rotas são absolutamente mutáveis: quando se descobre uma, ela já se muda de um dia para o outro. O contrabandista não faz a mesma rota todos os dias, então não adianta nem filmar para fazer a operação daqui a dez dias porque já mudou.

Aí descobri que o projeto verdadeiro era outro... Esse avião consegue voar sem ser notado, por exemplo, em cima de Brasília e filmar o que um senador ou ministro do STF está fazendo dentro de casa.

Tanto é verdade que ele nunca foi utilizado para operação nenhuma, não saía do chão. Eles compraram isso para fazer espionagens. Acho que era ideia do Luiz Fernando com o Lula; eles conheciam o equipamento e falaram que aquilo era "impressionante" de bom. Ou seja, era tudo para a Divisão de Inteligência da Polícia Federal, o hiper *bunker* da ditadura moderna.

Essa é a grande contradição que ninguém explora, esse negócio de transparência que eles continuam pregando, Lei de Acesso à Informação etc. Eles querem dar acesso à informação aos arquivos da ditadura, que são arquivos porque nunca foram usados em processos. Existem relatórios de inteligência para subsidiar a decisão dessas autoridades superiores. Na ditadura servia para isso. Na democracia, esses relatórios de inteligência servem para prejudicar os outros, para usar como peça de polícia judiciária. Em vez da questão de depoimento judicial, se usa isso como peça de inteligência e arquiva-se o relatório.

A própria Polícia Federal agora está usando documento de 2004 contra a amiga do Lula, a Rosemary Póvoa Noronha. Por que ela não foi investigada em 2004? Por que não botou para frente isso? Houve chantagem? Eles prevaricaram na época? Não, era um documento de inteligência e está sendo usado agora como documento de polícia judiciária, um supercrime!

Por que não abrem os arquivos da democracia deles antes de mostrar os da ditadura? Porque eles criaram um *bunker*: junta relatório de inteligência, faz gravação, deduz o que quer, resume o que quer, pinça palavras, textos, e guarda para a hora em que precisam.

O dia em que interessar prejudicar alguém, vão lá e pinçam, vazam isso ou aquilo, e aí nós vamos investigar, arrebentar a vida dessa pessoa. Não estou preocupado com os arquivos da ditadura porque eles não serviram para nada, só para justificar o pagamento de bolsa para os caras que foram, em tese, perseguidos.

Agora, o que estão fazendo com os caras hoje em dia é uma vergonha. Montaram um *bunker* para fazer perseguição, para produzir informações, muitas vezes usadas para chantagear pessoas. É um produto tecnológico formidavelmente bom para chantagear aquelas pessoas que você não consegue atacar com facilidade. Como é que vai espionar um ministro do Supremo na casa dele? É difícil, pois ele não é o Wando, que se conseguia com facilidade ver na piscina se ele estivesse com alguém.

Não raramente você os vê atacando as companhias telefônicas para que as mesmas não interferissem mais nas escutas autorizadas pela justiça. Eles alegam o risco de vazamento e dizem que há funcionários das operadoras vendendo informação. Não tem nada concreto nisso, é uma falácia. Você pode ter dois ou três funcionários já pegos nessa situação, mas daí a afirmar que isso fosse coisa contumaz é uma irresponsabilidade. A bem da verdade, posso garantir que, com o desenvolvimento das áreas de segurança das operadoras, por conta até mesmo da banalização das escutas no Brasil, criaram-se mecanismos de proteção, onde as operadoras exercem um controle e uma fiscalização muito superiores às dos órgãos estatais, incluindo a justiça e principalmente a polícia. Basta ver os vazamentos, por exemplo.

O que eles têm é um projeto, no qual querem viabilizar um link direto no Guardião sem necessidade de apoio e requerimento das operadoras, com a desculpa de que vai evitar o vazamento, de que os funcionários das operadoras podem corromper o sistema. Aliás, isso é um monopólio do grampo, porque se um juiz autoriza uma escuta, e ela é viabilizada por uma companhia telefônica através de Guardião, esse juiz ao mesmo tempo faz um ofício para que a operadora comunique todas as escutas, todos os telefones que estão sendo monitorados.

Isso cria a obrigação de um fiscalizar o outro. No momento em que você tira a companhia telefônica e autoriza a polícia a fazer direto com o Guardião, sem a operadora, não se tem mais controle algum. Ela grampeia o que quer e não se pode mais fazer a auditoria, até porque, não raro, você verá que eles grampeiam o cara há 15 dias, ou: "olha esse telefone, nós pedimos errado, queremos esse outro".

Depois de 15 dias grampeando uma pessoa, descobriram que está errado. Eles usam aquele grampo e ninguém tem controle. Se são 200 telefones em três meses, quem vai ouvir? Fazem só um resumo das conversas. Essa história de falar que tem que sair da telefônica a técnica para se iniciar um grampo judicial é despiste para monopolizarem a questão da indústria e definitivamente não haver mais auditagem.

Por que eles já não implantaram uma sugestão que nós demos no Dipol? Outro dia, estávamos lá falando sobre compra de equipamentos. Era sugestão minha e do Gaetano Vergine, ex-diretor do departamento, que a Polícia Civil, quando fosse comprar Guardião, colocasse na licitação o seguinte: que só compra equipamento se for possível criar o DNA da gravação.

Assim, todo o áudio teria que vir com o DNA: como foi gravado, onde foi gravado, em que inquérito foi gravado, quem autorizou. Nós fomos brigar e a empresa que fabrica o Guardião desenvolveu, mas ninguém tinha interesse porque isso impede o vazamento. Funciona assim: se você pegar um áudio e botar no *Jornal Nacional*, e eu gravar em cassete, ou em DVD ou vídeo, enfim, de qualquer forma, se eu pegar esse áudio e colocar na minha máquina, se esse áudio originalmente foi gravado na Polícia Federal ele tem um DNA de áudio que o identifica.

Por que não puseram isso até hoje? Porque não há interesse, por causa do tribunal do Google. A forma de tocar os inquéritos é do controle da polícia. O Estado policial instaura os inquéritos; se o cara que está sendo investigado é adversário, eles cozinham o inquérito durante vários anos. Se está sendo investigado, então você ficará sempre sob suspeita.

Se o cara é amigo, deixam o inquérito aberto, falam que ele está sendo investigado mas é cedo para julgar, ainda é investigação. Se é inimigo, usam tudo, todos os instrumentos; é um Estado-polvo que te abraça e você não escapa. O Estado Policial só é pior do que o Estado Judicial.

Como funciona a contrainteligência do PT

Fui chefe da contrainteligência de São Paulo, portanto entendo um pouco do riscado. Mas ninguém sabe usá-la como o Barba. A contrainteligência é justamente como você desmonta a inteligência adversária, é a proteção da sua inteligência, os mecanismos de senhas, contrassenhas, auditorias; e é também a plantação no jogo do poder. Por exemplo: eu, na contrainteligência da polícia, sou responsável por proteger todos os mecanismos de inteligência da instituição de contra-ataques de externos, incluindo, principalmente, os bancos de dados. Na contrainteligência de uma guerra fria, você planta, você cria fatos inverídicos, falsos, você ataca a inteligência adversária, prepara ações que o cara tem que ficar desmentindo. Em âmbito militar, por exemplo, você cria ataques falsos, cria defesa onde não existe ataque. Você bota os caras para trabalhar, gastar energia, gastar saliva onde não tem nada. Eles sabem usar isso como ninguém, é o que eles fazem todo dia. Quando soltam notícia para enfraquecer o aliado, botam até o aliado contra outro aliado para enfraquecer o próprio aliado.

Quando você instrumentaliza ideologicamente a polícia, vira política. Quem está no governo não percebe que pode ser vítima porque isso está restrito a um grupo de pessoas. Você vê o que aconteceu comigo: apesar de toda experiência, não percebi que estava sendo uma vítima. Mais à frente falarei disso em detalhes.

5. PCD – O TRUQUE DO PROCEDIMENTO CRIMINAL DIVERSO

Esse procedimento é um tipo de inquérito completamente anômalo, sem qualquer amparo na legislação, que vem sendo utilizado em escala industrial pela PF, com a leniência da justiça de primeiro grau e do próprio órgão responsável pelo controle externo das atividades policiais, sem qualquer formalidade. É um procedimento do tipo inquérito, mas que não tem qualquer controle de tramitação, de registro e principalmente de prazos e de transparência, ao qual ninguém tem acesso, e onde se realiza todo tipo de diligência possível e imaginável. Inclusive quebras de sigilo e escutas ambientais, tudo ao mais emblemático arrepio da lei, pois que exige um inquérito ou o devido processo legal para medidas invasivas. Desses procedimentos nascem, quando e se interessar, os inquéritos já prontos, onde nenhuma defesa técnica será capaz de se fazer valer. São, sem sombra de dúvidas, junto com o "Método Científico Cronológico Dedutivo", as maiores anomalias, aberrações jurídicas e instrumentos violadores das garantias fundamentais que o país conheceu depois do AI-5.

Diferentemente do inquérito policial, que, após instaurado, só pode ser arquivado com autorização judicial e ouvido o MP, esse procedimento anômalo não tem controle, podendo se tornar uma via de corrupção por, justamente, não se submeter a nenhuma instância.

De um PCD podem nascer inúmeros inquéritos com "provas" emprestadas. Mas como se pode emprestar provas imprestáveis por terem sido obtidas em completa contradição aos regramentos legais?

Esse poder descontrolado dado à PF traz um problema duplo: a PF é usada e, consequentemente, se permite usar também – vide Operação Porto Seguro e o caso *Rosegate*. De tanto ser instrumento de governo e de pessoas, ela se torna instrumento de si mesma contra o governo e contra pessoas, ou grupo de pessoas, que incomodam ou se opõem aos interesses corporativos ou aos interesses de seus dirigentes. Enfim, esse mecanismo de investigação, criado nos últimos anos, é o suprassumo do Estado policial. O produto do que se obtém, por não ser submetido a qualquer controle, pode ser engavetado para uso futuro, descartado quando for conveniente por inúmeras razões, a favor ou contra os investigados, arquivados no *bunker* criado para juntar relatórios e termos circunstanciados de inteligência, ao arrepio da lei, para vazar quando interessar atingir aqueles "alvos" no momento mais oportuno. Enfim, há uma conspiração criminosa de uso indevido de documentos, produzidos sob a leniente atuação da justiça e a conivente atuação do MPF, que se prestam a instrumentalizar uma indústria de dossiês e de investigações contra quem ameaça bloquear os caminhos tortuosos do governo ou mesmo de sua polícia política, que, ao se sentirem incomodados, disparam suas armas poderosíssimas: as informações privilegiadas obtidas fora da lei e do controle absoluto dos vazamentos. Essas informações, trabalhadas com as deduções, induções e criações, divulgadas com esmero, vão assassinando reputações e desobstruindo os caminhos.

Esse mecanismo do PCD faz como primeira vítima o advogado e a sociedade, à medida que não lhe é dado acesso, e, por consequência, fere de morte seu maior patrimônio, a prerrogativa, que na verdade é da sociedade, representada por ele, o advogado.

E, assim, somam-se os abusos da falta do devido processo legal, do princípio da ampla defesa e do contraditório, justamente na característica principal deste tipo de procedimento: a falta de transparência e a ilegalidade.

Os PCDs e as AIPs são perfeitos subterfúgios para burlar o acesso ao processo e representam, como já disse, uma violação ao princípio do devido processo legal, pois o procedimento anômalo não pode se tornar, em hipótese alguma, um processo legal.

Essas operações espetacularizadas, de alguns anos para cá, são todas assim. Nascem de um grampo, num PCD, para evitar a possibilidade de defesa e do contraditório, além de permitir escolher, incluir e separar pessoas durante as "investigações".

Ao fim de cada duzentas, a Justiça, no segundo grau ou nos Tribunais Superiores – quando lê os autos, pois tem isso também, ninguém lê nada – vai anular 90%. Basta fazer um cálculo e falar o seguinte: vamos comparar quantas deram resultado na

Justiça. Uma coisa é fazer 200 operações; outra é fazer 10 e as 10 darem condenação, enquanto as suas 200 não dão em nada, nem denúncia. Ficou uma discussão: eles fizeram mais operações; mas pela própria Justiça a gente percebe que tiveram um resultado pífio em matéria de denúncia.

Numa entrevista recente, um delegado disse que só 0,5% dos inquéritos da Polícia Federal começam com escuta telefônica, mas não é verdade. São 80% no mínimo. Ele fala 0,5% porque, como eu já disse, trata-se de uma jogada: começam com o tal procedimento criminal diverso, que é um absurdo jurídico, a anomalia que a justiça aceita não sei como.

Esse procedimento criminal diverso se inicia por uma escuta telefônica quando desenvolvem uma operação; eles pegam aquilo e juntam com a escuta telefônica, pegam o compartilhamento e começam outros 10 inquéritos. Só que, como está começando com o compartilhamento, eles não consideram como escuta telefônica.

Mas aqueles outros 10 inquéritos nascem de uma mesma gama de escuta telefônica que foi desmembrada, então você tem 10 inquéritos iniciados com o desmembramento de uma escuta telefônica. É uma vergonha se permitir escuta telefônica no procedimento criminal diverso, isso é ilegal.

O EXEMPLO

Vou dar um exemplo de como se descarta e se monta o conteúdo de um PCD e se vaza o que interessa. Veja o meu caso. A Operação Trovão nunca foi relacionada no site da PF, ao menos até hoje, como eles fazem costumeiramente, explicando o porquê do nome, um resumo da operação, os resultados etc.

Que operação é essa, contra um suposto chefe da máfia chinesa, que não é colocada imediatamente no site da PF? Também pudera, alguém já viu prender o chefe de uma máfia sem quebrar o sigilo bancário dele para averiguar sua movimentação financeira e a da organização criminosa? Isso não existe. O órgão de inteligência da Polícia Federal está investigando o chefe da máfia, e eu levo ele para conhecer o presidente da República num evento da anistia, onde, aliás, Lula recebeu presentes, dentre os quais a famosa bebida Mou Tai, a "pinga" chinesa que ele tanto apreciava. Registre-se que o dito "chefe da máfia" também havia estado com o ministro Tarso Genro naquela ocasião e num jantar comigo em São Paulo, onde conversaram e tiraram fotos.

A pergunta que eu faço é: o que era mais importante para o *Estadão* noticiar? A foto do "chefe da máfia", um chinês, com o secretário nacional de Justiça na China, ou entregando um presente para o presidente Lula numa sala reservada do Ministério da Justiça? Eu respondo: é óbvio que, se não fosse armação do governo com o jornal, se o indivíduo fosse mesmo um mafioso, o Lula estaria na capa do *Estadão* e não eu. Era só uma questão de raciocínio, mas os demais veículos da mídia preferiram entrar no barulho da "Trovão"; não se ligaram que ali também foram uma espécie de "fralda" para o Planalto e para a PF, que, seletivamente, também escolheram as fotos que seriam vazadas.

Aliás, necessário consignar que, quando o Paulo Lee esteve com o Lula e em todas as vezes em que esteve com o ministro Tarso Genro, ele já era monitorado pela PF, que na verdade buscava a mim. E a PF sabia que se tratava de um cidadão chinês naturalizado brasileiro, presidente de associação de estrangeiros e colaborador antigo da própria PF, desde servir como tradutor na delegacia de Estrangeiros até como treinador dos policiais em defesa pessoal e lutas marciais. Sabia também que ele não era contrabandista, tampouco mafioso: a prova está no próprio inquérito movido contra ele, pois, apesar de vazar esses crimes para o *Estadão*, a polícia sequer o indiciou. Portanto, era uma farsa, que, a bem da verdade, tinha uma importante e única motivação: atingir os "Tumas".

Paulo Lee foi grampeado em conversa comigo, denunciando um esquema que envolvia parlamentares e policiais federais na "venda" de facilidades para anistia. Fato que, além de gravado e omitido pela própria polícia, eu denunciei para o diretor-geral da PF e para os delegados das Operações Trovão e Wei Jin, que nada fizeram. Nenhuma providência tomaram. Prevaricaram solenemente. Aliás, até o presidente Lula eu já havia alertado sobre o fato de que, se não editasse um decreto ou uma medida provisória, no caso da anistia, abriria uma porta para a corrupção. Reproduzo abaixo a "nota técnica" produzida pela SNJ e enviada ao ministro Tarso, ao secretário executivo Luiz Paulo, ao secretário de assuntos legislativos Pedro Abramovay e ao presidente da República, em junho de 2009, antes da sansão da nova lei. Foi onde a coisa pegou, numa forte disputa política pela paternidade da medida.

NOTA TÉCNICA

Regularização migratória de estrangeiros no Brasil – "Anistia"

Preocupada com a situação de milhares de estrangeiros e ciente dos aspectos positivos, mas também das dificuldades procedimentais ocorridas no passado, e tendo em conta a necessidade e o interesse público em viabilizar com urgência uma ampla regularização migratória dos estrangeiros que se encontram em situação precária no país, a Secretaria Nacional de Justiça (SNJ), com autorização e devida anuência, encaminhou à Casa Civil, em dezembro do ano passado, Exposição de Motivos nº 230, de 15 de dezembro de 2008, de proposta de Medida Provisória tendente à "anistia".

A proposta supra integra um pacote de medidas humanitárias de iniciativa da SNJ, haja vista que o contingente de beneficiados pode ser traduzido em milhares de homens, mulheres e crianças estrangeiras que se encontram, hoje, sobrevivendo no país em condições absolutamente desumanas e à margem da sociedade, como se criminosos fossem.

A medida justifica-se, também, pela manutenção da segurança e da ordem jurídica no país, tendo em vista não ser possível admitir-se que uma mera irregularidade administrativa transforme-se em ferramenta a serviço do crime organizado, na medida em que é utilizada como meio odioso de manipulação de massas para o cometimento de crimes verdadeiramente complexos, como o tráfico internacional de pessoas, drogas, armas e órgãos humanos ou, ainda, para o fortalecimento de organizações criminosas transnacionais.

Desde o anúncio da medida, em novembro de 2008, chegaram ao conhecimento desta Secretaria de Estado notícias dando conta de que a cada dia cresce o número de pessoas inescrupulosas vendendo "facilidades", intitulando-se capazes de agilizar um processo que sequer necessita de intervenção de terceiros, bem assim promovendo a entrada de diversos outros estrangeiros, iludindo-os com o argumento de que serão beneficiados com a "anistia", situação esta que se buscou contornar na proposta por meio da fixação de um marco temporal de ingresso no Brasil prévio à divulgação da medida.

Ocorre que há quase dois anos já tramitava na Casa Legislativa o Projeto de Lei nº 1.664/2007, cujo texto original reportava-se aos mesmos termos das "anistias" de 1988 e 1998. Entretanto, verificou-se que a proposta não atenderia à situação concreta vigente no atual contexto migratório e nem suportaria a realidade fática e legal da demanda, eis que não solucionava os problemas já observados nas "anistias" anteriores. Nesse sentido, texto semelhante ao encaminhado pela SNJ foi apresentado como Emenda Substitutiva no Congresso Nacional.

Diante disso, e à vista das notícias relativas à manipulação criminosa de massas por grupos organizados, a Secretaria Nacional de Justiça está atenta a todas as fases necessárias à concretização da "anistia" com vistas à ampla divulgação dos procedimentos necessários à identificação e o bloqueio das intermediações de terceiros. Em que pese os esforços da SNJ para dirimir os casos omissos ou especiais decorrentes da medida, já é realidade a existência de movimentos contrários ao espírito da proposta, traduzidos em grupos criminosos organizados que disseminam supostas dificuldades e tentam incutir procedimentos inexistentes com o fim único de auferir lucro indevido antes mesmo de a norma ser sancionada.

O Projeto de Lei nº 1.664, de 2007, antes mencionado, retornou à Câmara dos Deputados no mês de abril deste ano, após Emenda do Senado Federal, que com muita propriedade fez constar dispositivos tendentes a assegurar que a regularização migratória contemple os imigrantes irregulares que aqui já se encontravam em 1º de novembro de 2008, afastando a chamada indiscriminada de novos imigrantes, situação essa exaustivamente estudada e objeto de cuidados especiais inseridos na nova Lei de Estrangeiros, que foi elaborada e encaminhada democraticamente à Casa Civil no ano passado por meio do MJ.

Porém, parte da proposta do Senado Federal não foi acolhida pela Câmara dos Deputados, e resultou na aprovação do Projeto de Lei em questão, em 4 de junho de 2009, o qual rejeitou a mudança do marco inicial para outorga do benefício, sugerida para 01.11.2008, como já dito, por ser anterior às gestões para brevemente se regularizar os estrangeiros, aprovando o dia 01.02.2009.

Cristalinamente, esta SNJ entende que tal situação converte um procedimento humanitário e de proteção aos direitos fundamentais, que há muito vem sendo defendido pelo governo brasileiro, em instrumento eficaz para acobertar estrangeiros mal intencionados e até mesmo grupos criminosos transnacionais, que, ao primeiro anúncio da "anistia", passaram a se deslocar a qualquer custo para o Brasil, trazendo consigo o conhecimento e a estrutura criminosa que detêm.

Ora, a "anistia" pressupõe um instrumento humanitário, e não se pode admitir que seja tida como comércio de vidas e fonte de lucro fácil para o crime, pelo que não deveria prosperar toda e qualquer proposta que, sem critérios sólidos e motivados, adote procedimento que anule as expectativas originárias justificadoras de sua essência e resulte em abalos estruturais, e, quiçá, afetem a própria segurança nacional.

Cumpre observar a inconveniência fática e legal da alteração suso referenciada, isso porque, como é sabido, o movimento migratório é dinâmico, e a ciência prévia das condições que precedem a uma "anistia", sem dúvida alguma, em manipulações do instituto com vistas ao desvirtuamento das finalidades para a qual se justifica.

Anote-se que esta autoridade vem tendo conhecimento de diversas ocorrências de mercantilização da imigração durante toda a marcha da proposta legislativa em foco, que atraiu cidadãos estrangeiros sem quaisquer expectativas concretas ou vínculos sólidos com o Brasil, e, como já frisado, prejudicando a própria finalidade a que se destina, fatos esses confirmados pela atuação da Polícia Federal na Operação Da Shan, realizada simultaneamente nos estados de São Paulo, Rondônia e Pernambuco, com o objetivo de desarticular quadrilha especializada em introduzir ilegalmente cidadãos estrangeiros no país, inclusive pretendendo mantê-los em situação precária para então explorá-los.

A proposta encaminhada pelo Ministério da Justiça à Casa Civil promove uma ampla e ordenada regularização migratória, e só foi possível após a análise de fatos, considerações e adoção de diversas cautelas, tendo-se em mente que vários estrangeiros irregulares são potenciais vítimas do tráfico de pessoas e de migrantes, bem assim as crescentes práticas abusivas e atentatórias aos direitos humanos dos imigrantes pelo simples fato de não terem residência regular no país, vivendo, assim, à margem da sociedade em condições muitas vezes subumanas.

Lembro que o ingresso indiscriminado de estrangeiros compromete não somente o equilíbrio sociocultural e econômico de qualquer país, mas, também, a estrutura administrativa que, preparada para uma determinada demanda, vê comprometida a atividade em face de distorções inesperadas, e, por esse motivo, os esforços foram direcionados àqueles que já estão no Brasil e encontram-se em uma condição jurídica de estada precária, que os submete às mais variadas situações atentatórias aos princípios basilares da dignidade, como restrições de acesso à educação, ao trabalho e aos direitos daí decorrentes.

Considerando que a intenção não é promover a entrada de mais estrangeiros, o que se faz com o devido atendimento dos requisitos legais para ingresso e estada, mas sim permitir aos que aqui já se encontram direitos básicos de inclusão social, o marco inicial anterior sugerido por esta Pasta, dia 1º de novembro de 2008, encontra respaldo nos motivos nesta nota elencados e muito preocupam esta SNJ os interesses embutidos em alterar a data para 1º de fevereiro de 2009, eis que não estão claros os critérios considerados para sua aprovação, data esta que inclusive não foi aprovada pelo Senado.

Não poderia deixar de ressaltar que o que se pretende não é ir de encontro à medida, mas esclarecer que tal ato é revestido de caráter humanitário, pois estamos tratando de pessoas expostas às mais variadas formas subumanas de vida. Sabe-se que, com tal medida, o Brasil caminha na contramão de países que se dizem respeitadores dos direitos humanos, mas acabam por tratar os imigrantes irregulares como ilegais, recolhendo-os às prisões juntamente com criminosos, e depois os expulsam, como se o fato de estar irregular atentasse contra o governo.

Dentro de suas atribuições regimentais, ainda que preocupada pelo fato de uma medida tão revestida de caráter humanitário estar, possivelmente, sujeita a desvirtuar-se em simples objeto mercantilista, esta SNJ se vê preparada para solucionar as demandas que certamente advirão dos pedidos de regularização migratória e para dirimir os casos omissos e especiais que venham a surgir da aplicaçao prática da medida, pelo que brevemente encaminhará proposta de decreto regulamentador adaptado ao texto que seguiu para promulgação.

Registro, por fim, que alertei pessoalmente todas as partes envolvidas nesse processo, inclusive os senhores deputados autor, relator e líderes, a respeito das denúncias, já comprovadas, de "venda" da regularização migratória, crendo que em torno de 3 mil novos estrangeiros tenham adentrado, território brasileiro clandestinamente, ou nele permanecido, irregularmente, no período de 01.11.2008 a 01.02.2009 e a partir desta data, "certos" de que a data proposta pelo MJ seria alterada, como lamentavelmente, de fato foi.

ROMEU TUMA JUNIOR
Secretário Nacional de Justiça

6. RELINT – RELATÓRIO DE INTELIGÊNCIA

Por que os relatórios de inteligência, por si sós, não se prestam a peças de polícia judiciária e não devem instruir pedidos de medidas invasivas

Trato aqui da percepção ou atenção seletiva dos nossos sentidos e o risco de tudo isso na formação da dedução.

Primeiro, é elementar esclarecer que relatório de inteligência é completamente diferente de relatório de investigação. Enquanto o segundo nasce de uma formal ordem de serviço expedida pela autoridade policial e relacionada a um "fato", o primeiro nasce de inúmeras maneiras, quase sempre informais e especialmente relacionadas com a indicação de um alguém e não de uma coisa; de um "alvo" e não de um "fato".

Registre-se ainda que órgão de inteligência em atividade de polícia judiciária é de atividade-meio; em atividade de informações é de atividade-fim. Portanto, quando ele presta informações para autoridades superiores, objetivando suportar decisões político-administrativas, ele é um órgão de atividade-fim. Quando presta informações para impulsionar investigações criminais, ele é órgão de atividade-meio, porque o faz para os departamentos, setores ou equipes operacionais, a quem compete a atividade-fim de polícia judiciária.

Por isso, em nenhuma hipótese, especial e principalmente quando se trata de atividade de inteligência e produção de conhecimento, se pode transformar documentos relativos a atividade-meio em documentos relativos a atividade-fim, e vice-versa, ao bel prazer das circunstâncias e conveniências de quem os produz, recebe ou acautela.

Nesse mesmo sentido consigno que documento de inteligência, relatório ou termo circunstanciado de inteligência, seja lá o nome que se queira dar, é documento de atividade-meio; portanto, nessa condição, imprestável como peça processual.

Isso posto, ouso apresentar algumas reflexões, colocações e meditações práticas e técnico-jurídicas sobre os sentidos, para dizer que os usamos para captar incontáveis estímulos sensoriais do mundo exterior.

Uma grande parte desses estímulos não é registrada pelo indivíduo, e dessa forma o sujeito utiliza a percepção ou atenção seletiva como mecanismo psicológico para identificar o que lhe interessa e é necessário para a sua vida. O mundo é vasto de informações, e para dar sentido a ele o sujeito deve significá-lo a todo o momento. A atenção seletiva tem sido estudada pela psicologia e pela neurociência por sua importância na qualidade de vida das pessoas. A conscientização desse mecanismo favorece o aperfeiçoamento pessoal, principalmente quando compreendido o seu funcionamento e reconhecida essa habilidade como natural do ser humano.

Podemos definir a percepção seletiva como a formação de ideias baseadas em concepções previamente estabelecidas, ou seja, muito do que pensamos ver ou ouvir é fornecido pela nossa memória.

Em síntese, a utilizamos para dar significados ao mundo, e quase sempre baseados no histórico de vivências. O ser humano capta as informações do mundo exterior através dos sentidos da visão, olfato, tato, audição e paladar.

Todos os indivíduos têm filtros naturais que são úteis e necessários. A percepção do mundo exterior passa necessariamente por esses filtros pessoais, onde a mente procura dar um significado às informações. Os filtros básicos são: omissões, generalizações, valores, crenças, decisões e memórias. As omissões ocorrem quando a informação é segmentada, e omite-se parte da informação por decisão pessoal consciente ou inconscientemente. As generalizações são as formas confortáveis do ser humano criar "padrão" para as pessoas e coisas. Consiste em comparar as qualidades comuns de pessoas ou coisas de uma mesma classe, onde se ignora as suas diferenças reunindo-as em uma classificação personalíssima, ou seja, colocando-as todas no mesmo nível. Os valores são os significados que cada um atribui para motivar suas ações, como seus relacionamentos, aspecto profissional, bens materiais. Os valores podem ser categorizados em éticos, religiosos, políticos, de saúde, estéticos, de preconceito, de raça ou sexo – e onde cada pessoa hierarquiza os seus.

As crenças são filtros que podemos chamar de "*software* cerebral" ou modelos mentais. São regras que criamos automática e inconscientemente para facilitar a realização de tarefas, hábitos, comportamentos, e que podem gerar sentimentos. As crenças também são construídas ao longo da vida através da convivência com os pais, professores, cultura do país, traumas sofridos, dentre outros eventos. As crenças são das mais variadas possíveis, vão desde acreditar que comer manga com leite faz mal a saúde, que se cruzar na rua com um gato preto terá azar, se sofrer um golpe de vento ficará gripado, e se ganhar um milhão de reais será finalmente feliz.

Uma vez ocorrido determinado estímulo sensorial, o sujeito reage conforme a crença ou programação que possui. O ser humano passa a maior parte do tempo tomando decisões, das menores, como qual roupa irá vestir, às maiores, como aquelas que poderão envolver a vida ou a morte de uma pessoa. O tempo todo fazemos escolhas que definem o rumo de nossas vidas.

As memórias são os sustentáculos de todos os outros filtros, pois através delas os comportamentos disparam e se desenvolve uma crença, uma tomada de decisão; é dado significado aos fatos, omitem-se, generalizam-se ou agregam-se novos conhecimentos. As memórias somadas aos filtros influenciam na interpretação dos dados percebidos.

As pessoas utilizam diariamente esse instrumento para realização de tarefas pessoais e profissionais. Quando os estímulos sensoriais são recebidos, passam necessariamente pelos filtros pessoais, onde o receptor interpreta e forma a sua representação mental; por isso, existe uma verdade quando dizemos: "em cada cabeça uma sentença".

Para exemplificar a percepção ou atenção seletiva, observemos quando uma pessoa decide comprar um sapato novo: ela passa a observar os modelos que as pessoas estão usando, com objetivo de escolher o que mais lhe agrada e atende a sua necessidade do momento. Ela anda olhando para os pés dos outros. Fica condicionada a isso enquanto não encontrar e adquirir o modelo que procura.

"Atenção, atenção todas as viaturas! Gol branco com três indivíduos, veículo produto de roubo na área do 96º DP". No meio policial, fica claro quando, em trabalho de campo, recebemos a comunicação de um roubo de veículo, o chamado "caráter geral" de um auto, de determinado modelo e cor. Imediatamente após recebermos essa informação, a nossa atenção se volta para todos os veículos com essas características. Passado algum tempo, tomamos a consciência de que existem muitos veículos desse determinado modelo na rua e, para piorar, todos eles são daquela cor. Todo carro com aquela característica passa a ser suspeito. E, por consequência, seus ocupantes. Parece que não existem outros tipos de veículos em circulação, ao menos não os percebemos. Estamos atentos e totalmente condicionados. Ousaria dizer que nessas situações é que se verifica de fato a diferença de capacitação profissional entre o treinamento e o adestramento de um policial.

A constatação ocorre por estarmos focados nesse objetivo, pois antes nossa atenção nunca esteve voltada a perceber quantos veículos com tais características transitavam nas ruas. Daí a grande necessidade de serenidade e bom senso.

A interpretação dos estímulos sensoriais pode ser prejudicial quando envolve a vida e a liberdade das pessoas.

Todos esses fatores influenciam o resultado na atividade de Polícia Judiciária; a percepção seletiva pode ser extremamente prejudicial quando não se tem a clara noção de que esses filtros podem estar nos direcionando para o caminho ou pessoa errada na investigação criminal.

Todo o trabalho investigativo necessita, além da coleta dos dados, da narrativa dos envolvidos, as perícias, o trabalho de campo, o exercício mental isento e honesto de dedução, indução, analogia, intuição, a presunção, hipótese, a convicção e, principalmente, a certeza – todos esses elementos, não só a dedução aleatória como verdade absoluta.

A Polícia Judiciária utiliza diversas ferramentas para esclarecer a autoria e obter a materialidade do delito. Entre elas, podemos citar a entrevista e interrogatório, acareação, seguimento e monitoramento de pessoas, as campanas, perícias, recognição visuográfica, reprodução simulada dos fatos, a interceptação telefônica, de dados e ambiental. A maioria delas é culturalmente aceita pela sociedade brasileira, por serem seculares. Contudo a mais debatida no meio jurídico é a interceptação de voz – aliás, nos últimos tempos, inúmeras vezes confundida com interpretação da voz.

A origem da polêmica deriva da violação legal da privacidade das pessoas, razão pela qual existe todo um regramento a ser cumprido, sem transigência nem tolerância, para ser realizada. A legislação é clara quando afirma que somente se destina à investigação criminal, com prazo determinado, com fundamentação e autorização judicial, quando não houver outro meio de investigar e, principalmente, sob sigilo. É o que manda a lei, que, a bem da verdade, nos dias atuais é raramente observada justamente por quem deveria fiscalizar seu cumprimento.

O policial encarregado da interceptação telefônica deve ficar concentrado na coleta de indícios de autoria no áudio produzido pela quebra do sigilo. Escutar é a grande questão que envolve o ser humano, pois a maioria ouve mas não escuta. A interpretação ou a decifração das conversas pode ser influenciada pela percepção seletiva de cada policial, razão pela qual se prima sempre pela complementação da informação com a materialidade eventualmente colhida por esse meio de investigação. Durante esse processo de interpretação, a tendência do responsável é destacar os aspectos de uma situação, pessoa ou objeto que estejam em consistência com as informações previamente recebidas, seus valores, ou seja: os seus filtros podem influenciar na conclusão.

E, assim, em efeito cascata, o "pré-conceito", no sentido de "pré-concepção", firmado a respeito de um fato ou de uma pessoa, pode ensejar uma deletéria interpretação viciada e corrosiva, do tipo "quem conta um conto aumenta um ponto", causando prejuízo insanável no resultado final da investigação, na medida em que, em outras palavras, se contaminam com conceitos erroneamente preestabelecidos os demais operadores do Direito, destinatários finais daquela produção, tais como o Ministério Público e a Autoridade Judicial, que passam a raciocinar na mesma toada, qual seja, a da dedução tortuosa, aquela sem alicerce fático. Assim, podem ocorrer erros graves de imputação de fatos criminosos, quando há tendência de subestimar a influência de elementos fáticos e superestimar a influência de elementos pessoais – filtros – ao avaliar a responsabilidade de alguém. Dessa forma, ocorrerão equívocos irreparáveis, a atingir e destruir imagem e reputação de uma ou mais pessoas investigadas – sobretudo quando os próprios investigadores, para corroborar suas teses, buscam de forma tendenciosa, ou até mesmo criminosa, através de vazamentos, por exemplo, raramente apurados como manda o figurino, o descompromissado, sumário e irrecorrível julgamento no tribunal midiático, ou tribunal do Google.

É potencializado esse risco ou equívoco quando se opta por investigar pessoas, ditas "alvos", e não fatos, mecanismo exclusivamente justificado quando existem irrefutáveis indícios de terrorismo ou acintosos e inexplicáveis sinais exteriores de riqueza e enriquecimento ilícito. Ainda assim, o caminho deve ser iniciado pelo fisco – sigilo fiscal – e não pelo "grampo" – sigilo telefônico – por motivo óbvio: vai se investigar como se chegou a um certo status, ou como se conquistou algo – patrimônio – e não o que se anda falando ou fazendo.

Há um postulado indesviável para o bom policial e para uma instituição policial que se quer reconhecer como "republicana": o de que se deve partir do crime para o criminoso e nunca ao contrário, até porque não existe criminoso sem crime. Portanto, a prática da escolha de "alvos" para se descobrir eventual crime por eles praticado é absolutamente, como já dito e salvo a exceção, inconcebível. Tem polícia que investiga crimes e tem polícia que escolhe "alvos".

Alvo é usado para treinamento, para ser acertado. Se eu escolho um alvo, pressupõe-se que quero acertá-lo! Ou alguém escolhe alvo para errar? Quando se investiga um crime, se busca descobrir seu autor, ao passo que quando se aponta um alvo – e se esse "alvo" é uma pessoa – está a se escolher um autor! Autoria de crime é investigada; investigar "alvo" escolhido é espionagem, bisbilhotagem, acusação premeditada!

Quando constato um crime e parto em busca de seu autor, estou investigando. Quando escolho um "alvo" e parto em busca do que ele fez, ou anda fazendo, estou espionando. A Justiça não pode autorizar o uso das mesmas ferramentas legais em ambos os casos, mas, leniente, tem o feito à exaustão!

Tendemos, por indução a procurar fazer valer nossas teses, nossos conceitos preestabelecidos, preconcebidos, criando verdadeiros enredos fantasiosos para convencer terceiros. Quando se trata de investigar corrupção, por exemplo, qualquer palavra num diálogo pode acabar interpretada, equivocada ou propositalmente, como sinônimo forçado de dinheiro, se mesmo que nunca antes visto no glossário policial. Alguém já ouviu dizer que "azeite" e "geladeira" podem ser dinheiro, ainda mais se utilizados em conversas contextualizadas sobre alimentos e eletrodomésticos?

O mesmo se pode dizer no caso de uma investigação sobre tráfico de drogas, onde inúmeros termos podem ser "sinônimos" para qualquer tipo de substância entorpecente. Para que se diga que certo termo é utilizado como sinônimo de algo, cabe ao ouvinte comprovar certa habitualidade e em diversas ocasiões. Não é a mera suposição da sua invenção elucubrativa. Não se pode criar uma fábrica de sinônimos e adjetivos aleatórias, ao bel prazer do agente degravador.

Por isso que a escuta telefônica transforma uma investigação naquilo que chamamos, no jargão policial, de "investigação vadia", porque é preguiçosa, desonesta do ponto de vista fático, inconsistente e inconsequente. Foi-se o tempo em que a testemunha era a "prostituta" das provas. Com as degravações parciais e seletivas de hoje, a testemunha passou a ser a "santa justa milagrosa" ou a "freira" das provas.

Com o esdrúxulo método científico cronológico dedutivo, inventado e utilizado pelos "analistas" da PF, a lei de interceptação das telecomunicações já se transformou na lei de interpretação das telecomunicações. Muito triste para um país que já teve uma das polícias mais conhecidas, reconhecidas e respeitadas do mundo.

A PF criou agora o silogismo às avessas. Silogismo: (s.m.) Raciocínio que contém três proposições (a maior, a menor [premissas] e a conclusão); as três estão encadeadas de tal maneira que a conclusão é deduzida da maior por intermédio da menor. (Ex.: todos os homens são mortais [maior]; ora, você é homem [menor]; logo, você é mortal [conclusão].)

Na PF, o silogismo, para dedução em inteligência, funciona assim: "Todo ladrão tem arma em casa; você tem arma em casa; logo, você é ladrão". Ou ainda, para usar o primeiro exemplo: "Todos os homens são mortais; ora, você é mulher; logo, é imortal".

ORGANOGRAMA DO PODER

O projeto de poder do PT era se apropriar do Estado, ou criar um Estado paralelo que se tornasse maior, mais importante e poderoso que o de direito. E, aos poucos, esse novo Estado iria substituindo o regular. Um projeto arrojado, arrogante e totalitário.

Nesse admirável mundo novo, a mídia seria controlada pelo governo, ele mesmo a seguir leis próprias, criadas ao arrepio da Constituição, ou por meio de medidas provisórias definitivas...

Depois que Lula chegou ao poder, foi o Márcio Thomaz Bastos quem assumiu o papel principal na seara técnico-jurídica. O outro amigo de Lula, Luiz Eduardo Greenhalgh, que era o faz-tudo, foi escanteado. O vaidoso ministro Márcio, dono de dezenas de ternos e frequentador de restaurantes da moda, era o cara que tinha o perfil para lidar com a Corte Suprema, indicação de ministro. Agradável e refinado, sempre soube como atuar nas mais diversas situações. A noção de como agir a favor dos interesses do governo nunca o abandonou. A estrutura de poder deles era coordenada, no que tange à parte da justiça e da segurança pública, pelo Márcio Thomaz Bastos. Era ele que ajudava a sofisticar toda essa estrutura, dividindo a inteligência com o José Dirceu, com organogramas detalhadíssimos, quase científicos, tudo visando ao controle e uso futuro das informações colhidas. Vejamos: a parte intelectual da justiça, o que eu chamaria de justiça nobre – que seriam as grandes causas e as instâncias superiores, além da polícia – ficava a cargo de Márcio Thomaz Bastos, que dá todo o respaldo jurídico e as diretrizes de atuação. Da parte mais de justiça cotidiana e serviços gerais cuidava o Luiz Eduardo Greenhalgh.

Você tem a parte administrativa, de política e financeira. A administrativa e a política ficavam com o José Dirceu e a financeira com o Celso Daniel; após a morte deste, passou a ser acumulada por Dirceu. A parte social – empresários, mídia – era responsabilidade do Palocci, porque dele todo mundo gostava, ele tinha boa aceitação pela mídia.

Também é importante notar que, com a morte de Celso Daniel, quem cumpriu um papel decisivo no período eleitoral e no início do governo foi Antônio Palocci. Ele foi o responsável pela interlocução entre o então candidato Lula e o empresariado, no sentido de afiançar que a política econômica do futuro governo não traria surpresas nem mudanças radicais de rumo.

E depois, já no núcleo duro ou central do poder, como ministro da Fazenda, foi o responsável por aproximar definitivamente uma gama de grandes empresários e suas empresas do governo e do partido e, principalmente, angariar a simpatia dos bancos para com Lula, a despeito do passado de Gushiken.

Palocci sempre causou ciúmes nos integrantes do governo, especialmente no núcleo central do poder. Ele era o porto seguro do governo Lula nos empresários, não que ele tivesse armado para o crime, não é isso. Ele era um cara que dava respaldo, os empresários confiavam nele. Não era um porra-louca, mas o cara que dava segurança no mundo do "PIB", por isso ele ficou com o social. E então temos também a sombra do Celso Daniel, o Gilberto Carvalho, que ia cair do caminhão.

O Gilberto Carvalho, para não cair do caminhão com a morte do Celso, ficou como secretário particular porque ele era testemunha do caso, de todas as lambanças. Além da secretaria particular, ficou responsável pelo contato com as organizações governamentais, com a Igreja e a CNBB.

A parte de comunicação, para segurar e pressionar a imprensa com a distribuição das verbas, era do Franklin Martins, importado da Globo juntamente com aquela repórter da Globo News, a Teresa Cruvinel, para viabilizar a "Lei de Meios" no lugar do Gushiken, que cuidou dessa área durante o primeiro mandato de Lula. Era esse o núcleo dele de poder.

Abaixo disso está estruturada a tomada do poder, o resto é cargo político. A compra de parlamentares é a dominação do Legislativo, o subjugamento de um poder pelo outro através da corrupção.

Então você tem o comprometimento do Legislativo como se fosse o único responsável perante a opinião pública nessa via de mão dupla onde funcionava o Mensalão – uma forma de cooptar os parlamentares via mesadas, cargos ou verbas para desvio nas licitações. E tem, no Judiciário, a nomeação de todos os ministros do Superior Tribunal de Justiça e quase todos do STF. Só que houve um erro de cálculo nisso: os ministros do Supremo têm vida própria: construíram seus currículos em carreiras sólidas e independentes. Podem dar uma bajulada para pedir voto, mas isso é do jogo e eles sabem jogar muito bem – nada que comprometa sua atuação na sagrada cadeira da Justiça. Eles têm reputação e conduta ilibada.

Ao nomear os ministros, acharam que eram donos do mundo. Que tudo estaria dominado.

O projeto da Polícia Federal começou a desabar porque o Márcio Thomaz Bastos não gostava do Luiz Fernando Corrêa. Ele falava que não sabia o que o Lula viu nele. Mais à frente você vai entender como descobri essa resposta.

Vamos tratar agora, em detalhes, de como essa estrutura é empregada para fulminar inimigos ou manter aliados acorrentados: algo nunca feito assim, na história desse país, antes de Lula.

Eu atrapalhei o projeto de poder deles, na medida em que seguia a Constituição ao pé da letra. Afinal, fui convidado para servir o país. Achei que integraria um projeto de governo, de nação, não de poder de um grupo político-partidário restrito a uma confraria entre "amigos" – que nem sei se eram amigos ou cúmplices!

Eles agem como os traficantes em favelas nas décadas de 80 e 90, agradando o povo com migalhas para conquistar simpatia e autoproteção popular. Mais adiante você verá como integrantes do governo petista tentaram fazer a máfia russa "comprar" o Corinthians. Foi quando eu denunciei tudo. E eles, por seu turno, criando aquela nuvem de fumaça com a torcida, pouco se importando com a origem do dinheiro desde que trouxesse títulos ao Timão!! Os fins justificam os meios na política petista...

AS FALANGES DO GOVERNO

O governo dispõe de especialistas em crimes de sangue, em crimes da razão, e aprenderam bem a praticar os crimes de opinião (num caso você usa mecanismos sofisticados e complexos para perpetração; em outro, armas e a violência, e no último a mídia e a nova tecnologia da informação, a internet).

A fim de chegar ao ponto, quero retomar alguns focos já tratados. Para o entendimento do projeto de dominação do presidente Lula há que remontar a um pouco antes de ele chegar ao poder, é óbvio. No pré-poder, quem cuidava da parte jurídica de todo o PT era o Greenhalgh: daí, o leitor vai entender, mais à frente, o porquê do caso Cesare Battisti ter sido defendido, a ferro e fogo, pelo ministro Tarso e pelo Greenhalgh. Aquilo foi uma forma de pagamento por um serviço que o Greenhalgh prestara até aquele momento. Tal dívida com Greenhalgh se trata de um consenso universal no lulismo, e sobretudo no íntimo petista.

Eles dispunham de várias formas de retribuir ao Greenhalgh, inclusive elegê-lo como presidente da Câmara. Mas a antipatia dele e sua rejeição eram tamanhas que até o Severino Cavalcanti conseguiu vencê-lo.

Mas falemos, novamente, das figuras que cuidavam, vamos dizer assim, desse organograma de controle do Estado na segunda fase, depois da eleição. Você tinha o José Dirceu, responsável pela questão administrativa, política e financeira, porque o Celso Daniel tinha morrido. Possivelmente a coisa não teria acontecido como aconteceu, até pela experiência dele em Santo André. Talvez o Mensalão não tivesse chegado aonde chegou se o Celso Daniel não tivesse morrido, noto.

Além disso, Dirceu era o responsável por cuidar da parte de inteligência do governo, tarefa que desempenhava com muita inspiração. Na prática, chefiava a Abin e dividia poderes com Márcio Thomaz Bastos na PF, especialmente no que dizia respeito à área de informações. Era do 20º andar do edifício da superintendência da Receita Federal, na av. Prestes Maia, em SP, que, geralmente às sextas-feiras, partiam as decisões mais importantes nessa área. Ali se reuniam os arapongas-mor da República. Registre-se que, mesmo após sua saída oficial da Casa Civil da Presidência da República, essas áreas nunca deixaram de ter uma forte influência do Zé Dirceu. Seus palpites e sugestões continuam sendo acatados como ordem. Anote-se que essa é uma matéria onde os acanhados protestos de Thomaz Bastos nunca surtiram qualquer efeito.

É preciso creditar-se com as devidas doses de mérito a convivência pacífica e, por muitas vezes, tolerante entre os grupos da PF petista e da PF tucana aos ex-ministros Zé Dirceu, Thomaz Bastos e ao então diretor-geral Paulo Lacerda. Com a saída dos três e a assunção de Tarso Genro, que dividia o comando com Gilberto Carvalho, e a nomeação de Luiz Fernando Corrêa, essa convivência tornou-se insuportável. Com isso, o governo experimentou (e experimenta até hoje) crises homéricas entre ele e sua polícia e entre grupos internos de agentes e delegados.

Dirceu sempre azeitava, com sua figura elíptica, o exótico maquinário de especulações, já que era responsável por toda a questão administrativa e financeira, pelos cargos. Tudo passava por ele, a questão política inclusive. O Palocci era responsável pela questão social e midiática, no sentido de ter mais acessibilidade à mídia e aos empresários. Para ele, também sobrava a questão da sociedade, porque era um cara que gozava de uma certa confiança da classe A, dos empresários de modo geral. Era um cara que tinha esse *ethos*. Paulo Okamotto cuidava dos pequenos e microempresários, formando uma boa tropa de choque, pronta para qualquer parada, desde aglomerações e atos apaixonados até contribuições dizimáticas. Também era o responsável pelas coisas pessoais do presidente que não poderiam nem deveriam ser confiadas ao Gilberto Carvalho. Lula jamais esquecerá o exemplo Celso Daniel.

O Gilberto Carvalho, homem de confiança do Celso Daniel, conhecia todo esse esquema pretérito, era a sombra do futuro defunto Celso. Carvalho acabou sendo uma encomenda que ficou para o Lula carregar; então, tornaram-no secretário particular, o que perdura sob Dilma. Ele era o elo do Celso Daniel com o partido; ele falava por ele mesmo, mas ficou também como responsável pela parte da Igreja católica, pela CNBB, pelas ONGs e por parte dos movimentos trabalhistas e sociais menos organizados.

Os movimentos sociais mais organizados tinham um representante no governo que era o Luiz Dulci, mas o cara dono da arbitragem entre o governo e os movimentos era ainda o Gilberto Carvalho. A questão das comunicações da mídia, aplicação de verbas, de recursos, publicidade, era com o Franklin Martins. No início a ideia começou com o Gushiken e depois, no segundo governo, com o Martins. A TV pública também era administrada por ele, assim como a agência Brasil, na esperança de se ter um modelo argentino.

Toda a parte jurídica e intelectual de segurança pública e de justiça, as amarras, o poder efetivamente, ficou com o ministro Márcio Thomaz Bastos, de resto um intelectual e especialista nessa área. O núcleo duro do poder, a Casa Civil, com Zé Dirceu; Palocci na financeira, questão econômica, criava confiabilidade do governo com os grandes empresários; o Gilberto Carvalho flanava naqueles bastidores do jogo do governo, do poder, além de ser um pacote restante do Celso Daniel. Sob Gilberto Carvalho também estavam as centrais sindicais e os acordos e negócios com seus líderes, paralelamente ao Ministério do Trabalho, completamente esvaziado nessa área.

Paulo Vannuchi era o responsável pelo discurso mais radical do governo para contentar as alas mais ideológicas e as mais compromissadas com a velha luta armada, em especial aquelas que dependem da afirmação de um governo popular capaz de resgatar, em nome do partido-país, o que eles, e tão somente eles, julgam "dívida" do Brasil com seu passado, desembarcando na rediscussão da anistia e na apelidada "bolsa ditadura". Era preciso que alguém, combinado com Lula, fizesse o contraponto dentro do governo para satisfazer os mais tradicionais, ou os inconformados com as práticas de "governabilidade".

O Gushiken estava, no primeiro momento, cuidando de toda a parte de distribuição de verbas e controle da mídia porque, obviamente, tentavam controlar os meios de comunicação através dos repasses dos recursos de publicidade. Era uma forma de você, como referia Gushiken, sufocar a mídia a ponto de fazê-la entrar em acordo contigo. Mas os pequenos e médios veículos, com a distribuição de verba publicitária do governo, você controla na base do toma-lá-dá-cá, algo que não exige grande esforço. Essa mídia mediana abria-se, e abre-se ainda, para o governo como uma mala velha, abjetamente escancarada ao que pedissem e venham a pedir. Para puxar o saco, aplaudem até tombo de trapézio sem rede de proteção. Basicamente esse era o núcleo duro, o centro decisório do poder.

No mais, o Poder Executivo, com os outros ministérios, estatais, empresas públicas, secretarias, enfim, excetuando-se alguns cargos e postos estratégicos, foram entregues de "porteira fechada" aos partidos ou políticos aliados, dependendo da importância, em contrapartida ao tamanho do apoio prestado, não só no Congresso Nacional como também nos estados e municípios de notória importância ao projeto de poder; sem falar nas legendas de aluguel, que muitos se prestam a ser em troca de melhorar seu ranqueamento na distribuição do rateio.

Após o estouro do escândalo do Mensalão, trazendo à tona aquele modelo de domínio do Legislativo pelo Executivo, que era uma inovação no aspecto do controle no atacado, e a consequente queda do ministro Zé Dirceu, a Casa Civil foi ocupada pela atual presidente Dilma Roussef. Lula ali tentou se blindar: colocou uma gestora técnica, mandona, que detestava políticos e, principalmente, odiava negociar com eles. Com isso as relações políticas passaram efetivamente para o Ministério das Relações Institucionais, que poderia chamar-se das relações intestinais.

Na Era Zé Dirceu, ninguém parou nesse ministério. Ele servia para acomodar aliados ou figuras importantes do partido. Hoje voltou a ser a mesma coisa. As atribuições se atropelavam. Na entressafra, falo de 2007 a 2010, após um bom período do ministro José Múcio Monteiro, hoje no Tribunal de Contas da União, Lula encontrou seu ministro ideal na matéria, Alexandre Padilha, a quem prepara para governar São Paulo se ele mesmo desistir do projeto, guardado a sete chaves, para desbancar o PSDB do estado e fazer a "tríplice coroa", ou barba, cabelo e bigode, como os mais íntimos gostam de se referir ao pensar na vitória eleitoral na capital, estado e país.

Padilha, a pedido de Lula, já no início do governo Dilma, foi deslocado para a pasta da Saúde, a fim de ser preservado para a missão. Montado esse organograma, vinha o macroprojeto, que era a perpetuação nos moldes de um PRI mexicano. Até cheguei a lembrar aquele presidente mexicano (1920-1924), o Álvaro Obregón, que fez do mote de sua campanha o bordão: "Votem em mim, tenho um braço só, vou roubar menos" (Obregón não tinha o braço direito, perdido num atentado a granada executado por um de seus guardas particulares, em 3 de julho de 1915).

Nesse contexto, as redes sociais transformaram-se num instrumento poderoso para a guerrilha virtual na qual o PT tem sido imbatível, pois há muito tempo seus seguidores aprenderam a lidar com essa poderosa arma.

Há várias explicações: a simpatia de boa parte dos jovens pela ferramenta e pelo partido, que nasceu com a promessa das grandes transformações sociais; uma considerável parcela dos estudantes antenados na política e, principalmente, um fato inescapável: o partido abrigava esmagadora maioria daqueles que outrora se constituíram nos chamados "subversivos" da ordem pública e política, especialistas em mensagens curtas, diretas e cifradas. Além da excelente desenvoltura e domínio de Lula no segmento da inteligência social, um novo conceito, definido como a capacidade de lidar com as outras pessoas, entender seus sentimentos e fazer com que as reações lhe sejam empáticas.

Isso serve para pessoas, grupos, organizações e governos. Lula atua muito bem nessa seara. Soube aliar a inteligência de Estado com a policial, com a de segurança pública, com a emocional, com o poder da informação e da contrainformação, com a inteligência social. E quem consegue aliar tudo isso, ainda somando habilidade social, torna-se um profissional quase imbatível, independente do seu ramo ou meio de atuação. Ele sabe falar o que o povo quer ouvir. Por isso, contaminado com a prática, quando faz pergunta não quer resposta, e sim concordância.

Mas ainda havia algumas questões cruciais, aparentemente inatingíveis, como fazer o controle da grande mídia e das cortes superiores. Faltava o PT se esmerar no poder dos demais órgãos, que é o poder da própria polícia; afinal, tradicionalmente, ela é o atalho "tapa na cara" (por onde você consegue controlar a máquina, tendo aí um órgão de informação pesado, forte). Você poderia ter isso através da Abin e da Polícia Federal, esta como órgão de inteligência. Mas, no primeiro momento, o governo Lula não confiava na Abin porque é um órgão vinculado ao gabinete de Segurança Institucional, um tipo de Casa Militar; "tem sempre militar por trás, então não era órgão de confiança", diziam Lula e José Dirceu com desfaçatez, como se não tivessem já articulado a balde com os militares, ditadores e não ditadores.

Num primeiro lance, Lula quis passar até a segurança do presidente da República para outros, porque, constitucionalmente, quem faz são as Forças Armadas (nos anos Lula era o general Jorge Armando Félix, da secretaria de Assuntos Institucionais – registre-se, homem correto). Lula queria tirar a atribuição do Exército, Marinha e Aeronáutica e passar para a Polícia Federal. Aí viu que seria uma burrada, porque os milicos fazem bem, são especialistas, fazem isso há duzentos anos. A história mostrou que isso não deveria ser mudado. E não mudou. É evidente, havia uma desconfiança do governo Lula com os militares, não tem dúvida. Então o projeto inicial seria tirar a própria segurança do gabinete dele porque Lula considerava capazes de botar-lhe grampos até nos fundilhos. O foco era a união desses grandes projetos de poder das instituições que ele, Lula, precisava tomar conta, pessoalmente: o Judiciário, o Executivo de uma forma geral, a Polícia Federal e o Legislativo. Não logrou êxito no controle do STJ e do STF, como sonhava.

LEGISLATIVO E JUDICIÁRIO

Dentro desse quadro, eis agora o porquê de o Mensalão ter se tornado cômodo como, digamos, um instrumento de niilismo de resultados. O Mensalão surgiu como um mata-borrão técnico, capaz de absorver e suprir, numa precisão mensal de relógio de ponto, as necessidades das sinecuras, trambiques e acertos. Paga-se por mês, dia de saque certo, com ceitis fixos, valores pré-combinados: e nada de pedidos de favores aos 46 do segundo tempo!

Rapidamente, no Executivo o Lula fazia as nomeações. Só que era um negócio complexo, a máquina é muito intrincada; então você aceita indicações dos aliados, os aliados indicam os caras deles e, nos cargos-chave, você põe pessoas da sua absoluta confiança. Em alguns cargos de primeiro escalão você aceita indicações. O resto é da sua conta. No segundo e terceiro escalões você divide indicação. Mas surge um pedregulho indesviável:

você não tem gente suficiente para indicar, é muito buraco pra preencher com gentalha indisponível, creia. Ao mesmo tempo isso tem efeito positivo, porque, como você está dando para outra pessoa indicar o que não consegue, você está criando uma marra de gratidão e ao mesmo tempo de responsabilidades.

Vejamos o mapeamento desse Leviatã: você tem uma planilha, você quer saber quem é o chefe da divisão de transportes coletivos do Ministério da Imperialidade, digamos. Vou na planilha e vejo quem indicou o fulano. Eu não me exponho, não tenho nada a ver com isso, mas você tem a obrigação de me atender porque foi você quem indicou um cara seu para a minha vaga. Eu não me queimo porque não estou pedindo ao seu fulano nada, diretamente; o cara deve gratidão a você e não vai te entregar nunca, é uma capilaridade segmentada. Ao mesmo tempo, qualquer burrada que o cara fizer tem a denúncia, e vão ver quem indicou o cara: "Pô, você indicou o cara e ele está fazendo trapalhada?". Você vai em cima do cara que está fazendo trapalhada, esse vínculo de amor é entre você e o cara, afinal. É um pacto personalíssimo.

Agora, se você tiver vínculo com o cara e amanhã ele fizer bobagem, ou for preso, você dança junto, porque é uma operação compartimentada entre "mim e você e você e ele". Não há o contato entre "mim e ele". Por isso que o Lula falou: "O Tuma está na minha cota". Trata-se de, deliberadamente, criar o compromisso pessoal. Os cargos são literalmente fatiados, divididos. Até o presidente da República entra nessa divisão. Conforme você está indicando, você está empregando muita gente. Se você discorda de um ponto de vista meu e não me apoia numa votação, eu te tiro esse emprego. E você está morto. Perde o que é essencial para a sobrevivência política, os representantes que controlam suas bases. Político sem obra, dinheiro e cargo para oferecer não tem poder, é funcionário público igual aos milhares de coitados que existem pelo Brasil. Acho que boa parte dessa concepção é do José Dirceu e boa parte é do Lula, vem da vivência dele no mundo sindical, na própria política, na polícia e na área de inteligência. Afinal, Lula é um cara que viveu nesses ambientes, ele negociava com os empresários, traía os próprios colegas de greve.

Como se ajudam os líderes, pela ótica do Lula? Em dois momentos: arrumando espaço político, porque através de indicação para cargos eles se mostram poderosos junto aos governos, e depois mostrando força ao aprovar projetos que nem são tão importantes assim. Tem também o esquema das verbas para aquele que consiga obras no seu estado, em demonstração de força para a população, mais cargo do político para os seus aliados e recursos para o cara. Isso para pagar um e outro e manter uma base eleitoral.

Mas o que estava se passando no Parlamento era o seguinte: os caras, toda vez que viam uma votação importante para o governo, mandavam recado, e falavam grosso que votariam contra. Então tinha que negociar com o cara no varejo. Era todo tipo de desculpas para se criar dificuldades. Um cara dizia que tinha pedido para nomearem o fulano de tal, outro falava que estava ferrado, que tinha que fazer uma cirurgia na canela e não tinha dinheiro, tempo, ou que o irmão ia casar. Um vale-tudo típico de porão do encouraçado Potemkin. Um queria dinheiro, outro queria cargo, outro queria viajar, ficava aquele megalistão de varejo. Havia um cara que nunca tirou uma foto com o presidente, e na terra dele todo mundo acha que ele não tem prestígio – então queria a foto na última hora. Lula vê se tem uma votação importante, iam virar a esquina mais de 200 caras na fila. A gente nunca sabe no que vai dar a votação, então fica-se adiando até atender a todo mundo. Param tudo, chamam os líderes e falam: "Olha, cada um cuida da sua bancada; eu acerto com você e nós vamos compartimentar essa situação. Cada um cuida do seu rebanho, da sua tropa, e todo mês eu faço um acerto, um acordo para você dividir com os deputados. Ou é verba orçamentária, ou é emenda orçamentária; a bancada tem 5 milhões, por exemplo, então todo ano dou 20 milhões para a bancada fazer um autódromo não sei onde, o outro deputado quer fazer tal coisa". A presunção dos varejistas era tão significativa que o governo petista quis dar um basta nela. As liberações das emendas orçamentárias ou parlamentares, ressalvadas as exceções, são outra coisa que dá para ser PhD em trambicagem e roubalheira. Tem gente indicando obras em município por onde nunca passou, nunca visitou e sequer foi votado. Só para atender uma empreiteira que vai lhe desviar uma percentagem dos recursos. Para acabar com esse varejão, veio a ideia do Mensalão: fecho um acordo no mês, não quero fila; vem o líder e fala o que está pegando na bancada; por isso se chama Mensalão: todo mês tinha um pacote no acordo, ou grana ou cargo, mas vinha o líder para acertar. Como a coisa estourou perto da eleição, e era algo que o ministro Márcio Thomaz Bastos engendrou intelectualmente, então veio a solução: vamos dizer que foi uma forma de distribuir os recursos que eram para campanha política.

Não importa com que você ia gastar: se o dinheiro é desviado, se é ilegal, é crime. Se ia gastar com dívida de campanha, ou para fazer campanha, ou para namorar, ou para viajar, ou para comprar uma casa, não importa. O que importa é que você pediu ou recebeu dinheiro ilícito, é crime. A tecnicalidade usada como desculpa por Thomaz Bastos, a do Caixa 2, é irrespondível, um acinte. Mas muita gente entrou nesse discurso por um bom tempo.

Se você deu dinheiro para o cara fazer campanha ou pagar a campanha, você deu o quê para o cara? Você está ajudando a eleger o cara, então você está comprando o mandato dele. Se eu sou eleitor e te ajudar na sua campanha é porque acho que você é o cara certo, que vai exercer um mandato minimamente em acordo com os meus princípios também. Mas se eu sou governo e te dou dinheiro para te eleger, é porque quero que você vote comigo, estou te comprando cegamente. Além da sua consciência, estou comprando o seu mandato. Isso é mais grave ainda; então esse era o projeto de tomar conta do Legislativo, e eles tomaram, e foi assim que sempre tiveram a maioria.

O Executivo era dominado através de terceirização dos cargos por empresar parcerias, e o Legislativo com o negócio do Mensalão, cuja existência foi comprovada, estão aí as condenações. Vamos para o Judiciário, as nomeações dos ministros do Superior Tribunal de Justiça, do STF. Os tribunais regionais federais seguiam um rito. Primeiro era a secretaria nacional de Justiça que se encarregava de receber os clientes, depois a de reforma do judiciário, por onde passavam os currículos.

Os ministros e candidatos sempre iam lá, enviavam os currículos, conversavam com a gente, buscavam diversos apoios, era natural isso. Depois iam para o gabinete do ministro, e em todo o caso cada um fazia suas corridas políticas pelos votos e apoio. A decisão era sempre do ministro e do presidente, que muitas vezes acompanhava e dava palpite.

Só que o presidente ao nomear, ao escolher, não o fazia com a cabeça técnica de quem estava compondo um outro poder, ao indicar os ministros do Superior Tribunal de Justiça e dos tribunais regionais: ele escolhia como se estivesse escolhendo um ministro do governo dele, um ministro de Estado, não de uma Suprema Corte, de um outro poder. A Constituição dá esse poder a ele de escolher; então ele acha que, por escolher um ministro de outro poder, de uma corte, trata-se de um ministro de Estado. Essa pessoa lhe deve fidelidade irrestrita, mesmo que discorde do método e das ideias. Por isso você vê as pessoas sendo condenadas no Supremo e atacando o órgão.

Como um camarada ataca uma Suprema Corte sem ser no papel, com argumentos técnico-jurídicos? Por que um cara xinga um ministro do Supremo? Porque não teve a contrapartida que ele supunha que teria quando um dia chegasse lá. O projeto petista não contava com a independência do Judiciário, mormente do Supremo.

Aqui cabe ressaltar um fato que ficou mais restrito às páginas políticas do que às policiais, mas demonstra bem o que eu afirmo; é, sem dúvida, um fato a demarcar a história nos famosos "antes e depois". Refiro-me ao episódio em que o ex-presidente Lula teve aquele encontro com o ministro Gilmar Mendes no escritório do Jobim. Ali, não fosse a coragem e a providencial publicidade do fato, levada a efeito pelo ministro do Supremo, o fim do processo do Mensalão certamente seria outro. Explico: ao tornar público aquele encontro e o que nele se passou, o ministro Gilmar Mendes acabou garantindo o julgamento do processo naquele momento; se adiado, certamente teria outro resultado porque perderia o *timing* e deixaria a pauta da própria sociedade.

Acho que, de certa forma, mesmo sem querer, Gilmar fez Lula pagar por ter tentado enganá-lo novamente, coisa que já o fizera quando do tal "grampo" do Supremo, ao demitir Paulo Lacerda sabendo que a autoria era outra, e mais conspiratória, coletiva, do que individual ou pessoal. Ali havia um crime de Estado. Com relação à reunião ou ao encontro, para ser mais preciso, tanto Lula quanto Gilmar prestaram um relevante serviço ao Brasil e à sociedade brasileira. É bem verdade que por causas diametralmente opostas: o primeiro, por se achar o rei da cocada preta, tentou chantagear o segundo, tarefa que no governo dele, como estamos vendo, virou o maior legado de sua administração. Por isso deu um "tirombaço" de bazuca no pé ao escolher o "alvo" errado. E o segundo por defender, mais que a dignidade e a honra da Suprema Corte, a independência e a verdadeira livre existência da Justiça e do Poder Judiciário brasileiro.

Em decorrência, hoje não estamos numa ditadura literal, e sim numa posição em que o poder judiciário é independente; por isso os ministros, na maioria, são técnicos, profissionais conscientes da sua alta relevância para o país. Mas imagine se as pessoas escolhidas tivessem essa mesma ideia de que, ao serem nomeadas ministros de Estado, deviam subveniência ao presidente da República. Onde nós íamos parar com essa ditadura do Judiciário? Nesse ponto eles não conseguiram, porque na hora da escolha a gente também dava palpite.

Não me surpreenderia se, num futuro próximo, ao ver que as Cortes Superiores não decidem como eles desejam, busquem-se mecanismos para alterar suas decisões (das Cortes), para que atendam a seus interesses, numa verdadeira subversão da ordem constitucional. Para tanto, uma "guerrilha institucional" certamente será instalada via medidas legislativas e redes sociais, com ataques contra o Supremo e alguns de seus integrantes.

Reproduzo o que disse o ministro Celso de Mello ao proferir seu voto, durante o julgamento do Mensalão, a confirmar o que aqui estamos afirmando. O decano do Supremo disse verificar nos autos "a prática de desvios éticos" e "venalidade governamental". Asseverou ainda o ilustre ministro que houve um "projeto criminoso de poder engendrado, concebido e implementado pelas mais altas instâncias, e praticado pelos réus nesse processo....". E arrematou: "Estamos aqui a tratar de uma hipótese de macrodelinquência governamental".

Celso de Mello argumentou que o modelo de democracia se desfigurou com aquele estratagema criminoso:

"Esses atos descaracterizaram por completo o modelo de democracia consensual, que legitima no contexto das agendas sociais, tanto do poder Executivo quanto do Legislativo, as negociações, que são legítimas", disse ele. "Jogo político motivado por práticas criminosas perpetuadas à sombra do poder.(...) Isso não pode ser admitido e tolerado", completou. Celso de Mello destacou ainda que o Supremo não está condenando ex-integrantes da cúpula petista "só pelo fato de terem sido importantes figuras políticas. Ao contrário, condenam-se tais réus porque existem provas idôneas e processualmente aptas a revelar e demonstrar que tais acusados não só tinham o poder de evitar e fazer cessar o itinerário criminoso, mas agiram também com uma agenda criminosa muito bem articulada". Que se traduz no malverso projeto de poder a qualquer preço, engendrado e implantado com o espúrio objetivo de perpetuação na máquina estatal.

O ministro afirmou ainda que ficou evidenciado por parte dos réus "falta de escrúpulos" e "avidez pelo poder". Componentes inafastáveis desse tipo de agente que só sobrevive dos micro-organismos produzidos pela relação espúria entre uma mão suja, a chave e o buraco da fechadura do cofre público.

Claramente, vários foram os ministros do Supremo que verbalizaram essa percepção de que o Estado foi instrumentalizado para um Projeto de Poder fora das urnas. O ministro Marco Aurélio Mello afirmou, sobre o Mensalão: "Restou demonstrado, não bastasse a ordem natural das coisas, que José Dirceu realmente teve uma participação acentuada, a meu ver, nesse escabroso episódio".

Para o ministro Gilmar Mendes , as provas deixam claro que José Dirceu "contribuiu" para o esquema de compra de votos. "Diante de todo esse contexto, não há como não se chegar à conclusão de que Dirceu não só sabia do esquema irregular de distribuição de recursos para a base governista como também contribuiu para sua estruturação".

A ministra Rosa Weber disse haver provas nos autos de que a antiga cúpula do PT atuou em repasses de dinheiro a políticos aliados. "O conjunto probatório deste processo, na minha visão, aponta no sentido da existência de conluio para a corrupção de deputados federais com vistas à obtenção de apoio político. (...) Há indícios que gritam nesses autos", completou.

Quando proferiu seu voto, o ministro Luiz Fux frisou que o oferecimento de dinheiro já demonstra que houve a compra de apoio político. "Ele próprio (José Dirceu) declarou que era responsável por essas relações políticas, entre elas a formação da base aliada, que a Suprema Corte entendeu como base aliada corrompida".

No dia 15 de novembro, por ordem do ministro Joaquim Barbosa, presidente do Supremo Tribunal Federal, nove dos 25 réus condenados em novembro de 2012, entre eles José Dirceu e José Genoíno, foram levados para a Penitenciária da Papuda, em Brasília. O primeiro voltou a reafirmar que foi "condenado sem provas" e que "a pior injustiça é a da Justiça". O segundo disse ser inocente, "vítima de uma operação midiática", e completou: "Eu fui condenado porque estava exercendo a presidência do PT. Do que me acusam, não existem provas".

Lula evitou fazer considerações públicas sobre as prisões dos companheiros de partido, embora tenha circulado a informação de que fez chegar a Dirceu e Genoíno a mensagem de que estavam "juntos". Pura retórica! Os dois devem ter pensado: "Mas só agora? Não estamos juntos desde o começo?". O que mais uma vez se comprova é o pragmatismo do ex-presidente: após se reunir com Dilma Rousseff, ambos entenderam que a decisão do STF de executar logo as penas dos réus petistas fará esmaecer o uso da questão, pelos adversários do PT, na campanha de 2014. Ou seja: o Lula que meu pai hospedou no Dops continua o mesmo, só que mais velho e mais ensaboado.

CAPÍTULO 7

ASSASSINANDO REPUTAÇÕES

PT: ENCOMENDAS PARA FULMINAR ADVERSÁRIOS E INIMIGOS

Seguem-se agora casos, com seus bastidores mais profundos, que ocorreram sob as minhas barbas. Eles exemplificam como age, no seu íntimo, o PT de Lula. Dou à sociedade e ao leitor, à Justiça enfim, a minha palavra da veracidade: quem escreve aqui, afinal, é um representante da grife Tuma, e ninguém menos que um ex-Secretário Nacional de Justiça. Ou acham que, a essa altura de minha vida, iria expor meu nome e reputação, de quase 35 anos de polícia, desfiando um rosário de mentiras? Digo isso porque conheço, e já antevejo, o discurso e a reação da "tropa de elite". Relato tais atrocidades com a profissão de fé de quem bota uma mensagem numa garrafa: alguma autoridade vai sacar a rolha, abrirá tudo e lerá.

Caso 1 – A reunião da Satiagraha

Tenho certeza de que já ouviram ou até já pronunciaram algo assim: "Para os amigos, as falhas, as brechas e os benefícios da Lei; para os inimigos, o rigor dela". Ou ainda: "Faça o que eu mando, não o que eu faço". Mas também tenho certeza de que, ao menos com relação à primeira frase, dificilmente se consegue dar um bom exemplo. Então vou ajudá-los nessa tarefa.

Transcrevo aqui um trecho dos diálogos travados na reunião que ocorreu entre a cúpula da Polícia Federal, os delegados que comandavam a Operação Satiagraha e os que passaram a comandar a partir daquela data.

Nela estiveram presentes os maiores caciques da PF. Comandava a reunião o então superintendente em São Paulo, Leandro Daiello Coimbra, hoje diretor-geral da Polícia Federal. Foi nessa ocasião que afastaram Protógenes. Vejam a progressão fulminante dos diálogos, que inclusive declaram já os grampos ilegais:

DELEGADO ROBERTO TRONCON: *A pergunta era que havia um boato de que a imprensa ia largar áudio, e do ponto de vista político não seria bom para ninguém, que vinha logo depois da informação de que o gabinete do ministro tinha sido acompanhado.*

DELEGADO PROTÓGENES QUEIROZ: *Sim, vai surgir notícia que nós grampeamos o gabinete do ministro, que a Abin grampeou...*

DELEGADO LEANDRO COIMBRA: *Mas aí é justamente o que me preocupa, eu tenho que ter uma via de vai e vem, para que eu possa me posicionar; me fala, tem ou não tem?*

DELEGADO PROTÓGENES QUEIROZ: *Você falou comigo, eu te afirmei no dia; o medo seu era que no final de semana poderia vir uma avalanche de...*

DELEGADO LEANDRO COIMBRA: *E nós teríamos que ter munição.*

DELEGADO PROTÓGENES QUEIROZ: *Falei, Leandro, não tem, de minha parte não tem.*

DELEGADO LEANDRO COIMBRA: *Aí você falou que tinha autorização pros advogados, eu achei que os advogados tinham o áudio.*

DELEGADO PROTÓGENES QUEIROZ: *Não, a transcrição, a transcrição.*

DELEGADO CARLOS EDUARDO PELLEGRINI: *É um grupo muito forte, né, eu fui executar a prisão lá no Nélio Machado e tinham dois desembargadores aposentados e um juiz do Rio. Na casa do Daniel Dantas eu achei vários documentos; assim, tinha acho que 2007, o Vitor abriu um de 2004, eu vi de 2007 de 18 milhões de pagamento de propina para políticos, juízes e jornalistas, ele gastou no ano de 2007. Então, eu achei muito sensível.*

DELEGADO PROTÓGENES QUEIROZ: *Inclusive há um fato naquele bilhetinho de propina que muito me preocupou.*

DELEGADO (NÃO CITA NOME): *Como sabe que era propina? Um cara que escreve assim, oh...*

DELEGADO PROTÓGENES QUEIROZ: *Um milhão e meio de dólares para financiar alguém com o nome de Pedro, 2004.*

DELEGADO CARLOS EDUARDO PELLEGRINI: *Não, o documento tornou público a partir do momento...*

[Trecho inaudível]

DELEGADO CARLOS EDUARDO PELLEGRINI: *Não, aquele é um dos, um dos, [inaudível] expressamente para o indiciamento. Agora, ele é um cara muito, ele, o nosso alvo é um cara muito estrategista, extremamente estrategista. Ele leva, por exemplo... Quando eu entrei na sala, ele não me franqueou acesso ao elevador, eu pedi, ele não franqueou, eu tive que arrombar a porta do elevador. Arrombei, mas só arrombei a fechadura, não teve estrago nenhum ali, só deu uma entortadinha; daí eu entrei, e no que eu entrei estava numa sacolinha azul o* note *pessoal dele e dentro os manuscritos, que ele já tinha escondido de forma rápida do lado. A primeira coisa que a nossa equipe fez quando chegou foi pegar aquela bolsa. No que pegou aquela bolsa, sacou do laptop dele, estavam os manuscritos, né? Na PF vai uma pessoa tal para falar com tal; no Poder Judiciário vai tal pessoa; no jornalista, a gente contrata o Mangabeira para chegar nesses meios de comunicação. Estava todo o organograma dele lá, e eu vou colocar isso no inquérito.*

DELEGADO LEANDRO DAIELLO COIMBRA: [trecho inaudível] *propina. Se eu estou sendo um pouco o advogado do diabo pra gente não cair naquela de...*

Delegado Protógenes Queiroz: *Certo. Dr. Leandro, só para fazer uma observação...*

Delegado Carlos Eduardo Pellegrini: *Não, mas tem, tanto é que tem que o Vitor colocou um 2004 lá* [trecho inaudível].

Delegado Leandro Coimbra: *As organizações, hoje, se caracterizam por isso, por tentar entrar nos órgãos públicos e se aproximar. Nós temos que ter muita sobriedade e cuidado nessas decisões de julgamento, né? Um pedido que eu fiz para o Dr. Luiz Fernando, quando aceitei a vinda para São Paulo, foi o seguinte: dúvidas sobre o delegado Leandro, que me investigue, para que no final fique claro. O que eu não estou querendo aceitar, em São Paulo, é aquele carimbo que eles dão em determinados colegas na dúvida. Na dúvida, vamos investigar. Se tiver que acompanhar, grampear, monitorar, nós vamos fazer. E nós não podemos pré-julgar mais. Nós temos uma história nessa Polícia e Dr. Troncon é antigo e consta aqui, consta que um dia o cara fez isso, ficou tachado, e muitas pessoas boas, não as ruins, infelizmente, ficaram tachadas. Eu estava brincando com o Dr. Saadi, antes de vir pra cá eu recebi um dossiê de 120 laudas, sem timbre, sem assinatura, dizendo que na Delefin tem o Mensalão pra ele e o mensalinho para os delegados que ele escolheu. Verifiquei antes e não achei. Vai ter chefe, foi convidado, vai ser preservado. Mas isso existe. Protógenes, quantas informações existem de que tu tomava a grana do Lau?*

Delegado Protógenes Queiroz: *Milhões, milhões.*

Delegado Carlos Eduardo Pellegrini: *Dr. Leandro, eu passei 15 dias...*

Delegado Leandro Coimbra: *Todos nós que trabalhamos em casos importantes, em algum momento somos minados, infelizmente até por colegas com interesse. No caso do Dr. Saadi, acho que a cadeira dele deve ser muito confortável, não é, que o trabalho é realmente muito bem elaborado. Se não tomar o cuidado de reavaliar, analisar, procurar, tu olha que está todo mundo no sal e vai jogar todo mundo. Eu tomei o cuidado de conversar com o Dr. Troncon, que na sua serenidade, né, me ajudou a esclarecer algumas coisas; Dr. Elio, Dr. Menezes, Dr. Menin também encaminharam pela casa e hoje eu refiz, e Dr. Iegas, vou até me adiantar, né, o convite para o Dr. Saadi permanecer na Delefin, porque eu realmente não vejo consistência, do problema do Mensalão. Ele se esconde bem, hein... E que ele teria escolhido todos os delegados novos e pagava mensalinho.*

DELEGADO (NÃO CITA NOME): *Caramba!*

DELEGADO CARLOS EDUARDO PELLEGRINI: *Dr. Leandro, o senhor me ajudou na execução. Eu passei 15 dias no interior do Paraná, checando informações, relatórios apócrifos que chegaram aqui no SIP* [sigla desconhecida] *e fui na casa de todas as testemunhas; o colega lá de Jales é testemunha que fui eu e ele. Todas as testemunhas que nós chegamos e conversamos, não batia com a informação do relatório apócrifo que chegou aqui no SIP.*

DELEGADO LEANDRO COIMBRA: *Mas é isso que eu peço...*

DELEGADO CARLOS EDUARDO PELLEGRINI: *... que é de 15 dias.*

DELEGADO LEANDRO COIMBRA: *Vamos checar todos dados, nós não temos o direito de condenar nenhum colega sem fazer isso. Isso é um cuidado que, enquanto eu estiver em São Paulo, vai acontecer. O SIP, com certeza, vai ter muito trabalho. Me preocupa, porque as pessoas tentam minar uma investigação com isso. Nós estamos vendo na imprensa coisas desagradáveis dizendo que há uma ruptura na Polícia Federal, e aí eu fico numa situação extremamente delicada. Eu fui levado a Brasília pela Drª Valquíria e a Drª Zilmara, fiz diversas operações naquela época e fui trazido a São Paulo pelo Dr. Luiz Fernando. De que lado eu tô? Eu não consigo, sinceramente, enquanto superintendente, perceber uma ruptura.*

DELEGADO PROTÓGENES QUEIROZ: *Dr. Leandro, se houvesse ruptura, acredito que esse trabalho, esse, não sairia e até..*

DELEGADO CARLOS EDUARDO PELLEGRINI: *Isso graças à Delecoie.*

DELEGADO PROTÓGENES QUEIROZ: *À Delecoie e ao superintendente, que tanto nos apoiou, a superintendência Rio, partindo de uma iniciativa do diretor-geral, que eu tenho certeza que foi dele e do Dr. Troncon; inclusive até, quando logo começou as manchetes anunciar para querer denegrir o nosso trabalho, e o nosso ministro e o Dr. Fernando saíram em nossa defesa, eu imediatamente peguei o telefone e quais as palavras que eu dirigi ao senhor: "Transmita ao nosso diretor-geral, eu particularmente, pessoalmente, Queiroz, e toda a equipe, se sente muito agradecido com a defesa e as palavras que eles se pronunciam na imprensa e que, porventura, sair alguma coisa a mais, que não é, justamente, produto dessa imprensa sem-vergonha.* Folha de S. Paulo, *aqui eu nomino, para deixar registrado, revista* Veja; *a revista* Isto É *eu pensei que até ia sair batendo, não bateu, né? Então, revista* Isto É Dinheiro, *revista* Época, *toda essa imprensa que, porventura, está sendo alardeada e criticando o nosso trabalho, inclusive prenunciando a ruptura no Departamento de Polícia Federal, que é isso que eles querem, desestabilizar a nossa instituição pra poder essa investigação não continuar, mas não vão conseguir. Tentaram fazer isso no Judiciário, não conseguiram, tentaram fazer no Ministério Público, não conseguiram, será que aqui vai conseguir? Eu acredito que não.*

DELEGADO CARLOS EDUARDO PELLEGRINI: *Mas esse fato já foi previsto anteriormente na execução.*

DELEGADO PROTÓGENES QUEIROZ: *Sim, sim, tem de relatório, consta de relatório, consta de nossos relatórios.*

DELEGADO ROBERTO TRONCON: *Quem mais?*

Leram os diálogos que materializam aquela frase? É o então superintendente regional da PF em São Paulo e atual diretor geral, Leandro Daiello Coimbra, dizendo para um grupo de delegados, inclusive os diretores de Brasília, que recebeu um dossiê que dava conta da existência de um "Mensalão e um mensalinho" na delegacia de Combate aos Delitos Financeiros – Delefin, e que só mandou checar, não instaurou inquérito policial nem sindicância administrativa para apurar. Por acaso, recentemente policiais federais foram presos por um esquema semelhante que funcionava desde 2009 naquela delegacia, e eu pergunto: seria o mesmo? O delegado acusado, com quem o senhor diretor diz que "brincou" ao tratar da tal denúncia, foi o que chefiou as investigações contra o Daniel Dantas e, após minha queda, assumiu o DRCI. Fosse qualquer um de nós, eu ou você, leitor, o acusado de corrupção, ou o suspeito de participação num esquema de arrecadação de propina numa delegacia da Polícia Federal, e teríamos o mesmo tratamento? Pois é, e esse pessoal foi promovido no atual governo. Fosse um cidadão de bem que virasse "alvo" da instituição que eles dirigem, ou do governo que eles integram, e já estaria condenado no tribunal midiático, e com sua reputação assassinada.

Eu pergunto: por que dossiês contendo denúncias contra federais não são apurados, mas dossiês falsos contra adversários do governo são prontamente investigados?

Quando é com eles, do poder, tem-se um cuidado que excede a normalidade e a legalidade, ao ponto de não se apurar nada; mas quando a leviandade é com a honra alheia, dane-se. Isso não é novidade. Você se lembra do que me reportou o ex-assessor do senador Aloizio Mercadante e então secretário de Assuntos Legislativos do Ministério da Justiça, Pedro Abramovay, sobre as pressões recebidas da Casa Civil e do Gilberto Carvalho para a confecção de dossiês contra adversários, e que isso o faria deixar a pasta; pois, com a assunção do Luiz Paulo Teles Barreto, ele passaria a ser demandado diretamente, por ser o próximo ministro um cara fraco, e por isso não teria o respaldo que tivera com o Márcio Thomaz Bastos ou com o Tarso Genro.

Aliás, me lembro bem, porque, com toda sinceridade e franqueza, perguntei-lhe se estava louco quando o ministro Tarso Genro, no cargo, na pasta da Justiça, fazendo uma apologia sem precedentes e dando um claro sinal do que o governo pensava sobre o tema, disse publicamente com todas as letras: "Não existe no Código Penal um crime chamado dossiê. Dossiê é um conjunto de dados que pode ser feito pela oposição, pelo governo e inclusive pela imprensa".

Constrói-se uma reputação ao longo de uma vida. Como uma obra civil, é tijolo por tijolo e, como no jogo dos palitinhos, você vai mexendo, mexendo, sempre com jeito, pois se um sair do lugar desaba tudo, e você tem que reconstruir, recomeçar do zero.

Como se trata da honra, pode levar anos ou a vida toda, o que significa que na maioria das vezes não dá para recomeçar. Eu definiria reputação como aquela obra que você constrói com muito carinho e dedicação, durante a maior parte de sua vida, utilizando-se dos melhores acabamentos, para abrigar a sua honra, o seu eu, o seu patrimônio moral. Reputação é a casa da nossa honra, que é a nossa alma.

É uma obra que leva anos e, por isso mesmo, se afetada ou desfeita, por acidente, incidente ou qualquer desvio, pode não haver tempo de reconstruir. É um bem que tanto o rico quanto o pobre pode ter. Os materiais da obra são os valores morais, e não patrimoniais, de cada um.

A demolição ou assassinato da reputação das pessoas, além de levar o indivíduo à morte moral, o que provoca um profundo abatimento de ordem psicofísica, objetiva tirar, antecipadamente, qualquer credibilidade em eventuais ações ou testemunhos. É uma forma de buscar desacreditar ou descredibilizar atos ou palavras da vítima, oportunizando prévia desculpa para creditar qualquer ação contrária aos interesses da organização, ou de seus membros, a um sentimento de revolta, revanche ou vingança. Trata-se de uma estratégia odiosa, mas que sempre conta com o beneplácito da mídia para ser bem-sucedida. O crime organizado sabe que patrimônio moral não tem seguro e não se guarda em banco! O Estado não protege. Ainda mais quando o agente malfeitor é o próprio Estado. Então, é muito fácil assassinar a reputação de quem lhe traz qualquer tipo de aborrecimento ou empecilho.

Aliás, aquela visão romântica de crime organizado que vivia às margens da sociedade, se infiltrando nela, é coisa do passado. Hoje o crime está à sombra da sociedade, ou a sociedade está à margem do crime, é só ver a inversão de valores que vivemos. Ruy Barbosa soube eternizar esse sentimento de frustração ao escrever: "De tanto ver triunfar as nulidades; de tanto ver prosperar a desonra; de tanto ver crescer a injustiça; de tanto ver agigantarem-se os poderes nas mãos dos maus, o homem chega a desanimar-se da virtude, a rir-se da honra e a ter vergonha de ser honesto".

E assim vai-se construindo a fábrica de demolição de reputações, de adversários, inimigos, ou simplesmente daqueles que, de uma forma ou de outra, atrapalham os interesses da banda que legitimamente chegou ao poder, mas ilegalmente nele quer se perpetuar, ou dele se apoderar *ad eternum*. Acima, você pôde constatar como se trata o lado dos "amigos" do Rei. Seguem agora os comprovantes de como se trata o outro lado.

CASO 2 – DR. TUMA JUNIOR: FAÇA UM FAVOR AO LULA E FULMINE O SENADOR PERILLO

Um dos mais escandalosos pedidos para fulminar alguém me foi feito pelo ex-ministro da Justiça, Luiz Paulo Barreto. Um dia, ele me chamou no seu gabinete e, um tanto lívido, disse: "Isso aqui veio de cima, lá do Planalto, do Gilberto Carvalho, secretário particular do presidente Lula. Ele quer que você atenda a um pedido do Lula e mande para o DRCI investigar isso aqui". O "isso aqui" do ministro da Justiça era um envelope numa pastinha que ele me entregou, com um dossiê contra Marconi Perillo. O motivo era simples: Perillo havia alertado o presidente Lula, antes de todo mundo, sobre a existência do Mensalão. E o Lula, sempre rancoroso e louco por vendetas, achava que Marconi é quem estava por trás das denúncias do Mensalão. Voltando. Pergunto ao ministro se ele está louco. Quem fez isso aqui? Ele responde: "Foram eles lá com o Sandro Mabel". Insisto que não deveria ter aceito, e como ministro da Justiça deveria ter alertado o presidente e o Gilberto dos riscos de crime de responsabilidade! O ministro Luiz Paulo Barreto me fala: "E agora, Tuma, agora que peguei essa porra, eu faço o quê?". Respondo, incontinenti, que não trabalho esquentando dossiês feitos na calada da noite, à socapa. Disparo: "Só aceito isso se tiver remetente oficial". O ministro responde: "Você tem de aceitar porque o presidente e o Gilberto Carvalho querem investigar se o Perillo tem passaporte falso e contas no exterior". Retruco: "Se vira, porque não dá para esquentar dossiê".

O ministro tentou consertar, e ligou para o deputado Sandro Mabel e para o Gilberto Carvalho, segundo ele, autor e coautor do serviço. Ali eu já começava a cometer um dos meus delitos que muito me honra: o sincericídio. Sempre fui franco. Eu passei a dizer, então, para todo mundo que a minha missão

Paparicado pelo saudoso Tumão, na Praia do Gonzaga, em Santos – Julho de 1961

No Dops paulista, comemorando o 47º aniversário do Tumão na sala em que Lula dormiria quando ficou "preso" – Outubro de 1978

Com meu pai e o chef Paul Bocuse em seu restaurante em Lion, França, durante uma reunião do comitê executivo da Interpol – Organização Internacional de Polícia Criminal, da qual Tumão era o vice-presidente mundial – Julho de 1992

Atrás de Bernie Ecclestone, cuidando da segurança dele e da dos filhos do presidente Collor: o mais novo, Joaquim Pedro, observa o irmão, Arnon Affonso, cumprimentar Ayrton Senna pouco antes da largada do GP Brasil de F1 em Interlagos/SP – Março de 1990

Com Emerson Fittipaldi, por ocasião das 500 Milhas de Indianápolis, em 1993. E com Rubens Barrichello no circuito de Donington Park (Birmingham, Inglaterra) – Grande Prêmio da Europa de Fórmula 1, no mesmo ano

No gramado do Parque São Jorge, o "Xerife da Bola", apelido dado pela imprensa quando vice-presidente de Futebol (1994-1995) do Sport Club Corinthians Paulista – Setembro de 1994

Escoltando o presidente da FIA, Jean-Marie Balestre, durante o Grande Prêmio do Brasil de Fórmula 1 em Interlagos – Março de 1990

Chefiando a segurança no Campeonato Mundial de Voleibol Feminino, em São Paulo. Na primeira fila, o presidente da CBV, Carlos Nuzman, o presidente da Federação Internacional de Vôlei, Rubén Acosta, e o governador Luiz Antônio Fleury Filho – Outubro de 1994

Como presidente da Comissão de Segurança Pública da Assembleia Legislativa do Estado de São Paulo – Setembro de 2003

Discursando na tribuna da Assembleia Legislativa de São Paulo em sessão solene de homenagem ao Sport Club Corinthians Paulista – Setembro de 2005

Como presidente da Fundação Ulysses Guimarães – Fevereiro de 2007

Em Moscou com o chefe da Interpol, Timur Lakhonin, para tratar do caso MSI-Boris Berezovsky – Outubro de 2005

Na folia baiana com meu amigo de outros carnavais, o então deputado federal, hoje ministro da Justiça, José Eduardo Martins Cardozo – Salvador, fevereiro de 2007

Na presença da ministra do Meio Ambiente, Marina Silva, o ministro da Justiça, Tarso Genro, dá posse a Antônio Carlos Biscaia e a mim nas secretarias nacionais de Segurança Pública e de Justiça, respectivamente. Brasília – Setembro de 2007

Na entrevista coletiva sobre os músicos cubanos refugiados no Recife (PE), os quais autorizei, através do Conare, a permanecer e trabalhar no Brasil – Dezembro de 2007

Em Nova York com o procurador-geral Robert Morgenthau, ao receber o cheque, no valor de 1,6 milhão de dólares, referente à repatriação da primeira recuperação de ativos do caso Banestado – Novembro de 2007

Tratando da questão da segurança pública e do Pronasci no programa de rádio do ex-governador Anthony Garotinho, no Rio de Janeiro – Dezembro de 2007

Como secretário nacional de Justiça com o então procurador-geral de Justiça, Rodrigo Pinho, na assinatura do termo de cooperação que possibilitou a instalação do Laboratório contra a Lavagem de Dinheiro no Ministério Público de São Paulo – Dezembro de 2007

Em viagem para os estados do Amazonas e do Pará com os ministros Gilberto Gil, da Cultura, e Mangabeira Unger, de Assuntos Estratégicos; ao fundo, o sucessor de Mangabeira, Daniel Barcelos Vargas – Janeiro de 2008

Com o diretor de Segurança Pública e chefe da Interpol do Principado de Mônaco, André Muhlberger – Fevereiro de 2008

Vista de Mônaco, onde estive para negociar e acompanhar o processo de extradição de Salvatore Cacciola. Sobre meu ombro esquerdo, o hotel em que ele se hospedou, e onde acabou detido – Fevereiro de 2008

O ministro da Justiça de Mônaco, Philippe Narminou, visita seu colega de pasta no Brasil, ministro Tarso Genro, após o desfecho do caso Cacciola, um dos meus orgulhos como secretário nacional de Justiça – Brasília, dezembro de 2008

Discursando em reunião da Comissão de Anistia política como representante do ministro da Justiça, no Salão Negro do ministério – Brasília, março de 2009

Cerimônia de abertura das comemorações pelos 200 anos da Polícia Civil, onde fui homenageado. Da esquerda para a direita, o governador Sérgio Cabral, o presidente do Tribunal de Justiça do estado do Rio de Janeiro, desembargador José Carlos Schmidt Murta Ribeiro, eu, então secretário nacional de Justiça, o secretário de Segurança Pública Mariano Beltrame e o delegado-geral da Polícia Civil do RJ, Gilberto Ribeiro – Maio de 2008

Reunião com membros do Conselho Nacional de Chefes de Polícia Civil, quando se decidiu barrar a entrega de arquivos dos estados para tutela da PF – Junho 2008

Com o futuro ministro da Justiça, Luiz Paulo Barreto, e o ministro do Supremo, então ministro-chefe da AGU – Advocacia-Geral da União, Dias Toffoli – Agosto de 2008

Com o secretário de Segurança Pública do Rio de Janeiro, José Mariano Beltrame, na assinatura do convênio para a criação e instalação do Lab-LD – Laboratório contra a Corrupção e a Lavagem de Dinheiro – na Polícia Civil carioca, que reputo como um marco histórico no combate ao crime organizado no Rio – Dezembro de 2007

no governo era impedir que o ministro da Justiça e o presidente cometessem erros. Avisei meu pai sobre a tentativa do dossiê. Por quê? Por uma questão de justiça. Afinal, ele era o corregedor do Senado e já começava o zunzunzum na mídia; o Perillo era o vice-presidente e caberia ao "Velho" apurar as denúncias contra o senador goiano desafeto de Lula. Para evitar desgastes desnecessários, avisei: "Cuidado que tem sacanagem!" Ele me respondeu: "Esses caras são malucos". Digo a você, leitor, que um pau de madeira de lei para toda obra, como foi o ex-ministro da Justiça Márcio Thomaz Bastos, talvez aguentasse numa boa o rojão de ver jogado na imprensa esse tipo de dossiê. Mas o Luiz Paulo não aguentaria. O próprio Pedro Abramovay tinha me afirmado isso com todas as letras.

Cheguei a dizer ao meu pai que, ao admitir aquele tipo de coisa, o Lula "queria" ir para a cadeia. Meu pai entrou na jogada, não se conteve, mandou apurar, mas contou para o Perillo do dossiê. O então senador Perillo me ligou, reservadamente, disse que queria convocar publicamente o Lula, o Gilberto Carvalho e o ministro Luiz Paulo para explicar o episódio, e perguntou se podia me convocar. Jamais convocou, talvez para me preservar, mas em vão, pois naquela altura a PF já estava gravando, há tempos, as minhas conversas.

Recordemos do caso. Estamos em 11 de agosto de 2005. O governador de Goiás, Marconi Perillo (PSDB-GO), confirmou que avisara ao presidente Luiz Inácio Lula da Silva sobre a existência do suposto pagamento de mesadas a parlamentares, o Mensalão, 15 meses antes de o caso vir à tona, em junho daquele ano. Em ofício remetido ao Conselho de Ética da Câmara, Perillo atestou que fez o alerta no dia 5 de março de 2004, quando Lula foi à cerimônia de inauguração da fábrica da Perdigão em Rio Verde (GO). O deputado Roberto Jefferson (PTB-RJ) havia dito, também ao Conselho de Ética, que foi o primeiro a levar o caso ao presidente. Ao que parece, Lula deu mais ouvidos ao petebista. Depois de avisado por Jefferson, o presidente teria mandado cortar o pagamento das mesadas, segundo a versão do próprio parlamentar. No documento, Perillo relatou ao presidente ter ouvido "rumores sobre a existência de mesadas a parlamentares em Brasília", embora não possuísse provas. O governador confirma também que dois funcionários da Presidência da República, o motorista e um segurança que acompanhavam Lula, testemunharam a conversa. "Não sei quais foram as providências tomadas", declara o tucano. Perillo diz, no ofício, que narrou ao presidente uma conversa com a então deputada Raquel Teixeira (PSDB-GO), hoje secretária de estado em Goiás. Nela, a parlamentar afirmou que o deputado Sandro Mabel (GO), líder do PL na Câmara, sugeriu-lhe que mudasse de partido. Em troca, levaria uma mesada de R$ 30 mil, além de um bônus de R$ 1 milhão no fim do ano. "O senhor presidente da República disse que não tinha conhecimento (do pagamento de mesadas) e que ia tomar as providências que o assunto requeria", estabeleceu Perillo.

Aparentemente, Lula não moveu um dedinho sequer para acabar com o esquema. Seis meses após o alerta feito por Perillo, o *Jornal do Brasil* publicou reportagem em que o deputado e então líder do governo na Câmara, Miro Teixeira (PT-RJ), denunciava a existência de um esquema para fazer deputados votarem com o governo mediante o pagamento de mesadas. A história ficou esquecida até que o deputado Roberto Jefferson (PTB-RJ) afirmou, em entrevista ao jornal *Folha de S. Paulo*, que o esquema de compra de parlamentares, já relatado pelo governador de Goiás e por Miro anteriormente, existia de fato.

Depois de avisar Lula sobre o suposto Mensalão, Perillo diz que não recebeu outras informações a respeito. "Certo de ter levado o assunto ao conhecimento da maior autoridade do país, e como também não tinha provas testemunhais concretas, resolvi dar por encerrado o assunto". As respostas de Perillo foram encaminhadas por escrito ao Conselho de Ética. Os deputados pensaram em convidá-lo para narrar o caso pessoalmente, mas o governador preferiu responder a um questionário. O mesmo método foi adotado para ouvir o ministro do Turismo, Walfrido dos Mares Guia. Tão logo estourou o escândalo do Jefferson, o Planalto divulgou nota oficial, afirmando que Lula não se lembrava do relato feito pelo governador de Goiás, o que justificaria o fato de o presidente não ter tomado qualquer providência...

Lula não perdoou isso em Perillo. Lula é vingativo, e não engole sapos. Nisso é o contrário do meu pai, o maior engolidor de sapos que conheci. Lula traz a vingança como um bolo duro na garganta, que ele guarda por anos a fio – e manda sempre alguém expelir o desconforto para ele, algum teleguiado de aluguel.

Trago ainda guardado o dossiê que o Planalto forjou contra o Perillo. Tudo por conta do que expus acima: Lula não o perdoou dessa história toda. Mais à frente você verá o fac-símile desse dossiê montado contra Perillo. O dossiê me foi entregue pelo ministro da Justiça, Luiz Paulo Barreto. A ordem era intempestiva: manda ao DRCI para fulminar Perillo.

Vamos à cronologia do papelório. Em 15 de abril de 2010, o chefe de gabinete do Ministério da Justiça, Donald Magalhães Hamú, recebeu requerimento de investigações do advogado de Perillo, Antônio Carlos de Almeida Castro, o Kakay. O pedido postula remessa à secretaria nacional de Justiça, sob minha responsabilidade. A 15 de abril, eu despacho ordenando que o pedido seja encaminhado ao departamento de Recuperação de Ativos e Cooperação Jurídica Internacional, o DRCI, com ressalva de que me deem um parecer até as 17h do dia 28 de abril.

A 20 de abril, o senador Romeu Tuma, corregedor do Senado, oficia a mim, pleiteando que eu investigue o caso do senador Perillo, levando em conta que, "tendo em vista denúncia do próprio senador, o dossiê seria falso". A 26 de abril, o coordenador-geral do departamento de Recuperação de Ativos e Cooperação Jurídica Internacional, Leonardo do Couto Ribeiro, em resposta às minhas demandas, é taxativo: "Informo a Vossa Senhoria que não há, atualmente, qualquer procedimento adotado pelo departamento de Recuperação de Ativos e Cooperação Jurídica Internacional que faça referência ao senador Marconi Perillo".

Há um outro ofício, na verdade um Requerimento de Informações, cobrando as providências, vindo da Câmara dos Deputados, de autoria do deputado federal Carlos Alberto Leréia.

Sugeri ao gabinete do ministro remeter o caso à PF e pedi que investigassem a autoria do falso dossiê. Não sei se investigaram. Por quê? Porque o Planalto e seus aliados criaram esse dossiê falso, e queriam que eu o esquentasse, dando início a uma investigação que redundaria em nada, mas, enquanto isso, já teria sido distribuído à mídia, o Perillo condenado nos sites de busca e pesquisa, sua candidatura ao governo de Goiás aniquilada, uma reputação assassinada e a vingança saciada.

Por eu não ter aceitado participar desse mecanismo de matar reputação, e por Perillo ser um "alvo" há muito escolhido, o ex-presidente mandou voltarem à carga na CPI do Cachoeira. Aliás, a CPI do Cachoeira, em grande medida, só foi instalada por pressão do Lula para fazer um contraponto ao julgamento do Mensalão e para atingir o Perillo, que ele não perdoa. Tem ódio mortal!

Não há surpresa nisso. Quando deixou o governo, Lula avisou que, a partir daquele dia, só iria se dedicar a provar que o Mensalão foi uma farsa! Quem o conheceu de perto poderia prever do que ele seria capaz. A sorte foi que o ministro Gilmar Mendes não se intimidou com uma chantagem barata, bem típica daquele povo sem a assessoria do ex-ministro Thomaz Bastos. Para o bem de todos e futura felicidade geral da nação, mesmo que ainda não se reconheça, ele provou o contrário.

É forçoso aqui lembrar o incomparável Abraham Lincoln, presidente dos Estados Unidos: "Podemos enganar alguns por todo tempo, todos por algum tempo, mas não podemos enganar todos por todo tempo".

Eu detesto generalizações, mas acho que o PT deveria fazer o que o atual governador do Rio Grande do Sul, Tarso Genro, e alguns outros petistas propuseram quando da crise aguda do aparecimento do Mensalão: uma refundação do partido, mas agora com a exclusão dos que usaram as instituições brasileiras como instrumentos de poder pessoal.

Eis o que Marconi Perillo relatou em seu pedido de investigação do falso dossiê, encaminhado ao então ministro da Justiça, Luiz Paulo Barreto:

> "Lancei minha pré-candidatura ao cargo de governador do estado de Goiás por intermédio do conhecido Twitter, na última terça-feira, 6 de abril de 2010, fato que gerou grande repercussão na imprensa daquele estado e também em parte da imprensa nacional. Não por coincidência, na mesma data chegaram às minhas mãos documentos apócrifos, claramente forjados. A documentação lembra o conhecido Dossiê Cayman, forjado próximo às eleições de 1998 contra membros do governo do presidente Fernando Henrique Cardoso. O documento contra mim é cognominado 'Concluding Report 1010096511153', com a sugestiva menção 'Top Secret Nassau Code' – a primeira página é um pedido de transferência em inglês do Wachovia Bank NA para a conta número

6600034576 da Aztec Group S/A do Citibank NA de Nassau, Bahamas. Há também a cópia de um passaporte falsificado, número BG018117, em meu nome e com validade de 18 de junho de 1993 a 17 de junho de 2003. Segundo o dossiê, 'existem depositados em nome de Marconi Perillo Jr, Aztec Group S/A, US$ 4.112.692,19 – 4.1 milhões de dólares'."

Enfim, cumpri meu papel. Ordem ilegal não se cumpre; além disso, sugeri ao ministro providências. O mais interessante é que todas essas providências que tomei datam exatamente de uma semana antes de vazarem no *Estadão* aqueles grampos já investigados e arquivados, oito meses antes, contra mim!

Caso 3 – Dr. Tuma Jr: fulmine o Jereissati

Em janeiro de 2009, fui chamado na liderança do governo no Senado, onde encontrei o senador Aloizio Mercadante e um deputado federal, para tratar de projeto de interesse do governo e do ministério. Lá entregam-me um *pendrive* com "seriíssimas denúncias" contra um adversário do governo, que já tinham sido "entregues ao ministro Tasso e ainda não haviam sido apuradas". Pensei: "Outro dossiê para destruir um novo 'alvo' do governo". Depois daquela do Lab, com os "aloprados na memória e com a minha vivência policial, fiquei esperto com aquele povo. Dessa feita, o alvo era o ex-governador do Ceará, Tasso Jereissati, naquele momento um dos senadores líderes da oposição. A exigência era que eu plantasse uma investigação em cima do Jereissati. Disseram-me que naquele *pendrive* havia um dossiê. Levei aquilo para a secretaria e resisti a abrir.

Vai nisso um outro particular a ser esclarecido, e é preciso dar um salto no tempo. A 17 de dezembro de 1989, no dia do segundo turno das eleições que levaram Fernando Collor à vitória sobre Lula, a polícia veio a prender e apresentar os dez sequestradores do empresário Abílio Diniz. Naquela época, como delegado da Interpol, eu chefiava as investigações sobre o link entre os sequestradores chilenos e argentinos e grupos internacionais, como o ETA, grupo terrorista basco, e outras agremiações extremistas tais como o MIR, do Chile, e outros da Argentina e do Uruguai.

Nesse grupo estava o cearense Raimundo Rosélio Costa Freire. No começo de 1990, mostrei, em minhas investigações em Fortaleza, que Raimundo já tinha um histórico de crimes de grande porte. Com isso, Tasso Jereissati me convidou para ocupar o cargo de secretário de Segurança Pública do Ceará. Naquela época, meu pai era diretor da Polícia Federal e secretário nacional da Receita, sob o presidente Collor. A Receita tinha, a pedido de Collor, aprontado algumas malhas finas contra Jereissati. O convite do governador havia sido feito tão logo ele venceu a eleição, ajudando a eleger seu sucessor, o jovem e promissor governador Ciro Gomes, em outubro, ainda no primeiro turno. Só que a posse, naquele tempo, ainda era em março. Quando faltava pouco tempo para a posse foi justamente a época em que houve as rusgas da RF com as empresas do Tasso. Resultado: eu não poderia aceitar o cargo porque a imprensa logo iria dizer que meu pai teria negociado com Tasso para me botar nesse cargo no governo Ciro. Ninguém iria acreditar que o convite tinha sido feito havia quase cinco meses, através de um amigo comum chamado Julinho.

Tasso me ligou, nos entendemos e eu falei: "Governador, deixa que me desconvido do cargo e tudo bem. Obrigado pelo honroso convite que jamais esquecerei". Passaram-se poucos dias e a picuinha acabou. Essa história só não ficou anônima porque o próprio governador, numa entrevista nas páginas amarelas da revista *Veja*, algum tempo depois, contou isso para dizer que "o único prejudicado na briga dele com o Collor foi o filho do Tuma". O fato positivo daquele episódio é que acabei conhecendo e mantendo uma boa amizade com o Ciro Gomes, e por suas mãos vim a me eleger deputado pelo PPS em São Paulo.

Portanto, eu tinha nos meus genes a ideia de que Tasso já havia sofrido uma injustiça política de um presidente. Além do que, é da minha natureza não aceitar denúncias quando não se pode conhecer seus denunciantes. Preservar o anonimato tudo bem, mas desconhecer o autor, ou sabê-lo falso, nem pensar. Sempre disse que não aceito para ninguém o que não aceitarei para mim. E olha que o destino me pregou uma peça! Além dessa questão moral e de conduta profissional e de vida, não queria ver Lula fazendo com ele o mesmo que o governo Collor havia feito; frise-se, entretanto, a abissal diferença a favor de Collor. E assim engavetei o *pendrive* com o pedido da liderança.

Passado algum tempo, até por precaução, resolvi checar quem tinha preparado aquele dossiê e o que nele havia. Surpresa! O *modus operandi* era o mesmo já usado por procuradores federais ligados ao PT, e denunciado tempos atrás pelo site Conjur!

Havia alguns dados relativos a contas no exterior, mas o principal é que tinha sido montado em um escritório particular supostamente ligado a um banco. Desde quando algum banco copia documentos de clientes em *pendrives*? Até para fornecer informações à Justiça eles criam dificuldade! Portanto, era óbvio que aquilo era forjado. Elementar, meu caro Watson! Mais uma tentativa de me usar como "fraldão", baita sacanagem e falta de respeito! Enquanto eles estavam aprendendo, eu estava esquecendo.

Era para se deixar engavetado mesmo.

Julius Bauer Bank & Trust é o nome do banco que produziu o dossiê falso contra Jereissati, e que o PT queria que eu difundisse a torto e a direito.

Caso 4 – Dr. Tuma Jr: fulmine o Serra e os tucanos com o dossiê Alstom

Enquanto relato estas linhas, em agosto de 2013, leio que o Ministério Público Estadual negocia acordo de delação premiada com os executivos da Siemens, para obter provas de supostos pagamentos de propinas a agentes públicos, no processo de compra e manutenção de trens para a Companhia Paulista de Trens Metropolitanos (CPTM) e para os metrôs de São Paulo e do Distrito Federal. As suspeitas se voltam para os contratos assinados entre 1998 e 2007.

A negociação para que a Siemens concordasse em denunciar o cartel começou em 6 de março de 2012, e se estendeu até o fechamento do chamado acordo de leniência, em 22 de maio de 2013, em São Paulo.

A mídia estima que o prejuízo aos cofres públicos, causado pelo atentado à livre concorrência, pode ter chegado a R$ 557 milhões, ou 30% do valor dos contratos assinados – R$ 1,925 bilhão em valores atualizados.

Segundo caso denunciado pela Siemens, empresas fornecedoras de equipamentos e de serviços em trens e metrô nas gestões Mário Covas, José Serra e Geraldo Alckmin superfaturaram o equivalente a 30% a mais do que os governos pagariam se não houvesse esquema.

O governador Geraldo Alckmin revelou que o estado entrou com mandado de segurança para exigir acesso aos documentos da investigação sobre a suposta formação de cartel, que teria superfaturado os contratos em R$ 577 milhões.

"O vazamento está causando prejuízos às pessoas e enxovalhando até um homem de honra como o Mário Covas", disse o governador. "Nós precisamos ter acesso às informações. É inadmissível haver um vazamento de informações por baixo do pano e o estado, que é o maior interessado, não ter acesso. Não é possível o governo de São Paulo ser tratado dessa forma pelo governo federal", afirmou Alckmin.

O pedido foi protocolado no TRF (Tribunal Regional Federal) da 1ª Região, com sede em Brasília, pois o Cade, órgão federal que combate as práticas empresariais prejudiciais à livre concorrência, também tem sua sede na capital do país.

O ex-governador José Serra negou participação no esquema. "Tudo que eu quero é saber quais eram os entendimentos desses cartéis, e que eles devolvam o dinheiro", disse. "Isso não é uma coisa com o governo. Em nenhum momento, nem no Covas, nem no Alckmin, nem no meu [governo], foi dada qualquer autorização para que os fornecedores se entendessem a respeito de preço", garantiu.

Segundo Serra, o Cade é "um organismo de Brasília, que é do governo do PT" e "não apresentou os documentos, vazou por baixo". "Você não tem condição de controlar o que as empresas que participam numa concorrência conversam entre si. Se o Cade descobriu, está ótimo, foi uma lesão ao estado e vão pedir o dinheiro de volta. Só isso". Depois, Serra desconversou e passou a atacar o governo Dilma Rousseff, que segundo ele "é muito fraco e não governa".

Quero, obviamente, que o caso seja esclarecido com celeridade. E vou contar bastidores inéditos de como o PT me pediu para vazar dados desse tipo de escândalo.

Desde 2008 o PT queria que eu vazasse isso para atingir os tucanos na eleição municipal, e eu me negava por dois motivos: primeiro, por discordar do *modus operandi;* e segundo, porque eu dizia que se aquilo vazasse nunca se chegaria ao final da investigação, à verdade dos fatos e a todos os envolvidos. O tempo mostrou que eu tinha razão, mas o PT nunca desistiu da tática. Agora usou o Cade para atingir seus objetivos.

Lembro-se de um ofício do ex-secretário de Justiça de São Paulo no governo Serra, Dr. Luiz Antonio Marrey, que se colocou à disposição para colaborar nas investigações – com quem falei, inclusive, em nome do ministro Tarso à época, que, estranhamente, ninguém citou agora. Ou seja: não é verdade que o governo de São Paulo não sabia das investigações, mas também não é verdade que o estado era conivente. Havia funcionários públicos do alto escalão envolvidos em crimes, mas a quadrilha não era a administração pública. Isso é uma dimensão política que sempre quiseram dar a um crime grave, cometido por administradores públicos e políticos corruptos.

Vamos aos fatos.

Vou explicar, sucintamente, o caso Alstom, antes de entrar no lance de como quiseram, no íntimo do PT, que eu fizesse uma ponta no espetáculo, enquanto secretário nacional de Justiça.

O caso estourou no *The Wall Street Journal* e na revista alemã *Der Spiegel*. Era uma série de denúncias de pagamento de propina pela empresa francesa Alstom a vários políticos brasileiros tucanos. A Alstom teria desembolsado US$ 6,8 milhões para conseguir obter um contrato de 45 milhões de dólares na expansão do metrô paulista. Entre 1998 e 2001, pelo menos 34 milhões de francos franceses teriam sido gastos em suborno a autoridades governamentais do governo do estado de São Paulo e a políticos paulistas, utilizando-se empresas *offshore*. Os pagamentos teriam sido feitos utilizando-se o esquema de contratos de 'consultoria de fachada'. O valor das "comissões" supostamente pagas pela Alstom, em troca da assinatura de contratos pelo governo do estado de São Paulo, chegaria a aproximadamente R$ 13,5 milhões. Segundo o Ministério Público da Suíça, pelo cruzamento de informações, esses trabalhos de "consultoria" foram considerados trabalhos fictícios.

O TCE-SP (Tribunal de Contas do Estado de São Paulo) julgou irregular uma compra de 12 trens da Alstom, no valor de R$ 223,5 milhões, feita sem licitação pela CPTM (Companhia Paulista de Trens Metropolitanos), empresa do governo estadual. O contrato foi assinado em 28 de dezembro de 2005, no governo de Geraldo Alckmin.

Segundo a *Der Spiegel*, a Alstom vinha sendo acusada pelo governo suíço de ter pago, em 1998, através da empresa panamenha Compañía de Asesores, propinas no valor de 200 milhões de dólares a integrantes do governo brasileiro para obter a concessão da Usina Hidrelétrica de Itá, no Brasil, num contrato de 1,4 bilhão de dólares.

Documentos auditados na Suíça, pela empresa de auditoria KPMG Fides Peat, mostram que ultrapassa os US$ 31 milhões o montante destinado pela Alstom a contas *offshore*, localizadas em paraísos fiscais, e que foram usadas para pagar suborno a políticos em quatro países, dos quais a maior parte foi destinada ao governo de São Paulo, na gestão Geraldo Alckmin, para obtenção de contratos com estatais. A multinacional também enviou parte desses dólares para Cingapura, Indonésia e Venezuela.

Um prato cheio para o PT de Lula, não?

Logo me avisaram: se tudo isso vazasse, ia pegar o Kassab e o PSDB na campanha. Isso foi na eleição de 2008, quando o Kassab bateu a Marta, um pouco antes.

Eles começaram a me pressionar para deixar vazar a informação e me neguei. O ministro da Justiça, Tarso Genro, estava me pressionando pessoalmente, vinha à minha orelha como um grilo falante. Aliás, vinham também os deputados petistas, esperneantes, e com noções jurídicas e éticas muito vagas, estrilando que era para deixar sair essa história toda na mídia. Eles me conheciam, sabiam que não sou um cara que dá muita corda pra dossiê, mas prosseguiam.

A mim ninguém vinha oferecer propina porque senão eu metia o cara em cana, prendia em flagrante. Sabedores disso, eles chegavam com outro tom, tentando dizer que na verdade estavam brincando: "Vamos tomar uma coisa aí, basta pegar esse cara de São Paulo". "Aí, e esse negócio da Alstom que o senhor está investigando..."

São aquelas insinuações na brincadeira para testar, pois não tinham peito de falar comigo de forma séria porque sabiam que eu podia prendê-los.

Começou a sair na imprensa que vinha informação da Alstom envolvendo os tucanos. Cobrei da Suíça através da embaixada. Eles falaram que, embora de posse da informação, não tinham tido tempo de mandar. Já estavam começando a vazar, no Brasil, as informações que não haviam chegado nem para a minha secretaria nacional de Justiça.

Falei ao Tarso Genro: "Ministro, eles têm que respeitar a autoridade central brasileira para cooperação jurídica em matéria penal, que é a secretaria nacional de Justiça". Ficamos nesse rabo de foguete, mas eis que um dia chegou o documento da Suíça, em nome da secretaria. Falei para não mandarem para o Ministério Público ainda: "Lacrem o envelope, tragam para mim, e avisemos ao ministro, porque chegou a bomba dos documentos da Alstom", ordenei.

O que tinha ali não vi. Mandei lacrar o envelope e pronto. O que falei aos meus subordinados foi: "Vamos testar quem é que vai vazar essa merda". Havia um feriado por aqueles dias. Falei para a diretora do departamento que não íamos abrir, mas ela, é óbvio, já tinha lido o documento. Passou o feriado, eu fiquei com o documento lacrado, por cinco dias, no gabinete.

O Ministério Público Federal me cobrou. Mandei-lhes os documentos. Nós estávamos fazendo um teste para ver quando e se iria vazar. Enviamos ao Ministério Público de manhã. À tarde veio a Andrea Michael, da *Folha de S. Paulo*, falar comigo. Perguntou se eu estava com o documento, falei que tinha ido direto para o Ministério Público. Logo depois foi ao meu gabinete a repórter do *Estadão*, Sônia Filgueiras: "Secretário, sei que o senhor recebeu". Respondi que não havia recebido e que desconfiava que a Suíça teria mandado para o MPF, o que era irregular.

Como disse, eu havia mandado o documento para o Ministério Público logo de manhã, diretamente para as mãos do procurador Eugenio Aragão. Eu queria pegar quem estava vazando. Por volta das dez da noite, me ligou o ministro Tarso insinuando que eu teria vazado a história pra Sônia Filgueiras do *Estadão*, que eu vim a descobrir, depois de um tempo, ser muito ligada a uma assessora do procurador Aragão.

Respondi duro: "Eu, ministro? Não faço isso. Vou falar uma coisa para o senhor: sou responsável, não tenho interesse que isso vaze porque 70% dos meus casos estão na Suíça. Minha origem é a polícia, eu quero investigar; se eu vazar essa porra, a Suíça perde a confiança em nós e não vai mandar mais nada. Os caras que eu quero pegar vão saber e isso vai estragar a investigação, pô! Quem vazou esses documentos foi um filho da puta, porque eu falei para o senhor, na semana passada, que os documentos já tinham chegado. Eles estão há seis dias comigo, eu os mandei hoje para o Ministério Público e logo vem a notícia do vazamento. Vou dizer mais: não daria privilégio ao *Estadão*, até porque lá não gostam da minha família". E arrematei com muita franqueza: "Quem vazou está trabalhando muito bem para ajudar a esconder os verdadeiros ladrões da Alstom".

O ministro devolveu: "Mas é que me ligou um diretor da *Folha* cobrando que a Andrea Michael lhe procurou, e você preferiu passar para o *Estadão*". O ministro estava puto, mas argumentei que eu era policial, não político, e que jamais tornaria públicos documentos dessa natureza.

A Mônica Bérgamo também me ligou com a mesma história. Na verdade, eu acho que foi ela quem ligou para a Verinha Spolidoro, assessora do Tarso, e para o próprio. O ministro me informou que iam dar a matéria já no outro dia. Então eu falei que ele tinha que ir em cima do Ministério Público, porque lacrei por seis dias a documentação, não vazei, e a Suíça nunca mais iria me dar informação. Expliquei que tinha um compromisso, nosso acordo era que não podia vazar documento etc. etc. etc. "E outra, ministro: eu quero pegar os caras. Nesse momento, não tem alguém com mais vontade de fuder o PSDB do que eu!!!"

O procurador Rodrigo de Grandis reclamou, com razão, do vazamento e disse que mandaria instaurar inquérito. Eu é quem fazia questão do inquérito. Ele achava que era eu que tinha vazado; cobrei dele a instauração, nós íamos descobrir. Ficou um clima muito ruim. Foi uma sacanagem. Pena que não instauraram o inquérito, não passou de ameaça. Adivinha quem tinha vazado? A secretária do procurador! Ela era assistente do Eugenio Aragão, sub-procurador geral da República, para quem eu encaminhei os documentos reservados. A moral da história é que, passado algum tempo, onde foi trabalhar a Sônia Filgueiras? No governo, com a Tereza Cruvinel. Foi o próprio governo que deu ordem para ela vazar. É um tomá-lá-dá-cá dos diabos! A Sônia foi à minha sala só para registrar na minha agenda que havia ido lá, pois isso me colocaria tecnicamente como suspeito do vazamento. Ainda bem que eu gravara toda a minha conversa/entrevista com ela.

Uma coisa é importante registrar: no MP de São Paulo, existe uma ala que sempre protegeu tucanos de alta plumagem.

Todo mundo já percebeu isso. Os casos que caem nesse grupo começam mas não terminam.

É no mínimo muito estranho alguns promotores paulistas terem arquivado mais de 40 inquéritos por eles iniciados, referentes ao caso agora estampado nas manchetes dos jornais, alegando falta de provas.

Ora, se no Cade houve "delação premiada", o que é absolutamente incomum, não poderia ter ocorrido no MP, onde isso é corriqueiro? Por que os promotores de São Paulo não propuseram a delação premiada que propõem para todo e qualquer indivíduo? Seria por falta de cacoete investigativo ou algum outro motivo?

O que há de novo para se reabrir os inquéritos, conforme anunciou o MP? A notícia?

Naqueles documentos, havia indicativos e referências que faziam supor o envolvimento de Robson Marinho e Eduardo Bittencourt, ambos conselheiros do TCE de São Paulo, e de Andrea Matarazzo, homem de confiança de José Serra e Gilberto Kassab. Era tudo o que o PT queria para colar as imagens e detonar as campanhas de 2008 e 2010 dos Tucanos e Democratas, fazendo um estardalhaço eleitoral capaz de neutralizar o discurso do Mensalão, viabilizando ainda uma desmoralização similar dos adversários.

Recordo-me bem de ainda ter avisado o ministro de que a estratégia poderia se revelar um tiro no pé, pois autoridades e integrantes do PT, dirigentes de órgãos e entidades, também foram corrompidos pelo esquema Alstom e Siemens. O tempo e profundas investigações, se feitas de forma séria e independente, mostrarão que eu tinha razão.

Fico imaginando se tais inquéritos tivessem sido presididos por um delegado de polícia e este tivesse sido o autor da proposta de arquivamento, o que estampariam os jornais? O que diria o MP? Certamente a instituição policial do Estado estaria sendo caluniada, injuriada e difamada!

Hoje o debate está posto. Notícias vazam na mídia todos os dias, sobre o mesmo assunto, buscando esquentar e pautar o debate eleitoral. O interessante – e o que prova a politização do caso – é que tanto o MPF quanto o MP de SP tinham todas essas informações no mínimo desde 2008, quando as recebi da Suíça e as repassei aos respectivos órgãos. Eles até tentaram estabelecer uma conexão direta com as autoridades suíças, através da adida da embaixada daquele país em Brasília, Maria Conceição, e da procuradora Maria Schnebli, com quem realizaram ao menos uma reunião na Suíça, em conjunto com os promotores locais, para trocar informações e documentos extra-autos.

Lembro-me de ter advertido o procurador De Grandis e o promotor Sílvio Marques de que toda e qualquer informação ou documento que recebessem, sem que fosse através do canal oficial da autoridade central brasileira para cooperação jurídica internacional em matéria penal, que é a secretaria nacional de Justiça, estariam fadados a causar nulidade em toda a investigação, e em qualquer processo daí decorrente. Foi por conta dessa troca irregular de informações e documentos que o MPF de São Paulo acabou engavetando a cooperação em um pedido dos procuradores suíços.

Existe uma "pasta dois", composta por documentos obtidos de maneira ilegal e que não podem integrar autos nem investigações oficiais. É a tal "pasta de documentos auxiliares", onde todos os documentos trazidos e/ou recebidos da Suíça, por fora do canal de cooperação legal, são arquivados. Como o pedido suíço compreendia "indiciamentos", oitivas e buscas, e não havia documentos oficiais que pudessem amparar uma solicitação de autorização judicial, o ofício suíço foi parar na "sexta sessão", ou "pasta dois". Quando descoberta a prevaricação, a esdrúxula justificativa foi: "arquivado erroneamente em uma pasta de documentos auxiliares, quando deveria ser juntado ao processo de cooperação internacional principal".

Desculpa esfarrapada. O MPF, em São Paulo, desrespeitou os termos do MLAT – Brasil/Suíça, internalizado pelo festejado, à época, decreto nº 66.974, de 7 de outubro de 2009, que promulgou o Tratado de Cooperação Jurídica em Matéria Penal entre a República Federativa do Brasil e a Confederação Suíça. Celebrado em Berna, em 12 de maio de 2004, diz expressamente em seu artigo 23:

> 1. Para os fins do presente tratado, as autoridades centrais são, para o Brasil, a secretaria nacional de Justiça do Ministério da Justiça, e, para a Suíça, o departamento federal de Justiça do Ministério Federal de Justiça e Polícia, por intermédio dos quais serão apresentados e recebidos os pedidos de cooperação jurídica dos seus tribunais e das suas autoridades. 2. As autoridades centrais dos Estados Contratantes comunicam-se diretamente entre si. A tramitação por via diplomática poderá, no entanto, ser utilizada, se necessário.

Vejo que vão tentar desfazer a bobagem cumprindo as diligências engavetadas. Entretanto, uma boa defesa, com base no que já ocorreu, pode anular tudo, não só aqui como também na Suíça. Nesse caso, pegar documento, pôr numa mala ou debaixo do braço, cruzar oceanos e depois juntar tudo, em qualquer procedimento oficial, é o mesmo que jogar a investigação no lixo. Enfim, hoje, a combinação do caso Alstom e do caso Siemens vem sendo, propositadamente, cada vez mais forçada. Para aumentar a repercussão e levar o assunto até o debate eleitoral de 2014, os dois casos, cada vez mais, serão tratados como associados, por conta da presença de algumas empresas em ambos, assim como de alguns intermediários, tentando transmitir para a opinião pública a impressão de que se trata de um único caso potencializado. O que ninguém explorou, até agora, é que no caso Siemens, se a investigação for despolitizada, séria e profunda – o que acho difícil, pois já começou assim, objetivando apenas o vazamento – figurões do PT também serão pilhados na distribuição de propina; nesse caso, sai do trilho e vai para a luz, ou seja: o setor elétrico. De todo modo, que tem coelho nesse mato tem. Só não atiraram antes porque eu desarmei o caçador à época.

As últimas notícias que dão conta de um suposto pagamento de propina a políticos tucanos e aliados no caso Siemens têm todas as características dos famosos dossiês que o Planalto tentava emplacar na minha administração. Novamente, parecem seguir o mesmo percurso: saem do Planalto, vão ao MJ, chegam na PF e aparecem na capa dos jornais. Outra vez, como me disse o Abramovay, o DNA de um Carvalho, como mandante, deverá surgir, mesmo com as tentativas de blindagem. É o Estado policial em plena ação, instrumentalizando as instituições, e mais preocupado em assassinar reputações do que em apurar os fatos.

Caso 5 – Dossiê Erenice e dossiê Ruth Cardoso

Agora quero contar como o governo ia usar o meu sobrenome Tuma e a minha experiência de 35 anos para fazer dossiês contra os tucanos, em geral, e contra Fernando Henrique e Ruth Cardoso em particular. Tentaram me usar para "lavar" um vazamento. Vamos ao caso.

Por conta da minha função, passei a trabalhar com o Marcelo Stopanovski Ribeiro, secretário nacional de Prevenção à Corrupção e Informações Estratégicas. Vamos verberar uma edição da *Veja* (31.03.2010) para entender no que me meti:

> "A nova ministra da Casa Civil, Erenice Guerra, será convocada a prestar esclarecimentos no processo que investiga a

confecção e vazamento de um dossiê, sobre gastos do governo Fernando Henrique Cardoso. Erenice, que assume hoje no lugar de Dilma Rousseff, e outras seis pessoas serão ouvidas pela Polícia Federal, a pedido do Ministério Público Federal. Depois de um ano e três meses suspensa, a investigação será retomada com acareação e novos depoimentos.

Segundo a *Folha de S. Paulo* revelou em 2008, foi Erenice, como secretária-executiva da Casa Civil, quem mandou confeccionar o dossiê que reuniu informações sigilosas de gastos de Ruth Cardoso e Fernando Henrique com cartões corporativos. Ela sempre negou se tratar de um dossiê, classificando o documento como 'banco de dados'.

O arquivo com observações políticas foi montado para municiar congressistas aliados do governo na CPI dos Cartões Corporativos, criada para apurar irregularidades no governo Lula. O dossiê era uma resposta às denúncias envolvendo ministros que usaram dinheiro público para gastos pessoais.

O escândalo derrubou a ministra Matilde Ribeiro (Igualdade Racial), que usou o cartão corporativo num *free shop*. O ministro Orlando Silva (Esportes) utilizou dinheiro público para comprar tapioca. Depois da revelação, devolveu a verba.

Na sexta passada, o Ministério Público Federal encaminhou ofício à Justiça, pedindo que, em 90 dias, a polícia faça acareação entre duas pessoas que já prestaram depoimento e interrogue sete, entre elas, Erenice. Ontem, a Justiça remeteu o inquérito à PF para que sejam feitos os interrogatórios.

As investigações da PF estavam suspensas desde julho de 2008, quando o juiz José Aírton de Aguiar Portela (12ª Vara Federal) decidiu remeter o inquérito ao STF (Supremo Tribunal Federal), por achar que havia indícios para incluir ministros entre os investigados".

Em julho de 2012 a Justiça Federal inocentou Erenice por falta de provas. A decisão, do juiz federal Vallisney de Souza Oliveira, da 10ª Vara Federal de Brasília, foi tomada depois de recomendação do Ministério Público Federal. Erenice era acusada de ter beneficiado parentes em contratações de serviços aéreos para os Correios, estudos para projetos de mobilidade urbana e outorgas de concessão de serviço móvel especializado.

Segundo relatório da Controladoria Geral da União, houve irregularidades no contrato entre os Correios e a MTA, empresa acusada de pagar propina ao governo federal em troca de favorecimentos. A ex-ministra assumiu a pasta em substituição a Dilma Rousseff, que saiu para concorrer à Presidência da República, em 2010. Antes, Erenice comandou a Casa Civil do presidente Lula. Ela deixou o governo por conta das acusações de tráfico de influência. O caso, como você lembra, levou a campanha presidencial de 2010 para o segundo turno.

Vou revelar agora o que se desconhece deste episódio.

Marcelo Stopanovski me disse que o ministro Tarso Genro, da Justiça, tinha conversado com o ministro Jorge Hage, da Controladoria Geral da União. Eles todos queriam trabalhar, no laboratório antilavagem de dinheiro, os dados do escândalo do uso de cartões corporativos do governo. Hage, Genro e Stopanovski desejavam minha autorização para fazer esse uso específico do laboratório. Eu disse que tudo bem.

O laboratório era cientificamente preciso: se eu programasse os computadores para, por exemplo, depósitos de R$ 1 feitos por mulheres, em São Paulo, às cinco da tarde, chegaria nos autores. Foi assim que descobrimos, por exemplo, as mulheres que lavavam dinheiro para o PCC.

Mas fiz uma ponderação, na presença do Marcelo Stopanovski e dos seus assessores que vieram me convencer: por que Genro e Hage queriam divulgar para a imprensa, a todo o custo, ao final do trabalho, os seus resultados? De pronto estranhei, porque até hoje o governo não gosta de tratar esse assunto com transparência. E ainda corríamos o risco de dar oportunidade para a mídia estampar que existia "suspeita de lavagem de dinheiro com os cartões do governo".

Óbvio: se faço o levantamento dos tipos de gastos num laboratório que dispõe de ferramentas para encontrar tipologias e mecanismos de lavagem de dinheiro, e dou publicidade, estaria entregando ouro a bandido ao expor tudo midiaticamente. Por que o PT quereria cortar a própria carne? Não entendi lhufas.

Falei: "Vou ser advogado do diabo. A imprensa vai fazer uma exploração diabólica. Vejam os senhores: o secretário nacional de Justiça, a pedido de dois ministros, usa o laboratório do governo para investigar os cartões corporativos desse próprio governo, e ainda entrega os dados para a imprensa. Eles vão manchetar, no mínimo, assim: "Governo lava dinheiro com cartão corporativo, diz investigação da secretaria nacional de Justiça".

Alertei: "Isso vai dar merda". Pensei: "Parece uma 'casa de caboclo' ou, na verdade, uma 'mansão de caboclo'." O secretário da CGU mostrou-se contrariado e ficou de consultar o ministro Hage, e este, o Tarso Genro.

Me antecipei e fui ao ministro Tarso Genro. Relatei o que acabam de ler acima, e disse: "Vim confirmar isso com o senhor e fazer minhas ponderações". Tarso reafirmou a conversa com Hage. Repeti que estaríamos dando para a imprensa material contra o próprio governo. Ele respondeu com um "tudo bem". E logo emendou, de súbito: "Liga para Erenice, a adjunta da ministra Dilma, e acerta com ela".

Eu tinha mais contato com a Dilma do que com a Erenice. Saí da sala de Tarso, fui ao gabinete de seu secretário-executivo, o futuro ministro da Justiça Luiz Paulo Barreto, expliquei a situação; ele me deu razão, e se ofereceu para ligar para Erenice na minha frente.

Barreto explicou tudo a ela. Como deixou o telefone no viva-voz, ouvi a adjunta berrar duas vezes: "Se vazar isso, vai cair ministro. Vocês estão loucos! O ministro Hage está aqui na minha frente. Explica que coisa é essa do Tuma!". Ouço então Hage falar alto, ao lado da Erenice: "Esse Tuma só cria caso!".

Demos azar: o Hage estava ao lado dela bem na hora em que telefonamos. Achamos que aprovar tudo isso era uma armação dele, sem que a Erenice soubesse. Moral da história: me senti protegido, porque eu havia avisado ao governo que eles estavam fazendo uma bobagem ao divulgar as investigações do laboratório. E parecia que tinham acatado meu conselho. Achei que o governo não iria se expor ao divulgar uma investigação contra ele mesmo, feita por ele mesmo.

Mas a frase "se vazar isso, vai cair ministro" ficou ribombando em meus ouvidos, como um mantra ensandecido. O que eu entendi, na época, não tem nada a ver com a verdade que essa frase me trouxe depois. Mas tudo era uma coreografia barata de poder. O governo não ia divulgar, obviamente, coisas contra ele mesmo. Aí descubro que estavam usando o meu laboratório para fazer um dossiê contra a finada Ruth Cardoso, mulher do ex-presidente FHC, e obviamente contra o governo de seu marido. Queriam fazer e fizeram: usaram o laboratório a mim submetido sem a minha anuência.

E como descobri? Quando comecei a apertar muito, eles pegaram todos os funcionários da Controladoria Geral da União, alocados no laboratório para produzir os dossiês contra o PSDB, e os levaram de volta, de repente, para o prédio da CGU. Meus subordinados então passaram a trazer a informação de que a CGU queria montar um laboratório só dela – sob as minhas barbas e escondido de mim, para fazer o trabalho paralelo e esquentar no nosso. Um absurdo sob todos os aspectos, inclusive sob aquilo de que ela mesma deve cuidar, ou seja: o bom emprego do dinheiro público.

Esse é mais um dos esquemas de inteligência bolados por Lula: funciona como uma *matrioska*, a boneca russa que esconde uma dentro da outra, sucessivamente. O governo Lula é prócer em fazer esse tipo de experimento em prol do próprio partido. É o que os filósofos chamam de teleologia: o raciocínio a partir das causas finais. É o que Max Weber insistia em nomear como "razão instrumental": aquela que adequa, a todo preço, os meios aos fins.

E o que faço para investigar a coreografia barata? Boto um delegado responsável para coordenar, fisicamente, esse laboratório, no prédio do DRCI, sob olhos e responsabilidade do departamento. Sabe o que eles vazam para a imprensa? Vazam o contrário: que eu havia nomeando um delegado para ter ingerência no que era investigado.

Depois que saí, o *Estadão*, que se juntou ao governo na campanha contra mim e o Tumão, manchetou essa informação como uma notícia bombástica, sem apurar direito o porquê. Poderia ter avaliado se não era mais interessante dizer que o novo chefe do DRCI era um delegado da PF, sobrinho do sócio do Márcio Thomaz Bastos, que advogava para os mensaleiros.

Um belo dia, o Marcelo Stopanovski Ribeiro, então secretário nacional de Prevenção à Corrupção e Informações Estratégicas, saiu do governo para trabalhar com Antenor Madruga, num escritório de advocacia. O episódio revela todo o arcano do PT do Barba: inverter os valores em prol da razão instrumental partidária. Tentaram ter minha anuência de maneira disfarçada, enganosa. Queriam que eu subscrevesse uma farsa.

Cheguei a identificar um relatório que eles fizeram, sem minha ciência, em meia dúzia de cartões de uma estatal do governo Lula, como despiste.

E, ao descobrir, eu fiz questão de assinar o relatório e colocar marca alfanumérica, criptografada, no documento, para ver se realmente teria publicidade. Até hoje nada.

Como eu identifiquei? Porque naquela reunião estava o responsável do DRCI pelo Laboratório. Ele me disse que o pessoal já tinha "jogado" uns dados nos programas para mineração e eu pedi que ele me fizesse um relatório das atividades do Laboratório; com a nova política que implantei de replicar laboratórios para as polícias e Ministérios Públicos Estaduais, além da Receita Federal, Coaf, PF, TSE, a fim de criar uma rede nacional de identificação de tipologias de corrupção e lavagem de dinheiro, coloquei à disposição de todos esses órgãos o nosso Laboratório central para processar casos relevantes e capacitar o pessoal dos estados e órgãos para operar suas ferramentas.

Nesse sentido, eu deveria acompanhar a quantidade e os casos que seriam admitidos no nosso Laboratório, estabelecendo um critério de prioridades; e assim foi feito, pois, até ali, o que verifiquei é que as decisões eram de cunho estritamente pessoais e por critérios amigáveis. Vejam bem: na mesma reunião, o Marcelo queria que eu admitisse no Laboratório um caso de Santa Catarina que não tinha nenhuma relação com crime, só para agradar alguém de lá, de onde ele era oriundo. O fim!

Na verdade eles trabalharam os dados de todo o governo FHC, e por isso foram em cima do cartão da primeira-dama. Fizeram tudo escondido, e, quando eu comecei a apertar, a CGU se mandou com seus agentes, coordenados por um oficial do Exército que tinha trabalhado no DRCI (nunca entendi o porquê), e que até hoje se encontra no setor de inteligência deles: o tenente-coronel Gilson Libório de Oliveira Mendes.

Conclusão: o PT usava o meu Laboratório para fazer dossiês. A ex-ministra Erenice Guerra foi inocentada, em 2012, desse tipo de acusação. Mas eu sustento, com o nome que herdei do meu pai: havia, sim, uma fábrica de dossiês em vias de ser normatizada, que inviabilizei com a mudança do Laboratório para a estrutura da secretaria.

Aliás, é bom lembrar que foi durante esse episódio que o ministro Tarso Genro disse que fazer dossiê não era crime, e que a PF não iria investigar a autoria daquele dossiê contra a dona Ruth Cardoso.

Após aquela reunião com a CGU, enquanto se desenrolava a questão no âmbito do ministro e do Planalto, no início de fevereiro, eu cobrei um relatório sobre o que o Laboratório já havia produzido a respeito do assunto. Na verdade eu joguei verde, pois a reunião era para autorizar o início dos trabalhos, mas, pela conversa, percebi que eles só queriam que eu avalizasse a armação já iniciada. Dito e feito.

O responsável me enviou então um breve relatório; pelos dados, podia-se notar que ninguém pararia as atividades daquele importante centro de produção de conhecimento e provas contra o crime organizado, nacional e transnacional, para checar gastos de R$ 50,00 do governo federal. Era mesmo uma dissimulação para se aprofundar nas contas do governo FHC. Tanto é verdadeiro que esses dados que reproduzo jamais foram divulgados, como afirmaram que fariam. Muito ao contrário: só escracharam os da dona Ruth.

Transcrevo a mensagem:

> “Dr. Romeu,
>
> O LAB-LD está executando algumas atividades de análise dos gastos dos cartões corporativos do Governo Federal, no ano de 2007. Mais especificamente, nossa atuação está focada na mineração de padrões ocultos em gastos não-sigilosos que envolvam órgãos da administração direta e indireta. O traba-

lho ostensivo de análise, caso a caso, está a cargo da Controladoria Geral da União.

Dentre os padrões encontrados pelo LAB-LD, na análise do conjunto das transações não-sigilosas, destacam-se:

1. 86% dos gastos no cartão entre R$ 900,00 e R$ 1.000,00 foram efetuados pela Fundação IBGE;
   a. Esta regra, assim como todas as outras que se seguirão, servirão para pautar a CGU em futuras e específicas investigações envolvendo os portadores destes cartões e a análise pormenorizada dos casos. Nosso trabalho, portanto, é de tentar encontrar um "fio da meada" ainda desconhecido.

2. 86% das locações de automóveis sem condutor entre R$ 1.000,00 e R$ 1.500,00 foram realizadas pela Presidência da República;
   a. Nesta regra, as transações do cartão envolvem somente a Secretaria Especial de Políticas de Promoção da Igualdade Racial, vinculada à Presidência da República.

3. 100% dos gastos de treinamento e desenvolvimento profissional e gerencial foram realizados pelo INSS;
   a. Mais uma vez, a regra em si não sugere irregularidades, mas denota um padrão interessante.

Estas foram as regras encontradas até o dia de ontem. Hoje pela manhã, o aplicativo, que ficou executando durante a madrugada, forneceu outras regras bastante interessantes. Para resumir apenas os temas:

4. Gastos com supermercados:
   a. Encontramos vários gastos com supermercados realizados por diversos órgãos. Mas os que chamam a atenção

são gastos frequentes, de servidores da Fundação UNB e da Marinha do Brasil. No primeiro caso, verificamos alguns gastos no supermercado Extra, em alguns meses específicos, cujo valor médio é de R$ 450,00.
b. A maioria dos gastos em hipermercados (57%), abaixo de R$ 50,00, foram realizados por servidores do Ministério da Fazenda e da Secretaria da Receita Federal do Brasil.

5. Gastos com restaurantes:
   a. A maioria dos gastos entre R$ 50,00 e R$ 100,00 (62%), em restaurantes, foi feito por servidores da Presidência da República;
   b. A regra acima motivou uma outra análise, que nos permitiu encontrar um caso interessante, de uma servidora do IBGE que gastou em um bistrô em Ipanema R$ 3.000,00 em duas compras. Nessa mesma linha, encontramos um gasto da Marinha no Porcão Rio's, cujo valor é de aproximadamente R$ 1.000,00.

6. Gastos com reformas, aquisição de suprimentos de informática, artigos de uso doméstico, etc.
   a. Nessas classes de gastos foram encontradas algumas regras, mas que, em uma primeira análise, não suscitam muito interesse, dados os valores envolvidos.

Foram geradas 155 regras em todo o processo. No arquivo em anexo, estão enunciadas as 30 regras significativas em termos estatísticos, extraídas deste mesmo trabalho, a título de conhecimento.
Nossas próximas atividades envolvem continuar a mineração dos padrões, reajustando os parâmetros de busca dos algoritmos. Além disso, é necessário repassarmos os casos já encontrados à CGU, para que ela trabalhe no detalhe cada uma das

ocorrências descritas nas regras, identificando ou não quaisquer irregularidades que porventura se confirmem. O relatório formal está em fase final de elaboração e será encaminhado para suas análises e considerações.

Quaisquer outras dúvidas, estou à disposição.

Subconjunto das regras mineradas

1. 100% dos gastos com empresas de gestão e administração imobiliária são do órgão Fundação IBGE;
2. 93% dos gastos com empresas de atacado de matéria-prima agrícola são do órgão Fundação IBGE;
3. 60% dos gastos com supermercados efetuados pelo Ministério da Fazenda foram de valores até R$ 50,00;
4. 57% dos gastos com supermercados efetuados pelo CEFET/SC foram de valores até R$ 50,00;
5. 54% dos gastos com supermercados efetuados pela Secretaria da Receita Federal foram de até R$ 50,00;
6. 62% dos gastos com restaurantes efetuados pela Presidência da República foram de valores entre R$ 50,00 e R$ 100,00;
7. 60% dos gastos com empresas de desenvolvimento de programas de computador sob encomenda foram efetuados pela Fundação Universidade de Brasília;
8. 57% dos gastos com hipermercados efetuados pela Secretaria da Receita Federal foram de valores até R$ 50,00;
9. 56% dos gastos com artigos de armarinho efetuados pela Secretaria da Receita Federal foram de valores até R$ 50,00;
10. 55% dos gastos com material de construção efetuados pelo Ministério da Fazenda foram de valores até R$ 50,00;
11. 53% dos gastos com empresas da categoria "comércio varejista de outros produtos não especificados anteriormente", efetuados pela ANVISA, foram de valores até R$ 50,00;

12. 52% dos gastos efetuados pelo Instituto de Pesquisa Econômica Aplicada – IPEA foram de valores até R$ 50,00;
13. 52% dos gastos efetuados pela Agência Nacional de Transportes Aquaviários foram de valores até R$ 50,00;
14. 52% dos gastos com combustíveis efetuados pelo Ministério do Trabalho e Emprego foram de valores entre R$ 50,00 e R$ 100,00;
15. 52% dos gastos com empresas da categoria "comércio a varejo de automóveis, camionetas e utilitários novos", de valores entre R$ 400,00 e R$ 500,00, foram efetuados pela Fundação IBGE;
16. 50% dos gastos efetuados pelo INMETRO foram de valores até R$ 50,00;
17.50% dos gastos com peças e acessórios para aparelhos eletrônicos efetuados pelo Ministério da Fazenda foram de valores até R$ 50,00;
18. 85% dos gastos com atacadista de farinha, amido e féculas foram efetuados pelo INCRA;
19. 85% dos gastos com supermercados efetuados pela ANTT foram de valores até R$ 50,00;
20. 84% dos gastos com atacadista de farinha, amido e féculas de valores entre R$ 50,00 e R$ 100,00 foram efetuados pelo INCRA;
21. 100% dos gastos com empresas de atacado de matéria-prima agrícola com valores até R$ 50,00 foram efetuados pela Fundação IBGE;
22. 100% dos gastos com empresas de gestão e administração imobiliária com valores entre R$ 50,00 e R$ 100,00 foram efetuados pela Fundação IBGE;
23. 100% dos gastos com empresas de serviços de montagem de móveis foram efetuados pelo Ministério da Saúde;

24. 96% dos gastos com empresas de atacadista de farinha, amido e féculas com valores entre R$ 100,00 e R$ 200,00 foram efetuados pelo INCRA;
25. 94% dos gastos com empresas de atacado de matéria-prima agrícola com valores entre R$ 50,00 e R$ 100,00 foram efetuados pela Fundação IBGE;
26. 91% dos gastos com fotocópias da Agência Nacional de Transportes Aquaviários foram de valores abaixo de R$ 50,00;
27. 90% dos gastos com empresas de "atividades de organizações associativas profissionais" foram efetuados pela Companhia de Pesquisa de Recursos Minerais – CPRM;
28. 88% dos gastos com serviço de táxi foram efetuados pela Companhia de Pesquisa de Recursos Minerais – CPRM;
29. 87% dos gastos com empresas de "comércio varejista de produtos farmacêuticos, sem manipulação de fórmulas", com valores entre R$ 700,00 e R$ 800,00, foram efetuados pela Fundação Nacional de Saúde;
30. 87% dos gastos com combustíveis efetuados pela ANTT foram de valores abaixo de R$ 50,00."

Por conta de evitar esses abusos, e pela responsabilidade jurídica da atuação do Laboratório, é que baixei uma portaria designando Maurício Correali, delegado de polícia legalmente cedido ao Ministério da Justiça, para cuidar do Lab e dos Inquéritos que para lá fossem enviados. Afinal, era preciso institucionalizar o Laboratório na estrutura da secretaria. Já havia designado um técnico do Banco do Brasil para coordenar os trabalhos; agora, perante as instituições e o poder judiciário, tínhamos que ter um responsável, pois o Lab-LD produzia informações que viriam a ser agregadas em processos judiciais como provas técnicas, e para tanto precisava ter um responsável que conhecesse a matéria e tivesse a formação profissional necessária – e ainda que fosse vinculado ao estado por meio de concurso público de provas e títulos. Estava transformando um instrumento de informações em uma Instituição de Estado. Não poderia mais correr o risco de permitir que alguém pudesse usar o Lab como ferramenta político-partidária, sob pena de prevaricação e desmoralização daquele conjunto de equipamentos que tanto agregou aos órgãos de combate ao crime, à corrupção e à lavagem de dinheiro.

Enquanto escrevo este livro, o jornal *O Globo* anuncia, na última semana de abril de 2013, que pouco mais de dois anos e meio após ser demitida da Casa Civil, em meio a denúncias de tráfico de influência, a ex-ministra Erenice Guerra tem defendido interesses de grandes multinacionais que buscam conquistar negócios junto ao governo federal, inclusive em obras do Programa de Aceleração do Crescimento (PAC). "O escritório Guerra Advogados, do qual é sócia, está representando empresas do setor de energia", gritou o jornal. Segundo *O Globo*, Erenice foi contratada, por meio de seu escritório, pela multinacional Isolux Corsán, com sede na Espanha. Ela atua, por exemplo, em processo administrativo na Agência Nacional de Energia Elétrica (Aneel) para rever as condições da concessão de trecho de linhas de transmissão de Tucuruí, sob controle da empresa espanhola.

A ex-ministra atua na disputa de bilhões de reais entre as usinas de Jirau e Santo Antônio pela alteração do nível do rio Madeira, duas obras do PAC. Conclui *O Globo*: "Ela, segundo essas fontes, presta consultoria para a Energia Sustentável do Brasil (ESBR), que administra Jirau. A ESBR é controlada em 60% de suas ações pela francesa GDF Suez. As negociações do setor elétrico nas quais a ex-ministra da Casa Civil Erenice Guerra atua envolvem bilhões de reais.

Os lotes vencidos pela Isolux Corsán no Linhão de Tucuruí, que integrará Manaus ao Sistema Interligado Nacional, são obras que somam R$ 1,8 bilhão e deverão ficar prontas em maio, segundo o último balanço do Programa de Aceleração do Crescimento (PAC)".

Caso 6 – Laboratório de combate a crimes sofre desvio de finalidade sob o PT, e quase vira usina de dossiês

Especialmente no Brasil, o crime, em quase todas as suas manifestações, se tornou um meio de vida altamente lucrativo e de baixíssimo risco. Desse modo, enquanto não se entender que é preciso empobrecer o criminoso, bloqueando e confiscando suas finanças, bens e negócios, não se vai avançar no combate à criminalidade, quer seja ela mais ou menos organizada, de maior ou menor potencial ofensivo, composta por corruptos ou corruptores, urbana, rural, regional, estadual, nacional ou transnacional! O corte do fluxo financeiro dos criminosos e de suas organizações, sejam elas pequenas, médias ou grandes, é a única fórmula eficaz de combate. De outro modo, vamos apenas continuar aperfeiçoando máquinas de enxugar gelo!

Foi essa filosofia e as ferramentas que a viabilizam que eu estava implantando com o Laboratório de Combate à Corrupção e à Lavagem de Dinheiro – Lab-LD. Estava dando condições técnicas e práticas às polícias para agirem nesse sentido, materializando o a velha máxima de que "o crime não compensa", porque hoje ele tem compensado muito!

Esse Laboratório, fisicamente, não ficava no meu edifício, na secretaria nacional de Justiça, mas no Centro Cultural Banco do Brasil. Por quê? Para que eu não tivesse controle ou contato, para que os trambiques dos dossiês partissem sem qualquer desconfiança, ou para que viessem tecnicamente prontos, para que eu os assinasse com a lustrosa chancela "Tuma".

Foi no seio da Estratégia Nacional de Combate à Corrupção e à Lavagem de Dinheiro – ENCCLA que surgiu a idealização de um centro de tecnologias e de produção e difusão de metodologias voltadas à análise eficiente de grandes volumes de informações, produzidas em atividades de investigação ou de Inteligência. O nome escolhido para a inovação foi Laboratório de Tecnologia Contra a Corrupção e a Lavagem de Dinheiro – Lab-LD.

O Lab-LD inicialmente foi concebido como uma experiência metodológica que, após o repasse de algumas de suas ferramentas para dois Ministérios Públicos, iria ser encerrada no âmbito da secretaria nacional de Justiça.

Quando assumi o comando da SNJ, conhecendo as necessidades dos órgãos persecutores do Sistema de Justiça Criminal, primeiramente os de investigação, e, em especial, sabedor da necessidade de buscarmos novas ferramentas, capazes de agilizar o combate aos delitos de organizações criminosas – como os afetos às questões financeiras, os de lavagem de dinheiro e de corrupção – decidi manter, incrementar e expandir aquela experiência e adotar seu nome provisório como definitivo; afinal, ele nunca deixaria de ser um laboratório para novas experiências, porque, em se tratando de combate ao crime, as tipologias vão sendo inovadas, e a cada dia novas descobertas deveriam, na minha concepção, ser compartilhadas numa rede entre as diversas instituições que tratavam dessa chaga social. Ademais, a constante agregação de novas ferramentas ao projeto justificava o perfil laboratorial do programa, que o manteria sempre de última geração.

Idealizei e viabilizei a criação institucional de um centro de tecnologias de produção e difusão de metodologias voltadas à análise eficiente de grandes volumes de informações, produzidas em atividades de investigação e/ou de Inteligência.

Em seguida, possibilitei que esse instrumento fosse replicado para as instituições dos estados e vários órgãos no âmbito federal, pois, por ser alguém que vinha da área técnica e conhecia as dificuldades das investigações no dia a dia, na ponta da linha, acostumado a combater efeitos da violência, sabia da importância de tornar o Lab uma política do Estado brasileiro.

Fixei a concepção de que a prisão e a condenação de integrantes de organizações criminosas são medidas necessárias mas insuficientes para reduzir as estatísticas de criminalidade. A desestruturação dessas organizações depende do corte do fluxo de recursos financeiros que as mantém funcionando. Ao interrompê-lo, impede-se que a utilização de recursos ilícitos sirva para financiar ações que possibilitem, consequentemente, a execução de novos crimes.

Nesse contexto, o bloqueio e a recuperação dos ativos das organizações delinquentes são vitais para o seu combate, atando-lhes o cerne das atividades, inviabilizando a retroalimentação das ações ilícitas. Ademais, os recursos recuperados podem financiar ações de Estado para aperfeiçoar o combate aos crimes de corrupção e de lavagem de dinheiro, em geral levados a efeito por meio de esquemas de alta complexidade.

A experiência tem demonstrado a eficácia desse método. Lembro-me do emblemático caso da máfia dos fiscais, aqui já tratado. Certamente, se, naquela época, já estivesse disponível esse laboratório, os resultados das investigações teriam sido muito mais profícuos.

O caminho é bloquear as contas e investimentos dos alvos, esses, sim, alvos de verdade, porque identificados após a investigação de fatos. O Brasil tem que descapitalizar o crime que assumiu contornos transnacionais. Não adianta só mandar para a cadeia porque o cara fala que é vítima de perseguição política e metade do povo acredita. A gente vai ficar enxugando gelo. É preciso tirar o domínio de quem não pode provar que o bem é dele.

O destaque dessa tecnologia são os *softwares* voltados para análise de grandes volumes de informação, comuns quando lidamos com a criminalidade organizada. A organização do material probatório apoia-se na capacidade de integração de bases de dados dispersas e ao processamento analítico das informações, revelando-se padrões no comportamento e conhecimentos ocultos; enfim, aplica-se inteligência artificial para evidenciar redes de relacionamentos rapidamente, poupando esforços dos analistas. Ganha-se, além de tudo, uma enormidade de tempo, haja vista que trabalhos que poderiam ser desenvolvidos precariamente, e com a necessidade de inúmeros profissionais, em vários anos, podem ser desenvolvidos em poucos meses por uma pequena equipe, e com eficiência comprovada. O que dá à principal arma nesse tipo de combate a celeridade processual.

Assim, quem roubar não vai mais poder carregar. As organizações criminosas serão sufocadas, produzindo-se provas em tal velocidade que será inviabilizado o caminho da impunidade, decorrente, inclusive, da morosidade probatória nesse campo.

Cruzando-se informações com a velocidade da luz, mediante servidores dotados de grande capacidade de processamento e de aplicativos que analisam e comparam os dados disponíveis, este avançado centro de operações digitais dinamiza a detecção do fluxo financeiro criminoso e facilita a recuperação dos ativos através dele acumulados. Tais procedimentos são, evidentemente, cruciais para a investigação.

O laboratório-modelo de Brasília foi um dos mais auspiciosos acontecimentos desde que a Lei 9.613/98 tipificou o crime de lavagem de dinheiro. Primeiramente, foi assinado acordo de cooperação técnica para criação do Lab-LD no Ministério Público de São Paulo; depois, foi o da Polícia Civil do Rio de Janeiro e São Paulo. Criamos, ainda, o Laboratório Regional do Nordeste – verdadeira experiência de integração de esforços dos Ministérios Públicos respectivos – e deixamos mais de vinte outros acordos de cooperação em andamento no Ministério da Justiça. Ao todo, entre acordos e projetos instalados, creio que deixei perto de 25 órgãos aparelhados com o Lab-LD. Destaco o Coaf, a PF e a Receita Federal, no âmbito nacional.

Todo esse esforço foi realizado no sentido de firmar a filosofia de que precisamos bloquear a capacidade dos criminosos de desfrutar do patrimônio indevidamente amealhado.

Deixo registrado que, antes de ser "tirado de cena" do Ministério da Justiça, cheguei a idealizar, e já desenvolvia, uma revolucionária ferramenta de gestão, denominada Lab-CRIM, destinada a melhorar as apurações dos crimes antecedentes à lavagem de dinheiro, identificar perfis e padrões criminais, dentre outras funcionalidades, relativamente aos crimes mais comuns nas grandes cidades: aqueles que efetivamente causam insegurança pública em nossa sociedade, tais como homicídio, latrocínio, roubo, furto, roubo e furto de autos e de carga. Era uma forma de se conceber um padrão nacional de investigação policial, onde as experiências seriam trocadas, tipologias identificadas e compartilhadas e o esclarecimento desses delitos certamente elevado a níveis exigíveis de uma polícia capacitada e competente, tal como as nossas civis estaduais, que não poderiam dever nada às de primeiro mundo. Além do que, com isso, teríamos excelente base para uma efetiva e eficiente política de prevenção. Infelizmente, sei que a ideia e o projeto já iniciado foram abandonados.

Para minha felicidade e realização profissional, desde que não impedi que o projeto fosse extinto, pululam pedidos de replicação de LABs, seja por Polícias Civis, Ministérios Públicos ou outras instituições.

O Lab instalado na Polícia Civil do Rio de Janeiro, na gestão do delegado Gilberto da Cruz Ribeiro, foi, sem dúvida, o que mais frutificou. Primeiro porque eles criaram um núcleo especial para receber os equipamentos e adotaram integralmente aquela filosofia de cortar o fluxo financeiro das organizações criminosas, sobretudo as especializadas na criminalidade urbana ou cotidiana. Treinaram e capacitaram pessoal diuturnamente, sem preconceitos, com total humildade e com gente vocacionada.

Além disso, atuaram sempre em boa comunicação com o Ministério Público, à época dirigido pelo procurador-geral Marfan Martins Vieira, outro entusiasta da parceria para combater o crime organizado. Aliás, foi na primeira gestão do competente atual procurador-geral que o Rio de Janeiro criou uma filosofia eficiente de atuação conjunta – um órgão que unia a Polícia Civil e o MP nos moldes de uma Força-Tarefa. Depois, já com o delegado Allan Turnowski, veio o ápice. Numa demonstração de profissionalismo, manteve-se o funcionamento do Lab e da equipe já capacitada por seu antecessor a todo vapor. Eis a recompensa de todo aquele sacrifício que enfrentei para instalar esse Lab fora da secretaria de Segurança carioca, que queria vincular a ferramenta a um núcleo de inteligência, administrado por federais, no gabinete do secretário.

Exigi que o Lab ficasse na Polícia Civil, para que fosse usado no combate ao crime e não para fins diversos, e o coroamento veio com a operação no Morro do Alemão. Nunca esquecerei quando no *Jornal Nacional*, ao vivo, a apresentadora Fátima Bernardes perguntou ao Dr. Alan por que a polícia já não havia feito a apreensão dos bens dos traficantes no morro antes, e não tinha se apossado daquelas mansões ali localizadas. E ele respondeu que aquilo só fora possível agora porque só então contavam com as ferramentas do Lab.

Eu, que assistia àquele JN, não me contive e chorei copiosamente, sozinho. Via ali um reconhecimento anônimo ao trabalho que tinha realizado, possibilitando meios para que o Rio de Janeiro se livrasse daquela bandidagem que acuava sua gente e sua polícia. Ver aquele monte de criminosos a correr, desorientado, temendo a polícia, sinceramente é uma cena que jamais acreditei ser possível. Aquilo resgatou a cidadania no coração de cada carioca, cada cidadão fluminense e brasileiro. Ninguém pode imaginar como nós policiais, mesmo distantes, nos sentimos com aquelas cenas. Depois de refeito, liguei para o delegado Gilberto para cumprimentá-lo e agradecer, pois ele havia caído por impedir o deslocamento dos arquivos do Instituto Félix Pacheco para a PF; disseram que não receberia o Lab se não aceitasse a proposta e, por confiar na minha palavra, ele tomou aquela atitude de resguardar os arquivos civis e criminais do Rio.

A semente que deixei foi a institucionalização do Lab, que se tornou verdadeira política de Estado, sem chance de retrocesso.

Eu queria levar meu Laboratório para o departamento de Recuperação de Ativos e Cooperação Jurídica Internacional, o DRCI. Queria juntar o Laboratório e o DRCI no mesmo lugar para pagarmos menos aluguel com o dinheiro público. Para quem não sabe, o DRCI não fica no prédio do MJ, mas num outro, alugado. Conclusão: consegui juntar tudo, o que economizou mais de R$ 240 mil anuais do dinheiro da viúva, fora os gatos com deslocamentos, telefones, etc. E assim montei o novo Laboratório num prédio lindo, muito melhor, dentro do DRCI, e que tinha, aliás, até um auditório. Mas aconteceu algo, uma anomalia: conforme eu divulgava o meu Laboratório, ele ganhava notoriedade, vida própria, status, nome, como um leviatã de Thomas Hobbes. A partir daí, comecei a oferecer o meu Laboratório para todos os estados, com base no Pronasci. Eu queria coletivizar um laboratório anticrime que deu certo. Então, os Ministérios Públicos estaduais começaram a me mandar casos para serem processados nos computadores do nosso Laboratório em Brasília, sobretudo porque aquele caso das mulheres do PCC fizera muito sucesso, e uma operação do MP de Brasília em conjunto com a Civil – a Operação Aquarela – também fora produzida lá. Ou seja: em vez de extinguir o Laboratório, que era o quadro primevo encontrado por mim, passei a querer exportar aos estados o seu modelo.

Quando cheguei à secretaria nacional de Justiça, havia um laboratório ali já pronto, que era uma experiência para se levantar movimentações financeiras do crime. Eles haviam prometido repassar essa tecnologia aos Ministérios Públicos estaduais e federal, mas jamais passaram. Depois vim a entender o porquê e explico mais adiante. Eles iriam acabar com esse laboratório; afinal, tinha sido montado apenas para fins partidários e pessoais. Eu disse: "Não vamos acabar com o laboratório, vamos ampliar esse esforço". Então passamos a acoplar outras ferramentas e programas de computador.

Vou explicar: desenvolvi um método pelo qual se poderia trabalhar dados bem específicos, cruzando telefonemas, históricos bancários etc. Com tais ferramentas, se poderia reduzir o prazo de uma investigação, com uma infinitude de dados, de três anos para três meses. Você apertava um botão e já chegava no fluxo financeiro das organizações criminosas, pois todas elas viraram empresas. Desde uma multinacional do crime como o Mensalão, por exemplo, até uma pequena empresa doméstica formada por ladrões de carro de um bairro, todos são organizados. Condenar e prender não adianta: se você prende o réu, no dia seguinte ele será reposto. O crime não para nas contratações. Funciona como uma empresa, há mão de obra de sobra.

Então é necessário ir no dinheiro e no fluxo financeiro e cortá-los, asfixiá-los.

Montei um projeto interessante no Laboratório contra a Lavagem de Dinheiro, na secretaria nacional de Justiça. O convênio, estranhamente, após a marcação de assinatura em duas gestões, dos ministros Pelluzo e Lewandowski, não foi para frente, embora a ministra Carmen Lúcia seja uma grande entusiasta. Na verdade eu acho que os empecilhos foram colocados pelo Ministério da Justiça, para adiar o convênio. A intenção era disponibilizar para o Tribunal Superior Eleitoral um sistema de checagem *online* das contas de campanha. Seria possível checar quem trabalhava no comitê de quem, com qual função, e se, mais tarde, ele integraria o governo do vencedor. Ou se ele era funcionário da campanha e, por exemplo, a mulher ou algum parente está vinculado a uma empresa que presta serviço ao governo; se o indivíduo que doa dinheiro a um candidato a deputado é o mesmo que doa para o candidato a governador e em quais estados. Coisas atípicas, entende? Isso daria agilidade à Justiça Eleitoral e muita transparência. Era um duríssimo golpe no esquema de "caixa 2". E criaria um sistema de prevenção, pois os candidatos saberiam que se tornaria mais difícil fazer as coisas por baixo do pano. Esse caso da Delta, por exemplo, seria identificado *online*.

A propósito, eu quero fazer um parêntesis para falar aqui de outra importante medida que propus, como secretário nacional de Justiça, de combate à corrupção. É uma providência que, se adotada por nossos legisladores, "vai no ponto" para acabar com esquemas espúrios de malversação de verbas públicas.

É o seguinte: logo depois que cheguei ao Ministério da Justiça, o então responsável pela pasta, Tarso Genro, nomeou-me para presidir um grupo de trabalho que investigou a atuação de

ONGs na Amazônia Legal. Foi uma experiência muito interessante que, pela primeira vez no país, radiografou o submundo das ONGs suspeitas.

Foi aí que descobrimos uma das portas escancaradas para favorecimento dos esquemas. É algo simples. Existe um artigo na Lei de Licitações, o de número 24, que permite dispensa de licitações em algumas hipóteses. Há um inciso que autoriza contratar diretamente uma ONG que cuide de assuntos sociais, de interesses de presos etc. Assim, se uma ONG consegue uma titulação de OSCIP, por exemplo, ela está autorizada a receber dinheiro público. Até aí tudo bem: isso é próprio do regime democrático. Mas os esquemas criminosos são desenvolvidos do seguinte modo: um prefeito mal intencionado, por exemplo, contrata diretamente uma ONG titulada. Repassa recursos para ela prestar um serviço. Acontece que esta ONG subcontrata outras empresas que, geralmente, têm entre os sócios os parentes, amigos e apadrinhados de muitos políticos. E os órgãos de controle só chegam no contrato inicial (entre a prefeitura e a ONG). Os subcontratos não podem ser auditados. De forma simples, o dinheiro, numa espécie de lavagem oficial, sai do Poder Público, vai para o ente privado e depois para os subcontratados, retroalimentando a ciranda político-criminosa.

Apontei isso no meu relatório, mas não deu em nada. Melhor dizendo, deu sim. Começo a entender por que me tiraram do Poder Executivo Federal. Sobre o lixo: eu já tinha investigado esse tipo de esquema quando desbaratamos a máfia dos fiscais em São Paulo. O Celso Pitta foi indiciado. Aliás, foi por causa daquela investigação que fui parar em Taboão da Serra. Ironia do destino! Era uma espécie de represália por ter investigado tantos políticos. E olha a coincidência: encontraram o corpo do Celso Daniel em Juquitiba, área de atuação da delegacia de Taboão. Portanto, minha "jurisdição". Bem, falaremos disso adiante.

Aí surge uma das modalidades de golpe e geração de dossiês mais curiosas. A Polícia Federal entra no meio de campo e passa a exigir que, para o envio desse Laboratório aos estados, estes deveriam dar em troco todos – eu digo todos – os dados civis e criminais de cada estado. Essa postura emblemática era o sonho do então ministro da Justiça Márcio Thomaz Bastos. Ele queria, antes de mais nada, fazer da Polícia Federal uma polícia partidária do PT, dispondo, num clique, dos dados de todos os cidadãos, o que seria uma ótima forma de gerar dossiês não estruturados em crimes palpáveis, mas sim em alvos.

Veja bem: no estado policial bolado por Lula, nada melhor do que dispor de tudo de um cidadão a partir de um só clique. Qual o problema de se ter um documento único? Na cabeça de Márcio Thomaz Bastos isso iria prescindir da presença de um juiz autorizando as quebras de sigilo. Repetindo: para eles o ideal era um sistema que permitisse, com um só clique, entrar na vida inteira do cidadão, a partir daí escancarada como uma mala velha aos olhos dos geradores de dossiês.

Em certo momento, pedi à coordenação do Laboratório que me relacionasse por escrito quais eram e qual a importância de cada caso que investigava. Precisava disso para poder admitir ou não o fluxo demandado pelos estados, ávidos por fazer uso do Laboratório. E cada vez que minha diretora ia ao Laboratório dar uma incerta, os caras ou não estavam ou alegavam estar viajando, uma antologia de desculpas para não dar retorno e transparência aos processos investigados. Ninguém respondia a nenhum ofício que eu enviava com a corriqueira indagação: "O que o senhor está investigando?". Então crei uma situação: todos os relatórios gerados pelo Laboratório teriam de ter uma chancela minha, epigrafando e finalizando, com responsabilidade notarial de um delegado de carreira, todos os passos das investigações.

Marisa deu o troco. A Rose tinha concorrência.

Com experiência de vida e 30 anos de profissão à época, conhecedor das coisas de segurança pública, tendo observado de perto o submundo do crime, por conta da minha profissão, me sentia um ninguém. Imagine a sociedade, que da missa não conhece o terço do que é o governo por dentro. O poder conseguiu me fazer mensurar a amplitude do estado criminoso.

Notem que uma secretária, invariavelmente, é o espelho do chefe. Com sensibilidade e boa capacidade de observação, é possível se decifrar na antessala o que se vai encontrar na sala principal. O tipo, os gostos, a postura e o nível de exposição da funcionária certamente darão um norte de quem é, de como é, e qual a personalidade do patrão. Sentar dez minutos numa recepção, com uma análise acurada, leva a um resultado infalível. Tenho dúvidas se a Rose seria um bom exemplo a ser seguido nesse sentido. Afinal de contas, ela não era uma simples secretária, e seu comportamento poderia ser influenciado por outros fatores e sentimentos.

Por que a suposta amante do presidente Lula, a Rose, cometeu crimes chamando o Lula, nos e-mails, de PR? Não era só um PR de intimidade. PR é sigla de Segurança Institucional, eu também uso PR quando quero me referir ao presidente na República; é o "Papa Romeu", PR: presidente da República. Toda comunicação de segurança ou institucional que tem algum vínculo com segurança usa esse PR.

O fato de Rose botar nos e-mails PR indica uma intimidade não só com ele, mas com o sistema, com as questões de segurança pessoal e institucional. Ela, como chefe de gabinete da Presidência da República em São Paulo, além de outras intimidades com o poder, conhece o alfabeto fonético internacional. Aliás, mais do que ninguém, ela deveria saber se referir ao presidente sem identificá-lo. Quem usa "Papa Romeu" é quem tem acesso ao íntimo do poder, desculpem o pleonasmo: é para quem vive em um ciclo muito fechado de segurança institucional.

Cometem-se crimes a balde assim.

Quero revelar agora um outro desvio, um forte e inusitado *lobby* para uma primeira-dama, Dona Marisa, com o Vannuchi, ex-ministro da secretaria especial dos Direitos Humanos. Tão grave quanto os da suposta amante de Lula.

Ele envolve um sindicalista famoso, hoje assessor especial da secretaria-geral da Presidência da República, sob Dilma. Vamos a uma curta biografia do indigitado, transcrita de um site sindical:

> "José Lopez Feijoo nasceu em 1950, no município de Entranbosrrios, Espanha. Iniciou sua trajetória no movimento sindical na Comissão de Fábrica dos Trabalhadores na Ford, em 1982. Passou pela secretaria geral da CUT estadual São Paulo, onde também foi eleito presidente por três mandatos (1992 a 2000). No sindicato, foi membro efetivo do Conselho Fiscal (1990/1993), diretor de base (1993/1996 e 1996/1999), secretário geral (1999/2002). Quando vice-presidente na gestão de 2002/2005, assumiu a presidência do sindicato em junho de 2003, em substituição a Luiz Marinho, que foi eleito para presidência da CUT. Para a gestão seguinte, 2005/2008, foi reeleito presidente".

Agora Dona Marisa. Certa vez, em um evento sobre o tráfico de pessoas, que eu havia programado com a rainha Silvia da Suécia, estive ao lado de Dona Marisa no Conselho de Ministros da Europa, onde também estava a rainha Paola, da Bélgica, além de inúmeros ministros de países europeus. Fiz uma grande exposição sobre o tráfico de pessoas, o que empolgou a nossa primeira-dama a promover um evento no Brasil através de uma ONG por ela subvencionada. Nessa época, tinha sido minha a ideia da propaganda do governo indicada a prêmio em Cannes. Falei para a agência do governo que deveriam botar um engradado e um desenho de uma mulher dentro dele. "O povo precisa começar a entender que tráfico de pessoas é usar o ser humano como mercadoria". As pessoas precisavam enxergar, materializar esse crime silencioso e invisível.

Então a rainha Silvia combinou comigo de vir fazer um evento no Brasil porque ela tem uma ONG. Ela adorou a ideia de aliar o tráfico de mulheres à imagem de pura mercadoria, achou que faria efeito. E fez.

Nós estávamos esperando a rainha Silvia entrar, para a solenidade de abertura do evento, quando o Vannuchi falou: "Tuma, você precisa agilizar o processo do Feijoo, um companheiro nosso". Era para desmentir de novo a imprensa, que falava que ele ia sair num cargo via "secretaria da central de favores"... Respondi: "Ministro Vannuchi, eu nunca passei ninguém na frente de nada".

Vamos à real: o departamento que cuidava de estrangeiros vivia de um atraso danado. Então os caras do PT tinham o direito de reclamar, e eu apenas mandava ver o que estava acontecendo. Vannuchi foi ainda mais direto, sob o olhar atento de Dona Marisa: "O presidente está querendo nomear o Feijoo para uma diretoria do BNDES. Ele está pedindo a autorização para tornar o Feijoo cidadão brasileiro, mas ela não sai. Ele já tinha falado para o Tarso Genro, e não sai...". Vannuchi chama a primeira-dama: "Vem cá, Marisa, fala para o Tuma aqui a verdade...". Dona Marisa, sem medir as palavras, pede num tom docemente grave, em sua característica voz meio rouca: "É, Tuminha, você precisa agilizar isso aí. O Lula quer nomeá-lo no BNDES, a naturalização dele não sai. Tem que sair rápido isso aí, Tuminha".

Peço ali para o meu subordinado, o Luciano Pestana, cuidar do caso para mim, e fazer isso para "amanhã". Ele vira na frente da Marisa e fala: "Não dá, chefe, isso demora pelo menos 90 dias...". Olho para a primeira-dama, e ela enfatiza: "É o presidente que está pedindo". Retruquei que o Luciano estava de brincadeira. Mas ele devolveu, cruamente, na cara de Marisa: "Chefe, isso demora, tem prazo". Ela destila ordens terminantes, intempestivas. "É o presidente da República que está pedindo, Luciano". Ele insistiu: "Não dá, chefe, não dá".

O objetivo era nomear o Feijoo para uma diretoria do BNDES, como informou textualmente Dona Marisa. Creio que se tratava de uma diretoria que cuidasse de fundos no BNDES; em outra hipótese, para a presidência do Conselho Deliberativo do Fundo de Amparo ao Trabalhador – Codefat, do MTE.

Ficou claro, com o tempo, que o governo esvaziou todas as atribuições do ministro Carlos Lupi, do Trabalho, e passou para o Gilberto Carvalho, especialmente aquelas afetas às negociações com as Centrais Sindicais. Já se preparava para a chegada do Feijoo, ex-presidente da CUT e amigo de anos da família Lula da Silva.

Comandar o Fundo de Amparo ao Trabalhador é uma função estratégica importante, que movimenta recursos monstruosos e inclusive financia o BNDES. Entretanto, um estrangeiro, por impedimento constitucional, não pode assumir tal tarefa. Esse era o grande empecilho.

Até minha saída, a coisa ficou na mesma. Falei com o Feijoo, mandei ele dar entrada nos documentos mas a coisa não andou. Acho que nem entrada ele deu. Era preciso solicitar naturalização extraordinária para se iniciar um novo processo.

Após minha saída, qual não foi minha surpresa ao me deparar com uma notícia, na coluna do Cláudio Humberto, dando conta de que Feijoo havia sido nomeado assessor do Gilberto Carvalho sem ser naturalizado. Fui pesquisar e deparei-me com o crime consumado.

Vamos aos fatos, para resumir o crime: em 29 de abril de 2011, o então ministro Antonio Palocci nomeou o espanhol José Lopez Feijoo como assessor especial da Presidência. A notícia foi publicada no *Diário Oficial* em 2 de maio de 2011, página 1, seção 2. Curiosamente o nome foi publicado errado. "Lopes". Sabe por quê? Para não gerar consulta e investigação! O DOU não pesquisa por proximidade, por fonética; ou você coloca exatamente como foi publicado, ou não encontra. Para o *Diário Oficial*, Lopes Feijoo não é Lopez Feijoo. Lembre-se: a Constituição e a legislação federal não permitem a nomeação de estrangeiros em cargos públicos! No artigo 5º da Constituição há essa vedação.

Em 12 de maio, Feijoo requereu naturalização na delegacia da PF de São Paulo (processo nº 08505.016788/2011-48, pasta 141/11). O processo foi rapidamente instruído e remetido a Brasília. Em 25 de maio, o serviço de estrangeiros da PF remete o caso ao departamento de Estrangeiros do Ministério da Justiça. Um dia depois, o caso é deferido. A 27 de maio, a portaria nº 949-SE é publicada no *Diário Oficial*, seção 1, página 103. O pedido de naturalização é protocolado, analisado, deferido e publicado em menos de duas semanas! E para alguém que, como estrangeiro, não poderia assumir constitucionalmente um cargo público!

Como pediram Marisa e Vannuchi, o espanhol José Lopez Feijoo, amigo de Lula, furou a fila e obteve nacionalidade brasileira no prazo recorde de duas semanas, passando à frente de processos tramitando até há seis anos. Seu processo de naturalização percorreu a jato sete instâncias, da Polícia Federal em São Paulo ao gabinete do ministro da Justiça em Brasília. Antes, como já mencionado, foi nomeado ilegalmente assessor especial da secretaria geral da Presidência, em ato de Antonio Palocci, então ministro chefe da Casa Civil, para articular com Gilberto Carvalho.

Mesmo naturalizado a jato, Feijoo só poderia ter sido empossado assessor especial da secretaria geral da Presidência da República, para o qual fora nomeado ilegalmente, após receber o certificado de naturalização da Justiça Federal. Só com esse documento ele poderia ter direito a RG, título de eleitor e outros documentos indispensáveis ao ato de posse no serviço público. Feijoo foi empossado em 30 de maio, mas só receberia o certificado de naturalização três meses depois, em 26 de agosto de 2011, numa vara da justiça federal.

Não me consta que essa cadeia de crimes e irregularidades, que configuram flagrante violação dos princípios constitucionais da moralidade, impessoalidade e legalidade, tenha sido apurada. Sem dúvida, minimamente, essa conduta poderia ser enquadrada na lei da improbidade administrativa.

Parece mesmo que só a Rosemary foi investigada, não nesse caso, lógico. Mesmo assim, dizem que ela também foi poupada, a respeito de inúmeros diálogos apimentados e nada republicanos com o marido da Dona Marisa. Parece que, no caso dela, para o bem da República. Para quem prega transparência com tanto furor – república das bananas, claro.

Enfim, Feijoo era cotado para assumir o cargo do ministro Carlos Lupi, do Trabalho, que estava sendo frito. Ele já havia integrado o Conselho de Desenvolvimento Econômico e Social, acho que irregularmente, por não ser brasileiro naturalizado à época. No fim acabou levando um cargo na Presidência da República. Foi o esmeril do governo usado para desgastar diariamente o ministro Lupi. Veja a foto de Vannuchi ligando para Feijoo, ao meu lado e de Dona Marisa, no segundo caderno de fotos.

Dentro do projeto de poder do PT, parte do Legislativo acabou enveredando para o Mensalão. Quanto ao Judiciário – que eram os ministros dos tribunais superiores, e o Partido esperava que votassem com o governo perenemente – é óbvio que houve frustração.

No Executivo havia a Polícia Federal, que era o braço armado, o braço repressivo desse projeto de poder. Esse Executivo passava por várias instâncias e órgãos de poder. A mais fundamental é a questão das comunicações: consistia na parte das verbas publicitárias, pelas quais você amarra, principalmente, os meios de comunicação medianos, que são os ditos blogs progressistas, blogueiros sujos e demais sites e revistas patrocinados massivamente pela Caixa Econômica Federal, Banco do Brasil, etc.

Numa das conferências das comunicações, houve uma situação muito constrangedora, por exemplo. Eu era o indicado do Ministério da Justiça para a Conferência da Comunicação. Na abertura, o presidente da Conferência, um antigo chefe de gabinete do ministro Márcio Thomaz Bastos, anunciou publicamente que o delegado representante do Ministério Público da Justiça não era mais o Romeu Tuma Junior; agora seria o Pedro Abramovay: "Você não vai mais ser o delegado representante no Ministério", disparou uma subordinada minha, a Ana Paula, que seria minha suplente. Retruquei: "Quem te falou? Isso está publicado no *Diário Oficial*?". "Não, secretário, o Marcelo Bear acabou de anunciar aqui na reunião". "Você está brincando! Como ele falou isso em público? O que é isso? Quanta desmoralização!". Impromptu, varado de incompreensão, liguei para o secretário executivo do Ministério da Justiça, Luiz Paulo Barreto. Ele afirmou que não constava nenhuma ordem de me trocar.

Procurei o ministro Tarso Genro, e perguntei: "O Sr. mandou me trocar?". Numa voz ensaiada, ele me devolveu, resoluto: "Não, é que o Pedrinho (Pedro Abramovay) veio falar comigo, eu achava que, talvez, o Pedro fosse o cara...". Respondi: "Ministro, desculpe, não vejo nenhum problema se tivesse que trocar de nome. Mas é um assunto que é ligado à minha área... O senhor vai me perdoar, mas, da forma que foi feita, eu não aceito a troca. Se viesse falar comigo não teria nenhum problema, eu abria mão. Agora, anunciar em público, sem eu saber, e sem o ato estar publicado no *Diário Oficial*? Se fizeram o senhor assinar algum ofício para o ministro das Comunicações nas minhas costas, não vou aceitar isso".

Vamos à moral da história: mandaram um ofício para o ministro das Comunicações pelas minhas costas, me fritando para o evento. Liguei então para o Bear, que era um homem de absoluta confiança do ministro Márcio Thomaz Bastos. Ele era daquele núcleo duro, composto pelo Pedro Abramovay, o Beto Vasconcelos – que já era da Casa Civil durante o governo Lula e cuidava de toda a parte jurídica –, e mais alguns jovens advogados, entre eles o Pier Paolo Bottini.

Ante meus argumentos, Tarso Genro, num raro acesso de sinceridade, me disse: "Sabe o que é? É que tem alguns posicionamentos de governo nessa coisa da comunicação...". Eu falei: "Mas sou representante do governo, é só me falar, me instruir; se não for nada que viole a minha consciência, não tenho nenhum problema; se for alguma coisa que viole a minha consciência, eu peço para sair da Conferência, não precisa desse jogo sujo de me trocar assim, mas eu não vou aceitar mais sair". "Se você quiser, você vai ser suplente", devolveu Tarso, impávido.

Não tinha caído ali de paraquedas. Minha vivência e experiência me autorizavam a supor aonde eles queriam chegar. Eu fora presidente do Conselho Superior da Astral – Associação de TVs e Rádios Legislativas; pela postura do Marcelo e do ministro, a conferência serviria de ignição para a nova Lei de Imprensa no modelo latino-americano do "cala-te".

Qual era o jogo? Eu vim a descobrir qual era, óbvio: eles usaram a Conferência Nacional de Comunicação para tentar criar uma lei de meios, como essa lei absurda que se vê na Argentina. Queriam amordaçar a mídia que fazia oposição ao PT. Mas como eu, ao assumir a secretaria, tive uma mudança radical com a Abert, com a imprensa, e com os órgãos de comunicação, eles não ficaram satisfeitos. Queriam que eu fosse um altissonante arauto da mordaça petista.

Nós tínhamos lá um departamento de Classificação Indicativa. Um militante redivivo do PT, o José Elias Romão, seria o teleguiado do partido para tocar a mordaça. Eu o tirei dali. Hoje ele voltou ao governo como ouvidor geral da CGU. Trata-se de um petista de carteirinha, acho que filiado. Tenho até um bom estoque de e-mails dele, justificando abjetamente suas contínuas ausências. Ele faltava às reuniões de diretoria que eu fazia. A justificava era que tinha de ir às reuniões do PT, no grupo de comunicação interno que ia decidir algumas coisas do tipo como o PT ia se portar na relação da comunicação.

Romão era um infiltrado do partido ali e tinha uma instrução do governo, possivelmente explícita, eu percebia isso: ele era o cara para fulminar a mídia. Na verdade, para fazer os "barões" correrem e se socorrerem do Planalto.

A classificação indicativa para as empresas de comunicação e para a Abert era para chibatar a mídia em geral. Queriam fazer toda a mídia ficar genuflexa e implorar ao governo uma facilitação na classificação indicativa em troca de um noticiário mais abrandado, mais ameno. É aquela velha tática. Eu, como já tinha experiência por conta da segurança pública, pois a classificação indicativa é importante para que as crianças e os jovens não tivessem aquele menu de violência em casa ao ver televisão, sabia o que o PT estava negociando ali.

Assumi meu cargo, mas quando o ministro me falou para não mexer com ninguém nos departamentos subordinados à secretaria, aquilo me chamou a atenção. Então retruquei: "Ministro, eu não costumo mudar ninguém quando eu assumo, as pessoas se trocam sozinhas; explico minha filosofia de trabalho e dou tempo para elas mostrarem se estão aptas a permanecer ou não, porque acompanho como elas trabalham; se trabalham bem, não tenho por que trocar ninguém". Erro meu: ali estava infiltrada a Politburo que queria fulminar ao osso a liberdade de expressão no Brasil.

Passei a ver o que não queria enxergar: o departamento classificava as novelas e os programas de uma forma acima do razoável, justamente para fazer com que as emissoras fossem apelar ao ministro, ao presidente, de joelhos, para pedir arrego e favorecer o governo com um noticiário mais brando, cosmético e com críticas adventícias. E eu achei aquilo uma alta sacanagem.

Comecei a ter atrito com o diretor do departamento porque eu achava que aquilo não era justo; queria que as emissoras tivessem uma classificação, mas não podia aceitar que um departamento da minha secretaria fizesse extorsão, porque isso era indiretamente uma chantagem, uma extorsão indireta.

A coisa chegou a extrapolar os veículos de imprensa. Tentaram cooptar as igrejas evangélicas e seus líderes. Um exemplo foi o que ocorreu com o pastor Silas Malafaia, à época com programa na TV Record. Por sinal essa campanha na internet contra ele hoje não é novidade. Ela só aflorou. Ainda na secretaria, o governo tentou enquadrar a livre expressão de seu pensamento lhe impondo censura por meio da classificação indicativa, um completo desvirtuamento de um importante instrumento de cidadania, sob a mesma alegação de agora, ou seja, de que ele pregava homofobia. E, aqui, não entro no mérito do que ele fala, mas defendo com todas as forças o seu direito de falar. Alguns personagens eram comuns. O Romão dirigia o Dejus; Abramovay, hoje na Avaaz, que colhe assinaturas para cassar-lhe algum título, era o secretário de Assuntos Legislativos – SAL.

O pastor, integrante da cúpula da Igreja Universal, chegou a ir ao ministro reclamar das ameaças. Ele foi acompanhado do também pastor Evaldo Dias, que, além da projeção religiosa, era vice-presidente do PSC. Ele tinha razão, só errara quando creditou a origem da pressão. Apostava que era coisa da Globo na briga por audiência. Nada a ver: era o governo tentando pressionar para conquistar o apoio de um líder formador de opinião, que movimentava massas.

Eu tinha acabado de chegar. Fazia um mês. Já havia percebido o jogo. Tomei a rédea do processo e acabei com mais aquela chantagem. Comigo lá não haveria censura, muito menos chantagem do aparato partidário-estatal. Tivemos vários atritos. Romão acabou saindo do departamento; eu guindei a diretor o adjunto, acertei com ele que queria desenvolver um trabalho de diálogo franco com as emissoras; queria acabar com aquela disputa e aquele negócio de censura. Tenho ojeriza a censura. Depois que saí, a diretoria voltou a ser política, e o técnico voltou a ser diretor adjunto.

Classificação indicativa não é censura, mas eu não queria atrito, queria que as emissoras entendessem o nosso trabalho, entendessem o trabalho dos técnicos fazendo a classificação indicativa. Queria que a autoclassificação fosse coerente com a classificação que nós dávamos – as emissoras, os técnicos e o Ministério Público.

Nós fizemos eventos para que eles vissem como funcionava a classificação indicativa. Mudamos o manual de classificação indicativa para torná-lo mais objetivo. Consegui estabelecer um diálogo com as emissoras e com a Abert. Evoco o testemunho do Márcio Novaes, diretor corporativo do Grupo Record, um cara calmo, ponderado, e dos próprios presidentes da Associação que se sucederam durante minha gestão: o Flávio Cavalcanti Filho, a cara e o jeito do pai, e o Daniel Slaviero, um jovem que se dispunha a qualquer proposta de diálogo sem pestanejar, muito compreensivo com nossa angústia. Todos simples, sem nenhuma arrogância, num diálogo republicaníssimo, transparente, aberto. Quando saí, nós estávamos mais ou menos em 90% de coincidência entre a classificação das emissoras e a atribuída pelos nossos técnicos. Isso foi de 2008 para frente, eu entrara em 2007. Consegui estabelecer o diálogo com as emissoras e acabei com a pressão sobre elas. Emissoras têm que levar entretenimento, criar opções de lazer e dar notícia, e não ficar disputando espaço com o governo.

Acabei com isso lá. Evidentemente não agi sem levar as sobras, claro que não. Isso tudo incomodava muita gente. As pressões eram muitas, e fortes. Tinha de tudo: o grande cineasta Luiz Carlos Barreto, o "Barretão"; as pressões anuais por conta do horário de verão, que chegou a mudar por lei por conta da classificação... Enfim, tudo foi se acumulando para eu levar um caminhão do Lula na minha cabeça. Essa é a única coisa que o PT não conseguiu ainda: dominar a mídia por inteiro. Até pelo que passei, eu sou uma pessoa que defende o direito de resposta. Não se pode ter poder absoluto – exceto nos filmes de super-heróis.

A bem da verdade, é preciso se equilibrar com total racionalidade nesse limbo em que vivemos hoje. Acho que é preciso haver uma forma de as pessoas se responsabilizarem por aquilo que publicam. O próprio jornalismo, as próprias emissoras deveriam se autorregular, deveriam abrir mais espaço para o direito de resposta. Mas qualquer movimento que se faz os veículos de comunicação falam que é censura, que querem calar a imprensa. O PT usou muito isso quando era oposição. Agora tem uma autodefesa muito engraçada, de ópera bufa. Além de criar uma atmosfera favorável ao entendimento e viabilizar a autoclassificação, consegui inviabilizar um projeto perigoso que quase foi instalado: o Conselho de Classificação Indicativa. Sob o pretexto de democratizar o que já era democrático, diziam que seu objetivo era decidir os impasses nos casos afetos às demandas onde houvesse recurso, e estabelecer regras para o setor. Eu me posicionei contrariamente porque entendia que era um passo no sentido da censura. Seria um órgão com representantes de vários ministérios, de órgãos do governo, da sociedade civil e até da OAB, mas concebido e "amarrado" de tal forma que se tornaria, a meu ver, o embrião do Conselho de Controle dos Meios de Comunicação ou, ainda, uma espécie disfarçada de futuro Conselho Federal de Jornalismo.

Sem o controle que queria, o governo criou sua inteligência social. O jejuno candidato deve ter o noviciado de um ano adulando o PT em seu blog. Ato contínuo, passa a receber anúncios de autarquias da União. Terceiro passo: assina contrato na TV Brasil para, sob "notória especialização" (o que dispensa licitação), ganhar milhões para programas jornalísticos. Passada essa fase, o acólito entra na pauta do governo: recebe semanalmente as listas dos nomes, organizações e partidos a serem fulminados. Todos os que fazem isso atuam no que a Abin chama de "fator basquete": todos servem a todos, todos atacam em grupo, e em grupo se defendem. Alguns sites e blogs, por exemplo, foram singularmente pautados para levar a revista *Veja* para a CPI do Cachoeira.

Há que ter um rígido controle dos comentários nos pés das reportagens encomendadas pelo governo: só se liberam comentários favoráveis a ele. Não se pode ter tecnologia para fornecer o IP (identidade digital) do comentarista, para evitar ações judiciais que demandem identificá-lo (e ele é, geralmente, um falsário). Numa aula a que assisti do coautor deste livro, Claudio Tognolli, na USP, foi notado o seguinte: o PT industrializou, no que chamo de sua "inteligência social", o que Noam Chomsky batizou de "fabricação de consenso": os desavisados leem aquela cauda longa de comentários falsos, ao pé das reportagens dos penas de aluguel, e confundem aquilo com opinião pública de verdade. Todos os teóricos ligados ao PT esses anos, e que defendiam a transparência nas comunicações (citando sempre a teoria da ação comunicativa, de Jurgen Habermas, como mostrado na aula), viram os postulados do filósofo alemão serem fulminados sob o partido e sua ética de falsos comentaristas e avatares (o que se chama, em linguagem de internet, de "criar um bogus"). Aqui são chamados de petralhas, na Argentina, se chamam "Los K". Meu termo "inteligência social", que aplico a Lula, dá conta de definir o fenômeno da eclosão da falsificação da opinião pública.

Caso 9 – O Cade como interesse privado de Poder

Quero relatar algumas notícias pontuais antes de chegar ao cerne deste tema. O Conselho Administrativo de Defesa Econômica (Cade) afirmou, em nota divulgada na primeira semana de agosto de 2013, que repudiava acusações de "instrumentalização política" das investigações sobre suposta formação de cartel entre empresas em licitação do metrô de São Paulo.

O secretário-chefe da Casa Civil do governo de São Paulo, Edson Aparecido, disse que é "absolutamente inacreditável" o vazamento de um processo sigiloso, e apontou "desvirtuamento" do papel do Cade, que, segundo ele, deveria "garantir a livre concorrência" e não trabalhar como "instrumento de polícia política".

O furaço de reportagem do jornal *Folha de S. Paulo* informou que a empresa alemã Siemens apresentou ao Cade documentos em que afirma que o governo de São Paulo sabia e deu aval à formação de um cartel.

O Cade diz na nota que "o inquérito administrativo que apura o caso é sigiloso, uma vez que o acordo de leniência que deu origem às investigações está protegido por sigilo legal, e as ações cautelares que autorizaram as buscas e apreensões da Operação Linha Cruzada estão sob segredo de Justiça".

Em 2 julho de 2011, o blogueiro e meu amigo Paulo Henrique Amorim, um dos quais a quem agradeço ter comigo iniciado este livro, escreveu que "a OAB deveria ir ao Cade contra Thomaz Bastos por concentração de poder econômico".

PHA tem razão.

O Cade é um órgão hipersujeito à instrumentalização do governo. Não foi à toa aquela disputa sobre o nome a comandá-lo (que contarei mais abaixo) entre Mercadante e Thomaz Bastos. Podemos citar como exemplo os diversos filhos e parentes de políticos influentes do PT que se tornaram conselheiros e presidentes após o órgão passar um tempo praticamente paralisado na transição da técnica para a política, quando ficou várias vezes sem conseguir atingir o número de cinco conselheiros, mínimo necessário para dar quórum nas sessões, entre o segundo semestre de 2008 e o início de 2009. Chinaglia, Furlan e Carvalho são alguns nomes que refletem a origem partidária.

Naquele período, o Conselho ficou sem presidente por quase sete meses, por conta da disputa política, entre a indicação de Arthur Badin pelo presidente Lula e sua aprovação pelo Senado. E não era a oposição que obstruía a indicação, era o próprio líder do PT no Senado.

A ingerência e a disputa política para tomar conta do Cade era tão grande, e tão sem pudor, que até a ex-diretora do DRCI, Maria Rosa Lola, que havia saído do departamento – e contra quem eu havia proposto sindicância para apurar o porquê dos processos do Opportunity estarem engavetados durante sua gestão, e é a mesma que eu interpelara judicialmente – acabou sendo acomodada lá como assessora da procuradoria federal do órgão, a pedido do Pedro Abramovay, numa verdadeira afronta contra mim.

Enfim, havia uma verdadeira guerra interna entre dois grupos petistas para dominar o Cade e dele fazer uso. É um órgão com enorme poder na área econômica empresarial.

Eu tinha pena das angústias que a secretária Mariana sentia por conta dessa disputa política.

Aliás, esse foi o motivo de termos criado a Estratégia Nacional de Combate aos Cartéis: para institucionalizar essa atuação e contar com o apoio do Ministério Público, despolitizando o controle do governo.

Também foi por isso que a Mariana acabou saindo da secretaria de Direito Econômico, que no fim acabou virando secretaria nacional de Defesa do Consumidor, sem controle sobre o Cade.

O Cade acabou fazendo aquilo que o governo queria que eu fizesse: vazasse as investigações sobre a Alstom e sobre os esquemas de corrupção do Metrô, mas de tal forma dirigida que atingisse o PSDB e o DEM, à época do Kassab, como um todo, e não somente os eventuais agentes públicos envolvidos no esquema criminoso.

Era o troco do Mensalão, que traria, e mais do que nunca poderá trazer, um efeito eleitoral explosivo.

Quero lembrar o leitor de algo que guardei, publicado na Agência Brasil em março de 2004. Ali foi relatado que "o ministro da Justiça, Márcio Thomaz Bastos, afirmou hoje que a escolha da nova presidente do Conselho Administrativo de Defesa Econômica (Cade), Elizabeth Farina, foi feita com o mais absoluto consenso entre vários ministros do governo federal'. O ministro garantiu que não houve nenhuma disputa de poder dentro do governo para a indicação da nova presidente. 'Não houve isso. É um relatório que parece ter uma leitura equivocada do jornal'."

"Segundo reportagem publicada na edição de hoje do *Jornal do Brasil*, relatório da empresa americana de investigação Kroll teria insinuado uma disputa envolvendo os ministros Márcio Thomaz Bastos, Antonio Palocci (Fazenda) e José Dirceu (Casa Civil) pela indicação do controle do órgão. A briga entre os ministros, de acordo com a reportagem, teria ocorrido porque o Cade vai julgar dois processos sobre a permanência da Telecom Italia no controle societário da Brasil Telecom".

O Cade sempre foi um instrumento político, e quem o politizou ao extremo, instrumentalizando ao osso, foi Márcio Thomaz Bastos.

Quero mais que os corruptores e comprados do caso Alstom sofram o poder da lei e tenham o que a Justiça lhes determinar. Mas de uma coisa não tenho dúvida: o Cade atua como uma Polícia Federal "republicana" – só vaza algo, sob o PT, quando a núcleo duro do partido determina que aquele é o momento político exato para se fulminar algum inimigo adventício ou atávico.

Logo que assumi minha pasta já fiquei sabendo que, ali no Ministério da Justiça, para se tentar instrumentalizar batalhas contra seus inimigos, o governo petista dispunha do Cade. O órgão era vinculado à secretaria de Direito Econômico, cuja secretária era a Mariana Tavares de Araújo, uma profissional excepcional e que também acabou saindo desgostosa com tanta ingerência.

O Cade sofreu muita ingerência política. Nomearam para lá – nem vou discutir o mérito da pessoa – um jovem advogado, Arthur Badin, e o designaram como presidente. Foi uma disputa de vários meses, muito tempo para a nomeação. O Aloizio Mercadante não o aceitava de jeito nenhum, mas era uma imposição do ministro Márcio Thomaz Bastos, já fora do governo. Naqueles tempos havia ali três parentes de deputados, que eram conselheiros. Afinal, o Cade era uma instância de dominação dos grandes complexos empresariais e industriais, especialmente quando em crescimento ou em fusões.

As nomeações do Cade interessam ao governo: afinal, ele tem uma força, é um órgão poderosíssimo nas questões econômicas, das fusões; ele tem poder de destruir ou construir grandes conglomerados econômicos. Isso gera consequências enormes para a iniciativa privada e para o setor da economia. É evidente que o sonho de todo empresário que tem uma atuação, que busca uma expansão, uma fusão, uma junção, uma ação empresarial, tem que passar pelo Cade. O sonho de todo empresário é ter uma força dentro do governo que possa fazer com que aquilo caminhe sem preocupação.

O problema não é que as pessoas só busquem alguém para aprovar coisa errada mas também que se impeça alguém no governo de não aprovar uma coisa certa. Porque o Cade pode servir como órgão de ação e repressão. Isso pode impedir que alguém, por ser inimigo ou adversário, ou por não beneficiar, ou por não colaborar com campanhas financeiramente, tenha suas reivindicações – às vezes justas, corretas, claras e encaixadas nos termos da lei – não aprovadas.

As pessoas são pouco atentas a isso, não tenho nenhuma dúvida a respeito. A iniciativa privada que não colaborasse poderia ter problemas no Cade, o órgão poderia ser um carma para quem não colaborasse, pela forma com que foi instrumentalizado a partir das indicações. No meu tempo no governo, ali era nicho de disputa entre o ex-ministro Márcio e o senador Aloizio Mercadante.

O Mercadante não aceitava a indicação do Arthur Badin. Eles marcavam reunião sem avisar a gente; não necessariamente eu deveria acompanhar, mas, como eu era secretário nacional de Justiça, e como tinha algumas ações que refletiam no Congresso e um pai senador, naturalmente eles podiam me chamar, como faziam em outras várias matérias e assuntos que teriam reflexo no Parlamento.

O Cade era importante até para que ali operassem as questões políticas. Mas, evidentemente, não me chamaram porque sabiam que tratar coisas errôneas comigo não tinha avanço. Tanto que eles mudaram a estrutura do ministério nessa área: criaram uma secretaria nacional esvaziada, que era o departamento de Defesa do Consumidor, e o Cade ficou com uma outra subordinação hoje.

A ex-secretária nacional de Direito Econômico, Mariana Tavares de Araújo, tinha muita preocupação, ela era ativa; nós a ajudamos na criação da Estratégia Nacional de Combate aos Cartéis – ENACC, numa parceria da secretaria nacional de Justiça com a secretaria de Assuntos Econômicos, o Ministério Público e outros órgãos de defesa do consumidor. Foi um grande legado que deixamos nessa área.

Caso 10 – DRCI – Departamento de Recuperação de Ativos e Cooperação Jurídica Internacional

O histórico do departamento era que o DRCI, antes de existir, tinha suas funções a cargo do departamento de Estrangeiros da SNJ. Na gestão do ministro Márcio Thomaz Bastos ele foi criado, e o primeiro a assumir a direção foi o Antenor Madruga. Pela proximidade que o Antenor tinha com o ministro Márcio, ele despachava direto com ele, sem intermediários.

Embora o DRCI estivesse vinculado à secretaria nacional de Justiça, o diretor fazia interlocução direta com o ministro. Antenor Madruga passava muitas vezes por cima da secretária nacional de Justiça, a doutora Cláudia Chagas, que era uma pessoa muito correta, diga-se, uma procuradora de Justiça do Distrito Federal. Um atropelo dos diabos, que se seguiu sob meu mandarinato.

As demandas eram sempre através do ministro Márcio. Cláudia Chagas muitas vezes se insurgia contra isso, achando que deveria haver uma hierarquia. Ela achava que as coisas deveriam passar por ela, mas o Antenor Madruga passava direto para o ministro Márcio, que dava as ordens expressas sobre o que a Politburo petista queria do DRCI. A Cláudia Chagas ameaçou o ministro, umas duas vezes, de pedir demissão por causa disso. Ela tinha toda a razão.

O Antenor Madruga, por sua vez, ameaçou pedir demissão se tivesse de se reportar a alguém que não fosse o ministro. Este tentava contemporizar e falava: "Não saia, não saia". Isso criou uma política pela qual não respeitavam a secretária nacional de Justiça. A Cláudia ficou doente, e enfim saiu.

O Antenor Madruga passou a responder pela secretaria nacional de Justiça e pelo DRCI. E fez todas as manobras possíveis para ser o secretário nacional de Justiça do governo Lula. Isso ocorreu quando o ministro Márcio já queria me pôr na secretaria. Foi naquele período em que ele, Madruga, ficou respondendo durante três meses pela secretaria, sem participação direta, mas desejando tudo.

O ministro Tarso Genro assumiu então a pasta da Justiça, e botou na secretaria nacional de Justiça o petista carioca Luiz Carlos Biscaia. Só que o Madruga se encolerizou porque não foi o escolhido. Não aceitou continuar só diretor do DRCI e saiu. O Madruga se licenciou e começou a tentar ser advogado em escritórios particulares. Mas deixou em seu lugar duas secretárias particulares como diretoras, que só respondiam a ele, e ainda lhe informavam de tudo que se passava no DRCI. Ele estava fora, com um pé na iniciativa privada, e controlando o departamento, se é que me entendem.

Quando assumi, veio a ordem do ministro para não mexer no DRCI. Estava funcionando bem. Logo que cheguei, perguntei: "Vocês não têm uma galeria de ex-secretários aqui? Uma secretaria nacional sem referência aos ex-chefes com fotos?". Galeria de ex-chefes é a base para a construção de instituições de Estado. Quando fui delegado da Seccional Sul, em São Paulo, erigi uma galeria de fotos com todos os ex-seccionais... Chamei as viúvas dos que já haviam falecido, filhos, os já velhinhos, enfim, fizemos uma festa emocionante para aquele panteão: instituição com raízes é isso aí.

Então, dei a ideia de fazermos a galeria de fotos de todos os que haviam trabalhado na chefia da recuperação de ativos. Olha que engraçado: colocaram as fotos de todos os ex-secretários nacionais de Justiça, inclusive a minha. E eu não havia nem caído, é óbvio. Então intuí que já havia uma torcida para que eu caísse. Descobri que aconteciam reuniões quase semanais com o Dr. Biscaia, em que relatavam a ele tudo que se passava.

Achei aquilo muito estranho. Fizeram dois ou três jantares se despedindo dele e não me convidaram. Acho que faziam a ele um relato semanal de como eu estava me portando. Foi aí que aconteceu um negócio interessante: comecei a ver que o departamento só dava satisfações ao Madruga.

Apertei para saber o que estava acontecendo. Eu queria lançar o *Manual de Cooperação Jurídica Internacional*, em matérias civil e penal, para distribuir entre os juízes, promotores e delegados, para eles saberem como cooperar, fazer bloqueio de bens, recuperação etc.

O departamento, em tese, não poderia dar um suspiro sem se comunicar comigo. Lá eles faziam o serviço dia a dia, mas, quando houvesse gravidade, deveriam me comunicar, para que o ministro fosse informado de casos sensíveis. Afinal, a imprensa vinha em cima, e eu tinha que ser o agente, o colete à prova de balas dos funcionários – para ninguém chegar e bater no DRCI perguntando: "Cadê tal processo?" Se o cara estivesse na secretaria, competia a mim, o anteparo, falar que ali não ia entrar ninguém: eu devia ser o guardião da pancadaria, o escudo.

A diretora, Maria Rosa Lolla, tirou licença maternidade, e a vice, Carolina Yumi, assumiu. Comecei a ter atritos com ela. E soube depois que Yumi namorava o Felipe Dantas, assistente do Marcelo Stopanovski Ribeiro da CGU – que também participou daquela fatídica reunião sobre o levantamento dos dados, da conta do cartão do governo.

Um dia ela veio à minha sala, muito irritada, querendo discutir. Então falei para Carolina Yumi: "Escuta, quero fazer o lançamento do livro, não dá mais para esperar". Ela respondeu: "Doutor, a gente só vai fazer esse livro depois que eu terminar o meu". Eu disse: "Como assim?". E ela: "Estou fazendo um livro de cooperação jurídica junto com o Madruga e com outros companheiros nossos".

Perguntei quem eram esses companheiros. Havia aqueles que participavam como palestrantes em um programa de cursos chamado PNLD (Programa Nacional de Capacitação em Combate à Lavagem de Dinheiro). Toda vez que havia esses cursos eu falava: "Quero ver quem são os professores que vão dar aula! Quem vocês estão chamando?". Mas percebi que era sempre a mesma turminha, aquela "ilha de excelência", sempre as mesmas pessoas; e quando era para dar aula no Rio ou em São Paulo eram enviados os amigos mais próximos. Quando era para Roraima e Rondônia, me pediam para indicar...

Então disse para Yumi: "Espera aí um pouco, eu quero saber quem são os professores do curso. Quero saber qual é o currículo, eu que decido agora". Porque só iam os amiguinhos deles, era uma "ação entre amigos", uma forma de usar a máquina em proveito pessoal, agora para viagens, hotéis, eventos, etc.

Os cursos também eram ministrados somente para instituições que interessavam aos ilustres mandatários do departamento. Era um grupo seleto de organismos que recebiam treinamento e capacitação. Polícias estaduais, nem pensar. Uma visão completamente comprometida. Como combater crime sem capacitar policiais? Bom, ali funcionava uma iniciativa privada com recursos públicos. Eram amigos das diretoras e do Madruga.

Foi nesse espírito que proclamei para Yumi: "Acabou isso aqui; estamos criando uma instituição de Estado, não é um departamento de amiguinhos". E comecei a pegar no pé por uma questão de gestão: "Espera aí, eu sou gestor público".

Voltando ao assunto: quando eu falo do livro da secretaria, institucional, ela retruca: "Não, primeiro vou acabar o meu, que estou fazendo com o Madruga, com a Maria Rosa Lolla – que era diretora – e mais dois ou três; depois a gente vai fazer o da secretaria".

Eu respondi, varado de indignação: "Não entendi. Você está priorizando um livro particular, de vocês, em detrimento do livro do Estado, do governo? Você é advogada da União e vem me falar que a prioridade é o particular?"

Ela me disse que reconhecia na nossa relação um estremecimento brutal. E emendou que faria uma viagem para a Tailândia, voltaria depois do Carnaval, e só então pediria para sair. Foi aí que eu não entendi. Afinal, quem deveria decidir quem iria para a Tailândia, que era uma viagem oficial? Disse intempestivamente a ela que poderia sair para onde quisesse, mas a decisão sobre o "quando" era unicamente minha, secretário nacional de Justiça. Ato contínuo, mandei demiti-la, mas, face a esse quadro, resolvi preservar a funcionária que demiti. Comuniquei-lhe que o *Diário Oficial* iria publicar que ela havia pedido para sair. De pronto, ela respondeu: "Quero salientar que não pedi para sair". Então tive que mandar publicar que fora afastada a meu pedido.

Veja você que o sistema de recuperação de ativos financeiros era aplicável somente aos adversários. Constatei, lidando com esses funcionários, que o truque residia extamente nisso.

Tanto que o DRCI foi o departamento com o qual tive mais dificuldade. Levei mais de dois anos para botar aquilo para funcionar como um órgão de Estado, sem viés político-partidário.

Saiu essa funcionária, e a diretora titular que estava de licença-maternidade me telefonou, comunicando a sua saída. Além de fazerem um livro atropelando o oficial, estavam me enfrentando. Entre dezembro de 2007 e janeiro de 2008, tive esse buraco, porque as pessoas se desligavam em protesto ao fato de eu não querer instrumentalizar politicamente o DRCI.

Dez dias depois do desligamento da segunda funcionária, a *Veja* soltou matéria me arrebentando, estabelecendo que eu tentava fazer política no departamento. Era justamente o contrário: o que fazia era despolitizar o DRCI. A *Veja* disse que era eu quem passava o DRCI para as mãos do meu pai, sendo que eu nem era secretário ainda e a assessoria parlamentar do Ministério da Justiça já tinha pedido para o meu pai ser relator de projetos envolvendo o DRCI.

A revista *Época* também bateu em mim. Acusou-me de nepotismo porque minha mulher foi para Brasília me acompanhar; mas ela tinha direito, pois era delegada de polícia e foi para lá apenas cinco meses depois que eu assumi o cargo. A reportagem saiu num 18 de janeiro, perto do aniversário da minha filha. Então o ministro Tarso Genro me mandou fazer uma viagem de trabalho para o Amazonas para eu esquecer aquilo.

Interpelei judicialmente as duas funcionárias que saíram do DRCI, a Maria Rosa e a Carolina Yumi: afinal, foram elas que deram a entrevista à *Veja* dizendo que não me informavam o que deveriam informar porque tinham medo da minha postura "política". Ali confessaram um crime. Cabia ao governo, através da CGU, AGU e PF, apurarem a conduta irregular e ilegal de ambas. Havia indícios confessados de improbidade e de prevaricação.

Descobri que a coisa era instrumentalizada pelo PT quando o Pedro Abramovay veio à minha sala cobrar o porquê de eu estar processando as duas. Expliquei-lhe que se tratava de uma interpelação judical e não de um processo. Hirto e de olhos injetados, Pedro, com uma voz profissional, me disse: "Você não pode processá-las porque elas são minhas amigas. Se continuar, vou ter que falar com o Tarso". Vejam o tom subjacente a isso: Pedro, todos sabiam, era o braço direito do Márcio Thomaz Bastos no ministério. Ou seja: sua voz era um eco do que pensava o Márcio, e ele estava me ameaçando em nome do ex-ministro e dizendo que "mandava" no atual, Tarso Genro, e que aquela ação poderia custar meu cargo. Disse a ele em tom áspero que não me intimidasse, pois minha honra não seria leiloada por não ter preço. Arrematei sugerindo que ele e seu ventríloquo, seja lá quem fosse, enfiassem meu cargo no rabo, mas que jamais tornasse a repetir aquela ameaça.

Passaram a me sugerir vários nomes de confiança de Márcio Thomaz Bastos, do próprio Abramovay e do Planalto para eu enfiar no DRCI, como o Aldo Costa e o Pier Paolo Bottini. E eu a dizer-lhes que não deveria colocar advogado porque o advogado tem muitos clientes e poderia estar no DRCI mantendo a relação com esses clientes, e isso a imprensa não perdoaria a mim. Além do mais, seria uma contradição a minha proposta de institucionalizar o departamento como órgão do Estado colocando diretor sem vínculo com o serviço público. Eu já administrava uma situação incômoda causada pelo gabinete do ministro do DRCI: antes da minha chegada, colocaram os filhos do ministro Samuel Guimarães e do Sigmaringa Seixas trabalhando lá, e alguns funcionários reclamavam por temer vazamentos. Vivia administrando essa questão. Sempre me dei bem com ambos e não posso reclamar da conduta de seus filhos. Até onde pude saber, agiram com profissionalismo.

Por causa da diretora demitida, enquanto a imprensa me acusava de ingerência política eu é quem criava o escudo de proteção a este tipo de ingerência.

Passei a brandir a ideia de que o DRCI devia ser capitaneado por funcionários públicos de carreira e não por advogados amigos de Thomaz Bastos, porque aquilo ali lidava com informações reservadíssimas. Fizeram muita força para botar lá o Pier Paolo Bottini.

Queriam um esquema no qual eu não podia mexer, e isso me incomodava. Veja bem: tudo que fosse adversário do PT eles queriam que o DRCI investigasse e passasse para a imprensa. Eram Maluf, Edemar Cid Ferreira, Daniel Dantas, o caso Alstom, e todo mundo que tivesse peitado o PT ou não fosse do partido. Fiquei nesse negócio de tentar indicar alguém mas não consegui. Tentei levar um promotor de São Paulo, mas o ministro sempre dizia: "Vamos estudar, vamos estudar com calma". Um dia falei para ele que tinha o nome certo: Adrianne Senna. "Quem é?", perguntam. "Foi presidente do Coaf", digo, pois se tratava de um órgão que o ministro Márcio queria que a gente trouxesse para cá.

Adrianne Senna era a esposa do ministro Nelson Jobim. Eu conquistei a condição de fazer o sucessor do DRCI porque o ministro Tarso quase caiu da cadeira quando falei quem era. Ele disse: "Nem fudendo!". O ministro Tarso Genro ficou doido e pediu que eu desse outro nome. Falei: "Ministro, ela tem experiência". E ele: "Não, me dá outro nome". Eu chamei minha diretora do departamento de Estrangeiros, Marcilândia de Fátima Araújo, que acabara de assumir, e perguntei se ela seguraria comigo as pressões que viriam sobre o DRCI. Ela disse que, se tivesse meu apoio, não haveria problema. Diante disso, levei seu nome ao ministro antes que ele indicasse alguém que continuasse a instrumentalizar o órgão como aparelho de governo e de partido. E ela deu conta do recado: enquanto esteve à frente do DRCI, até por ser da AGU, evitou uma disputa entre o MPF e a PF, o que seria impossível se tivéssemos colocado no cargo algum representante de uma dessas instituições.

Ele, Tarso, não gostava do Jobim porque era outro que, naquele organograma, segurava os militares para o governo, por isso que nunca saiu a Comissão da Verdade. Saiu, sim, uma "Comissão da Meia-Verdade", dona de um lado só, quando já não havia o Jobim para controlá-la, já que ele havia sido defenestrado no governo Dilma – contrariando o interesse de Lula nessa área específica.

O Jobim teve esse papel importante de controlar as coisas e segurar o quepe dos militares – que, na verdade, queriam evitar a retomada do passado, ou debater ambos os lados.

Logo que saí da secretaria, escrevi um ensaio para a revista *Consultor Jurídico*, em julho de 2010, em que finalizava dizendo que torcia para que as coisas no DRCI não mudassem. Que o governo não desmontasse o que nós construímos. Não durou três meses minha torcida.

Em linhas gerais, prestei contas esclarecendo que meu resumo poderia clarear a mente de quem não conhece, ou ainda acha que o DRCI (Departamento de Recuperação de Ativos e Cooperação Jurídica Internacional do Ministério da Justiça) teve uma condução política. Na verdade, ele criou uma política internacional que conduz ao protagonismo do Brasil.

Nos últimos anos, a secretaria nacional de Justiça havia intensificado os contatos com outros países, visando a promoção de parcerias na área de cooperação jurídica em matéria penal, civil, extradição e transferência de condenados. Para ficar só no primeiro tipo, esse esforço resultou em:

– Entrada em vigor de seis acordos bilaterais, com Canadá, China, Cuba, Espanha, Suíça e Suriname, que, somados aos preexistentes, totalizam 15 acordos bilaterais em vigor;

– Envio de acordos com Honduras e Panamá para apreciação do Congresso Nacional;

– Negociação e conclusão de outros seis acordos, que aguardam assinatura, com Argélia, Bahamas, Marrocos, Nicarágua, Romênia e Turquia;

– Acordos a serem promulgados com Angola, Líbano, México, Nigéria e Reino Unido;

– Assinatura de acordos com Alemanha, Bélgica, El Salvador, Jordânia, Síria e Hong Kong.

Por meio de seu Departamento de Recuperação de Ativos e Cooperação Jurídica Internacional (DRCI), a secretaria nacional de Justiça tem trabalhado para promover o aumento do corte do fluxo financeiro das organizações criminosas, o que é feito a partir do bloqueio e da recuperação de ativos ilícitos enviados ao exterior. Como resultado, em 2007 o Ministério da Justiça obteve a primeira recuperação de recursos enviados ilegalmente do Brasil para o exterior. Em novembro daquele ano, recebemos em Nova York um cheque de US$ 1,6 milhão das mãos do procurador distrital Robert Morgenthau, para repatriação dos recursos desviados para os Estados Unidos como parte do esquema do Banestado.

Outro cheque de US$ 1 milhão, também referente ao caso Banestado, foi entregue pessoalmente ao ministro da Justiça por um representante das autoridades aduaneiras estadunidenses, durante o encerramento da reunião da Estratégia Nacional de Combate à Corrupção e à Lavagem de Dinheiro (ENCCLA 2010), ocorrida em novembro de 2009 em Salvador, em demonstração clara de boa vontade dos Estados Unidos da América de prosseguir na parceria com o Brasil para o combate ao crime, em especial na sua descapitalização.

Até 2007, o Brasil contava com ativos ilícitos bloqueados no exterior da ordem de US$ 300 milhões de dólares americanos. Atualmente, o montante atinge a marca de US$ 3 bilhões de dólares, graças ao fortalecimento dos acordos de cooperação internacional e da sua operacionalização pela secretaria nacional de Justiça.

Esse trabalho decorre do exame e tramitação, por parte dos técnicos, de aproximadamente 5 mil casos anuais de cooperação jurídica em matéria penal, ou seja, 60% a mais que poucos anos atrás.

Nesse sentido, merece menção a coordenação, dentre outros, dos casos intitulados "Banestado" e "Satiagraha", para a manutenção de bloqueios da ordem de aproximadamente US$ 2,5 bilhões. Tais bloqueios foram sustentados pela produção e encaminhamento, aos Estados Unidos da América, de relatórios trimestrais acerca dos andamentos das correlacionadas ações penais no Brasil.

Ademais, no âmbito do caso Banco Santos, coordenaram-se ações que resultaram na localização e apreensão, no exterior, de diversas obras de arte do acervo do principal acusado. Ainda se conseguiu bloquear US$ 150 milhões em pedras preciosas, que devem retornar ao Brasil.

Logrei avanços em áreas como: replicação do Lab-LD, o Laboratório de Tecnologia contra a Lavagem de Dinheiro, ENCCLA e PNLD; reconhecimento internacional da ENCCLA; lavagem de dinheiro no futebol, Grotius Brasil e difusão da cooperação jurídica internacional; aumento dos laços de cooperação em matéria cível, Prestação Internacional de Alimentos; Cooperação em matéria fiscal; incremento da estrutura física do DRCI/SNJ e Enasp (Estratégia Nacional de Justiça e Segurança Pública).

O artigo completo com o resumo da prestação de contas pode ser acessado no endereço: http://www.conjur.com.br/2010-jul-07/departamento-recuperacao-ativos-conhecem

CAPÍTULO 8

TODA A VERDADE DO CASO CELSO DANIEL

Dois caminhos guiarão minha narrativa do caso. Quero enveredar, primeiro, por minhas expansões emocionais mais íntimas. Mais à frente serei técnico, ou seja: entrará em cena o delegado. Mas agora vamos pelas confissões de um cidadão que, mesmo exilado, teve nas mãos duas batatas quentes, aliás, o sonho de todo profissional de polícia: dois enigmas dos diabos conectados ao PT. Dionísio, o sacripanta contratado para matar Celso Daniel, fugiu de uma cadeia em Guarulhos de helicóptero e pousou bem na minha circunscrição, onde eu fora isolado. O caso era meu e ninguém tascava. Depois, mataram o Celso Daniel também em meu território legal: fui o primeiro a chegar à cena do crime.

E tudo começou quando eu era o delegado Seccional Sul da cidade de São Paulo e passei a investigar a máfia dos fiscais, descoberta em 1998, na gestão do prefeito Celso Pitta. Vereadores e funcionários municipais foram acusados de cobrar propinas de ambulantes e comerciantes nas antigas administrações regionais (as atuais subprefeituras). Segundo o Ministério Público, o grupo conseguiu arrecadar, ao longo de 15 meses de atuação, R$ 15,9 milhões – tudo com propina paga pelos ambulantes.

Voltando: estou investigando essa máfia até que, um dia, me cai nas mãos o Carlos Meinberg, secretário do governo Pitta e ex-presidente do Banespa. Isolado, Celso Pitta estava levando para sua administração quadros recrutados no PMDB, como o seu secretário de governo, Carlos Meinberg, que assumiu seu cargo na prefeitura de São Paulo em novembro de 1998. A corrupção corria solta: a máfia dos fiscais faturava cerca de R$ 30 milhões por mês, dinheiro advindo da tunga contra lojistas e camelôs.

Em meados do ano 2000, numa reunião a que fui convocado às pressas, a cúpula da Polícia Civil pressionou-me para não indiciar o Meinberg. Saí da sala de meus superiores e voltei para o DIRD – o departamento que centralizava as investigações contra funcionários públicos, vereadores e prefeitos, onde a imprensa inteira estava esperando para eu ouvir o cara. Então eu chamo o Meinberg na frente de toda mídia.

Ele entra na sala, hirto. E eu falo que não vou ouvi-lo. "Olha, vou indiciá-lo, e tem uma pressão da cúpula para que não faça isso. Eu vou me afastar da investigação; então, pensando bem, não acho justo nem te ouvir, nem te indiciar". E designei para o meu lugar o meu assistente, que passou a presidir o inquérito, o Dr. Maurício Correali.

O Correalinho, como os mais antigos o chamavam por conta de seu pai – o saudoso delegado Sérgio Paulo Correali, que me legou, ainda em vida, que "encaminhasse" o filho na instituição – era uma figura franzina que aparentava fragilidade, entretanto muito mais novo e mais duro que eu. Um "caneta nervosa", como nos referimos aos bons delegados técnicos. Sofreu mais pressão que misto quente em sanduicheira caseira. Enquanto estive lá, segurei firme com ele e denunciei publicamente. No fim, indiciou não só o Meinberg mas o Pitta também.

Liguei para meu pai e contei que estava saindo da investigação devido à pressão tucanóide. Graças à máfia dos fiscais eu estava sofrendo até ameaça de morte. Um dia fui ao gabinete falar com o secretário da segurança pública, Marcos Vinícius Petreluzzi. Disse a ele: "Secretário, não temos estrutura, precisamos de gente. Pô, estamos investigando a máfia dos fiscais, que já tentaram investigar uma vez e não conseguiram. É um jogo muito pesado". Ele respondeu: "Aqui não é o Muro das Lamentações".

Veja: você é delegado de polícia, dedicado, e chega no secretário de Segurança, informando que não há estrutura, e ele te responde que ali não é o Muro das Lamentações! Talvez Petreluzzi visse o que não era verdade: eu estaria indiciando o Meinberg por ele ser tucano e eu petista. Mas eu estava sendo apenas um profissional de polícia – como sempre, aliás. E havia mais: ele, o secretário, também tinha muitos amigos petistas, como o próprio Zé Eduardo, hoje ministro da Justiça. Suas esposas eram colegas do MP de São Paulo. Zé Eduardo tentou interceder a meu favor, mas não teve jeito. A ideia era esvaziar a investigação.

Saí do caso da máfia dos fiscais e fui exilado para comandar a delegacia de Taboão da Serra. E me cai do céu, ou do inferno, nas mãos, o caso Celso Daniel.

Lembro que o Tumão me ligou querendo detalhes da remoção. Vamos ao cenário que envolvia o Tumão de então. Eles, na seara política, estavam fazendo um acordo em que Tumão iria ser candidato a vice-prefeito do Alckmin (uma coligação do PFL com o PSDB) em São Paulo. Eu sei que, ao me mandarem embora da cidade, me afastando da investigação daquela forma, o velho Tumão ligou para o Mário Covas e disse: "Por conta dessa sacanagem contra meu filho, eu rompo o acordo e vou ser candidato a prefeito. O que estão fazendo com o meu filho? Isso é um absurdo. Vocês estão pensando que ele é quem? Vou ser candidato a prefeito e não vou ganhar a eleição, mas vocês também não vão. O PT vai ganhar essa eleição, eu vou enfrentar vocês". Covas, o espanhol, deve ter parido o cólon de ódio.

E Tumão saiu candidato na marra, rachou o acordo que eles tinham. Saiu ele, o PFL, com apoio do PMDB; saiu o Alckmin pelo PSDB; Maluf, Marta. No fim, o velho tirou o Alckmin do segundo turno por 5 mil votos. E a Marta ganhou a eleição. E eu fui parar de castigo em Taboão da Serra, na delegacia Seccional.

Lá fui muito bem recebido pela população. Baixei a criminalidade da região. A Seccional de lá tem o mesmo tamanho territorial da de São Paulo. Os policiais que estavam lá, a maioria era de castigo, abandonados; o cara que pegava aquilo tratava de Embu, Juquitiba, Itapecerica da Serra, São Lourenço da Serra, Embu das Artes e Embu Guaçu: um universo periférico formidável.

Cheguei lá com um grande apetite, com disposição de mostrar a eles quem eu era. Virei o jogo, nos tornamos a melhor Seccional do estado de São Paulo. Os bandidos, os prefeitos, alguns vinham me falar que tinha cara instalando a boca de fumo e nego avisava: 'Vem o Tuma para cá, vamos embora, volta para São Paulo".

O tempo passou e eu saí de lá eleito deputado estadual pelo PPS. E só na região fiz perto de 20 mil votos. O Partido Popular Socialista saiu sozinho, sem coligações. Quem me falou que eu tinha que ser candidato foi o Ciro Gomes, nosso candidato a presidente naquela eleição, e então um companheiro que eu admirava muito.

Voltando ao meu exílio político: tive que morar na divisa de Campo Limpo com Itapecerica, sozinho, lá na "bocada", correndo o risco de ser morto. Mas tudo bem: aluguei uma casinha e fui morar em Campo Limpo. Eu fui transferido em julho/agosto de 2000, separei-me da esposa no fim desse ano, fiquei longe das minhas filhas, a mais nova era pequenininha, um drama.

Eu praticamente vivia na delegacia porque não tinha mais família; só ia ver minhas filhas de vez em quando. Elas ficavam comigo na administração da cadeia, vendo tudo. Foi uma época difícil, não gosto nem de lembrar.

Conheci minha atual mulher lá. Ela era delegada no Embu e começamos a namorar em 2001, mais ou menos. Eu não saía para nada, não ia a lugar nenhum. Eu não gostava de me expor, é o meu jeito: sou do tipo que fica em casa. Ficava na delegacia até tarde; sempre passei as noites acordado, desde a Seccional Sul, bolando operações policiais e estratagemas para prender criminosos.

No dia 18 de janeiro de 2002, a Luciane, hoje minha esposa, então namorada, me falou: "Vamos à festa de aniversário de um sobrinho meu em São Caetano?". Eu disse que ia. Minha filha faz aniversário dia 17 de janeiro, e era o dia seguinte ao aniversário dela, datas marcantes. Eu topei, fiz uma média, era começo de namoro. Quando estávamos indo, passamos pela avenida Três Tombos, na área do 26º DP, região que eu conhecia bem pois tinha sido delegado seccional sul. Na volta mudamos de caminho, viemos por outra rua, e caímos na avenida Maria Maluf. Deixei a Luciane em sua casa, no Embu, e voltei para a minha, no Campo Limpo.

No sábado de manhã, ligo a televisão e tomo conhecimento de que tinham sequestrado o prefeito de Santo André, o Celso Daniel: justo o cara que iria ser o coordenador da campanha do Lula, o homem forte dele! Segundo o noticiário, ele estava na avenida Três Tombos, por onde eu passara no dia anterior. Eu tinha passado por lá dez minutos antes dos fatos! Foi na hora em que voltei que eu mudei de rua. "Ai se eu tivesse passado naquela rua", pensei...

E todo aquele bochicho na televisão, o diabo. Os caras contando tudo na TV, falando sobre o tal carro do Sombra, ao lado de Celso Daniel. Mas o carro era à prova de balas, uma Pajero gigante, e um carro Santana bordô atacando uma perua importada. Penso eu: "Com um carrão desses, passo por cima do Santana!"

Perto do meio-dia, a Globo exibiu uma entrevista com o vice-prefeito de Santo André, o João Avamileno. O cara falou que a prefeitura não podia parar, tinha projetos que necessitavam ser levados adiante, etc.

Aí eu comentei: "Eles ainda não sabem nem se foi um sequestro. O negócio ocorreu à noite, não tem notícia de ligação de pedido de resgate, de nada, e o cara fazendo reunião para tocar a prefeitura? Que estranho! Nem sabem ainda se o cara está vivo ou morto, e já marcam reunião para tocar a administração, sem saber o que está acontecendo?". Meu sexto sentido apitou como um termômetro do peru Sadia.

Quando eram umas 5h30/6h da manhã, mais ou menos, me liga a minha operadora da Seccional de Taboão, a Graça: "Doutor Tuma, me desculpe a hora". Falei: "Imagina, pode ligar a qualquer hora". E ela, com voz grave e ansiosa: "O rapaz da funerária ligou informando que tem um corpo lá em Juquitiba, e ele tem uma desconfiança que pode ser esse prefeito que está sumido. Ele acha que pode ser o cara". Perguntei onde era isso, em Juquitiba? E emendei: "Peraí, então pede para alguém do Garra já deixar uma viatura ligada na Seccional que estou indo aí para me levarem a esse local".

Logo depois entrei no meu carro. Em Campo Limpo, peguei a estrada de Itapecerica e saí quase dentro da Seccional de Taboão. Já tinha uma viatura me esperando, e fui para o local do crime.

Cheguei ao km 328 da rodovia Régis Bittencourt, estava ali só o rapaz da funerária, que fazia o papel de rabecão na região de Juquitiba. Quando subimos a estradinha de terra, esse rapaz me falou: "Eu não conheço ele, doutor". Aí vi: era o Celso, duro no chão. Fiz fotos que guardo até hoje. Como fui o primeiro a chegar, fiz a identificação oficial. Falei: "É o Celso. Reconheço oficialmente que é ele". Mataram o cara, e aquilo ia dar uma merda federal. Liguei para a Seccional e confirmei que era mesmo o prefeito. Em seguida comuniquei ao delegado de permanência do Cepol, à central de comunicações da Polícia Civil, o coração da instituição.

O mato ao redor era fresco, verde, um ambiente bucólico. Não era um sumidouro. Quem deixou o corpo ali tinha saída rápida para uma via vicinal, além da Régis Bittencourt, a estrada da Cachoeira. O corpo estava ali para atrair atenção, e assim os malfeitores poderiam ganhar tempo para fugir. No mundo do homicídio muito se usa a materialidade do crime, a desova de corpos, para atrasar a polícia em sua perícia no local.

Vejo a cena diante de meus olhos, agora: o rosto de Celso, as costas, fumegados com tatuagens de cano quente. Antes de darem o tiro de misericórdia, encostaram-lhe a arma fervente na pele. Vejo o corpo e ainda sinto a vibração dessa cena. As mãos, Deus do céu, no formato de um louva-deus, sugerindo a postura de quem reza, de quem implorou pela vida. A boca assumiu um quê monstruoso, desfigurada a bala. Olho para as reentrâncias do mato e tento estabelecer como teria sido a cena da desova. Era o que me parecia naquele primeiro momento, uma desova, pois não percebi sangue suficiente no chão de terra batida para cravar que ele teria sido executado ali, além de achar que, pela posição e suposta trajetória, os estojos dos projéteis espalhados pelo local não pareciam ter sido ejetados de uma arma em ação, mas aleatória e estrategicamente colocados por alguém, objetivando criar uma falsa cena de crime. Ainda a respeito dos projéteis e estojos encontrados no corpo e no local onde ele foi achado, nunca recebi resposta de uma perícia que requisitei para confrontar aquele material com o apreendido no dia e local do sequestro. Objetivava saber se eram provenientes das mesmas armas.

Após anos, soube pela imprensa que nada de projétil ou cápsulas foi apreendido quando do sequestro. Fico imaginando, um prefeito, num carro potente, à prova de balas, ser parado sem qualquer dificuldade, sem nenhuma ameaça ou tiros e, pior, sem que seu acompanhante, ex-segurança armado, esboçasse qualquer reação... Ele só pode ter sido entregue mesmo.

Minha experiência profissional ensinou-me que sempre deve ser estabelecida uma cumplicidade sigilosa com o cadáver. Sempre miro além de seus olhos apagados, e concebo deliberadamente um monólogo. Sempre digo ao cadáver: "Eu vou lutar para sempre, e encontrar quem fez isso contigo".

Estou, genuflexo, cabisbaixo, mergulhado no prazer profissional vagamente secreto (que é fazer esse tipo de jura ao morto), quando sou despertado pelo toque do meu celular. É o senador Eduardo Suplicy: "Dr. Tuma, onde o senhor está?" Devolvo: "Senador, estou aqui reconhecendo o corpo do prefeito Celso Daniel. Infelizmente é ele. Mataram". Aí começou a chegar helicóptero, gente por todos os lados. Chegou a perícia e colocou aquela fitinha preta e amarela, demarcando o isolamento que eu já havia providenciado, posicionando meus policiais. Era dia 20 de janeiro.

O resumo do caso é o seguinte:

Celso Daniel contava 50 anos quando ocupava o cargo de prefeito de Santo André, pela terceira vez. Foi sequestrado na noite de 18 de janeiro de 2002, quando saía da churrascaria Rubaiyat dos Jardins, em São Paulo. O prefeito estava num carro Mitsubishi Pajero blindado, na companhia do empresário Sérgio Gomes da Silva, conhecido também como o "Sombra". O carro foi perseguido por outros três veículos: um Santana, um Tempra e uma Blazer.

Na rua Antônio Bezerra, perto do número 393, no bairro do Sacomã, Zona Sul da capital, os criminosos fecharam o carro do prefeito. Tiros foram disparados contra os pneus e vidros traseiro e dianteiro de seu carro. Gomes da Silva, que era o motorista, disse que na hora a trava e o câmbio da Pajero não funcionaram.

Os bandidos armados então abriram a porta do carro, arrancaram o prefeito de lá e o levaram embora. Sérgio Gomes da Silva ficou no local, incólume. Nem reação teve, mesmo com carro blindado.

Na manhã do dia 20 de janeiro de 2002, domingo, o corpo do prefeito Celso Daniel, com onze tiros, foi encontrado na estrada das Cachoeiras, no bairro do Carmo, na altura do quilômetro 328 da rodovia Régis Bittencourt (BR-116), em Juquitiba.

* * *

Antes disso, no dia 17 de janeiro, um preso foi resgatado da cadeia de Guarulhos de helicóptero, uma fuga espetacular. O helicóptero desceu lá dentro, subiram dois presos e foram embora. E esse helicóptero pousou onde? No Embu, na minha área, e nós passamos a investigar. O que esse bandido ia fazer? Matar Celso Daniel, também na minha circunscrição.

Dois raios caíram no mesmo lugar, contrariando as leis da física e o *dictum* popular. Afastado para Taboão da Serra, por punição, lá me caem nas mãos dois casos singularmente ligados do PT.

As duas batatas quentes ferviam nas minhas mãos: o corpo do Celso Daniel foi encontrado na minha área. E quem comandou seu assassinato tinha fugido de uma cadeia em Guarulhos e pousado de helicóptero também na minha jurisdição. Eu assumia então plena consciência de que era um para-raios, agregando, sob o meu poder, a futura cruz e a espada contra o Partido dos Trabalhadores.

Na cena do crime, ao lado do corpo do Celso Daniel, as cápsulas disparadas, como ocorre com as armas automáticas, não condiziam, em seus locais de queda, com a direção dos disparos. Mandei fazer uma retificação da perícia.

Para o governo do PSDB, quanto antes acabasse esse negócio da minha investigação, melhor seria; afinal, eles tinham a esperança de ganhar a eleição; então ajudaram a abafar o caso.

Tudo indica que Celso Daniel morreu porque o achaque do PT contra os empresários de Santo André começou a aumentar. Os empresários não aguentavam pagar essa sobretaxa. Celso Daniel ficou no meio e sobrou para ele.

Tenho razões para crer que os caras sequestraram o Celso Daniel para lhe dar um susto. Pagariam depois o resgate e lhe esfregariam na cara o seguinte bordão: "Salvamos você, você deve moralmente sua vida a nós; então tire o PT da nossa bota, não queremos mais sobretaxa. Leve o recado porque você nos deve a vida".

Vamos aos fatos de uma semana antes da morte de Celso Daniel.

Em Guarulhos, estava preso um dos maiores sequestradores de São Paulo, o líder do Comando Revolucionário Brasileiro da Criminalidade, o CRBC, que é exatamente a facção criminosa que mais tinha seguidores depois do PCC – a única que confrontava com o PCC, era a opositora do PCC.

Lembro-me bem daquele dia. Estava trabalhando quando fui acionado a respeito de uma fuga espetacular, ocorrida na Penitenciária José Parada Neto, em Guarulhos. Na hora do almoço, um helicóptero pousou no presídio e resgatou de lá dois presos. Um chamava-se Dionísio de Aquino Severo; o outro, Ailton Alves Feitosa. O caso foi emblemático. Naqueles tempos, a segurança pública estava em xeque: achava-se sequestrado o publicitário Washington Olivetto. E mais essa, agora!

É preciso explicar: por que fui acionado? Por uma razão: o helicóptero pousou num campo de futebol em Embu, que, naqueles tempos, não era oficialmente Embu das Artes, e também era minha área de atuação policial. Minha circunscrição.

Começamos a analisar quem era o Dionísio. Tratava-se de conhecido sequestrador, que falava várias línguas e ainda era piloto de helicóptero. Fiquei intrigado: "Por que razão ele fugira daquela maneira cinematográfica?" Logo no início das investigações, chegaram-me informes de que "Bola" e outros comparsas do Dionísio anunciaram, dias antes, que iriam fazer uma "lança" em dólares. "Lança", na gíria criminosa, significa uma ação de vulto.

Por que eles teriam pousado no Embu? Essa e outras perguntas tinham de ser respondidas. Prosseguiam as investigações.

Procurei saber quem tinha recebido o Dionísio quando o helicóptero pousou em Embu. Descubro um ex-garçom do Rubaiyat. É a primeira das muitas coincidências. Levanto a ficha do Dionísio. Antes de virar criminoso, sequestrador, ele trabalhou como segurança em Santo André. E quem teve o mesmo início, quem foi segurança na cidade? O Sérgio Sombra, que estava com Celso Daniel na hora do seu sequestro. Aliás, na primeira entrevista que ele, Sombra, concedeu, na própria delegacia, após arrebatarem o prefeito, já virou suspeito. Nesse meio tempo, investigo a fuga do Dionísio e descubro essas coincidências: o Dionísio e o Sombra trabalharam, no passado, como seguranças em Santo André, e o Sombra era empresário do ramo de transporte. Pela minha experiência, eu sabia que "tinha coisa ali". Não tive dúvidas: havia um vínculo entre a fuga e o sequestro.

A fuga do Dionísio foi armada para ele comandar esse sequestro, que planejou de forma totalmente compartimentada.

Ou seja, quem executava não sabia quem havia planejado. Com qual objetivo? Provavelmente assustar o Celso Daniel. Este iria coordenar a campanha do Lula e queria limpar a área, parar com o "esquema" (de desvio para o bolso do pessoal envolvido com a propina não institucionalizada ou não partidarizada: tudo deveria ir para o partido) para que nada estourasse durante a eleição. Algo como aparar arestas, manter a casa em ordem, não permitir qualquer alteração, inclusive na prefeitura; ninguém deveria se candidatar para não atrapalhar e não degringolar o esquema. Os caras do esquema não concordaram e armaram o sequestro. Passei um tempo à procura do garçom do Rubaiyat envolvido. Não encontrava, mas em uma das buscas achamos um carro, provavelmente usado no sequestro. No porta-malas havia fios de cabelo. O carro estava em uma casa que parecia um cativeiro. Na busca, encontramos dentro da casa um envelope com a marca do Rubaiyat. Ficamos sabendo que pertencia a um ex-garçom do restaurante, que havia sido mandado embora não fazia muito tempo. Descobrimos o endereço onde o cara morava, uma pensão em Pinheiros. Tomamos o depoimento do dono da pensão, que foi dispensado, até porque foi evasivo demais, embora tenha deixado rastros de um detalhe importantíssimo que seria desvendado pouco tempo depois. Ao reler o depoimento, constatamos que o sobrenome do dono da pensão era o mesmo da mãe do Klinger Luiz de Oliveira Souza, um dos secretários de Celso Daniel. Mandei chamar o senhor Paulo, dono da pensão que abrigava garçons de churrascarias, e verificamos que ele era parente do secretário Klinger. Aí o interrogatório foi incisivo. Perguntamos: "Por que o senhor não mencionou esse parentesco?" Ele disse algo como "O senhor não perguntou". Recapitulando então: os papéis encontrados no cativeiro pertenciam a um garçom do Rubaiyat, que morava em uma pensão de um tio de um secretário municipal de Santo André, também suspeito de participar do sequestro do prefeito.

E tem gente que costuma dizer que essas evidências – e não simples coincidências – são expressões da minha mais secretamente delirante fantasia.

A CENA DO CRIME E OS EXAMES

O corpo estava caído numa estrada de terra e fiquei impressionado com a violência. Um tiro na boca tinha estourado todos os dentes. Soube que, além do rapaz da funerária, um morador de um sítio tinha visto o corpo. Instaurei um inquérito imediatamente para ouvir as testemunhas. Tive a sensação de que quem jogou o corpo ali esperava que ele fosse encontrado logo. Mas na sequência não me deixaram conduzir o inquérito, transferido para a Delegacia de Homicídios. Oficialmente, nunca pude obter respostas às várias perguntas que me fiz ao ver o corpo. Solicitei uma perícia da qual nunca vi a resposta – aliás, nem sei se foi feita até hoje – para confrontar as cápsulas das balas encontradas no ponto onde o prefeito havia sido arrebatado com as encontradas no local onde estava o corpo dele. Isso esclareceria muita coisa, inclusive se as armas e os criminosos eram os mesmos. Bem, vamos em frente. Quando tiraram a roupa do cadáver, vi uma coisa que me chamou atenção: ele estava com a cueca invertida, do avesso. E era preciso uma explicação. Ou era uma mania dele, um descuido, ou sinal de que ele teve de se vestir às pressas. E mais: haviam dito que a roupa que ele usava na hora do sequestro era social, e ele foi encontrado de calça jeans. Percebi também uma mancha amarelada, possivelmente, de urina, na cueca, que era branca. Será que o Celso Daniel teria sofrido algum tipo de tortura ou, ao perceber que seria morto, fez xixi? Tudo isso era importante.

O que isso significaria? Até hoje há controvérsias. Uns dizem que poderia ser uma assinatura ideológica, indicativa de traição. Eu, particularmente, acredito que a vítima estava em outro lugar, onde lhe ordenaram que se vestisse rápido, por alguma razão.

Aliás, o próprio legista que fez o exame cadavérico no corpo do prefeito me confidenciou ter encontrado sinais que poderiam caracterizar violência sexual (fissuras e plicoma anal recentes), fato que até hoje não sei se constou no laudo por conta da pressão que faziam em torno do caso e das investigações. Um outro sinal que poderia indicar muitas coisas. E numa investigação nada pode ser descartado, sob pena da verdade real e factual jamais ser esclarecida.

Mas ninguém observara, até ali não. Eu chamei a atenção do perito, mostrei para o delegado-geral e para o diretor do Demacro, Dr. Martins Fontes, meu chefe à época. Recolheram o corpo, e continuei na investigação da fuga do Dionísio.

Num belo dia aparece o (Luiz Eduardo) Greenhalgh. Aproveito e peço a ele para apurar, com a família, se o Celso Daniel tinha a mania de usar a cueca ao contrário; afinal, poderia ser superstição, ou ele teve que se vestir correndo? Ele demorou a responder. Passaram-se dias, perguntei novamente e ele disse que não. Mas a pergunta ficou no ar, não me pareceu que de fato ele havia se informado a respeito.

Ele poderia até estar nu no cativeiro e os sequestradores, ao temerem a chegada da polícia, o tiraram às pressas do local e o mataram. Na nossa investigação estouramos um suposto cativeiro, um local onde se supõe que o Celso Daniel tenha estado. Quando interroguei o Dionísio, ele deixou transparecer que os sequestradores haviam perdido o contato com o esquema, o mandante. Devem ter ficado com medo de a coisa dar errado e serem descobertos, então decidiram executar o prefeito.

Afinal de contas, meu pessoal estava na rua procedendo investigações e realizando buscas na região, o que deixava a bandidagem apavorada. Certamente quem guardava o prefeito sentia a proximidade da polícia. A casa iria cair a qualquer momento, como se diz na gíria, e como de fato caiu.

O Dionísio desceu em Embu porque ali era a base da quadrilha dele. Há uma coisa engraçada: ele era um cara sofisticado para os padrões da bandidagem. Não há histórico de violência em suas ações. Falava outros idiomas, pilotava avião e todos os seus crimes eram bem planejados, em geral sem mortes. Para mim, como já disse, o crime foi compartimentado. O lado braçal ficou para a turma pé-de-chinelo da favela Pantanal, mas a concepção, o planejamento, foi do Dionísio. O helicóptero que o resgatou pousou em Embu ao meio-dia. No fim da tarde, eu e minha equipe já sabíamos da participação na fuga do Cleilson Gomes de Souza, vulgo Bola, que morava na rua Urca, número 23, na região. Foi o primeiro ponto da investigação.

Para tentar visualizar, o Dionísio, que fugiu de helicóptero da cadeia para matar Celso Daniel, era um homem rombudo, cabelos saindo do meio da testa, forte, fala mansa; baixava ainda mais o tom de voz quando se dirigia a mim, para indicar que tinha respeito. E não me olhava nos olhos: outro sinal, no mundo do crime, de que era moralmente genuflexo à autoridade.

O piloto afirmou ter sido rendido e obrigado a resgatar o Dionísio. Misteriosamente, após o bandido sair de seu helicóptero e fugir, ele demorou a avisar a polícia. Antes trancou a aeronave, voltou a São Paulo, e só então entrou em contato com policiais. Seu primeiro nome é Odaílton, mas era conhecido como comandante Dato. Quando ouvido, disse que a empresa da aeronave prestava serviços ao PT na capital, sobrevoava obras da prefeitura. Também afirmou que levava um funcionário da prefeitura de Santo André com malotes de dinheiro até o heliponto da sede do Bradesco, ou nas imediações. A empresa em que ele trabalhava, a Táxi Aéreo Paradela, ou TAP, tinha sede em Santo André.

Na casa do Bola havia uma espécie de cativeiro nos fundos. Encontramos máscaras, luvas etc. Dentro de um caderno em espiral, achamos um envelope com o timbre do restaurante Rubaiyat. O que um envelope de um restaurante conhecido de São Paulo fazia, em uma casa na periferia de Embu? Na garagem havia um Santana azul placa CCC-2703. Paramos tudo e avisamos a cúpula da polícia. Corre todo mundo para lá. O porta-malas é aberto e se encontram vários pelos brancos, fios de cabelo. O primeiro laudo afirma: não se pode excluir a possibilidade de os fios serem do falecido. Estranhamente, logo aparece a versão de que seriam pelos de cachorro. O Greenhalgh foi um dos que espalharam essa versão. Um dia ele vem me procurar; abro uma gaveta, tiro uma foto e falo: "O senhor está vendo isso aqui?" E ele: "O que é isso aí? Eu só to vendo uma foto, uma mão, o que é?" Respondi: "É a minha mão, e isso aqui que eu estou segurando é um cabelo. Eu tirei essa foto no local. Se sair só pelo de cachorro eu vou denunciar que eles fraudaram o laudo". Foi uma confusão. No fim, o laudo não afirma se tratar de pelo de cachorro. Ao contrário: mantém a possibilidade de serem fios de cabelo do Celso Daniel. Bastava ter comparado com os fios de cabelo do morto. Mas não o fizeram. Falarei disso mais adiante.

Enquanto isso, tiramos o Santana da garagem, fizemos todas as perícias possíveis e a casa ficou preservada, isolada durante quase dois meses. Uma viatura ficava na porta. O Bola foi preso. Dentro do envelope com o timbre do Rubaiyat havia uma folha carbonada, onde aparecia o nome de uma empresa chamada La Lubina. Era um encaminhamento para dispensa médica de um sujeito chamado Carlos Eduardo Costa Marto. Segundo o Bola, era um garçom. Descobrimos que o Carlos Eduardo trabalhava no Rubaiyat da avenida Faria Lima e morava em uma pensão na rua Fernão Dias, em Pinheiros, normalmente ocupada por garçons e barmen de churrascarias famosas de São Paulo. No armário dele, na pensão, foram encontrados certificados de cursos de detetive. Aí que começa aquela história do dono da pensão, como eu já falei. O senhor Paulo, que tinha como livro de cabeceira *Notícia de um sequestro*, de Gabriel García Márquez, foi chamado a depor e interrogado duas, três vezes. Um dos sobrenomes dele é Chediak, e o Maurício (Correali, delegado) pergunta se ele seria parente do maestro Almir Chediak (assassinado tempos depois). "Não tenho nenhum parente conhecido" é a resposta.

Na casa da mãe do garçom encontramos, colado embaixo do telefone, o número de orelhão de um lugar conhecido como Jardim Maria Sampaio, no conjunto Siderópolis, em Taboão da Serra. A mãe disse que o filho dormia de vez em quando em um apartamento de amigos lá perto. E na carteira dele havia um comprovante de depósito em nome de Renê Reis Lima. Mas esse Renê acabou assassinado antes de ser ouvido: dois caras em uma moto atiraram nele. O garçom que ouviu a conversa do Celso Daniel com o Sérgio Sombra no Rubaiyat morreu da mesma forma; a testemunha deste crime também.

É preciso dizer que a minha situação era muito delicada, pois eu não estava investigando o caso do prefeito (já que ele foi tirado da região policial de Taboão da Serra e encaminhado ao Departamento de Homicídios – DHPP). Mas mora dentro de nós aquela vontade de investigar, que não esmorece mesmo quando somos exilados administrativamente, ou expulsos das esferas daquilo que o Cláudio Humberto chamou muito bem de "poder sem pudor".

E prosseguiam as madrugadas investigativas. E continuavam a aparecer coincidências e evidências.

Nesse meio-tempo a gente estava ligando as peças. Já sabíamos que o garçom e a amante do Dionísio tinham feito o levantamento de preços do sobrevoo no Campo de Marte. E que o Bola e o Rodrigo, filho do Dionísio, na época menor de idade, tinham pegado o helicóptero, sob o pretexto de fazer um voo panorâmico, e resgataram o bandido. Quando chegam ao presídio, entram no helicóptero o Dionísio e o Aílton Alves Feitosa. Um terceiro preso chamado Dentinho desiste de fugir. Minha equipe foi ao presídio. Havia uns 30 presos apelidados Dentinho. Achamos o Dentinho que procurávamos e ele me disse: "Não vou falar porque tenho medo de morrer". Perguntado se ele tinha parentes que trabalhavam na prefeitura de Santo André, disse: "Minha mãe". E o tal Rodrigo, filho do Dionísio, se escondeu na casa de um parente chamado Lincoln, um ex-policial. Fomos fazer uma busca na casa do Lincoln no Campo Limpo. Abrimos o porta-malas e o porta-luvas do seu carro e achamos algumas coisas. No porta-malas havia três jornais dobrados em páginas específicas: um texto sobre o sequestro do prefeito, outro sobre o resgaste do helicóptero e um terceiro que narrava a morte de Celso Daniel. "O que é isso?", perguntei. "É que estão vinculando as coisas", respondeu o policial. "Quem está vinculando?", insisti.

Falemos do porta-luvas.Lá estava o terminal de computador mostrando os antecedentes criminais de um sujeito chamado Alberto Klinger do Nascimento, que morreu na cadeia. Ligo para a Homicídios. Naquela altura, me confundi, achei que se tratava de um parente do secretário de Santo André. Mas a Homicídio me informa: Klinger é o primeiro nome, não o sobrenome. De qualquer forma, me passam os nomes dos pais do secretário. A mãe se chama Amarílis Chediak de Oliveira. Eu estava cansado, eram quatro ou cinco noites sem dormir. Esperto, atento, o Correali falou: "Peraí ! É o mesmo sobrenome do dono da pensão". Ordenei em resposta: "Vai buscar o cara". Durante o interrogatório, pergunto: "O que você é do Klinger?" E ele: "Tio". "Mas por que você não disse antes? O seu sobrinho envolvido nesse rolo". "Ninguém me perguntou", foi a resposta. Engrosso: "Tem um garçom do Rubaiyat na sua pensão, você é tio de um dos principais secretários de Santo André e fica calado?". "Isso é briga de cachorro grande e sou cachorro pequeno", ele emenda. Vejam só o tanto de coincidências.

Oficialmente, falam em seis pessoas ligadas à morte de Celso Daniel que morreram de forma suspeita ou por assassinato. Mas teve mais. Durante a investigação, a Justiça autorizou a quebra de sigilo telefônico do Lincoln, pois veio a informação de que ele andava conversando com alguém no Nordeste. Um dos telefonemas do Lincoln foi para um orelhão em Alagoas. Era uma pista importante. Em seguida, o Dionísio foi preso entre Sergipe e Alagoas, após roubar um banco. O assalto foi planejado em parceria com o Edmundo Massaferro Neto, o Véio. Ele ficou preso no Recife, não houve autorização para a transferência dele. O Véio morreu numa cadeia do Recife, não sei agora se por causas naturais ou não. O Dionísio foi mandado de volta. Isso em abril. Antes, porém, queria lembrar o caso do Feitosa.

Quando o helicóptero pousou no Embu, o Feitosa foi para um lado e o Dionísio para outro. O Feitosa se escondeu na casa do Bola. O Dionísio teria se escondido na residência de um indivíduo chamado Sérgio Orelha, outro assassinado posteriormente. Da casa do Bola, o Feitosa foi para outro lugar. Onde? No Jardim Maria Sampaio, conjunto Sideróplis, perto do orelhão cujo número estava anotado embaixo do telefone da mãe do garçom do Rubaiyat. O Feitosa foi preso, revelou o lugar e fizemos busca e apreensão. Lá encontramos um cartão que era o primeiro vínculo material de toda a investigação entre o Dionísio e os sequestradores da favela do Pantanal: o telefone do Itamar Messias dos Santos, um dos líderes da quadrilha da Pantanal. O Dionísio falava com ele por esse celular. Para o Ministério Público, o Feitosa afirmou que uma pessoa importante da prefeitura havia se reunido com eles naquele endereço do conjunto Siderópolis. E volto à cueca ao avesso. O Celso Daniel pode ter sido levado para o apartamento no conjunto. Como o Sérgio Sombra virou suspeito imediatamente, os sequestradores devem ter se assustado e decidido tirar o prefeito às pressas de lá. O Dionísio, impedido de fazer contato com os mandantes, deve ter ordenado a morte. O Feitosa, o Dionísio e o Bola fugiram, então, para Ibiúna (interior de São Paulo). Quem os levou até lá foi um garoto chamado Rogério Alexandre Barbosa, vulgo Boy, filho de um vereador do PT de Embu. Quando a polícia descobriu o paradeiro deles, o Dionísio já tinha fugido para o Nordeste. O Bola e o Feitosa foram presos.

Quando estavam em um bar em Ibiúna, contou-me Dionísio, a televisão exibia uma reportagem sobre a morte do prefeito. O Dionísio pediu para todo mundo ficar quieto, pois ele queria ouvir. No fundo, acho, o Feitosa não sabia dos detalhes da história. Acho que da reunião com o tal representante da prefeitura, no apartamento de Siderópolis, ele não participou, ficou do lado de fora. Ele foi preso na praia do Francês, em Maceió. Levantamos seu esconderijo e avisamos a polícia de Alagoas, que o prendeu. Os delegados Correali e Múcio Mattos foram buscá-lo e já começaram a obter informações.

Sua mulher também foi presa. Havia mandado contra ela. Na volta para São Paulo, quando ele desceu do avião, fui buscá-lo na pista do aeroporto, à meia-noite, em Guarulhos.

Algemado nas mãos e nos tornozelos, no pé da escada da aeronave, ele me propôs: “Doutor, solta minha mulher que eu confesso para o senhor o crime do prefeito Celso Daniel”. Eu disse que não prendi a mulher dele por causa disso, e que a delegacia era o lugar de conversarmos. Disse ainda que iria pilotar a viatura para ele. Acomodei-o no chiqueirinho e partimos rumo à delegacia.

Fiz um caminho maluco, cheio de idas e vindas, por diversos bairros, e chegamos por trás, pela estrada de Itapecerica da Serra, evitando um possível resgate.

Qual não é minha surpresa quando, ao tirá-lo do fundo da viatura, ele soube descrever todo o trajeto que fizemos, mesmo os trechos improvisados! E para me gozar ainda falou: "Se eu tivesse um cavalo desses, ninguém me segurava", se referindo à boa pilotagem que eu havia executado. Um espanto!

Era madrugada, o depoimento de Dionísio durou quase vinte horas, mas ele só começou a falar no final, depois da chegada das duas advogadas.

Saímos direto da pista do aeroporto de Cumbica e fomos para a delegacia de Taboão da Serra, para iniciar o interrogatório. Mas o preso começou a enrolar, pedia para a gente conversar antes de ele dar um depoimento formal. Eu tentava puxar a conversa a partir da organização da cadeia. Ele dava detalhes do Comando Revolucionário Brasileiro da Criminalidade, o CRBC, sob sua liderança. O CRBC fazia oposição ao PCC, como já disse. Segundo o Dionísio, existiam umas 15 facções no mundo prisional, mas as principais eram o PCC e o CRBC. Falamos um pouco mais a respeito, e aí perguntei sobre o caso Celso Daniel. Dionísio recuou, disse não saber de nada. Insisti: "Você conhece ou namorou alguma mulher ligada ao pessoal de Santo André?" Após esquivar-se e dizer que não lembrava direito do sobrenome, ele confirmou: "Namorei uma moça chamada Adriana Pugliese". Ele me olhou desconfiado, esboçou um sorriso malandro. Retruquei: "Quem é?". Ele: "A ex-mulher do Sérgio Sombra". Prossegui: "De onde você a conhece?" Ele devolveu: "Antes desses problemas, de virar sequestrador, fui segurança da prefeitura de Santo André".

Ele dava risadas, como se dissesse: Vou contar, mas do meu jeito, no meu tempo..." Depois, começou a dizer que só falaria em juízo. Perguntei o que ele achava da morte do prefeito. "Ele deve ter mandado parar o esquema, né... Daí mataram ele". Toda essa conversa se passou em 8 de abril, três meses após a morte do prefeito.

Eu tinha de achar o momento certo para colocar aquilo no papel e ter respaldo. Caso contrário, todo mundo cairia matando nas minhas costas. Pensei: vamos ouvi-lo com calma. Não dava para ficar com ele na delegacia, era preciso mandar para algum presídio. E comecei a negociar uma forma de não enviá-lo a um presídio dominado pelo PCC. Negociei com o secretário de Assuntos Penitenciários, o Nagashi Furukawa, que foi muito correto. É um homem sério. Pensaram, inicialmente, em uma cadeia a 400 quilômetros de São Paulo, mas ele teria de voltar em dez dias para depor. Vai e volta, sugeriram o CDP1 do Belém. Consultei o Dionísio. Ele deu o ok, disse que era área dele, na presença de sua advogada. Mandaram removê-lo à noite. Ao passar o portão, ele disse à escolta: "Fiquem tranquilos, estou em casa". No dia seguinte ele estava no parlatório, em conversa com uma das advogadas, a Maura Marques. No mesmo local estava o José Edson, integrante da favela do Pantanal, não se sabe porquê. E aconteceu uma coisa surreal, escandalosa, absolutamente incomum. Nove portas do presídio estavam abertas. Um grupo de presos atravessou as nove portas, pegou o Dionísio no parlatório onde ele, tranquilamente, escrevia uma carta para a sua mulher, afim de que sua advogada pudesse entregar, e o arrastaram. E o José Edson ali, vendo tudo. A advogada ligou lá de dentro e disse: "Doutor, estão matando o menino. O Dionísio levou mais de 40 facadas!!!"

Para apurar as circunstâncias da morte dele não fizeram quase nada. O Maurício foi até o presídio e fez uma coisa que os outros não fizeram. O pessoal da Homicídios não foi na cela do Dionísio. O Correali havia entrado lá no CDP e encontrou um bilhete de boas-vindas de outros presos e uma bermuda com vários números de telefone, anotados com caneta vermelha, que foram apreendidos no 81º DP. Isto na cela do Dionísio, que não foi vistoriada pelo DHPP. Penso que o Ministério Público quebrou o sigilo dos telefones. Agora, me respondam: como, em um presídio de segurança máxima, deixam nove portas abertas entre uma área e outra?

A morte do Dionísio complicou a investigação. Os promotores, com a quebra do sigilo do telefone que o Dionísio usava na cadeia, descobriram uma intensa troca de ligações com um policial da Delegacia de Narcóticos chamado Otávio Mercier. Ele foi ouvido pela Corregedoria e disse que não sabia de nada. Numa noite, entraram na casa dele e o mataram, lá na Alameda Santos, próximo ao restaurante Rubaiyat onde Celso Daniel fez sua última refeição em público.

A minha tese do assassinato é clara: a quadrilha que executou era diferente daquela que planejou. A ligação entre as duas era o Dionísio. Acho que o objetivo era dar um susto no Celso Daniel, mas a coisa saiu do controle. Não sei se a briga era para parar o "desvio do desvio", o "roubo do roubo" do dinheiro, ou se queriam mais recursos para a campanha. Mas tenho uma forte convicção de que o homicídio do prefeito foi acidente de percurso. Não tinha sido planejado, premeditadamente, por quem planejou o sequestro. Não podemos, entretanto, deixar de registrar que quem planejou assumiu o risco do resultado. Temos duas razões bem claras para cravar isso: primeiro que, para matar o prefeito, bastava ter atirado nele na hora da abordagem inicial; e se o Sombra não estivesse envolvido ele também seria morto ali. Segundo: como a motivação do crime, no meu entendimento, era uma disputa político-administrativa que visava dinheiro, ninguém seria insano de matar a "galinha dos ovos de ouro" e o dono da granja! Já em Brasília, anos depois, Gilberto Carvalho me disse que procurou a família do Celso para tranquilizá-los diante das notícias e, como primeiro homem de confiança, para explicar que nem o Celso nem ele haviam desviado um centavo para o bolso. Que aquele dinheiro ele levava para o José Dirceu, para ajudar o partido na campanha; que fez aquela visita na melhor das intenções e se sentiu muito injustiçado quando o irmão do Celso tornou pública aquela história. Gilberto Carvalho também me disse que levava o dinheiro em um fusquinha para o José Dirceu.

Bem, certa vez o médico legista deu uma entrevista na qual garantiu que o Celso Daniel havia sido torturado. Como disse, fui um dos primeiros a ver o prefeito morto. Ele tinha uma expressão de sofrimento, além de marcas de queimadura nas costas, possivelmente provocadas pelo contato da pele com a boca do cano fervente do revólver.

É uma incógnita o porquê de terem submetido o Celso Daniel a tantos e tamanhos sofrimentos. Ele pode ter identificado alguém e se horrorizou com o que estavam fazendo com ele. Você conhece aquela máxima, não? Não existe crime perfeito, e sim crime mal investigado. Não faz muito tempo foi preso o Elcyd Brito, o "John", um dos acusados, que tinha fugido. É alguém que poderia esclarecer muito a respeito desse crime.

O Sombra acabou sozinho nessa história. Pagou o pato. Ele poderia se valer da delação premiada, seria o único caminho. Por trás de tudo estão empresas de lixo, de ônibus. A empregada do Celso Daniel disse, em depoimento, que juntava na casa dele sacolas de dinheiro miúdo. Segundo ela, o dinheiro ficava escondido na lavanderia. E quem era dono de empresa de transporte? O Ronan Maria Pinto, que, aliás, usava o CPF do Sérgio Sombra para abrir empresas no Nordeste e participar de licitações. Isto foi até noticiado num jornal.

O Celso Daniel iria ser figura central na campanha do Lula, cotado para chefe da Casa Civil de um eventual governo petista, sem dúvida. Ele seria o homem forte da campanha e do governo. Havia inclusive uma dúvida se ele sairia candidato a senador, além de coordenador financeiro da campanha, ou se só se dedicaria a essa última tarefa. Se não fosse a morte dele, o Palocci e o Gilberto Carvalho não teriam chegado aonde chegaram. Tem outro detalhe: nos casos de extorsão mediante sequestro, as quadrilhas costumam ser pequenas. Quanto menos gente, melhor a segurança. Não foi assim no caso Celso Daniel. Só em Embu a polícia prendeu mais de 15 indivíduos, e outros 10 ou 15 na favela Pantanal, fora os demais suspeitos. Quase 50 pessoas para participar de um crime de oportunidade? Tem algo errado aí.

Na minha investigação não apareceu o nome de nenhum figurão do partido, pois eu não investigava o caso diretamente, mas a fuga do Dionísio da cadeia. E é um caso com componentes de ficção, a começar pelas mortes de envolvidos e testemunhas. Por exemplo: o Iran Redua, agente funerário que encontrou o corpo do Celso Daniel: também foi assassinado. Aparentemente, a morte dele ficou esclarecida: morreu por causa de uma briga entre funerárias da região. Mas é o único caso. Os demais foram mortes suspeitas. A pergunta é: trata-se de um crime de mando? O problema é que o Dionísio levou para a sepultura uma grande parte da história. Há vários elementos de ligação entre ele e o sequestro: os telefones da favela Pantanal, seu relacionamento com o Itamar, a casa no Embu onde ele se escondeu... Antes da fuga, o Dionísio recebeu uma grande quantidade de visitas, mais de 60. E, em 31 de dezembro (ele fugiu em 18 de janeiro), a secretaria de Administração Penitenciária foi informada da intenção dele de fugir de forma espetacular. Não se sabia como, e isso era mais um motivo para redobrar a segurança. Mas, no dia da fuga, a guarda relaxa, e ele acaba resgatado por um helicóptero no meio do presídio.

Reforço: oficialmente, fui eu quem reconheceu aquele corpo torturado. Tratei de comunicar ao delegado-geral de Polícia de São Paulo, Dr. Marco Antônio Desgualdo, por meio do delegado de Permanência do Cepol, que é o Centro de Comunicações e Operações da Polícia Civil, incumbido de gerenciar ocorrências de gravidade. O desfecho, já sabemos – uma imagem que circulou o mundo: numa estrada de terra, um corpo masculino, trajando calça jeans, rodeado de autoridades estupefatas, que se questionavam por que aquele corpo fora deixado ali, no Município de Juquitiba. Juquitiba, como sabemos, pertence, também, à Seccional de Polícia de Taboão da Serra. E lá estava eu, novamente, às voltas com crimes envolvendo atores da cena política. (Não estou a dizer que o crime foi político – isso compete a quem investiga/ou o caso; afirmo que a vítima era, notoriamente, do meio político). Aliás, sobre isso cabe uma pequena observação. É importante saber se o crime foi de mando ou não! Se a motivação é ou não é política, isso pouco muda o resultado! Crime político, mesmo, é cometido geralmente contra o Estado ou contra instituições. Na maioria das vezes, nos crimes de sequestro, o que caracteriza se o crime é político ou não é o tipo de resgate. Por exemplo: um sequestro de certa autoridade cujo resgate exigido é a distribuição de alimentos em uma comunidade; ou a troca por presos. Isso seria crime político para desmoralizar o Estado. Agora, é muito relativo você dizer que alguém que exerce uma função política foi sequestrado por conta de acertos pessoais, ou mesmo decorrentes de sua atuação na função mas com base em questões de dinheiro. Aí não é a atuação política, é o enriquecimento, o desvio, a grana, o patrimônio que motiva o crime. É preciso saber diferenciar bem. Uma coisa é motivação política, outra coisa é motivação pela convivência política. O fim, o desfecho pretendido é que qualifica ou classifica o crime como político ou não. O certo no caso do Celso, na minha opinião, é que se tratava de um sequestro, com resgate fictício, por questões financeiras derivadas da atuação político-administrativa dele e dos idealizadores mandantes, mas que deu errado na execução e tiveram que matá-lo. Quando digo questões financeiras é de dinheiro mesmo que estou falando, cuja arrecadação espúria não queriam diminuir.

Voltando. Quando a coisa começou a crescer (os caminhos das investigações), foi convocada uma reunião. Participamos eu, o delegado-geral, representantes da Polícia Federal e do Instituto de Criminalística, do DHPP, umas 30 pessoas. Cada um iria mostrar o que havia conseguido. Eu tinha as melhores pistas, os indícios mais fortes. Mas ficou naquilo: eu vivia um ostracismo na polícia, por conta da investigação da máfia dos fiscais que atingiu inúmeros políticos. Meu envio para a delegacia de Taboão foi uma punição. Mesmo assim, por curiosidade policial e também para juntar mais elementos para a minha investigação, fui checar histórias por conta própria. Fui ao local onde o Celso Daniel foi sequestrado. Os caras da favela Pantanal alegaram que estavam esperando passar o dono de uma banca no Ceasa, um senhor nipônico. Este seria o alvo deles. Teriam levantado a ficha dele e descoberto que, naquele dia, ele passava com dinheiro do caixa etc. Mas, como o cara não passou naquele dia, viram a Pajero onde estava o Celso Daniel e decidiram sequestrá-lo, sem saber que ele era o prefeito de Santo André. Não tem lógica. Se você planeja o sequestro do feirante, pois sabe que toda semana, naquele dia específico, ele passa sempre como muito dinheiro, o que você faz? Se ele não passou naquele dia, espera a outra semana. Você não pega alguém aleatoriamente se seu alvo principal não aparece. Outra coisa: a Pajero do Sombra vinha da avenida Bandeirantes e iria pegar o túnel Maria Maluf. Os sequestradores estavam do outro lado, em uma rua perpendicular à pista principal. Não havia como darem a volta e interceptarem o carro onde estava o prefeito na altura da Três Tombos, como fizeram. É tudo mal contado. Só que todo mundo tinha interesse em que o caso não fosse investigado direito. O PT por não querer escândalo, e o PSDB para não ser acusado de armação contra os adversários. Foram os tucanos que barraram a minha investigação. Aí também começa o circo. O (senador Eduardo) Suplicy conversa com o Geleião (líder do PCC) e vai falar com o (governador Geraldo) Alckmin. Diz que o Geleião tem pistas do assassinato. O Alckmin fica em uma saia justa, pois o senador coloca o Geleião na linha para falar com o governador, e ele, que estava preso no Rio de Janeiro, pede para ser transferido para São Paulo em troca de revelar o plano do sequestro. Depois de anos, constatou-se que não tinha PCC na história coisa nenhuma. O meu pai, o Suplicy e o Magno Malta, da CPI dos Bingos, vão depois, em companhia do Ministério Público, ouvir o Geleião – e ele não sabia de nada. Mais uma obra do Suplicy.

Hoje, quando se noticia sobre o assunto, na verdade o Ministério Público comete um pecado e uma injustiça ao afirmar que a Polícia Civil falhou, não apurou direito. É uma generalização injusta e indevida, porque um departamento da polícia chegou a conclusão diferente. Toda a base da denúncia que o MP fez e faz está nas investigações que minha equipe da Polícia Civil de Taboão da Serra realizou. Estão calcadas em provas colhidas por aquela pequena e briosa equipe. Não é verdade que o MP fez a apuração sozinho; eles não podem institucionalizar individualmente nem o sucesso nem o fracasso das investigações. Aliás, por conta dessa vaidade institucional imatura, abriram uma enorme brecha para a defesa recorrer ao Supremo para anular as investigações, que, como disse, começaram legitimamente, em um inquérito policial em Taboão da Serra. Tanto é verdade que me arrolaram como testemunha, e é isso que vim a descobrir e que o Gilberto Carvalho não perdoa. Ele só tinha dúvidas; quando me chamou naquela tarde de maio de 2010, para conversarmos em Brasília, teve a certeza.

Quando investiguei a verdade, o fiz, como de costume, com uma venda nos olhos, doa em quem doer, por ser do meu perfil, da minha índole, do meu caráter, do meu compromisso moral e profissional, aliás, sempre achei que estava ajudando o presidente Lula, naquela época ainda pré-candidato, ao descobrir criminosos dentro ou à margem de sua campanha, dentro ou fora do seu partido, perto ou não do seu círculo de amizades. Seria um grande préstimo para ele poder se cercar de gente proba e honesta, separar o joio do trigo. O tempo mostrou que eu estava equivocado.

É bom relembrar que dentre outras menores, em 2002, o PT tinha o comando, além de São Paulo, sobre três importantes prefeituras: Campinas, Santo André e Ribeirão Preto. Na época, o Ministério Público de São Paulo já investigava a instalação de antenas da Tim, em locais proibidos, nas cidades de São Paulo, Santo André e Ribeirão. Foi o período em que a Tim se aproximou do PT e começou a mandar para cá os espiões do Tiger Team. Só agora, em 2013, chega ao Brasil o inquérito da Procuradoria de Milão, a investigar quanto do dinheiro público italiano foi torrado para, supostamente, azeitar, de forma ilegal e com o uso desses espiões, as autoridades brasileiras. A estimativa da sangria é de 120 milhões de euros. Para quem terão ido, aqui no Brasil, tais somas?

De um jeito ou de outro, havia a prática comum do que se conveniou chamar de arrecadação de "caixa 2" via desvio de recursos públicos licitados. Dois desses prefeitos, o Celso Daniel e o Toninho, foram assassinados. Os petistas justificam a prática dizendo que o dinheiro não é para enriquecimento pessoal, é para o partido.

Um absurdo! Qual a diferença? É roubo do mesmo jeito; fazer crer nisso é puro estelionato eleitoral. Na administração do Palocci em Ribeirão Preto, houve o escândalo do lixo. São caminhos comuns para desviar dinheiro: contratos com empresas de coleta de lixo, de transporte público. Certas pessoas contam isso como se fosse um ato de "heroísmo": desviar dinheiro público para financiar partidos e atividades políticas. É um assalto! É mais grave que um crime comum, pois faz vítima a sociedade como um todo. Não tem vítima individual, a vitimização é em massa, é coletiva. Às vezes as pessoas precisam se indignar mais com a causa do que com o efeito. A desculpa é mais vergonhosa que o desvio, se é que podemos dizer assim. Mudaram os paradigmas?

No caso específico do lixo, o que acontecia era o seguinte: o pagamento de um contrato é feito com base em uma quantidade de lixo recolhida. E é muito difícil fiscalizar, saber quantas ruas foram de fato varridas, quanto lixo foi de fato recolhido, pois muito do que é atestado para pagamento não é realizado. Você entrega o contrato em troca de dinheiro, de empregos, da nomeação de aliados e apadrinhados políticos na empresa. Os caras acomodam suas indicações – além do clássico e conhecido superfaturamento nos contratos para pagamento de propinas, desvios de toda espécie, presentes, viagens etc.

O Toninho do PT (Antonio da Costa Santos, ex-prefeito de Campinas, assassinado a tiros às 22h15 do dia 10 de setembro de 2001) não era de praticar crimes contra o erário, ao que me consta. Até porque eu ia ser o delegado seccional lá em Campinas para investigar esse crime, a convite do doutor Eduardo Halage, à época diretor do Deinter 2, o departamento de Polícia da Região, fato que não se consumou por ordem do então secretário Petreluze, que vetou minha ida.

Por isso que o Toninho, pelo que eu sei, não era um cara que desviava recursos. Não desviava para ele e nem deixou o partido montar esquema para desviar verbas, institucionalizando a corrupção – até porque ele era novo na prefeitura. Não se pode afirmar que tenha morrido por isso. Muito se especulou a esse respeito nos bastidores das investigações e da política. O fato é que, após sua morte, vários problemas começaram a ocorrer na condução administrativa da cidade de Campinas.

O Celso era um cara que tinha um esquema montado, institucionalizado pelo partido, então os desvios de recursos da prefeitura de Santo André eram canalizados para o partido. O próprio Gilberto Carvalho me confessou isso no dia do meu sincericídio.

Eis o que eu acho que aconteceu: o Celso, alguns assessores e secretários haviam tido algumas brigas, porque, quando ele foi convidado pelo Lula para ser o coordenador de campanha e chefe do financeiro ele sairia candidato a senador. Ficou uma dúvida se ele sairia ou não, pois achavam que se ele se dedicasse a uma campanha de senador poderia atrapalhar na arrecadação e na articulação, na coordenação da campanha.

Nisso, há algumas pessoas ligadas a esse grupo mais fechado dele, como o Ronan Maria Pinto e o Klinger, por exemplo, que queria ser candidato a deputado na época. Ele já avisara que seria o candidato a prefeito na próxima eleição. E houve então um grande desentendimento com o Celso, que fez uma reunião com o pessoal mais próximo.

Celso falou que "proibia" qualquer um deles de se candidatar a qualquer cargo naquela eleição – para prefeito muito menos, porque ele iria lançar um sucessor – e que não era um momento oportuno de se falar no assunto. Mas naquela eleição ninguém era candidato, porque ele, Celso Daniel, não queria que mexessem em nada que estava funcionando. Caso alterassem algo, referia Celso Daniel, poderiam atrapalhar o esquema que já funcionava na prefeitura, e assim afetar a campanha presidencial do partido.

Aí rolavam muitas brigas relatadas por várias pessoas. Para nós isso chegou como notícia, como informação, como depoimento. O que a gente tem de concreto nisso é que eles tinham um esquema de arrecadação pró-partido, e nesse esquema estava havendo desvio para o bolso das pessoas, desses empresários e deles também. Como o achaque começou a crescer, isso se avolumou muito. Eles devem ter aumentado o valor por causa da campanha, pois sempre ficavam sem fôlego no segundo turno.

Nós não conseguimos saber os valores exatos, eu não consegui prosseguir com a investigação; creio que o Ministério Público tenha isso no papel. Era uma arrecadação em torno de 20 mil reais e teria passado para 40 mil, mais ou menos. A cobrança maior era em cima dos empresários de ônibus e do esquema do lixo. Essa "contribuição" era a propina mensal que os empresários do transporte coletivo e da de coleta de lixo tinham que dar à prefeitura.

O que acontece nesse momento? Concebe-se um plano de sequestro para pôr limites ao esquema ganancioso e desenfreado, que parecia estar afastando os antigos "aliados" da roubalheira em prol de um projeto de poucas pessoas, somado a um outro político-partidário.

Esclarecer a morte do Celso Daniel era importante mas me largaram sozinho, ataram as minhas mãos. Lembro-me de noites na delegacia de Taboão, cercado pelos pacotes de objetos que tínhamos apreendido: a calça, marcas de sangue, terra. Eu e mais três delegados virando noites. E eu ainda sendo ameaçado de morte pelo Dionísio, que mandou espalhar a intenção de me matar antes de ser preso. Mas, respondendo: o Greenhalgh sempre foi o elemento de ligação do PT com as investigações; ao que consta, ele havia sido designado pelo partido para isto. Aliás, no caso do Celso, a atuação dele foi decisiva para o PT, para o presidente Lula e, principalmente, para o Gilberto Carvalho e outros. Ele conseguiu blindar todos, estancar, naquele momento, a tese de crime que envolvia corrupção na prefeitura, acelerar as investigações para saírem logo da campanha eleitoral, enfim, uma atuação quase que impagável (nos dois sentidos do termo).

O CADÁVER Nº 320

Sobre a morte de Celso Daniel, tive muitas dúvidas. Por exemplo: o prefeito foi morto ou não em Juquitiba? Por que ele estava com roupas diferentes das que trajava quando do sequestro? Por que sua cueca estava do avesso? Por que o cadáver foi abandonado em Juquitiba, próximo à Rodovia Régis Bittencourt?

Falemos um pouco das provas materiais telefônicas, ou melhor: permito-me não dizer nada, apenas reproduzir conclusões do relatório da "CPI dos Bingos", que assim dispôs:

> "Dionísio de Aquino Severo utilizava o celular 9856-7718 e, após a fuga da penitenciária de Guarulhos (17 de janeiro), migrou para o telefone 9910-1892 (cuja quebra ainda não foi providenciada). Essa evidência pode ser observada porque, quando Dionísio encontrava-se encarcerado, fez, entre outras, ligações para os números 9254-7039 (utilizado por Manoel Sérgio Estevam – conforme declarações de fls. 450/453 do PAC 01/03 GAERCO Santo André), 9507-6275 (perten-

cente a Fabiana Glória Gangeni), 9502-2172 (sem cadastro) e 4685-8678 (sua tia Gildete).

Efetuadas pesquisas sobre possíveis ligações na CCC SPO 43 ERB 15, situada na rodovia Régis Bitencourt, altura do Km 276, Embu, no período compreendido entre 23 horas do dia 18 e 14 horas do dia 20 de janeiro de 2002, envolvendo os números acima citados, o resultado foi o de que os três primeiros telefones comunicaram-se com o celular 9910-1892. Nova pesquisa, agora sobre este último número, revelou que houve o estabelecimento de comunicações com os telefones 4685-8678 (fls. 70 do vol. 3 – residência de Gildete de Souza Aquino – tia de Dionísio), 9263-8560 (fls. 65 do vol. 4 – utilizado por Gisele de Lena, parceira de Dionísio – Processo 434/02, da 3ª Vara de Embu, relacionado à fuga de helicóptero). Desta forma, não resta dúvida quanto à utilização do celular mencionado por Dionísio.

Por intermédio desse telefone, apenas na área de abrangência da referida ERB, no dia 19 de janeiro de 2002, entre 1h05 e 18h20, Dionísio efetuou um total de nove ligações, incluídas aquelas já mencionadas, entrando em contato, também, com os usuários dos celulares 9508-8463 e 9504-2421, que não foram ainda objeto de pedido de quebra judicial.

Por intermédio do nº 9856-7718, ainda no interior da penitenciária de Guarulhos, Dionísio estabeleceu contato, dentre outros, com o celular 9887-4740, pertencente a Josiane Graziela da Silva. Em nome desta mesma pessoa encontrava-se registrado o celular 9508-7384, que, na noite do arrebatamento do prefeito Celso Daniel, por intermédio da CCC SPO 31 ERB 001, situada na rua Vergueiro, 9.584 (ERB próxima ao local do arrebatamento), entre 23h45 e 23h47, estabeleceu contatos com os telefones da Nextel de prefixos 7834-0000, 7850-1000 e 7857-0000, os quais também são verificados

> nos históricos de chamadas dos telefones de Sérgio Gomes da Silva, Klinger Luiz de Oliveira Souza, Fernando Donizete Ulbrich, Sebastião Ramos Pereira, Ronan Maria Pinto, Ozias Vaz [...].
>
> Por fim, mediante autorização de Luiza Alves de Souza, pessoa que acolheu Dionísio de Aquino Severo (amigo de seu marido Manoel Sérgio Estevam, com quem Dionísio esteve em reunião) em seu apartamento por determinado período, a empresa Vesper já forneceu extrato das ligações efetuadas através de seu telefone residencial 3452-5143, onde se nota, entre outras ligações, algumas efetivadas para o telefone residencial 4357-8261, cujo cadastro, em nome de Rosane Alves da Silva, aponta estar instalado na rua Nápoles, nº 120, São Bernardo do Campo, endereço vizinho ao de Ivan Rodrigues da Silva (rua Nápoles, nº 36, São Bernardo do Campo), evidenciando mais um contato entre as pessoas relacionadas a Dionísio e aquelas relacionadas à quadrilha de Ivan "Monstro", da favela Pantanal".

O leitor é inteligente e, a bem da verdade, nem precisa ser tanto. É preciso falar algo mais sobre isso? Creio que não, mas irei um pouquinho mais adiante, registrando que o ministro da Justiça, à época dos fatos, era o Aloysio Nunes, que se diz amigo de ilustres figuras do PT. E aqui não se faz nenhuma elucubração por isso, muito menos qualquer acusação. Registro apenas porque, no início das investigações, quem disse que o crime era de natureza política foi o próprio PTe que até encadeou as mortes do Celso e do Toninho com o caso de uma bomba na casa do então prefeito do Embu, hoje deputado estadual, como "prova" para tal assertiva. Aliás, sobre a bomba na casa do Geraldo, foi minha equipe que investigou e esclareceu: estava ligada a problemas de corrupção no município. Registrei também quem era o ministro, para externar minha perplexidade ao lembrar que dois delegados da PF estiveram no apartamento do Celso Daniel após o crime. Fizeram uma busca, e consta que levaram seu computador, fato registrado pela TV Globo, que os abordou na saída do prédio; até hoje ninguém sabe e ninguém viu aquele *hardware*. Ambos os delegados, por mera coincidência, foram muito prestigiados no governo Lula, que se instalou menos de um ano depois.

Mas voltemos a falar daquela passagem em que citei o Greenhalgh, falemos de pelos, humanos, no caso.

Na rua Urca, nº 23, na cidade de Embu, funcionava a central criminosa de Dionísio e parte de seu bando. No porta-malas daquele Santana eu encontrei, fotografei e entreguei aos peritos criminais alguns fios de cabelos brancos. Foi uma cautela de minha parte. Eu investigava o caso do helicóptero; por ordem, não poderia apurar a morte do prefeito, é bom frisar. Entretanto, eu tenho convicção plena de que estávamos diante de crimes conexos; por isso, tive a cautela de, ao constatar a presença de cabelos no porta-malas de um carro, preservá-los.

Ao leitor não parece algo sintomático a presença de cabelos no porta-malas de um automóvel? Ao mais bobinho dos homens não é levada a sensação de haver indícios fortes de que alguém tenha sido trancafiado ali? Pois é. Mas, no mundo do Direito, as coisas têm que ser provadas, não basta ficar nas suposições e formulações de hipóteses. É por essa razão que requisitei exames periciais nos pelos, não só nos que recolhi mas em outros aspirados no veículo e/ou arrecadados por peritos.

Cadáver nº 320 – essa foi a denominação que recebeu o corpo do senhor Celso Daniel, no IML. Assim consta no Laudo nº 01/2002, elaborado pelo Núcleo de Antropologia do Instituto Médico-Legal de São Paulo por minha requisição. No laudo está escrito que o doutor Carlos Delmonte, o médico-legista que examinou o cadáver, entregou um envelope com cabelos, recolhidos durante a necropsia do corpo numerado. Esse médico, lembro-me muito bem, certa vez foi ao *Programa do Jô* e, visivelmente abatido, disse que Celso Daniel foi torturado antes de morrer, o que contrariava o discurso petista de "crime comum" ou "crime de ocasião". Dias depois, o médico morreu, misteriosamente, em seu escritório particular.

Hoje verificamos, com clareza, que há dois tipos de mortes: a física e a moral. Por exemplo: o Celso Daniel, o Toninho do PT, o Dr. Delmonte, o Renê Reis Lima (comparsa do Dionísio), o garçom do Rubaiyat, o amigo deste garçom, o agente funerário que encontrou o corpo do prefeito, Massaferro (comparsa de Dionísio), o investigador Otávio Mercier, o Sérgio Estevam (parceiro de Dionísio) e outros tiveram morte física. Quanto a mim, tentaram matar-me moralmente. De quebra, levaram fisicamente o velho Tumão.

A essa altura, o leitor entende bem o que quero dizer quando falo em metástase. Mas continuemos na questão dos pelos para exemplificar quanta pressão subterrânea cercava o caso e aqueles que nele atuavam.

Os peritos Daniel Romero Muñoz e Lígia M. Fernandes Silva, após realizarem confrontos entre diversos pelos recolhidos do Santana e os do "cadáver nº 320", foram categóricos:

> "3.8 As características qualitativas e quantitativas avaliadas nesse exame piloscópico não permitem afastar a possibilidade de os pelos 5, 13, 14, 16, 18 e 21 serem da vítima Celso Daniel".

Destaque-se que todos esses pelos estavam no interior do veículo Santana, de placa CCC-2703 – Embu/SP.

Este laudo foi feito em 4 de fevereiro de 2002. E um fato muito estranho aconteceu naquele contexto. No dia 28 de janeiro, eu havia recebido um telefonema da repórter Rita Magalhães, do jornal *Agora São Paulo*. Ela perguntou se eu sabia do resultado do exame pericial dos pelos e eu disse que não. Ela falou que preparava uma manchete bombástica para o dia seguinte, em que seria explorado que os pelos que estavam num veículo Santana não eram humanos. Eu fui enfático: "Isso não é possível. Se acontecer isso, eu vou desmoralizar a perícia". Em seguida, liguei para o Dr. Greenhalgh e solicitei a presença dele, com urgência, em Taboão da Serra. Ele era designado pelo PT para acompanhar as investigações da morte do prefeito. Prontamente atendeu ao chamado e, em menos de uma hora, estava na minha sala.

Contei a ele o que tinha ocorrido, abri a primeira gaveta direita da minha mesa e mostrei a ele uma foto onde apareciam dois dedos, segurando fios de cabelos brancos. Ele olhou, meio assustado, e questionou-me a respeito do que era aquilo. Eu disse: "Dr. Greenhalgh, são meus dedos segurando cabelos encontrados dentro do porta-malas do Santana do Embu. Fui em quem tirou as fotos. Sou sincero: se sair no laudo que só havia pelos de animais ali, divulgarei esta foto para a imprensa e desmoralizarei a perícia, que terá sido uma fraude, uma armação".

Ele disse: "Dr. Tuma, fique tranquilo, eu vou já ver isso no Instituto de Criminalística".

Dito e feito. No dia 29 de janeiro, o *Agora São Paulo* lançou:

"Fios brancos encontrados no carro do cativeiro são de animal

Rita Magalhães, do *Agora São Paulo.*

Peritos do Instituto Médico-Legal constataram que os fios brancos achados no porta-malas do carro, localizado num suposto cativeiro em Embu, não são do prefeito Celso Daniel. O Agora apurou que os fios não são humanos, mas sim de algum animal doméstico – cachorro ou gato – que foi transportado no veículo. O laudo negativo começa a derrubar a linha de investigação que pretende estabelecer um elo entre o sequestro e morte do prefeito de Santo André e o resgate de dois presos da Penitenciária José Parada Neto, de Guarulhos (Grande SP). O suposto cativeiro foi localizado em Embu (Grande SP)."

Pelo texto, a matéria continha claramente um objetivo: desacreditar a investigação que eu fazia e que envolvia o Dionísio na morte do prefeito. Ademais, estranhamente, não foi reproduzido o "on" que eu dei para a jornalista, desse modo: "Desafio alguém a me apresentar um laudo nestes termos e assinado".

Voltemos aos detalhes, àqueles que não podem escapar aos olhos investigativos. O leitor lembra que Greenhalgh afirmou que iria ao Instituto de Criminalística no dia 28 de janeiro? Uma coisa despertou-me a atenção durante a leitura do Laudo nº 01/02, firmado no dia 4 de fevereiro daquele ano. Consta no item I – HISTÓRICO: "Recebemos, através do Dr. Carlos Delmont, no dia 28.01.02, um envelope de papel pequeno, pardo, do IML, com a inscrição Cadáver nº 320, que segundo sua informação, foram cabelos por ele recolhidos da vítima Celso Daniel, quando do exame necroscópico. (...) No dia 29.01.02, através do ofício BIOQ 013/02, foi encaminhada amostra colhida por aspiração do porta-malas do veículo Santana (suspeito), com lacre 0010925 (azul), para exame comparativo dos mesmos".

Pergunto: o que levou o médico-legista a entregar os cabelos para confronto justamente no dia 28? Que teria dito o senhor Greenhalgh aos peritos? E mais: por qual razão não havia lacre no envelope entregue? Mais ainda: por que somente no dia 29, depois da notícia no jornal, é que foram encaminhadas as amostras lacradas, apreendidas no Santana do Embu para exame comparativo?

Outra pergunta: por que a repórter falava em laudo quando me telefonou no dia 28, a mesma coisa na reportagem do dia 29, se o laudo só foi feito em 4 de fevereiro?

Lançando-se um olhar técnico sobre esse quadro, nota-se que: a) o laudo já estava pronto no dia 28; b) o laudo vazou para a repórter no dia 28; c) em razão do que eu disse a greenhalgh, no sentido de desmoralizar a perícia, certamente houve o refazimento da peça, levada à publicação no dia 4 de fevereiro. O que confirma minha tese? A conclusão dos peritos:

"As características qualitativas e quantitativas avaliadas neste exame piloscópico não permitem afastar a possibilidade dos pelos 5, 13, 14, 16, 18 e 21 serem da vítima Celso Daniel; nada mais havendo a acrescentar, encerramos, 4 de fevereiro de 2012".

Então, a senhora repórter antecipou as conclusões errôneas da perícia que, por óbvia gestão de Greenhalgh, foram reparadas, produzindo-se um laudo que nada tem de "negativo". Resumindo: são fortíssimos os indícios de que Celso Daniel esteve naquele porta-malas. E se eu não tivesse tirado aquela foto ao lado do perito, para minha segurança e arquivo pessoal, por pressão e interesse de alguém, teríamos um "laudo fajuto". Especulo: será que esse tipo de pressão, que não é pouca coisa, pode ter causado a morte do Dr. Delmonte?

Enfim, eu fui pesquisar quem era a repórter com colegas dela, e descobri que namorava ou era casada com um outro jornalista, assessor de imprensa da Secretaria da Segurança Pública. A manchete dos pelos caninos, acho que era uma matéria encomendada para enfraquecer e esvaziar o trabalho de investigação que eu estava fazendo, para desvincular o cativeiro do Embu da favela do Pantanal. No fim isso se tornou uma barriga, uma notícia furada.

Essa reportagem, esse pseudolaudo negativo, eram estratagemas para desvincular o que eu já tinha vinculado: o resgate do Dionísio ao sequestro do Celso Daniel. Além de tudo, ele tinha inúmeras ligações comprovadas com o Sombra.

Vejam vocês, eles estavam fazendo laudo fajuto! Esse automóvel Santana, dos pelos coletados, foi o que usaram para botar Celso Daniel no cativeiro do Embu. É possível fajutar laudos periciais mesmo com a perícia desvinculada da polícia; aliás, um enganador discurso que sempre usaram para justificar a tal independência funcional. Pegaram material apreendido e não examinaram. Isso prova que se pode fajutar laudo, até nos casos de maior repercussão.

Na área de Inteligência, nós falamos em análise de vínculos. Pode o leitor brincar um pouquinho de analista, basta relacionar os seguintes dados:

1. Celso Daniel era amigo de Sombra;
2. Sombra foi casado com Adriana;
3. Adriana foi amante de Dionísio;
4. Dionísio foi segurança de "Sombra";
5. Dionísio tinha contato com Itamar, que sequestrou o prefeito;
6. Quando foi assassinado, Dionísio estava acompanhado de José Edson, comparsa de Itamar;
7. Dionísio fugiu de helicóptero;
8. O helicóptero prestava serviços ao PT;
9. Quebra de sigilo indicou que o telefone celular de um deputado estadual do PT estava nas imediações do local do encontro do cadáver de Celso Daniel;
10. Esse deputado tinha um cheque de Sombra depositado em sua conta bancária;
11. Celso Daniel jantou com Sombra no restaurante Rubaiyat antes de ser sequestrado;

12. Garçom do Rubaiyat ouviu a última conversa de ambos e foi assassinado posteriormente;
13. Outro garçom do Rubaiyat contratou o helicóptero referido no item 8;
14. Manobrista do Rubaiyat era vigilante de cativeiro de pessoas sequestradas por Ivan Rodrigues da Silva, vulgo "Monstro", comparsa de Itamar;
15. O garçom que contratou o helicóptero hospedava-se na rua Urca, nº 23;
16. Na rua Urca, nº 23, havia um veículo Santana em cujo porta-malas foram encontrados cabelos que seriam de Celso Daniel;
17. O garçom hospedava-se numa pensão de um tio de Klinger, braço-direito de Celso Daniel na prefeitura;
18. O garçom referido nos itens 13, 15 e 17 ocultava-se, por vezes, num apartamento onde Dionísio recebeu pessoas da prefeitura de Santo André.

Agora, perspicaz leitor, elabore um diagrama (em formato de teia de aranha) e surpreenda-se com o resultado.

ON THE ROCKS

Lembro-me de um fato interessante, que derruba a concepção de que o prefeito Celso Daniel era um anjo, e seu governo um convento. Houve uma correria danada da cúpula do Ministério Público de São Paulo que, segundo consta, precisou encostar uma perua Kombi no Tribunal de Contas de São Paulo desesperadamente.

O Tribunal de Contas já tinha encaminhado mais de 100 processos referentes à administração dele, Celso Daniel, para o Ministério Público instaurar procedimentos e inquéritos, relativos a problemas com a administração, casos que mereciam investigação: desvios, propinas, irregularidades gritantes, uma série de coisas. Segundo a própria cúpula do Ministério Público referiu na época, um promotor da região era muito ligado ao prefeito ele vivia bebendo whisky na sala do chefe do executivo municipal, depois do expediente, e nunca tomou nenhuma providência sobre supostas irregularidades na prefeitura. Então aquela história de que o Celso queria acabar com o esquema de corrupção não existe, até porque, para o Tribunal de Contas, ele era um dos prefeitos sobre quem pairavam mais suspeitas.

O procurador-geral do Ministério Público paulista da época, Dr. Marrey, foi quem mandou, desesperadamente, coletar isso, até porque lembrava ter uma série de denúncias e, quando mandou pesquisar, não existia nenhum procedimento instaurado com relação aos processos que o Tribunal de Contas havia encaminhado. Estava tudo engavetado e ninguém dava conta de encontrar a tal gaveta. Logo que começaram a estourar as notícias da morte do prefeito, falaram que havia pagamento de propina, desvio de dinheiro, enfim, várias eram as especulações das causas do crime.

Como dito, existiam mais de 100 processos, requisitados pelo TCE, de contas não aprovadas, de denúncias de toda ordem, contra sua administração, secretários e secretarias, desvios de recursos, de licitação malfeita; enfim, foi um desespero, e o pessoal do MP foi buscar as cópias de tudo isso de Kombi. Quase precisaram de um caminhão.

Comentava-se que, em Santo André, tinha o promotor Dr. *On the Rocks*, cuja pronúncia combinava com "whisky com gelo" porque ele vivia tomando um bom destilado na sala do Celso, mas o que era mesmo preciso tomar – providências – isso não acontecia.

Segundo soube posteriormente, após "operação-desova" e reconstituição de autos, restaram em torno de 120 novos processos instaurados relativamente àquela administração.

A PROVA INÉDITA

Na minha vida não viro páginas em branco, já disse. A cada dia, ocorrem coisas que me motivam a continuar professando essa filosofia.

Vejam só: ao escrever este livro, e discorrer sobre o caso Celso Daniel, revelei ao Cláudio Tognolli algo que sempre me intrigou muito, que é o fato de o DHPP ter descartado qualquer hipótese de crime de mando, mesmo com todas as evidências que colhi e que cercavam o caso. Dentre elas, há uma sobre o cidadão que me procurou, a fim de informar ter visto veículos da prefeitura de Santo André, na noite anterior ao encontro do corpo do prefeito, naquele mesmo local da rodovia Régis Bittencourt.

Aquilo era uma bomba! Ouvimos a testemunha mais de uma vez, tivemos cautela de certificar a sua idoneidade; entretanto, era necessário confrontar uma informação mais, o que eu tentei dentro das limitações que me eram estipuladas, e não consegui chegar ao fim sem ter que avançar os limites que me foram impostos.

Com o maior sigilo, por absoluto profissionalismo, cerquei-me de todos os cuidados para que o caso não vazasse na mídia no que parece que fui bem-sucedido – alguém que quisesse fazer política não teria esse cuidado – e repassei para o DHPP prosseguir nas diligências. O que sempre me intrigou é que nunca soube o que ocorreu; e agora, ao escrever esse capítulo, o Tognolli, como excelente jornalista investigativo, foi atrás e descobriu, através de uma fonte, o que aconteceu com aquela papelada e aquela testemunha: nunca foram considerados! Aquela linha de investigação jamais foi concluída, sequer ao inquérito do DHPP foi juntada!

Tenho cópia do depoimento e enviarei para o MP, se quiserem. O leitor encontra o fac-símile deste documento inédito à página deste livro. Pelo visto, parece que ficou mais fácil concluir por crime de ocasião. Esta história ainda vai fechar, só espero que fechem também portas de cadeias com essa gente dentro!

Até hoje penso nas razões que levaram ao meu afastamento das investigações. Certamente, o governo do estado à época (PSDB) não queria que eu me destacasse (aliás, é o mesmo governo hoje e, misteriosamente, não me atribuem uma função: venho tirando férias e licenças desde que o PT jogou-me nas mãos do PSDB, após minha exoneração do cargo de secretário nacional de Justiça).

Não entendo: qual seria a lógica de o PSDB não deixar investigar alguma coisa que, direta ou remotamente, poderia atingir o PT? Talvez porque era um crime bárbaro que colocava a própria política de segurança tucana sob forte crítica!

Arrisco que o fato espelhava uma face covarde do governo estadual, preocupado em não dar chance ao PT para se dizer vítima de alguma armação, com a comprovação de que os crimes ocorridos na administração municipal em Santo André foram a causa da morte do prefeito, em pleno ano eleitoral. O que poderia reavivar o episódio do sequestro do empresário Abílio Diniz, em 1989, às vésperas da eleição do presidente Collor.

Eu fazia uma investigação séria; não estava investigando o PT, estava investigando um crime em que a vítima era um importante político do PT, como o Celso Daniel. Ia prender o autor e, fazendo isso, beneficiaria, pelo menos em tese, o Lula, ao denunciar possíveis criminosos que estariam a seu redor, participando de sua campanha e de um provável futuro governo.

Quando houve o sequestro do Abílio Diniz, surgiu aquele negócio das camisetas, e no jornal saiu: "PT sequestrou Abílio Diniz". Aquilo deu um efeito político complicado. Só que foi no dia da eleição. O que o PSDB tinha medo era que se apontasse, realmente, como autores pessoas ligadas ao Celso Daniel, à prefeitura e ligadas ao partido. O PT poderia fazer uma campanha pública de autodefesa e vitimização do tipo: "Estão querendo nos acusar novamente", e criar um clamor social a seu favor, dizendo: "Olha, estão imputando tal fato contra nós", o que ficaria difícil provar.

O discurso deles seria fácil. Pregariam assim como crer que gente do PT iria fazer alguma coisa contra o Celso, que era o homem mais importante da campanha do Lula? Quem iria acreditar? O povo, certamente, ao lembrar-se do episódio de 1989, pensaria: "Ah é verdade! Estão sacaneando, que jogo baixo". Isso iria se virar contra o PSDB e não haveria tempo de se reverter o quadro, além de desvirtuar totalmente o foco da campanha eleitoral, que poderia contaminar a disputa pelo governo de São Paulo, onde o Alckmin era imbatível.

Portanto, para o PSDB, quanto mais rápido acabasse esse negócio, melhor. Eles tinham esperança de ganhar a eleição, foi por isso que abafaram. No custo-benefício, era menos arriscado ajudar o PT naquele episódio; mas, como sempre, continuo a fazer aquilo de que mais gosto: investigar, ligar pontos, partir dos fatos para encontrar seus autores.

POST MORTEM

O caso Celso Daniel sempre foi cercado de muitos mistérios e de algumas especulações. Veja, por exemplo, o fato de a cúpula da polícia ter designado a doutora Elizabeth Sato para presidir o segundo inquérito.

Aquela não foi uma providência acertada. Afinal, a Bequinha, como nós, seus colegas, a chamamos carinhosamente, era delegada titular de um distrito sensível, o 78º na zona sudoeste, o mais destacado de São Paulo, com inúmeras atribuições e atividades diárias. Ela tinha perspectivas de ascensão na carreira, e o caso poderia sugerir sua vulnerabilidade a direcionamentos superiores, ou uma necessidade de agradar a administração; enfim, não era e não foi uma escolha oportuna.

Registro que não trato da competência profissional dela, que é indiscutível, mas da estrutura material e da devida independência funcional necessárias ao titular daquela tarefa – que certamente seria, como foi, régua de medição da capacidade institucional da Polícia Civil. Além do mais, se a Delegacia Seccional de Taboão da Serra, onde o crime ocorreu, fora preterida naquela época, como justificar agora uma investigação na circunscrição de um distrito que nenhuma relação tinha com o fato? A cúpula da polícia agia em absoluta contradição.

Era caso para um delegado de classe especial, seccional de polícia ou divisionário, com aparato material, pessoal e moral para investigar sem sujeição a pressões, viessem de onde viessem. A delegada Sato deveria ter sido preservada.

Com os recursos de que dispunha, e certamente a pressão que sofria, a Dra. Sato cumpriu seu trabalho e confirmou minha tese investigativa: Dionísio de Aquino Severo era implicadíssimo no sequestro e morte do prefeito Celso Daniel, que teve ação compartimentada, e levou para o túmulo o que poderia revelar. Em outras palavras, ela reconheceu que o Dionísio era o vínculo com o esquema do Sombra e de seus comparsas. Só por isso já se vê como são inverídicas as notícias que afirmam que a polícia refez a investigação e chegou ao mesmo resultado.

A cúpula da polícia deveria ter preservado a Bequinha. Não entendo porque não o fez. Hoje, já promovida à Classe Especial, ela dirige o DHPP e tem uma estrutura fantástica para – agora sim, e se deixarem – reinvestigar o caso. Seria uma forma de ela desmentir todas as especulações que circularam, até por *email,* aludindo a um possível parentesco distante com o ex-presidente Lula, para que ela não fizesse uma investigação isenta. Até hoje o Greenhalgh não respondeu a uma pergunta que lhe fiz, na época, sobre o significado do nome da empresa de transporte ROTEDALI, pivô de um possível desentendimento: se era a junção das iniciais de Ronan, Tereza, Daniel e Luiz Inácio, possíveis sócios. Ele prometeu verificar mas nunca mais tocou no assunto.

Também ninguém mais falou da briga entre Celso Daniel e Klinger, sobre a candidatura do segundo, impedida pelo primeiro, para que o esquema não sofresse qualquer alteração que pudesse pôr em risco o projeto do partido, e se isso teve alguma influência no sequestro do prefeito.

O mesmo mistério guarda o que foi tratado na reunião que Sérgio Sombra e Celso Daniel tiveram antes do jantar no restaurante Rubaiyat, em um apartamento dos jardins.

ESTADO DA ARTE

E como ficou o caso na Justiça?

Elcyd Oliveira Brito dirigia a Blazer usada no sequestro do prefeito. Disse em juízo que o torturaram para que confessasse participação no crime. Foi condenado a 22 anos de prisão.

Ivan Rodrigues da Silva, o Monstro, era o chefe da quadrilha da favela Pantanal, na divisa de São Paulo com Diadema, que matou o então prefeito de Santo André, Celso Daniel, a mando de Sérgio Gomes da Silva, o Sombra. O que aconteceu: Ivan Rodrigues da Silva foi julgado em maio de 2012. Foi condenado a 24 anos de prisão por homicídio duplamente qualificado.

José Edson da Silva foi acusado pelo Ministério Público de integrar a quadrilha da favela Pantanal. O que aconteceu: José Edson da Silva foi julgado em maio de 2012, e condenado a 20 anos de prisão por homicídio duplamente qualificado.

Rodolfo Rodrigo dos Santos Oliveira, o Bozinho, também era da quadrilha da favela Pantanal. Foi julgado em maio de 2012 e condenado a 18 anos de prisão por homicídio duplamente qualificado. Na época do crime, era menor de 21 anos.

Marcos Roberto Bispo dos Santos serviu como motorista do bando que sequestrou e matou Celso Daniel. Foi sentenciado em novembro de 2010 a 18 anos de prisão.

O empresário Sérgio Sombra era amigo e braço direito de Celso Daniel. Diz a promotoria que ele coordenava a coleta de propina entre empresários que tinham negócios com a prefeitura. Sombra estava com Celso Daniel no momento do sequestro. Dois anos após a morte de Celso, Sombra foi acusado pelo Ministério Público de mandar matar o amigo e passou de testemunha a réu. Foi preso por sete meses mas desde 2004 responde em liberdade ao processo, por determinação do STJ.

Um rol de mortes está no entorno do caso: são sete ao todo.

1. Dionísio Aquino Severo – Certamente envolvido no sequestro de Celso Daniel e uma das principais testemunhas no caso. Morto três meses após o assassinato de Celso.
2. Sérgio Orelha (Manoel Sérgio Estevam) – Escondeu Dionísio em casa após o sequestro. Fuzilado em novembro de 2002.
3. Otávio Mercier – Investigador da Polícia Civil. Telefonou para Dionísio na véspera da morte de Daniel. Morto a tiros em sua casa.
4. Antonio Palácio de Oliveira – O garçom que serviu Celso Daniel na noite do crime, pouco antes do sequestro.

Morto em fevereiro de 2003: sua moto bateu num poste quando fugia da perseguição de dois homens num carro.

5. Paulo Henrique Brito – Testemunhou a morte do garçom. Levou um tiro, 20 dias depois.
6. Iran Moraes Redua – O agente funerário que reconheceu o corpo do prefeito jogado na estrada, e chamou a polícia em Juquitiba, morreu com dois tiros em novembro de 2004.
7. Carlos Delmonte Printes – Legista que atestou marcas de tortura no cadáver de Celso Daniel, foi encontrado morto em seu escritório em São Paulo, em 12 de outubro de 2005.

Certamente, o que garantiu a impunidade, até hoje, dos cabeças que articularam e/ou se omitiram diante dos crimes que culminaram na morte de Celso Daniel foi a eleição de Lula naquele ano, e sua permanência no poder. Esse fato possibilitou a distribuição de espaços, cargos e recompensas aos companheiros, e permitiu empregar, até o presente, todos os órfãos, atores, "viúvos" e "viúvas" do prefeito morto de Santo André. E com certeza contribuiu decisivamente para que, burras abastecidas, as bocas permanecessem caladas e os ânimos serenados. Afinal de contas, Celso era o homem forte de Lula, e seria seu "primeiro-ministro". Apesar de sua morte, o projeto de poder bem-sucedido possibilitou a continuação daquele esquema iniciado em Santo André, agora numa dimensão "nunca antes vista na história desse país". Sua morte, portanto, não foi em vão.

O hábito de realizar investigações durante uma vida inteira deixa-nos com uma certeza: a de que os mortos falam. É preciso ter tirocínio para perceber, nos detalhes, a história que está posta diante de nossos olhos, desde que queiramos enxergá-la.

CAPÍTULO 9

AS PROVAS DO GRAMPO ILEGAL CONTRA OS MINISTROS DO STF

Autointitulada progressista, a dita "mídia independente" verberou como ninguém o absurdo daquela capa da revista *Veja,* afirmando que o STF, em particular o ministro Gilmar Mendes, foi grampeado durante a Operação Satiagraha. O grampo custou o cargo ao diretor da Abin, Paulo Lacerda, expelido para uma assessoria "aspone" em Portugal. Como Moisés ensandecidos, os chamados blogueiros sujos, sempre patrocinados no velho esquema – pela Caixa Econômica Federal ou pelo Banco do Brasil – levantaram um chavão de que a capa da *Veja* constituía um "grampo sem áudio".

Segue a verdade do caso: não só Gilmar Mendes foi grampeado como também todos os outros ministros do STF. O grampo foi feito com uma maleta francesa, empregada para rastrear celulares em presídios. O que ninguém sabe é que essa maleta também derruba os sinais das operadoras, e toma o lugar delas. Ela ocupa o espaço não só das operadoras como também das estações repetidoras de sinais dos celulares. Com ela, é possível identificar números de celulares, seus IDs, rastreá-los, localizá-los milimetricamente, ouvir e gravar suas conversas. Protógenes, Dadá e seus gansos e agentes fizeram uso dessa maleta para grampear todos os ministros do STF, e o Lacerda pagou o pato. O que se segue é uma carta que recebi do meu velho amigo, delegado Edson Oliveira, ex-chefe da Interpol no Brasil, onde se explica o *modus operandi* – inclusive a grave notícia de que a denúncia gerou um inquérito-fantasma, ou seja, iniciado e encerrado sem registro nos livros cartorários e sem envio para a Justiça.

Já antecipo: alguém há de anunciar que o Edson já foi preso, sem entrar no mérito de tratar-se ou não de uma injustiça. É a velha tática dos contrariados, que sempre preferem as meias-verdades ou até as falsidades. Baseio-me, como sempre fiz em minha vida pessoal e profissional, na tese de que para mim importa a idoneidade do testemunho e não só da testemunha, apesar de reputar ao Edson absoluta idoneidade moral. No campo das provas e das testemunhas, o que se requer é testemunho idôneo. De que vale uma testemunha idônea com um testemunho inidôneo? Imaginem se antecedentes servissem para, por si só, mensurar idoneidade de testemunhos! No crime de formação de quadrilha, nenhuma prova testemunhal seria válida. Segue-se a carta:

"Rio, 2 de maio de 2011

Caro Romeu: recebi uma informação no final de 2008, por volta do mês de outubro, dando conta de que a escuta telefônica no Supremo Tribunal Federal teria sido feita por um agente federal, lotado na Superintendência do DPF no Rio de Janeiro, o qual, na ocasião da realização do grampo, estaria cumprindo missão em Brasília. Essa informação me foi passada pelo presidente do Sindicato dos Policiais Federais no Rio de Janeiro, o agente Telmo Correia.

Segundo Telmo, após a publicação da notícia da descoberta da realização da escuta no STF, o agente o procurou, na condição de presidente do Sindicato dos Policiais Federais no Rio de Janeiro, para pedir aconselhamento, alegando que havia feito a escuta e estava apavorado e preocupado, sem saber o que dizer caso fosse descoberto.

Para melhor compreensão, Telmo era um dos agentes que compunham uma das equipes que trabalhavam comigo no aeroporto Santos Dumont, no Rio de Janeiro, e deixou escapar essa informação durante uma conversa informal; falávamos da existência de inúmeros valores nos quadros da PF e Telmo procurava exaltar as qualidades de um dos seus amigos, com o qual já trabalhara na Delegacia Fazendária e que o procurara recentemente para expressar sua preocupação e pedir apoio e aconselhamento.

Insisti com Telmo para que me fornecesse o nome do agente, entretanto ele se recusou, alegando que recebia inúmeras pessoas em sua sala como presidente do Sindicato, e que esse caso era somente mais um. Alertei-o para o fato de que ele não era padre para ouvir confissão e guardar segredo mas sim, antes de tudo, um agente federal, e como tal tinha o dever de informar oficialmente o conhecimento de um crime e de sua autoria. Disse ainda que levaria o caso ao conhecimento da autoridade que presidia inquérito e que, fatalmente, ele, Telmo, seria convocado a depor. Telmo, na ocasião, me disse que, caso fosse realmente chamado, negaria tudo.

Investigando o assunto juntamente com o agente federal Alexandre Fraga, outro componente de uma das equipes de plantão naquele aeroporto, chegamos ao autor do delito, através do cruzamento de vários dados que foram vazados por Telmo durante inconfidências feitas ao longo do dia durante os seus plantões. A investigação nos conduziu ao agente federal Távora, na época lotado na Delegacia Fazendária da PF do Rio de Janeiro.

Távora participou de operações em Brasília, recebendo diárias, tendo passado vários meses naquela cidade, convocado para participar da equipe do delegado Protógenes. Segundo os levantamentos feitos, Távora é um agente federal com pouco tempo de polícia mas muito experiente em análise financeira e documental, pois foi analista de empresas de consultoria por muito tempo antes de ingressar na PF.

Ao iniciar a investigação, no início de novembro de 2008, entrei em contato, através do agente Fraga, com o delegado William, presidente do inquérito policial que apurava o crime.

Dias após, o agente Fraga recebeu uma ordem de missão para comparecer em Brasília, onde se reuniu com o delegado e lhe informou que o levantamento estava sendo feito, tendo recebido sinal verde para continuar a operação.

Nessa mesma época, comuniquei pessoalmente ao então superintendente da PF no RJ, delegado Angelo Gioia, a respeito da investigação que realizava com o conhecimento da direção geral.

Posteriormente prestei declarações dos autos do inquérito, tendo inclusive passado por acareação com o presidente do Sindicato, agente Telmo, o qual na ocasião negou o fato e alegou que eu estava mentindo.

Não bastasse esse fato, Telmo, imediatamente após ter sido informado por mim de que o assunto estava sendo levado oficialmente às esferas superiores, convocou o delegado Protógenes para alertá-lo a respeito. Protógenes veio ao Rio de Janeiro e se reuniu com Telmo na sede do Sindicato dos Policiais Federais.

No início de janeiro de 2009, toda a equipe de policiais lotados no aeroporto Santos Dumont, inclusive esse delegado, foi dispensada e transferida para diferentes setores da PF do RJ.

Durante o levantamento feito, ficou evidente que a escuta no STF foi realizada com a utilização de equipamentos de gravação digital sem fio, de origem francesa, produto de um acordo entre o governo da França e o do Brasil.

Além disso, a maior parte dos componentes da equipe que trabalhou nessa escuta e em outras, legais ou não, fez curso de especialização nessa área na França.
Surpreendentemente, já em outubro de 2009 o mesmo agente Fraga recebeu um e-mail que o informava do cancelamento da viagem que havia realizado a Brasília por determinação da Direx/DPF, alegando que o motivo do cancelamento é que havia se tratado apenas de uma simulação.
Conversei hoje com o agente federal Fraga, o qual não se opôs a que o nome dele fosse citado, bem como se colocou à disposição para fornecer mais detalhes sobre esse caso e outros que tem conhecimento. Estou à disposição para qualquer outra informação.
Um grande abraço, Edson Oliveira."

Durante nova conversa, mandei um e-mail ao delegado Edson pedindo mais detalhes sobre essa tal mala francesa. Eis o que ele me respondeu:

"Com o uso da máquina francesa, que é contida em uma pequena maleta móvel, basta estacionar com o veículo próximo ao local onde a conversa se realiza e captar a frequência do aparelho desejado, nos mesmos moldes do que se fazia antigamente com aparelhos analógicos, com a ajuda das companhias telefônicas. No presente caso, a tecnologia é mais sofisticada, pois não depende do apoio da companhia telefônica, e muito menos de autorização judicial. Ao que tudo indica, porém sem 100% de confirmação, no caso do tio Gigi (Gilmar Mendes) houve também escuta ambiental plantada nos computadores da casa (Supremo) e de todos os vizinhos (ministros) da mesma, feita em operação de entrada clandestina com equipamento especial (acesso com burla ao sistema de controle). Abraços, Edson".

Resumo da ópera: após a denúncia do Edson, a PF fingiu proceder uma investigação com a instauração de um inquérito, que, ao que tudo indica, nunca existiu para valer. O Edson foi perseguido por denunciar o caso, aliás, caminho comum de quem busca a verdade nos dias atuais, onde o que era regra virou exceção e vice-versa.

Em decorrência dessa investigação, os militantes da ideologia autodenominada de esquerda, hoje a compor a força política dominante no país, resolveram assassinar moralmente o delegado Edson Oliveira. O objetivo era claro: retirar credibilidade de qualquer declaração sua, em caso de eventual desdobramento dos graves fatos que sua investigação apontava. A denúncia da realização de escuta ilegal na Suprema Corte do país, feita pela Polícia Federal (como afirmara o delegado Protógenes Queiroz a seus agentes, "por ordem do Planalto"), custou a ressurreição de uma acusação contra o delegado Edson.

Vou repetir a informação anterior: Protógenes relatou a seus agentes que a Satiagraha era, sim, uma "missão presidencial" – em todos os sentidos e extensões da mesma.

O método empregado contra o delegado Edson foi semelhante ao descrito na obra do escritor russo Alexander Soljenitsin – *Arquipélago Gulag* – em que o Estado tinha absoluto poder de vida e morte sobre os cidadãos.

Carimbar as pessoas como donas de algum antecedente criminal é medida imperiosa para esse governo que, quando se vê metido em trapalhadas, faz uso de tal expediente para desqualificar as testemunhas que não lhe sejam convenientes. Nesse método, o que vale é tão somente a idoneidade da testemunha e não a do testemunho por ela ofertado. O que deve ser coerente, qualificado, íntegro, consistente, fiel, detalhista, idôneo é o testemunho, e não a testemunha.

Os exumadores de plantão desenterraram processo em que o delegado Edson de Oliveira era acusado de fato supostamente ocorrido em 1986, e que já havia sido arquivado por ordem da Primeira Vara da Justiça Federal do Rio de Janeiro em 2010. O juiz fixou extinção da punibilidade pela prescrição. Mas tais exumadores fizeram uso de lei posterior para fulminar o delegado Edson, algo impensável no ordenamento jurídico de um país democrático, vez que lei posterior não pode retroagir para prejudicar quem quer que seja. E assim conseguiram revogar aquela sentença, e obter mandado de prisão contra o delegado, para o cumprimento da pena de quatro anos e seis meses.

Jogaram o delegado no fundo de um cárcere pútrido e infecto, em um dos presídios de segurança máxima de Bangu. Edson de Oliveira foi obrigado a conviver com criminosos de toda espécie, alguns dos quais ele mesmo havia investigado e prendido. Correu risco diuturno de vida, passou dez meses preso, de maio de 2012 a março de 2013, quando foi colocado em prisão-albergue domiciliar, após cumprir 1/6 da pena. Detalhe: tudo após o delegado Edson ter me remetido, por e-mail, um ano antes dessas ações, a carta acima, em que ele relatou os desmandos de Protógenes e do governo de Lula contra os ministros do STF.

Com os direitos constitucionais violados, sua liberdade vilipendiada, suas prerrogativas como delegado aposentado e advogado militante desrespeitadas, o cidadão Edson Oliveira teve seu nome e sua reputação também assassinados. Seu bom nome, construído ao longo de quase 35 anos de carreira na Polícia Federal, onde ocupou vários cargos de direção, foi jogado no lixo. O que aconteceu com Edson, de resto ex-superintendente da PF carioca e ex-diretor da Interpol no Brasil, foi o mesmo sucedido a todos aqueles que ousaram investigar os abusos de um governo que tenta se apoderar do Estado a qualquer custo, preço e modo, atentando contra todos os princípios básicos e elementares de um Estado Democrático de Direito.

Voltemos agora à tecnicalidade do grampo ilegal contra o STF. Todos os ministros do Supremo foram monitorados, quer através de escuta dos telefones móveis com a utilização da maleta móvel, quer por via da implantação física, em seus computadores, de aparelhos de escuta ambiental. Todo o aparato foi tocado com a participação de arapongas, que prestavam serviços de segurança e limpeza aos próprios gabinetes dos ministros. E notem a ironia: alguns desses arapongas eram empregados no STF para garantir a segurança de nossa Suprema Corte contra escutas, e estavam vinculados aos agentes que operavam a Satiagraha!

Essas malas dispõem de um mecanismo simples: você a aponta da janela de um restaurante para o salão. Ela pega, digamos, os números dos 50 telefones ali presentes, e os mostra no display. Você acha o telefone da pessoa a ser grampeada nessa tela e o seleciona, e logo a máquina entra no lugar da companhia telefônica, virando seu "provedor". Faz o papel das ERBs – Estações Rádio Base (repetidoras), equipamentos que fazem a conexão entre os telefones celulares e a companhia telefônica. Assim, da mala, você pode mandar um torpedo falso, nela criado, da pessoa grampeada para, digamos, um megatraficante. Vai ficar registrado na companhia telefônica que quem mandou o torpedo foi a pessoa. A máquina falsifica o torpedo e não deixa rastros. Aí você bota a PF em cima da pessoa, cujo sigilo telefônico, quebrado mediante ordem judicial legalíssima, vai acusar o torpedo entre ela e o traficante. Pronto: a mala acabou de assassinar mais uma reputação!

Quando a coisa fica insustentável, como ocorreu no episódio do Supremo, a Justiça requisita as maletas dos órgãos que as possuem oficialmente, para fazer uma auditoria. Não resolve. Existem mecanismos pré-concebidos que inibem a localização dos dados relativos à sua utilização. Em quase todos os modelos e marcas há dois módulos com estágios de memória – *login*: um auditável pelo sistema de perícia e outro só auditável pelo próprio fabricante. Tudo que for apagado do primeiro módulo só pode ser acessado em caso de extrema necessidade pelo fabricante no segundo módulo – oculto e desconhecido dos operadores em geral.

Além do mais, temos dois graves problemas suplementares: alguns órgãos possuem essas maletas sem declarar, e algumas pessoas (agentes públicos ou intermediários) também as possuem, fruto do superfaturamento na licitação de compra, onde o sobrepreço é utilizado para o fornecimento de equipamentos suplementares para uso pessoal dos dirigentes que criam empresas particulares de prestação de serviços. Situação mais do que comum em grandes compras relativas a grandes eventos, tais como os Jogos Panamericanos, Copa do Mundo e Olimpíadas. Tudo em nome da segurança – menos a pública.

Após a Satiagraha e a perda de confiança na PF depois do Rosegate, o governo volta a instrumentalizar a Abin, descartada e encostada desde esse episódio no Supremo. Agora contra o mais novo adversário e "alvo", o governador de Pernambuco, Eduardo Campos, a instrumentalização da Agência volta a ser alternativa no projeto de poder. A diferença é que, no órgão de inteligência de Estado, não há possibilidade de se fazer inquéritos e de se usar a força policial para coagir seus alvos, ao menos diretamente. Para tanto, tem que dividir o poder, tem que partilhar, o que já torna as coisas mais difíceis; fora isso, a condição de confraria de aloprados ninguém tira desse governo, que consegue, graças a Deus, se parecer com Maxwell "Max" Smart, o Agente 86, agora sob a chefia da veterana agente 99.

E assim segue o Brasil dos arapongas...

CAPÍTULO 10

CONSTRUINDO UMA REPUTAÇÃO – MEMÓRIAS DE CASOS MEMORÁVEIS

Os casos a seguir trazem bastidores de episódios basilares da minha história de vida. Em 35 anos de polícia, investiguei os mais clamorosos crimes, seja no Brasil, seja no exterior, da crônica judicial brasileira. Tais casos ajudaram a construir minha exitosa trajetória profissional. E me compraz trazer ao leitor episódios jamais antes narrados com tantos e tamanhos detalhes. Esses extratos, juntos, são peças a compor a minha reputação: do esclarecimento do caso do nazista Mengele, passando pela prisão de Cacciola, até a investigação da morte de Celso Daniel.

Dívidas impagáveis que se cruzam, se misturam e muito explicam.

A do Brasil com a Itália e a do PT com Greenhalgh

Importante revelar que meus amigos da Interpol da Itália ajudaram a prender o banqueiro foragido Salvatore Cacciola, um troféu para o governo Lula, que, em contrapartida, negou a entrega do extraditando Battisti ao governo italiano, simplesmente para amenizar em parte a impagável dívida que tem com Greenhalgh, que desde os anos de chumbo fez todo serviço de advocacia e de bastidor político para o Lula e para o PT e, aparentemente, sempre saiu no prejuízo.

Na hora da chegada ao poder, deram o filé mignon jurídico para o Márcio Thomaz Bastos, que, a bem da verdade, tinha o melhor perfil para o projeto já descrito. Sobrou para o Luiz Eduardo uma frustrada candidatura a chefe do Legislativo e investigado na Satiagraha.

Ele tinha que ser recompensado. E foi. Mesmo que custasse ao Brasil uma lamentável exposição internacional, acusado de estar acobertando um "terrorista" sob o pretexto de asilo político humanitário. Não importava o preço: o privado tinha que prevalecer sobre o público, essa era a regra. Você verá detalhes dessa história logo à frente.

1 – CASO CACCIOLA

Lembremos do italianinho, e vou revelar meus bastidores. Salvatore Cacciola, ex-dono do Banco Marka, foi condenado em primeira instância no Brasil por crimes contra o sistema financeiro, juntamente com diretores e funcionários do Banco Central do Brasil, após seu banco ter sido socorrido em 1999, por ocasião da flutuação cambial.

Após ter ficado foragido na Itália por quase seis anos, foi extraditado ao Brasil em julho de 2008 e recolhido ao presídio Bangu 8, em regime de prisão preventiva, onde ficou preso por quatro anos. Em agosto de 2011, foi beneficiado com a condicional e passou a responder aos processos em liberdade. Em 16 de abril de 2012, a juíza Roberta Barrouin Carvalho de Souza, da Vara de Execuções Penais (VEP) do TJ do Rio, decidiu conceder um indulto com base no artigo 1º, inciso III do Decreto 7648/2011, expedido pelo presidente da República, em 21.12.2011. Considerando o disposto no inciso II do artigo 107 do Código Penal, o apenado teve a sua punibilidade extinta em decorrência dessa decisão, que não mais admite qualquer recurso.

Cacciola foi o caso que me habilitou com cartão verde no governo. Na verdade, no Ministério da Justiça com Tarso Genro. Vamos aos bastidores. Posso dizer que o presidente Lula me queria lá; ele falava para quem quisesse ouvir, e uma vez falou na frente de vários convidados, na festa da revista *Carta Capital*: "O Tuminha vai para o governo na minha cota pessoal". E disse a mim: "Você não pode ficar aqui em São Paulo, depois de tudo o que você fez na Assembleia e as brigas que você arrumou; vá trabalhar comigo". E muitos mais me confirmavam que ele me queria no governo: Mercadante, Jaques Wagner, Tião Viana, Aldo Rebelo. Aí o ministro Márcio me liga, em janeiro ou fevereiro de 2007, e confirma que o presidente me quer em Brasília. Pergunto: e lá faço o quê? Márcio explica: "Você vai ser diretor da Abin, ou secretário nacional de Segurança, ou secretário nacional de Justiça, ou secretário nacional Antidrogas. Certo é que será uma função relevante".

Passou-se um tempo, aí Tarso Genro assumiu o ministério e foi quem me chamou. Disse apenas que o general Félix queria conversar comigo. O general, gente finíssima, me ofereceu a chefia do gabinete da Senad, secretaria nacional Antidrogas. Tarso havia pedido que eu lhe telefonasse depois da conversa. Pelo telefone esclareci: "Agradeço ao senhor e ao presidente Lula, mas eu não estou procurando emprego. O presidente foi quem disse que tinha uma missão para mim. Quero é servir ao Estado, não me interessa ser chefe de gabinete da secretaria nacional Antidrogas. Não é vaidade, mas eu não vou sair de São Paulo e vir pra cá ganhando menos do que ganho em São Paulo como delegado – e olha que não é fácil conseguir isso – para não somar em nenhum projeto novo para o país! A questão nesse caso é sobrevivência e não missão". "Não, não – disse Tarso –, então vamos ver outra coisa".

Passou um tempo e eu comecei a receber recados. O Aldo Rebelo me encontrou e disse: "O presidente quer você lá". A própria bancada do PT na Assembleia pedia minha presença no governo federal. O Tião Viana, líder do governo na época, ex-presidente do Senado e hoje governador do Acre, ligava para me prestigiar. Não demorou muito e eu estava assumindo a secretaria nacional da Justiça.

O caso Cacciola foi o primeiro importante que enfrentei na secretaria e seus efeitos duraram por todo o tempo em que fiquei lá. Conecta-se com o caso Battisti porque traz no enredo a Interpol da Itália. Por outro lado, muda meu relacionamento com o ministro Tarso. Como já disse, ele me deixava meio de escanteio. Com o caso Cacciola ganhei a confiança dele. O ministro viu que eu trabalhava direito, que eu era do ramo e começou a me respeitar. Duvido que Cacciola tenha ficado lá todo esse tempo só administrando uma pensão-pousada... Se assim fosse, não ia passear em Mônaco com a namorada, de mocassim sem meia.

Assumi a secretaria em uma terça-feira. No sábado me ligou uma repórter do jornal *O Globo* que me conhecia de São Paulo há muito tempo, desde a época da máfia dos fiscais, antes de eu ser deputado. Disse: "Doutor Tuma, parabéns! Chegou chegando, hein?". Eu estava cortando os cabelos no salão do Wagner, cabeleireiro amigo e uma espécie de confidente do Tumão. Perguntei: "Por quê?". Respondeu ela: "Essa do Cacciola foi muito boa".

Repliquei: "Pegaram ele, né?". Ainda não havia recebido a informação, veio depois de cinco minutos. Mas a ela não deixei de arriscar, explicando: "Eu sei, porque recebi um telefonema da Itália".

Um tempo antes de assumir, eu havia reencontrado no Brasil agentes da Interpol da Itália, que ficaram meus amigos desde quando fui chefe da Interpol paulista. Quando soube que iria assumir a secretaria, liguei para meus contatos para informar e me colocar à disposição. Afinal, cooperação jurídica internacional era uma das atribuições da pasta, e no meu discurso de posse avisei que não teria uma postura passiva na condução das minhas tarefas, mas ativa. Como disse, são meus amigos, e são dos melhores agentes da Interpol com os quais trabalhei, juntamente com os chilenos, sempre muito ágeis nas informações e nas ações. Fizemos grandes trabalhos em conjunto e construímos grandes amizades. Repito: na iminência de assumir, havia ligado para eles: "Vocês têm que me ajudar a prender e extraditar o Cacciola". Extradição era assunto da SNJ.

Eles me chamavam de Junior, por causa do papai. "Não dá, Junior", o amigo respondeu na ocasião. Não daria porque o Brasil, anos antes, quando da sua fuga e descoberta em Roma, não aceitou a proposta da reciprocidade. A história verdadeira não é que a Itália negou a extradição do Cacciola. A Itália não negou a extradição, e sim propôs reciprocidade, ou seja: nós extraditamos desde que, em um caso análogo, o Brasil também extradite um nacional. Mas o Brasil não topou. E, a bem da verdade, não podia aceitar o acordo porque não poderia cumprir por vedação constitucional, que impede a extradição de brasileiros.

Aliás, com relação a um dos agentes da Interpol italiana, a PF ainda fez o favor de grampear seus diálogos, pedindo uma ajuda para consertar seu documento de estrangeiro que a própria polícia, ou o governo brasileiro, havia expedido com o nome da mãe dele errado. Vazaram como sendo um caso de advocacia administrativa, praticada "pelo pessoal do Tuma" naquela famigerada operação que o governo armou para me desmoralizar. Foi um dos "muito obrigado" do Brasil para a Itália: além do Battisti, queimar o agente da Interpol na imprensa.

Voltando: aquela sessão no salão do Wagner foi bem movimentada. Liguei para a secretaria, mandei localizar o Cesar

Augusto Toselli, responsável pelo setor. Ele me retornou e ouvi: "Doutor, o Cacciola entrou em cana em Mônaco". Retruquei: "Estou sabendo, qual é o procedimento?". Ele esclareceu: "Esperamos o Itamaraty comunicar se o Brasil tem interesse, aí a gente responde. O Itamaraty vai pelas vias diplomáticas". "Temos embaixada em Mônaco?", perguntei. "Não, temos de recorrer à embaixada em Paris". Fuso horário de cinco horas de diferença, mais blablablá diplomático, achei que tudo andaria muito devagar. "Não há outro procedimento?", insisti. "Não", ele respondeu, "normalmente é só esse".

Então decidi: "Agora mudou. Vamos fazer um procedimento policial. Você manda direto para Mônaco um comunicado, dizendo que ele é foragido e que o Brasil tem interesse na extradição do Cacciola". O funcionário caiu em perplexidade, disse: "Nós nunca fizemos isso, não é normal". Atalhei: "Eu quero saber se é proibido, ilegal ou irregular".

O Toselli, que era policial federal a serviço no departamento de Estrangeiros da minha secretaria, deu risada: "O senhor é polícia mesmo! Tudo bem, o que pode acontecer é o Itamaraty achar ruim e reclamar". O fato é que, se não agíssemos rapidamente, se o interesse brasileiro não fosse comunicado de imediato, evitando todos os trâmites impostos pela praxe burocrática, corríamos o sério risco de perder a oportunidade e ele ser posto em liberdade, com intimação para se apresentar no tribunal em dia útil. Além disso, senti que poderíamos contar com a colaboração da Interpol da Itália. Instruí o Toselli: mande um telegrama para a polícia de Mônaco, a Interpol de Mônaco, eu assino. Assim, o secretário nacional de Justiça informa que o governo brasileiro tem interesse na extradição do cidadão brasileiro preso nesse principado. Gostaríamos de conhecer o motivo da prisão e quais os caminhos a serem talhados para efetivar a extradição. No meu discurso de posse, eu havia dito que nós não seríamos uma secretaria que age só reativamente, seríamos protagonistas, agiríamos ativamente nos acordos, nos convênios – tanto é que o Brasil bateu recorde em acordos e convênios porque começou a agir sem esperar. Fizemos inúmeros, até com as Bahamas, o que era simbólico e histórico.

Na madrugada de domingo, soubemos que o preso iria se apresentar à Justiça na manhã de segunda-feira. E se o juiz arbitrasse a fiança e soltasse o homem? Adeus Cacciola! Tivéssemos só solicitado a intervenção do Itamaraty, e este tivesse acionado a embaixada da França, e esta tivesse tomado as providências para alcançar a Justiça monegasca, Cacciola poderia já estar na rua. Graças àquele telegrama o juiz transferiu a audiência para terça-feira. E de lá chegou um pedido de maiores informações.

Tive, depois, problemas com o nosso Ministério das Relações Exteriores. Naquele primeiro momento não, porque mandei também o comunicado para o Itamaraty. Mas quando o pedido da chancelaria chegou a Mônaco pelos caminhos normais, o juiz já havia tomado sua decisão. Só que, durante o processo, eu tive muitos problemas burocráticos. O Itamaraty demorava para fazer as coisas. Além disso, o Cacciola contava com advogados briguentos, encrenqueiros e competentes. Sem falsa modéstia, no caso Cacciola eu fui o cara certo, na hora certa e no lugar certo.

A bem da verdade, os *timings* da diplomacia, da justiça e da polícia são bem diferentes. Nós ficamos sempre muito ansiosos porque estamos lidando com quem quer burlar a Lei. Então esses pequenos pegas com as autoridades diplomáticas são naturais. Os trâmites burocráticos de cada país, nesses procedimentos, acabam causando isso mesmo. Nada que uma boa reunião de coordenação não resolva: afinal, temos os mesmos objetivos.

Era ponto de honra para o governo Lula trazer o Cacciola. Era como um troféu. Na verdade, para todos nós, tirando o aspecto político, era uma vitória contra a impunidade. Mas o governo acreditava que não conseguiria trazê-lo. Eu garanti ao ministro: "Vou trazer o cara, mas deixa eu fazer do meu jeito". Ele queria aparecer e, ao mesmo tempo, me esconder; fez questão de ir lá em Mônaco, foi recebido na porta do tribunal, quis levar o processo pessoalmente...

Me perguntavam: "Por que o próprio ministro da Justiça entende que, para concretizar essa extradição, precisa participar de lances finais da operação? Qual é o ministro da Justiça de qualquer país do mundo civilizado e democrático que agiria dessa forma?" Alguns reputavam aquilo como um episódio patético. Eu respondia: "Lances finais e iniciais, pois ele também participou, midiaticamente, do início do processo". Não tenha dúvida de que corremos risco, até porque aquilo poderia estragar tudo, e só não fez um estrago grande porque a gente tinha toda uma articulação técnica por trás e o apoio da Interpol da Itália. Senão a operação teria desmoronado. Tanto que, depois, eu tive que ir lá para consertar porque aquilo poderia afrontar Mônaco. A ida de Tarso Genro até lá poderia gerar um problema sério. No caso do Battisti, por exemplo, o ministro da Justiça da Itália poderia ter vindo aqui. Teria até maiores razões do que o Tarso para ir lá...

Na verdade, o que para mim era um ato de ofício, uma obrigação funcional, para o governo Lula era um troféu do qual precisava. E reparem na incoerência. No início, o ministério inteiro achava que eu deveria ir, e ele, o ministro Tarso, achava que não, que era caso para funcionários de menor escalão. De verdade: o Favetti, que era o consultor jurídico, chegou até a ir, o que foi bom, porque entendeu que a tarefa era minha, mas eu coloquei lá um funcionário técnico meu, embora eles dissessem que não precisava. Eu dizia:

"tem que ir"; precisava ter o controle da situação, para coordenar a operação. O próprio Luiz Paulo convenceu o ministro: "Deixa o Tuma ir, senão não vai funcionar". Eu não devia ir, segundo ele, e ele mesmo foi primeiro. Da embaixada da França transmitiam informações para mim, recomendavam: "Precisamos aguardar a manifestação deles. Não podemos interferir". Mas a essa altura eu já estava em contato com o promotor do caso, já falava por telefone com o ministro Narminou, da Justiça de Mônaco. E lá pelas tantas trouxe o ministro para fazer palestra no Brasil.

Eu sou polícia, sei trabalhar em casos como esse. Fizemos até um evento de parceria Brasil-Mônaco sobre lavagem de dinheiro. Quando estive em Monte Carlo, cheguei a fotografar Cacciola pelas costas durante a audiência, e visitei a cadeia para conhecer o sistema prisional. Um dia o ministro Tarso brincou comigo: "Se você trouxer esse cara, você vai ter que ser o meu substituto". "Então prepara a caneta – disse eu – porque vou trazer esse cara. Eu sei que vou conseguir, essa é a minha área. Eu não estou aqui de gaiato". Uma das minhas grandes tristezas, durante o caso Battisti, é que, quando eu fui para a Itália, os amigos da Interpol me cobravam: "Poxa, vocês seguram o Battisti". E eles me ajudaram no caso Cacciola, e como! Eles ajudaram porque era eu quem estava na parada. As relações de cooperação internacional, especialmente entre polícias, se fundamentam muito na confiança e no conhecimento entre as pessoas que representam as instituições, os estados e os países. É uma grande relação de confiança, que não deve e não pode ser quebrada.

Aliás, quando começou o caso Battisti, eles me cobravam: "Junior, Junior, o Brasil tem que cooperar". E eu falava: "Calma, calma que não acabou o processo". E acabou como acabou. Mas voltando ao Cacciola: nessa minha ida a Mônaco, o ministro Tarso me crivava de telefonemas para que eu voltasse logo, depois que saiu no *Jornal Nacional* que eu estava lá.

Fui testar, para ver se o pessoal da Itália tinha mesmo ajudado a gente. E tinha. A informação de que o Cacciola estava hospedado no Hotel Fairmont realmente vinha deles. Quando a Interpol do principado foi avisada, Cacciola já havia feito o *check-in* e saído para passear de carro por Monte Carlo quando, na praça do cassino, foi alcançado, abordado, identificado e preso. Diga-se que metade da antiga URSS ficava hospedada por lá ou no Hotel de Paris. Magnatas soviéticos que tomaram de assalto as estatais russas seriam encarcerados diariamente, sem se falar na apreensão de seus suntuosos navios ancorados nas marinas do principado, se fosse verdadeira a informação de que todo hotel tinha conexão com o cadastro dos procurados pela Interpol.

Na Interpol monegasca, trocamos chaveirinhos, distintivos, brindes, etc. Então eu disse ao Rodrigo Sagastume, meu funcionário do departamento de Estrangeiros que me acompanhava: "Fica ligado, vou fazer uma pergunta. Olha para aquele a quem vou fazer a pergunta. Aí você olha para o outro cara, que está ali do lado. Repare, eles vão piscar um para o outro após me responder, e trocar olhares". Dito e feito. A pergunta dizia respeito à participação da Interpol italiana no caso, se eles é que haviam avisado da viagem do Cacciola. E um piscava para o outro, e cada piscadela equivalia a uma confirmação; sim, a Interpol da Itália avisou: "Atenção, o homem está indo para Mônaco".

Então, mal ele chegou lá, já entrou em cana. Agora, o telegrama que eu mandei naquele sábado foi fatídico, foi o que o segurou. Disso não há a menor dúvida. Aquela mensagem propiciou o adiamento da audiência de segunda-feira, onde possivelmente ele conseguiria liberdade provisória e tchau. Além disso, outro fato decisivo, logo no início do processo de extradição, foi o que pesou para o sucesso daquela disputa judicial com a defesa do ex-banqueiro. Trata-se do mandado de prisão original, que eu consegui para instruir o nosso pedido logo no início, e que a defesa alegou que era falso. Eu, como policial civil, ex-divisionário da delegacia de Capturas, portanto acostumado com a tramitação dos mandados de prisão, sabia que os juízes, ao expedirem um mandado, assinam de três a cinco vias originais: uma fica no processo, uma na vara, outra vai para a autoridade que pede a prisão e mais uma para a Capturas ou Polinter. No caso do Cacciola, como havia tido já um pedido de extradição anterior para a Itália, uma via estava lá. Eu não quis mandar cópia porque imaginei que daria problema. Como policial civil, liguei para o delegado da Polinter do Rio de Janeiro, que prontamente me cedeu a sua via original arquivada, e, numa manobra muito ágil, solicitamos que um agente da PF do Rio pegasse o envelope com aquele mandado e entregasse para o Rodrigo na conexão do voo para Paris. Tudo cronometrado. A defesa do Cacciola quis anular o processo, alegando que o mandado de prisão era falso; eles nunca imaginaram que eu conseguiria a última via original e a fizesse chegar a tempo. Fizeram uma chicana. E aí foi uma disputa judicial com os advogados dele, impressionante. Aliás, ao que consta, foi a primeira derrota do advogado dele no tribunal.

Mas o que fez a gente vencer aquela batalha jurídica? O fato de eu ter ido lá e sentado com o promotor que atuava no caso, para me antecipar à tese que a defesa ia apresentar. Iriam alegar que ele era perseguido político. De todo modo, disseram que o processo estava prescrito, que ele tinha saído do Brasil porque a justiça brasileira autorizara. Pelo despacho do ministro Marco Aurélio, de certa forma, era verdade.

O que o ministro Marco Aurélio ganhou com isso? – me perguntaram muitas vezes de forma jocosa e até maldosa, se referindo ao alvará concedido ao Cacciola... Sempre respondi que obviamente nada. Eu sempre tive absoluta convicção de que ele agiu tecnicamente, como sempre faz, doa em quem doer, e assumiu um risco por não acreditar que o Cacciola seria capaz de zombar da justiça e fugir. Na verdade, aquela decisão serviu de argumento ao advogado dele em Mônaco. A grande dificuldade foi explicar como isso acontecera. Só conseguimos quando sentamos com o Ministério Público e o ministro da Justiça de lá para expor o caso em todos os detalhes, inclusive aqueles que estrangeiro dificilmente entende. No fim, consegui deixar claro – mostrando a chicana dos defensores dele, quando tentaram desmoralizar a tradução e acusar-nos, apontando o mandado de prisão como falso – que ludibriar e desrespeitar a justiça e seus integrantes era uma prática contumaz do extraditando. E que a justiça brasileira tinha sido vítima dele.

Um dia – foi muito engraçado – eu levei uma estatueta; era um presente dado em nome da justiça do Brasil, uma réplica da estátua da Justiça plantada diante do Supremo, em Brasília. O promotor levou um susto, achou que era um pacote com dinheiro, ficou branco. Aí viu que era a estatueta e riu muito.

O caso Cacciola tem implicações muito interessantes. Por exemplo, a lei das algemas nasce com o Cacciola. Tem a ver com Celso Pitta e Daniel Dantas, mas o caso Cacciola pesa mais. Quando começou esse processo, conseguimos a primeira repatriação de recursos. Aí eu fui para Nova York buscar o primeiro cheque, de US$1,5 milhão, referente à primeira repatriação de recursos, das mãos do Morgenthau, procurador-geral de Nova York, relativa ao caso Banestado. Lá eu comprei um par de algemas de fibra de carbono, pretas, levíssimas, algemas de luxo, na sede da NYPD (Departamento da Polícia de Nova York). De volta, falei para o Tarso: "Essa eu comprei para trazer o Cacciola".

Só que o diretor da Polícia Federal, Luiz Fernando Corrêa, não quis que alguém da secretaria fosse buscar o homem. O Luiz Fernando fez questão de mandar o delegado que prendera o Cacciola da primeira vez no Brasil, quando o caso estourou. O cara era vaidoso pra caramba, e eu queria usar a minha algema. Foi uma vaidade idiota, mas no final eu mandei junto o Rodrigo, o chefe do setor de extradição que havia substituído o Toselli, que voltou para a PF. Mandei porque havia uma série de detalhes que a PF não saberia tratar. Havia uma série de decisões que eu poderia tomar daqui desde que houvesse uma pessoa de confiança acompanhando o transporte pessoalmente. Além do mais, ele fez um trabalho magnífico no caso.

Após a chancela do príncipe Albert II de Mônaco para que Cacciola fosse, efetivamente, entregue a nós, iniciou-se uma nova e derradeira etapa no processo: evitar surpresas na transferência e no deslocamento do preso para o Brasil; afinal, ele poderia muito bem arrumar alguma confusão em território francês para provocar sua permanência por lá. Não tínhamos opção. Mônaco não dispunha de aeroporto que suportasse pouso de aeronaves. A saída só poderia dar-se pela França ou pela Itália, hipótese obviamente descartada por conta de sua dupla cidadania.

O Cacciola, então, sairia de Nice, o aeroporto mais próximo de Mônaco, e teria de baldear em Paris. E se na chegada a Paris o homem se finge de doente, inventa uma crise? Mais uma manobra fora do programa: conseguimos que o governo francês fizesse um acordo com o de Mônaco pelo qual as autoridades monegascas teriam autoridade sobre o preso, tanto no aeroporto de Nice quanto no Charles de Gaulle, em Paris.

De quebra, foi preciso fazer um outro acordo, de Mônaco e Brasil com a França, para o trânsito de condenado, porque senão o cara diz que está passando mal, desembarca na França e um abraço. Daí para frente são mais três anos de confusão. Houve hesitação por parte do ministério; ali havia quem quisesse sair logo na foto mas não permiti enquanto não fosse selado esse acordo-convênio de dois dias.

Cacciola saiu sem algemas de Mônaco, viajou de helicóptero até Nice. O voo até Paris foi sem algemas – e o meu funcionário só monitorando. Ele tinha que vir embora algemado, só que algemas quem coloca é quem escolta. Aquele par de algemas especiais comprado para ele foi levado pelo pessoal da Polícia Federal para Mônaco. Evidentemente, entenderam que ele não oferecia risco; quando a bordo o comandante poderia determinar que o algemassem, não foi o caso, mas depois, em solo, cabia a nós algemá-lo. Enquanto isso, golpe de cena: a defesa dele entra com habeas corpus para que ele não fosse algemado nem transportado em camburão. O relator foi o ministro Humberto de Barros, presidente do STJ, e que mais tarde, coincidentemente, foi o relator do meu caso na Comissão de Ética Pública. O ministro concedeu liminar e o Supremo decidiu que não se pode mais algemar. Mas nesse momento ele já estava voando, e aqui não sabíamos se dentro do avião ele estava algemado ou não. Mandei o pessoal para o aeroporto do Galeão para avisar: "Não algemem o cara, a não ser que o delegado ache que o preso oferece alto risco. Do contrário vão achar que estamos desrespeitando e desafiando a decisão da justiça". Durante a condução do processo de extradição do Salvatore Cacciola, tivemos momentos inesquecíveis, de angústia e de prazer profissional.

Lembro, por exemplo, quando o diretor do departamento de Estrangeiros da minha secretaria, a quem era subordinada a divisão de Medidas Compulsórias, delegado Luciano Pestana, que tinha 25 anos de experiência na área de imigração e era professor da Academia Nacional de Polícia, não esperava que pudesse reviver seus melhores dias de policial de rua ao receber toda aquela papelada, resultado da tradução juramentada da enorme sentença que tivemos que enviar, num prazo diminuto, logo nas primeiras semanas da tramitação do processo (aliás, esse foi outro grande obstáculo que tivemos que superar, por conta da carência de profissionais dessa área em Brasília, aliado ao regulamento que rege a categoria e limita o número de folhas por dia de trabalho).

Para agilizar, num sábado, mandamos o Rodrigo Sagastume embarcar partindo de sua residência, e o Luciano – então, como eu dizia, feito um louco – meteu sobre o teto de seu carro um giroflex portátil e partiu rumo ao JK, para entregar aquele material ao nosso técnico, que iria protocolar no Tribunal de Mônaco e não poderia perder o voo.

Luciano passou pelo raio-x, obviamente com autorização de seus colegas federais, e entregou o material que iria definir o final feliz, para nós, daquela pendenga, já aos 45 do segundo tempo, com todos os passageiros embarcados e o Rodrigo sentado na poltrona 15C.

Posso assegurar que Cacciola só voltou extraditado ao Brasil porque houve uma conspiração, estabelecida pelo destino, de fatos que ocorreram e pessoas que estavam na hora certa, no lugar certo, no cargo certo fazendo as coisas certas, tomando as decisões certas. Inclua-se a Interpol italiana; caso contrário, ele certamente estaria ainda vivendo impunemente na Itália.

O caso Cacciola deixou um legado: hoje em dia algemas são para pobre, mesmo as leves, discretas, negras e de fibra de carbono. O ministro Tarso viu alguma oportunidade de usar o fato de Cacciola ter ganhado dinheiro ao quebrar um banco no governo FHC. Não conseguiu. Era um troféu, só que valia muito mais enquanto significava uma ameaça do que quando estava aqui. Comparando Cacciola com Dantas, temos de observar, antes de mais nada, que quando o dono do Marka foi preso tinham-se passado muitos anos desde o momento em que fugiu.

Não é comum, e tampouco fácil, conseguir bloquear dinheiro fora do Brasil, nem de traficante comprovado. Pior ainda repatriar. Nenhum país, por mais ortodoxo e republicano que seja, quer perder divisas. Você tem que provar um monte de coisas. O processo é extenuante e é preciso ter muita estrutura funcional-administrativa e determinação política.

Durante minha estada em Mônaco, consegui fazer uma visita, agendada, a meu pedido, pelo ministro Philippe Narminou, à Maison D'Arrêt, onde estava detido Cacciola, no centro do principado. Lá fui recebido pelo diretor-geral daquela casa de custódia que possuía um charme especial, embora fosse uma cadeia. Logo de cara notei que havia uma diferença marcante com relação a todas as demais que já havia adentrado: aquela não cheirava a cadeia. Nem as 40 celas tinham o cheiro característico de uma prisão. Parecia óbvio, pois ficava em um penhasco com vista para o mar Mediterrâneo, onde havia sol e uma ventilação natural digna da nobreza.

Visitei todas as dependências, conheci todas as alas, os sistemas de segurança, de câmeras e monitoramento, enfim, acesso total. Um presídio especial com uma capelinha bem arrumada, quadra coberta, área de lazer e outra quadra ao ar livre, suspensa sobre aquele mar azul inconfundível; biblioteca, salão de jogos, enfim, uma colônia de férias cinco estrelas para malfeitores. A cozinha limpinha e a comida, então, digna de um bom restaurante nos Jardins, em São Paulo, ou mesmo na Riviera Francesa. Por sinal, como a visita se estendeu, estava lá na hora em que se preparava o jantar com uma variedade incrível de pratos, e não resisti a experimentar um pimentão assado, recheado com carne moída ao molho monegasco, que me foi oferecido pelos simpáticos mestres cozinheiros.

Nas celas, TV a cabo, frigobar, ferro de passar, cafeteira, beliche, escrivaninha, banheiro com porta e privada com tampa, enfim, um flat. Os presos tinham ainda uma enorme folha de papel, do tipo *check list*, onde podiam escolher, entre mais de 200 produtos, aquilo que gostariam de adquirir semanalmente. Nessa lista, havia desde produtos de beleza, de alimentação, de primeiros socorros, de diversas necessidades até uma seleção de jornais e revistas de vários países à qual você poderia acrescentar o seu. Cada preso podia gastar até 200 euros por semana com aqueles artigos, comprados pelos próprios funcionários do presídio em Mônaco ou em Nice. O dinheiro ficava em uma espécie de caixinha que cada um tinha junto à direção do presídio, justamente para bancar essas despesas.

Lembro que, na semana em que lá estive, o saldo da conta do Cacciola, na cadeia, era algo em torno de 600 euros. Diariamente, um funcionário cuidava da contabilidade dos presos e disponibilizava as informações *on line* para o diretor.

Devemos admitir que um preso poder gastar 200 euros por semana em produtos, fora toda a alimentação que já lhe era fornecida, mais roupa lavada e cela arrumada, não é para qualquer um. Significa, semanalmente, em torno de um salário mínimo gasto com supérfluos – algo para se pensar. Afinal, para quem deu um golpe e quebrou um banco aqui no Brasil, depois de oito anos foragido da justiça brasileira passar 10 meses numa prisão de frente para o mar Mediterrâneo, em Mônaco, convenhamos, do ponto de vista de um malfeitor, não fez mau negócio. Tanto é verdade que, ao chegar no Brasil e desembarcar na madrugada da quinta-feira, 17 de julho de 2008, do voo JJ 8055 da TAM, procedente de Paris, que pousou no Aeroporto Internacional do Rio de Janeiro Tom Jobim por volta das 4h30, o ex-foragido número 1 do país, o empresário que, à frente do Banco Marka, ajudou a causar um prejuízo de R$ 1,6 bilhão ao Banco Central, estava descontraído e esfuziante. A entrevista coletiva que deu, logo após sua chegada, mostrou bem o respeito que nutria pela justiça e pela sociedade brasileira: resumiu tudo numa sonora gargalhada.

No mais, reproduzo trechos de uma notícia da Agência Estado, que descreve como se deram as coisas naqueles últimos momentos do transporte de Cacciola para ser entregue à justiça do Brasil.

PRISÃO – SEM ALGEMAS, CACCIOLA É ESCOLTADO POR AGENTES FEDERAIS DA CADEIA DE MÔNACO PARA AEROPORTO EM PARIS

Soraya Ursine/AE

Vestido com roupas informais e sorrindo com frequência, Cacciola viajou sem algemas, mas não passou incólume pelo público. A autorização para o repatriamento do ex-banqueiro havia sido homologada pelo príncipe Albert II, de Mônaco, há 10 dias, e desde então o Ministério da Justiça negociava com o governo da França a autorização para transitar com um preso pelos aeroportos de Nice e Paris. O último recurso ao Tribunal Supremo do principado, com o qual ameaçava o defensor monegasco de Cacciola, Frank Michel, acabou não se confirmando.

Sem mais empecilhos jurídicos, a operação montada pela Secretaria Nacional de Justiça para transferi-lo começou hoje cedo no principado. Um grupo de sete pessoas, entre os quais um adido consular, um promotor e agentes da PF, encontraram-se com o diretor de Serviços Penitenciários, Philippe Narminou, no Palácio de Justiça de Mônaco. Nesse momento, a autorização para remoção do ex-banqueiro foi sacramentada.

Pouco depois das 13h30, horário local – 8h30 de Brasília –, Cacciola deixou a Maison d'Arrêt, a prisão na qual viveu desde 15 de setembro passado. A seguir, ele foi transferido de helicóptero para o Aeroporto Internacional de Nice-Côte d'Azur, em Nice, no sul da França, quando teve seu primeiro contato com o público.

Passava das 16 horas quando Cacciola embarcou no voo AF 7715 da Air France. A movimentação de policiais franceses chamou a atenção dos que esperavam o embarque. Nesse momento, Cacciola permaneceu cerca de 20 minutos exposto ao público, que reagia curioso e tirando fotografias. O empresário não se mostrou constrangido com o assédio dos fotógrafos, mas não quis falar aos jornalistas. Já no Airbus A320, Cacciola sentou-se cercado de dois policiais. Pediu suco de maçã e permaneceu sentado quase todo o voo, levantando-se apenas para ceder passagem a um dos delegados da PF que sentava à janela. Na chegada a Paris, foi protegido dos fotógrafos e levado a uma zona de segurança do terminal A do Aeroporto Charles de Gaulle. Lá, embarcaria, às 22 horas, no vôo JJ 8055 da TAM com destino ao Rio de Janeiro, cidade que deixou em 2000, antes de partir para o Paraguai e, em seguida, para Roma, onde viveu em liberdade até 2007.

Amparado por uma decisão do presidente do Superior Tribunal de Justiça (STJ), ministro Humberto Gomes de Barros, o ex-banqueiro não foi algemado em Mônaco, nem será quando desembarcar no Brasil. Na decisão, o ministro afirmou que o ex-banqueiro é idoso e não representa risco para os policiais, que o levarão do aeroporto para a Superintendência da Polícia Federal no Rio. O ministro afirmou, no despacho, que o uso de algemas é "legítimo" para garantir a segurança do preso e dos policiais, mas não pode servir de "instrumento de constrangimento abusivo à integridade física ou moral do preso".

A decisão foi encaminhada ontem, no final da tarde, ao ministro da Justiça, Tarso Genro, e à direção da Polícia Federal. Cacciola desembarcará hoje no Rio de Janeiro e já na saída do avião deverá estar sem as algemas. Além de se livrar desse constrangimento, Cacciola garantiu no STJ o direito de se comunicar, "pessoal e reservadamente", com seus advogados em solo brasileiro, sem qualquer restrição. O presidente do tribunal concedeu a liminar porque considerava possível que a

PF dificultasse "o acesso do advogado ao paciente (Cacciola), acarretando obstáculos ao pleno exercício da defesa".

Sem constrangimentos

"A operação foi bem planejada e conseguimos contornar as eventuais surpresas jurídicas. O elemento-surpresa foi fundamental", disse, ao *Estado*, o secretário nacional de Justiça, Romeu Tuma Júnior, referindo-se ao sigilo da operação. Tuma esclareceu que a orientação inicial era para que o ex-banqueiro fosse obrigado a usar algemas, mas um acordo teria sido firmado entre o preso e os agentes que o escoltavam. "Não havia risco de fuga, mas temíamos, por exemplo, que ele tomasse atitudes impensadas contra a própria segurança, o que não ocorreu até Paris".

2 – CASO BATTISTI

As pessoas ficam se perguntando o que levou o presidente a permitir que um criminoso comum permanecesse no Brasil como asilado político. Mais do que isso, premiá-lo com um visto de residência permanente, após negar sua entrega como extraditado ao seu país de origem. A história é pública: Cesare Battisti nasceu como ladrãozinho do arrabalde romano; na cadeia, inventou sua adesão a uma organização terrorista e se envolveu em quatro homicídios. O caso apresenta um ponto muito importante que foi desprezado, um elemento que vincula Battisti – e aí está o aspecto vital, que é a razão da sua vitória – ao caso Celso Daniel, ao Mensalão, chamem-no como quiserem, e à Satiagraha. Essa ligação ocorre devido a Luiz Eduardo Greenhalgh.

Greenhalgh sempre foi o advogado militante do Partido dos Trabalhadores e do presidente Lula. E sempre foi um advogado brigador, lutador, e que, eu imagino, nunca cobrou nada. Desde a época das greves do ABC era o Greenhalgh quem prestava serviço aos sindicatos de São Bernardo e Diadema. Nesse tempo todo faltou a compensação. Pelo contrário, na Satiagraha ele acabou investigado. Pois chegou a hora de compensá-lo por todo esse desgaste, por tudo o que ele passou e fez para o partido e o para o Lula.

Tentaram fazer dele presidente da Câmara, acabaram elegendo o Severino Cavalcanti. Assim que assumi a secretaria nacional de Justiça, o Greenhalgh colocou uma nota em um jornal, dizendo que eu era incompetente para o cargo. Até estranhei porque eu tinha respeito por ele, mas enfim... E competente eu era; aludo à minha competência profissional: de fato conhecia todos os assuntos que diziam respeito à secretaria. Aliás, a nota era redigida como se ele quisesse o cargo. Que ele queria mesmo só fui entender depois.

A forma como o presidente decide, definitivamente, o caso Battisti chama muito a atenção de quem conhece a questão, como eu, porque eu vivi todos esses casos. Digo: Battisti, Satiagraha, Celso Daniel – o destino me envolveu em todos. Fui eu quem investigou o caso Celso Daniel, porque eu estava em Taboão da Serra quando ali foi encontrado o corpo; e quem prendeu o indivíduo que fugiu da penitenciária de helicóptero, que, aliás, tinha sido segurança da prefeitura em tempos passados. Também fui eu que trabalhei no sentido de bloquear os recursos na Satiagraha. Enfim, quando o presidente decidiu o caso Battisti, no último dia de seu governo, ninguém fez a leitura que eu fiz, e até agora não encontro argumentos para me fazer mudar de opinião. Até porque contra provas não há argumentos. O presidente fez aquilo como quem espera, até o último minuto do segundo tempo, que algo aconteça para impedi-lo de tomar aquela decisão. Algo assim: eu preciso recompensar o Greenhalgh, e com esse gesto fazer esse favor a ele; tomara que aconteça algo que me impeça. E assim foi postergando e postergando, até não haver mais jeito. Ele não podia deixar para a presidenta Dilma resolver, era a ele que cabia compensar Luiz Eduardo por tudo o que fizera anos afora. Depois, tratava-se de uma questão pessoal e, além de não ser ético deixar para Dilma a decisão, se dependesse dela, Battisti teria sido devolvido para a Itália no dia seguinte à sua prisão. Sem saída, Lula assinou para o Battisti ficar, negando a entrega do extraditando.

Se fosse uma decisão de governo, seria muito mais fácil e menos dolorosa para o Brasil. Por quê? Porque quem decidiu pela não permanência de Battisti, em primeiro lugar, foi o Comitê Nacional para os Refugiados – Conare, colegiado vinculado administrativamente ao Ministério da Justiça e à secretaria nacional de Justiça, da qual eu era secretário. Quem são os membros do Conare com direito a voto? Primeiro, o representante do Ministério da Justiça, o próprio secretário executivo da pasta, o doutor Luiz Paulo Barreto, que viria a ser ministro na desincompatibilização de Tarso Genro, e que antes havia sido diretor do departamento de Estrangeiros. Cabia a ele ser presidente do colegiado: um representante do Ministério do Trabalho, um da Polícia Federal, e representantes dos ministérios das Relações Exteriores e da Saúde – além do Ministério da Educação e do Cáritas, representando a sociedade civil, bem como o ACNUR, sem direito a voto, que completava o órgão tripartite. Com as presenças previamente anunciadas, cinco votos. Se fosse uma decisão de governo, todos os cinco votos deveriam ser a favor da permanência. Ninguém figura no Conare por conta própria. Tudo ficaria simples, fosse uma decisão do governo. Que aconteceu? A votação empatou dois a dois: os ministérios da Saúde e do Trabalho votando contra a extradição, pela concessão do refúgio. Creio que tenha havido conversas de Greenhalgh com os ministros da Saúde e do Trabalho antes da votação. Na véspera da votação o Greenhalgh esteve, coincidentemente, em Brasília.

Por que o governo deixaria criar esse imbróglio jurídico, institucional, internacional, se bastava que o ministro instruísse seus representantes no Conselho, no sentido de votarem a favor da permanência, ou da concessão do refúgio? Antes da votação o Luiz Paulo foi à sala do ministro, em busca de orientação. Tarso Genro acertou na mosca: "A votação vai empatar dois a dois e você vai decidir, como presidente do Conselho". O Luiz Paulo perguntou: "O senhor quer que eu vote como?". "Vota como você quiser, se houver recurso eu resolvo". Podia ter falado: "Vai ser dois a dois e eu quero que você vote a favor de Battisti".

O ministro fazia questão de decidir, isso está muito claro. O que aconteceu na votação? Dois a dois. Polícia Federal e Relações Exteriores votaram pela extradição, na verdade pela negativa da concessão do refúgio. Diga-se que a votação foi repetida mais de uma vez. O Luiz Paulo repetiu várias vezes a votação para não ser o voto de Minerva, mas não adiantou, ficou no dois a dois. Convicção minha, absoluta: os representantes dos ministérios da Saúde e do Trabalho foram com o voto pronto. Enfim, o Luiz Paulo deu seu voto contra o pedido de refúgio, voto de consciência e muita convicção.

Diante do três a dois, entraram com o recurso, que o ministro Tarso já esperava e deferiu depois de algum tempo, comprovando que não foi uma decisão de governo; do contrário Tarso teria mandado votar na hora, e não haveria toda essa confusão.

O que nunca se questionou foi como o ministro Tarso sabia que seriam cinco votos num universo de sete membros do Conselho. Mais do que "adivinhar" o placar da votação, como pudera antecipar que dois membros faltariam àquela importante reunião? Ele nunca teve vocação para Mãe Dinah... Veremos mais à frente.

O Conare era decisivo e muito respeitado, até porque nós temos uma lei de refugiados que é elogiada. Tanto que, quando houve esses recursos todos ao Supremo, o nosso grande receio era que se atacasse a lei, que o Supremo a julgasse inconstitucional. Seria um desastre, porque a nossa lei é excelente, é reconhecida e apoiada pelo Alto Comissariado das Nações Unidas para os Refugiados – ACNUR, pela Anistia Internacional, e pelos mais importantes organismos que cuidam dessa importante questão humanitária.

Com o tempo eu fui refletindo, até depois da minha saída, juntando informações, lembrando alguns fatos, encaixando as peças do quebra-cabeça. E descobri por que o ministro esteve com o Greenhalgh na véspera da votação do Conare. Naquele dia eu estava na Bahia, coordenando a ENCCLA, a Estratégia Nacional de Combate à Corrupção e Lavagem de Dinheiro. Isso numa quinta-feira; o ministro Tarso estaria lá no dia seguinte para o encerramento. O julgamento do Battisti aconteceu um dia depois, na sexta, 28 de novembro de 2009, enquanto o ministro ia para a Bahia. Na segunda-feira seguinte, ele me chamou em seu gabinete, mostrou-me um documento onde constavam os nomes de algumas pessoas, inclusive do Greenhalgh. Ele perguntou: "O que é isso?". Era um documento em inglês. Após estar com ele nas minhas mãos, eu disse: "Isso aqui é uma solicitação de investigação e bloqueio de contas no exterior referente à operação Satiagraha". Ele observou: "Mas você não me avisou?". Esclareci: "Sinceramente, nem eu sabia. Estou vendo pela primeira vez esse documento. Agora, é até bom o senhor falar isso, porque a imprensa fica dizendo que eu faço ingerência política no DRCI. E eu não faço ingerência política, tanto que o pessoal do departamento tem plena liberdade para agir, desde que dentro da lei, e obrigação de resguardar sigilo, não necessitando me informar".

Mas era um caso grave, e eles poderiam ter me informado, pensei. Em seguida, questionei o ministro: "Espera um pouquinho; a propósito, ministro, quem entregou esse papel ao senhor?". Até porque poderia tratar-se de vazamento, adverti. Ele tentou disfarçar, mas não foi muito longe. A pergunta era pertinente, e eu fui insistente.

Sobre o papel, no canto alto direito havia um despacho dele: "Dr. Tuma, falar comigo". Ele fez a anotação como fazia normalmente, a secretária encaminhava para a gente. Só que naquele caso ele fez o despacho e não encaminhou pra mim. Ele deve ter ligado e soube que eu estava na Bahia, por conta da ENCCLA, agendando para que eu falasse com ele na segunda. Esse papel estava lá despachado, com aqueles dizeres, além de uma seta indicando o nome do Greenhalgh.

Qual era a data do despacho? Justamente a véspera da votação do Caso Battisti no Conare; enfim, tudo ocorreu nas salas 400 e 328 do edifício sede, entre a tarde de 27.11.2008 e a de 28.11.2008.

Daí minha certeza, quando o Greenhalgh apareceu com o papel: "Olha aqui, vocês estão me investigando! Querem localizar e bloquear conta, querem me prejudicar de novo? Eu ajudo vocês e vocês vêm em cima de mim?". E o ministro deve ter caído das nuvens e garantido que iria averiguar. Tudo muito engraçado, até para responder à mídia que falava da minha ingerência política; de fato eu institucionalizei todas as ações da secretaria e outras mais que não existiam. Porque, ao chegar, o que percebi? Eles criam algumas ilhas de excelência e usam o país e a máquina pública como cobaia. Fazem experimentos. Dando certo, tiram da máquina pública e criam empresas particulares para prestar aquele tipo de serviço. Isso é muito claro, tenho vários exemplos. O caso do Prêmio Inovare é um negócio inaceitável, usar a coisa pública para fazer experiência. Deu certo, vai para a iniciativa privada – mas privada mesmo, de gente chegada. Isso é uma vergonha, como ensinei, aliás, ao Boris Casoy...

É como se costuma tratar a coisa pública. Assim se dá a mistura de público e privado, porque eles acham que estão lidando com algo da propriedade deles. Literalmente eles tomam posse, se apoderam.

Aí, na véspera da votação, o que o ministro fez? Reunião com o Greenhalgh, que deve ter relatado ao ministro que já estivera com o ministro do Trabalho, Lupi, e falado com o ministro da Saúde, Temporão, e já contabilizava dois votos a favor de seu cliente. Até porque os ministros, com todo o respeito, não deviam saber quem era o Battisti. O representante do Trabalho era o presidente do CNIG – Conselho Nacional de Imigração – o órgão que concedeu, depois do imbróglio, o visto de permanência para o italiano. Eu o conhecia bem pois era seu vice no conselho e, não tivesse uma ordem expressa do seu ministro, não criaria caso com o Luiz Paulo, tampouco com o Ministério da Justiça.

Greenhalgh trabalhou bem nos bastidores para facilitar a missão que impôs aos seus credores do governo. Afinal, era chegada a hora de acertar contas, a última oportunidade de descontar a duplicata. Correu todos os ministérios com representação no colegiado e especula-se que tenha feito um acordo no sentido de que quem não pudesse, ou não quisesse, votar favoravelmente ao seu cliente, que não comparecesse.

Assim garantiria um baixo quórum e menos votos contra, placar que facilitaria os argumentos para um eventual recurso. Na véspera, contou com o apoio decisivo do ministro Genro para acertar a ausência do representante da pasta da Educação. Tarso combinou com Haddad, que foi seu secretário executivo e era seu sucessor no ministério, para que seu representante não comparecesse. Facilitaria a empreitada e evitaria constrangimentos. O atual prefeito de São Paulo – sem se dar conta do que se tratava e do que estava em jogo, avalio eu, naquele momento – fez o favor ao antigo chefe.

Com sua proximidade de anos com a Arquidiocese de São Paulo, além da intimidade de Gilberto Carvalho com a Igreja, a ausência ou abstenção da Cáritas, que é uma seriíssima instituição, diga-se de passagem, estava garantida.

Por isso eles sabiam que só haveria cinco votos com o do presidente. Dois estavam certos: o do Ministério do Trabalho e o da Saúde, como já descrevi.

Tarso não era nenhum adivinhão, por isso avisou o Luiz Paulo, antes da reunião, que seria dois a dois. O diagnóstico estava fechado. Se o Itamaraty votava contra, já era um claríssimo sinal de que acolher Battisti não era uma decisão de governo, muito menos de Estado.

Tarso sabia que o Itamaraty e a PF votariam contra a permanência, e Greenhalgh deve ter pedido o voto a favor da justiça; o ministro evitou determinar a seus subordinados o que poderia ter feito para liquidar a fatura, assegurando, porém, que decidiria ao cabo se o Conare se pronunciasse pelo não reconhecimento e pela consequente ação de extradição. Por isso disse ao Luiz Paulo: vai dar dois a dois, e você vote como quiser. Fosse um caso institucional, uma decisão do governo ou de Estado, ele teria instruído claramente o seu representante.

Passados alguns dias, o ministro convoca uma reunião. Estão lá, além de mim, o Luiz Paulo, Pedro Abramovay, secretário de Assuntos Legislativos, e Rafael Favetti, consultor jurídico. Foram convocados também o Vinícius Wu, assessor especial do ministro, o embaixador Oswaldo Portela, assessor internacional do ministro, e mais um ou dois. Propõe o ministro: "Eu queria bater um papo com vocês para discutir o Caso Battisti, eu estou com o recurso, o que vocês acham?". Ninguém assumiu uma posição clara; o Luiz Paulo sempre lembrava que o único que se manifestou veementemente fui eu. Disse: "Sou contra a permanência, absolutamente contra, e vou apresentar um argumento importante, um argumento técnico. Se o Conare, órgão extremamente humanitário – e estão representados nele a Cáritas e uma série de pessoas vinculadas aos direitos humanos – se o Conare, ao entrevistar Battisti, fez um relatório sugerindo a não conferência do estatuto de refugiado, e se o Luiz Paulo, após repetir a votação duas, três vezes, votou contra a concessão, não dá para discutir, divergir. Ele não pode ficar, porque não há qualquer tipo de argumento capaz de garantir a permanência dele".

Sabia que os votos favoráveis foram políticos-pessoais ao Greenhalgh. Disse também que a Interpol, em um dos três primeiros artigos do seu regimento interno, diz claramente que jamais fará qualquer tipo de comunicação e difusão de busca quando houver ressalvas religiosas, políticas ou racistas. Se há um mandado de prisão divulgado pela Interpol com Difusão Vermelha, a de maior atenção, urgência e periculosidade, tais questões não são cogitadas, fala-se de um criminoso comum. Eu sou contra. Agora, como técnico da área, secretário nacional de Justiça, homem de Estado, esclareci: "Se for preciso, faço dois pareceres para o senhor, um favorável e um contra, mas com argumentação técnica, mesmo que fraca em um dos conflitos". E foi o que fiz, até porque a única coisa que poderia ser discutível, a favor dele, era uma suposta prescrição pela legislação brasileira, fato exatamente onde o ministro Marco Aurélio se baseou em seu voto.

E fizeram mais duas ou três reuniões, apenas para legitimar uma decisão que estava tomada desde aquela ida do Luiz

Eduardo lá quando tratou da Satiagraha. E eu, idiota, fiz, com minha equipe, um robusto parecer contrário à concessão, do ministro negando o recurso, e também fiz outro, do ministro aceitando o recurso. Este sob um argumento técnico, que, na minha opinião, poderia oferecer uma "brecha". Argumento muito duvidoso, discutível, e que efetivamente iria acabar numa discussão nos tribunais superiores. A meu ver, só podia ser discutida a questão da prescrição, porque, como Battisti fora condenado na Itália à prisão perpétua por homicídio, pela nossa legislação o crime estaria prescrito. Seria o único argumento que poderia ser utilizado, e, mesmo assim, com muito debate jurídico pela frente.

Passou o tempo e o ministro viajou, foi para a França, ficou vários dias lá. E uma vez ele me liga e pede para eu atender a francesa Fred Vargas. Veio a escritora acompanhada dos senadores Suplicy e José Nery. Eu os recebi e conversei por quase duas horas com ela; a reunião está fotografada, e gravada em boa parte. Fiquei com a impressão de que ela tinha um relacionamento muito afetuoso, um sentimento diferenciado pelo Battisti. Aquela defesa que ela fazia, a forma com que falava dele, enfim, achei que havia algo mais do que um testemunho baseado em fatos verdadeiramente reais e "injustos". Era uma defesa pessoal, muito afetiva. A visita da senhora Vargas é um capítulo interessante nesse longo enredo. Com a anuência dos senadores, ela insistia na doença de Battisti: hepatite, gravíssima. Pouco tempo antes, o governo francês havia negado a extradição para a Itália da terrorista Petrella, por estar sofrendo de câncer terminal. Ali vinha a senhora Vargas com a história da hepatite. Quis saber qual tipo o acometia: B ou C? A escritora, arqueóloga, historiadora não sabia responder à minha pergunta. Perguntei aos meus botões, como costuma fazer o Mino Carta: mentir por amor é pecado? Não é, responderam. E, no meio dessa peroração toda, o senador Suplicy candidamente me comunica que Battisti lhe dissera algo comovedor: "Depois do assassinato de Aldo Moro pelas Brigadas Vermelhas, ele decidiu não mais pegar em armas contra qualquer pessoa". Ah, é? Antes, então, ele pegava em armas... Outro contato com meus botões eu tive a respeito da pretensa ilegalidade dos processos ocorridos na Itália. Por que não falou dessas irregularidades em seu primeiro livro de memórias? Por que só agora? Mas a pergunta ficou sem resposta. Durante aquela conversa, tive a forte sensação de que Battisti quer mesmo é viver na França, onde conta com o carinho de Fred Vargas e dos seus amigos, e onde, talvez, não precise de defensores para ser rotulado e reconhecido como escritor. De batente duro ele não gosta, é um *bon vivant*, alguém que me faz lembrar um Doca Street sem tempero.

Durante a reunião, a senhora Vargas me falou que, em um dos ataques de Battisti – aquele em que o filho de um assassinado ficou paralítico – o governo da Itália teria pago ao rapaz certa quantia como ressarcimento pelo crime. Mas aí que está a questão: acredito que não pagou. Quando ela falou que o governo ressarciu a vítima, eu disse: "Se a senhora tiver uma prova de que alguém recebeu indenização por parte do governo italiano por conta de um ato do Battisti, isso implica o reconhecimento do crime político".

Mas veja, todos os tribunais internacionais dizem que crime de sangue é crime contra a humanidade: responsabiliza o Estado a pagar, mas não por decisões administrativas. No caso, não era a justiça que tinha decidido; ali era como a nossa Comissão de Anistia, instituição administrativa. Da forma com que ela contava, seria uma decisão do governo italiano reparar o dano. O governo da Itália não ia pagar um negócio a menos que houvesse uma decisão política. Aliás, Battisti ora alegava que na procuração para o advogado defensor nos processos sua assinatura havia sido falsificada, ora dizia que assinara em branco e haviam preenchido à sua revelia.

Enfim, ele mandou para o advogado uma montanha de folhas assinadas em branco. A assinatura é dele. Quando eu disse isso, a senhora Vargas aludiu à compensação. Falei: "Agora, sim, a senhora tem um argumento. A senhora me arruma uma prova desse pagamento, uma publicação no diário oficial, qualquer papel que comprove isso". O senador Suplicy gostou: "O que o secretário está falando é verdade". E ela: "Ah, eu não sei se consigo, não sei se tem". Retruquei: "Não é possível que o governo italiano determine o ressarcimento e não haja um papel que comprove, não haja um registro no diário oficial".

Ela foi embora e eu liguei para o ministro. Ele: "Recebeu?" Eu: "Recebi, e na conversa ela trouxe uma informação interessante, mas, da forma com que se esquivou quando pedi detalhes, acho que ela não vai comprovar".

O ministro viajou então para a França. Na volta, soltou o parecer. Eu só fiquei sabendo no meio da tarde, quando a imprensa já estava se movimentando. De fato, o próprio Tarso vazou para o *Estadão*, acho que uma entrevista dele saiu no domingo. Quando eu tive acesso ao documento, na tarde em que ele liberou, estanquei diante de dois parágrafos: "Isso aqui não pode sair assim". Em duas passagens, o parecer ofendia violentamente o Estado italiano. Era muito complicado aquilo, uma afronta. Ele perguntou: "Você acha que tem que mudar?". Respondi: "O senhor tem que mudar. O senhor já soltou isso para alguém?". Ele admitiu: "Já soltei para a Vera", a assessora de imprensa pessoal. E completou: "Liga para o Pedro e pede para mudar, escreve o que você está falando". Eu havia adiantado o que teria de ser dito; de todo modo, ali estava a confirmação de que o Abramovay era coautor do parecer. Logo liguei para ele, que reagiu tenso: "Mas a gente já mandou para o *Estadão*". Eu disse: "Não importa, muda porque essas passagens afrontam mais do que o próprio ato". Eles mudaram, mas o *Estadão* publicou a primeira versão. Em todos os sites o parecer saiu modificado e no *Estadão* saiu o original, ou o que virou rascunho. Então, a *Carta Capital* percebeu e chamou a atenção para a discrepância naqueles pontos melindrosos. Primeiro atacava a Justiça italiana ao referir-se a um processo montado com sentença previamente definida, eivando-o de vícios e falhas. Depois, afrontava o Estado italiano ao pretender que, caso extraditado, de volta a seu país Battisti correria risco de vida. Flagrante desrespeito a uma regra elementar: não cabe ao Brasil entrar no mérito. Não é da nossa competência examinar o processo.

O que foi feito no caso Battisti é vergonhoso. O que o ministro Tarso poderia, se quisesse, era simplesmente decidir: "Recebo o recurso, que é tempestivo, acolho-o no mérito e determino a concessão do refúgio político ao senhor Cesare Battisti por entender presentes os pressupostos autorizadores à sua concessão pelo Estado Brasileiro". Escolha dele. Ele tinha competência jurídica, legal e administrativa para conceder o refúgio. Ao menos até a decisão do Supremo, que, a bem da verdade, ele colaborou muito para ser aquela, de tanto que afrontou o Tribunal.

Mas aí o Brasil rasga um acordo que foi ratificado pelos dois parlamentos e virou lei. A solução foi péssima – em proveito de uma retribuição ao Greenhalgh. Decisão de governo é que não foi, mas de uma turma de cinco ou seis, obviamente sob o comando do presidente, que no início até acreditei que estava vendido, mas depois, de uma vez por todas, o governo levou em conta o Greenhalgh, e não o Battisti. O Greenhalgh transformou a sua imunidade partidária na impunidade do Battisti, o resto é balela.

Durante o processo do Battisti, muitas coisas ocorreram, algumas dignas de registro. Logo que saiu o acolhimento do recurso do Battisti, numa noite me ligou o Pedro Abramovay. Dizia: "Me ligou um jornalista da *Folha*, e ele vai te ligar também. É sobre o Battisti, sobre o parecer, mas eu não falei nada". Em seguida me ligou o repórter e esclareceu: o jornal tinha informação de que o ministro resolvera acatar o recurso com base no parecer do Pedro Abramovay, porque o dele era mais profundo e o meu era muito superficial. Respondi que ele estava me ligando à toa. Se ele tinha essa informação e confiava na fonte "que acabara de ligar", era um problema dele. No dia seguinte saiu a nota. Na verdade, podia-se dizer o seguinte: que eu fizera dois pareceres, um bem mais consistente, favorável a mandar o Battisti embora, e outro menos, para ele ficar; e o do Pedro era favorável à permanência dele.

Essa nota me causou um enorme constrangimento; parecia que eu, como secretário nacional de Justiça, não sabia das coisas. Fui falar com o ministro, disse do meu desagrado. "Se eu for levar ao pé da letra a informação divulgada pela *Folha*, poderia sustentar que não fui fundo para que o senhor não se afogasse". Poderia ter dito isso ao jornal. E repeti mais uma vez: "O senhor deveria orientar seus secretários a cuidarem de suas vaidades pessoais nos finais de semana, não em serviço. Creio que deveria nomear alguns para a chefia da creche do ministério". Isso mostrava bem o caráter do Pedro e sua vaidade ilimitada, despropositada, e sem qualquer compromisso com o interesse público. Não fosse minha experiência ali e teria arrumado uma quizumba para o governo.

No dia em que saiu o parecer do ministro, a secretária-geral do Conare, Nara Conceição da Silva, que estava lá há 20 anos, me ligou. Ela fazia as entrevistas nos casos mais graves, inclusive o do Battisti. No telefonema, avisou: "Secretário, estou indo embora. Estou muito cansada, vou me aposentar". Eu falei para o Luiz Paulo que era preciso segurar a Nara: "A saída dela, nesse momento, não pode sair na imprensa". Ela era muito ligada ao Luiz Paulo, e ele conseguiu que o desligamento saísse só depois de três meses. Nesse período, Nara ficou à disposição no gabinete do Luiz Paulo. Mas foi muito clara: "Eu vou embora por causa dessa decisão absurda".

Aliás, ela já havia dito isso antes. Não se conformava com uma decisão favorável ao Battisti, um caso que ela estudou profundamente. Cabe ressaltar a experiência e a competência daquela servidora, que como ninguém conhecia a matéria, além de ser uma *expert* nos assuntos migratórios. Era dificílimo conseguir enganar o Conare com a Nara lá. Não tinha refúgio fajuto.

Com isso ela se afastou naquele mesmo dia; ficou por muito custo no gabinete do secretário executivo, não sei em que função, e conseguimos trazer o Renato Zerbini, contratado em março num cargo DAS do departamento Penitenciário Nacional, mas de fato no Conare. A situação só se normalizou com a efetiva e tardia exoneração, a pedido, da Nara, e oficialização de direito do Zerbini, em julho de 2009. Não deixar vazar aquela informação foi a maior prova de lealdade funcional ao ministro. Se aquilo vaza para a imprensa, ia ser um deus-nos-acuda.

Depois do Conare, já durante a retomada do processo de extradição pelo Supremo e julgamento do ato do ministro Tarso, que acolheu o recurso da defesa de Battisti, posteriormente anulado pelo Supremo, ocorreu outro fato de cair o queixo. Na verdade, estabelece-se uma disputa entre o ministro Tarso e o Supremo, com quem ele havia tido inúmeros desentendimentos e pouca proximidade durante sua gestão à frente da pasta da Justiça.

Novamente, senti que o Battisti era segundo plano. A disputa rolava entre os a favor de Tarso e os contrários. Percebendo isso, ele protagonizou uma situação esdrúxula, segundo um dos participantes do fato me confidenciou.

Tão logo foi anunciado que o advogado geral da União, Dias Toffoli, seria nomeado para o Supremo na vaga do ministro Menezes Direito, que havia falecido, o ministro Tarso escalou uma comitiva para ir na casa do novo integrante da corte, comandada pelo atual ministro José Eduardo Cardozo, à época deputado, e integrada por Luiz Paulo Barreto, Sigmaringa Seixas e mais dois acompanhantes.

O ministro Toffoli recebeu aquela comitiva pensando que estavam em sua casa para cumprimentá-lo pela indicação à Suprema Corte e oferecer apoio à sua sabatina no Senado. Quando o assunto foi exposto, após uma saída olímpica de "vou estudar o caso", o ministro anunciou que teria um jantar fora dali, para o qual estava atrasado. Foi um constrangimento geral.

Quando chegou a hora de decidir, honesta, sábia e inteligentemente, o ministro Dias Tofolli se julgou impedido por razões de foro íntimo. Ele, direta ou indiretamente, já havia participado como ministro-chefe da AGU no caso; ademais, pela proximidade com o presidente Lula e com o Planalto, seria crível que soubesse a verdadeira razão daquela concessão. Por isso, fez o melhor. Não poderia trair seu amigo presidente – a toga menos ainda – para fúria do ministro Tarso Genro que havia enviado aquela comitiva, dando sérios motivos para a decisão de Tofolli. Ao receber a notícia da decisão do novo ministro do Supremo de se julgar impedido, vi Tarso Genro, pela primeira vez, aos berros, sair do giro: "Covarde, covarde filho da puta! Um covarde!". Afinal era um voto numa disputa apertada. Mas creio que o ministro Tofolli, ao tomar aquela decisão, preservou seu currículo.

Tarso tinha de tentar junto a quem fazia pressão externa contra ele. Não precisou se esforçar para convencer os outros. Levou de roldão uma série de pessoas que entraram nesse barulho, a começar pelo Suplicy. A turma caiu na conversa, começou a atacar o Berlusconi, que não tinha nada a ver. Aliás, não foi ele quem pediu a extradição. Para ser sincero, acho que o Berlusconi nunca quis o Battisti lá. Para ele foi um prêmio o que o Tarso fez. É muito provável que tenha mandado organizar um bunga-bunga em homenagem ao Brasil!

Greenhalgh entrou na parada porque se trata de algo além da gratidão. Aliás, no julgamento do Conare, ao fazer a defesa oral do Battisti, ele foi tão mal que parecia acusação, parecia advogar contra o cliente. Esse comentário foi amplamente divulgado pelos presentes, tanto que no Supremo tratou de substabelecer ao doutor Barroso, que evitou um desastre ao vivo. Gratidão é quando o cara está mal e você vai lá e dá a mão a ele em reciprocidade a algo já passado. No caso, vale entender que o Greenhalgh sabia demais, e sua cobrança ganhava força por isso. Ele queria ser o expoente máximo, ter status, e acabou perdendo largo espaço para o Márcio Thomaz Bastos. Esse tem seus pecados mas sabe fazer as coisas.

O Lula se fortaleceu muito no Judiciário por conta do Márcio. A diferença do ministro Márcio para o Tarso na Justiça é enorme. É só comparar os problemas que o governo teve com o Tarso e os que teve com o Márcio. No começo, Tarso me esnobava. Tudo bem, até entendo. E me esnobou no caso do parecer do Battisti. Eu falei: "O senhor vai se arrebentar...". Até hoje há quem diga: "Tuma foi contra, o ministro não acreditou nele". O fato é: ele não queria acreditar, ele não queria acreditar. Quando assumi a secretaria, no fundo ele não confiava em mim. Mas as coisas foram mudando, ele se convenceu da minha capacidade técnica. De saída me testava, e logo foi percebendo o quanto valia a minha experiência. O caso Cacciola foi típico, nos seus resultados, do meu bom trabalho, e, para ser justo, ele soube reconhecer.

Cacciola foi o primeiro caso que deu espaço à minha competência. Logo que assumi o caso Battisti, também me conferi um papel importante e bem desempenhado. Assim como no caso Oliverio Medina, aquele que entrou com o processo de naturalização e deu aquela confusão toda porque era da FARC. O

Brasil dera autorização e, naturalmente, houve quem botasse na conta do presidente Lula. Medina pressionava porque a carteira dele ia vencer, por causa da idade. O ministro disse: "Faz o que manda a lei". Observei que ele tinha passagem criminal. O caso Oliverio Medina é muito emblemático, com uma série de componentes políticos, e deveria, muito mais que o caso Battisti, chamar a atenção do governo e do ministro da Justiça. Iria gerar complicados problemas jurídicos e políticos.

Na ocasião eu me surpreendi. O ministro mandava cumprir a lei, mas havia importantes questões em jogo. Havia riscos, havia alternativas para evitá-los, e o ministro não se preocupava em discutir o assunto. Parecia não se importar com as consequências para o presidente, para o governo, para o PT, para o país. Por que não ligou a mínima para o caso Medina e se empenhou tanto no caso Battisti, embora fosse bem menos sensível? Por que no caso Battisti ele também não cumpriu a lei?

Battisti entrou no Brasil com passaporte falso. Esse crime seria extinto se ele tivesse obtido o refúgio. Por quê? Porque ele teria se valido do passaporte para fugir de uma perseguição política. O Supremo anulou o refúgio, donde volta o problema do passaporte falso. Na prática, o que se verifica? Que um indivíduo condenado no Brasil e na Itália recebeu visto de residência permanente.

Reparem bem: o Supremo não anulou os crimes dele lá na Itália. Tem gente que planta essa heresia. Qualquer estrangeiro que trabalhe em uma confecção, em situação análoga à de escravo, com uma demanda em seu país de origem, não terá visto, e, se der sorte de ser enquadrado numa nova resolução, vai amargurar uma fila infindável. O CNIG, com base, incrivelmente, num parecer exarado pelo representante do próprio Ministério da Justiça, o tratou como caso omisso, para achar uma brecha e, com uma celeridade nunca antes vista na história deste país, concedeu-lhe o visto – na minha ótica, irregularmente. O Battisti teve atalho e muita sorte. Seu processo de permanência, pela agilidade, é para ser inscrito no *Guinness Book*.

Por fim, a verdade é que o ministro Tarso e o presidente Lula nunca julgaram o Battisti, a Itália, os Proletários Armados pelo Comunismo – PAC, a Justiça italiana, seu processo nem o Supremo. Eles julgaram o Greenhalgh.

Ali estava a se decidir por beneficiar aquele indivíduo, suposto terrorista italiano, e correr o risco de ver o Brasil esculhambado. Valia por tudo que deviam ao Greenhalgh? Eles acharam que sim.

3 – PLANO CRUZADO

Estamos na metade dos anos 80. Fui designado um dos coordenadores das operações policiais de fiscalização no cumprimento do Plano Cruzado, que era aquele plano do governo Sarney em que, dentre outras medidas, congelavam os preços; surgiram os fiscais populares, "fiscais do Sarney" etc., e eu fiquei como delegado operacional.

Começou a faltar mercadoria nas prateleiras. Então fizemos um aviso para o povo: nós vamos fiscalizar; se estiverem escondendo mercadoria para aumento de preço, vamos autuar, além do gerente, o dono.

Quando faltava mercadoria na gôndola, a gente ia ao estoque da loja para ver se tinha estocada e não estava sendo reposta. Se havia a mercadoria, autuava-se o gerente: por que não estava sendo reposta? Quem se encontrava na outra ponta? Resolvi atacar as pontas mais fortes.

Começamos a fazer um confronto, operações dos dois lados. Nós fomos fazer uma operação no Carrefour, na Marginal

Pinheiros... Entramos no supermercado com a imprensa, todo mundo junto: tudo sob controle, em ordem, dentro do preço. Aí uma senhora, uma fiscal do Sarney, toda orgulhosa, me fala: "Delegado, o papel higiênico está acima da tabela"... Ela não tinha passado pelo caixa eletrônico ainda. Passou pelo caixa e batatinha: alguns décimos de centavo acima da tabela...

A moral da história é que prendemos o gerente, e, para não ficar só naquela história de termos pego apenas o peixe pequeno, indiciamos o presidente do Carrefour porque o papel higiênico estava acima da tabela, em cêntimos de real... Para você ver a diferença do que acontece hoje: o cara foi indiciado e ficou calado. Passou uma semana, haveria uma reunião na França, foi lá, pediu autorização para viajar; nem precisava porque ele tinha sido só indiciado. Para você ver... Um cara respeitoso, me procurou, falou que precisava viajar para a França porque tinha uma reunião; perguntou se era necessário autorização judicial, se podia viajar, respeitando a autoridade brasileira.

Fui nas outras pontas. Nada tenho contra o Abílio Diniz. Enquanto meu pai ia pra Nicarágua, em 1993, atrás das pistas dos sequestradores dele, eu enfiei os pés no Chile e na Argentina, atrás da outra parte do bando que o sequestrou. Mas sob Sarney peguei Abílio: e ele não gostou nada...

Na mesma época do Carrefour, nós fizemos uma operação no Pão de Açúcar. Lá não tinha lata de óleo de cozinha na prateleira, não tinha no estoque... mas nós havíamos feito uma diligência nas indústrias e tínhamos a nota, comprovando que estavam entregando óleo para o Pão de Açúcar: em algum lugar estavam as latas escondidas.

Descobrimos um depósito do Pão de Açúcar no Alphaville. Pela nota fiscal de entrada de víveres eles tinham o óleo... No supermercado não havia, no depósito da loja não havia, mas a indústria estava entregando. Onde a indústria estaria entregando? Nós fomos ao depósito no centro de distribuição do grupo, em Alphaville, encontramos 9 milhões de latas de óleo.

Era uma sacanagem tremenda isso. O óleo de soja no supermercado é só um chamariz, o supermercado não ganha quase nada pela venda; a pessoa vai lá por causa da promoção do óleo e acaba comprando arroz, feijão, essas coisas.

Ninguém vai ao supermercado para comprar só óleo de soja; o que eles estavam fazendo era estocar para aumentar os preços. Nós prendemos o gerente, o cara do centro de distribuição e indiciamos o dono, que era o Abílio Diniz: na época ele era do Conselho Monetário Nacional.

Diferentemente do francês, submisso à autoridade, Abílio Diniz arrostou total irresignação à minha investigação. Fez um escarcéu, falou que aquilo era armação do governo contra ele, que era coisa do presidente Sarney. Sarney estava naquele dia em um reunião no Paraguai, com presidentes da América do Sul, e não tinha a menor ideia do que eu fazia como delegado...

Saía no jornal que eu e o delegado Torres (Antonio Carlos Bueno Torres) estávamos cumprindo ordem do presidente Sarney... Nem o diretor da Polícia Federal, que na época era meu pai, tinha a menor ideia do que a gente estava fazendo ali. Fazíamos uma operação de rua, uma operação de inteligência, era uma questão de lógica e de justiça.

Foi uma baita saia justa, porque o Abílio Diniz era do Conselho Monetário e, no fim, ele teve que se demitir do conselho. Ele foi indiciado por isso; insistiu que aquilo era político mas era uma vergonha ele estar escondendo mercadoria. Tanto que na época eu falava que a única política que havia naquilo era a política de segurança pública; sempre estive do lado da justiça.

Nós fizemos a investigação, fomos atrás, apenas isso. Para Abílio, era como se o Sarney tivesse pego o telefone, escolhido um delegado: " Oooo Tuma Junior, vai lá e prende o Abílio Diniz".

4 – MENGELE

Vou relatar como ajudei meu pai Tumão no caso do esclarecimento da passagem de um monstro pelo Brasil.

A wikipedia diz o seguinte sobre ele:

> Josef Mengele (Günzburg, 16 de março de 1911 – Bertioga, 7 de fevereiro de 1979) foi um médico alemão que se tornou conhecido por ter atuado durante o regime nazista. O apelido de Mengele era *Beppo*, mas ele era conhecido como *Todesengel*, "Anjo da Morte", nos campos de concentração. No fim da Segunda Guerra, Josef Mengele fugiu da Alemanha, passando por alguns países até encontrar acolhida na Argentina, onde permaneceu algum tempo até que seu companheiro Adolf Eichmann foi localizado em Buenos Aires, por agentes do Mossad. Mengele fugiu para o Paraguai e depois para o Brasil, onde viria a falecer por afogamento.
>
> Em suas experiências, ele injetou tinta azul em olhos de crianças, uniu as veias de gêmeos, deixou pessoas em tanques de água gelada para testar sua resistência, amputou membros de prisioneiros e coletou milhares de órgãos em seu laboratório. Em cooperação com outros médicos, Mengele tentou também encontrar um método de esterilização em massa; muitas das vítimas foram mulheres em quem injetava diversas substâncias, sucumbindo muitas delas.
>
> Mengele fez experiências com ciganos e judeus que tinham doenças hereditárias, como nanismo, síndrome de Down, irmãos siameses e outras. Entre os casos registrados sobre o

> tratamento dado aos anões está o da família Orvitz, conhecida na Romênia como Trupe Lilliput: era uma família de artistas formada por sete anões, mais seus irmãos altos.
> Também dissecou vivas algumas pessoas mestiças, submergindo depois os cadáveres numa tina com um líquido que consumia as carnes, deixando livres os ossos. Os esqueletos eram enviados para Berlim como macabro mostruário da degeneração física dos judeus e outros. Mengele realizava sessões de submersão em água gelada de prisioneiros fortes para observar as suas reações ante a hipotermia.

O caso do Mengele é uma história curiosa em nossas vidas porque a gente morava na rua Caravelas, numa casa colada ao Hospital Dante Pazzanese. Na salinha bem pequenininha a gente assistia televisão; foi ali que eu vi o milésimo gol do Pelé no Maracanã. É uma cena frustrante, nunca esqueço esse episódio da minha infância por conta daquela TV. Eu tinha nove anos. Nós tínhamos uma TV preto e branco; a saletinha está lá, na casa onde hoje é o escritório do Robson. Naquela saleta havia uma mesinha bem pequena, que ficava junto à sala de visitas. Na verdade, era um hall na passagem que unia a sala de visitas à de jantar, o banheiro e a cozinha. Tudo era um pouco menor do que uma sala de visitas típica da classe média. Na passagem para o corredor que leva à escada para os quartos, onde ficavam as portas da cozinha e do banheiro, tinha uma pequena mesa, com uma TV em cima.

Nunca esqueço que estava sentado com meu pai, cada um em uma poltroninha do tipo banqueta, sem encosto. Estávamos vendo aquela inesquecível TV quando sai o pênalti e o Pelé vai bater. Eis que a porra da televisão pifa: bem na hora em que ele sai para bater, ela dá aquele chiado e fica com a tela cheia de chuviscos, fora de sintonia. Ainda ouço meu pai falando “puta que pariu" (o que era raro nele). Eu era criança e aquilo para mim foi uma coisa tão frustrante que nunca mais esqueci. Aquilo foi um negócio que marcou. Depois veio a Copa de 1970, a gente com a mesma TV em preto e branco, a mesma salinha; saía gol e eu, para comemorar, corria para a rua. Havia na frente a casa do vizinho Torres, que virou delegado depois; o pai dele era o desembargador Francisco Bueno Torres. E cada gol que saía, eu ia lá ver em cores. Ele foi procurador de justiça, e foi na casa dele que vi a reprise do gol da Copa de 1970.

Por que estou contando isso?! Pois por conta desse espaço em que só cabiam duas pessoas, com o tempo a minha mãe pegou a garagem da casa, onde se guardava o carro, cobriu, colocou portão e transformou em sala. O Tumão passou então a guardar seu carro na rua ou no Hospital Dante Pazzanese. Ali ela colocou uma TV melhor e sofá; antes, quando chegava o domingo, sentar e ver televisão com os quatro filhos homens em um lugar com apenas duas cadeiras não dava, não cabia....

Então ficou um, depois dois sofás na garagem, com uma parede maior; assim ganhamos uma sala para ver televisão que dava para acomodar e até espalhar a família.

Nasci no Belenzinho, onde morei até os cinco anos. E morei lá na Vila Mariana, naquela casa, até 1984, quando casei. Num belo dia, um domingo de 1985, estamos nessa garagem que virou sala – eu, o Tumão e meu tio Felício, marido da irmã dele, tia Raquel. Eis que passa uma reportagem no *Fantástico*. Tumão já era famoso em decorrência de todos os casos de que ele já tinha participado, sobretudo a prisão do megamafioso italiano Thomazzo Buschetta. A reportagem levantava a suspeita de que Mengele poderia estar refugiado na América do Sul. Eu me lembro que, ao acabar de ver, virei para meu pai e começamos a discutir sobre a carreira dele. Comentei sobre os casos de que ele já tinha participado, as grandes conquistas profissionais, enfim, disse que ele já havia conseguido o que ninguém iria conseguir. Falei: como delegado, o sonho de qualquer policial é chegar aonde você chegou, ninguém vai conseguir repetir isso. E olha que estávamos em 1985 e muita coisa ainda viria a acontecer...

Quando chego ao final dessa lembrança, confirmo: um cara que fez essa trajetória sem nenhuma denúncia, sem mácula, é um símbolo, um sonho. Ele na polícia foi como o Pelé no futebol. Acho que ninguém nunca comparou porque não dá para comparar. Hoje ninguém vai ser Pelé porque não tem parâmetro de comparação, ele é um ícone. Não dá para repetir, e assim será com o "velho": também não vai ter outro Tuma na polícia. Falei para ele que, "do jeito que a sua estrela é, só falta o senhor prender o Mengele, pô". O meu tio estava ao lado, e deu risada. Disse que não duvidasse de nada, pois, em se tratando do papai, não era difícil que o Mengele caísse no colo dele. Havia a suposição de que ele estaria velho, mas vivo. Isso aconteceu num domingo. Na semana seguinte, numa segunda-feira – oito dias depois – aconteceu aquilo que eu falei, parecia premonição. Ele era superintendente da Polícia Federal, foi o primeiro civil a dirigir a PF; acabaram com o Dops e ele subiu, foi ser chefe da Federal.

Chega uma comunicação da Alemanha, uma suposição de que Mengele estivesse em São Paulo; aí começamos a investigar. Ele podia estar numa cidade da Grande São Paulo. Moral da história: a gente foi fazer uma campana na estrada do Alvarenga, no Embu e no Brooklin, onde, por ironia do destino, eu acabei virando delegado seccional das duas regiões, anos depois.

Estávamos fazendo campana e chegamos a uma casa; a informação não veio fechada – é a tal casa na rua tal; sabe-se apenas que está em determinada região, e a gente, por investigação, consegue chegar ao local. Localizamos um certo Peter; ele tinha esse codinome, a gente pôde apurar melhor depois.

Lembro que, quando recebemos a informação, eu falei: “puta que pariu!!!!”, e ele ficou bravo, pois repelia palavrões. Soltei outro altissonante “puta que pariu,” e emendei: “Para o Tumão nada é impossível, é um negócio de louco!!!!”. Dessa eu queria participar, porque fui eu que previ. Começamos a fazer a campana nessa casa; havia um senhor que entrava e saía dessa casa e supusemos que era ele.

Mengele viveu num sítio em Caieiras, de propriedade de um casal de austríacos, Wolfram e Liselotte Bossert, sob o nome falso de Wolfgang Gerhard. Quando lhe perguntavam o passado, afirmava que, como oficial alemão, se limitava a selecionar as pessoas aptas para o trabalho, e que nunca matara ninguém. Nossa campana era em cima do casal Bossert.

Nós não quisemos abordar o velho Bossert... Eis que esse senhor sai um dia dessa casa e não volta; bateu um desespero na gente na campana. Pensamos: “O cara foi embora, vazou, perdemos o Mengele”.

O Tumão autorizou e entramos ali; fizemos a abordagem na casa, aí descobrimos que, na verdade, o senhor que tinha saído era o marido da Liselotte Bossert, que voltou depois, passados dois dias. Eles eram o casal que havia acolhido o Mengele, mas este já tinha falecido. Contaram que foram fazer um passeio no litoral, em Bertioga, ele caiu de uma pedra e se afogou, em 1979.

Eles então trouxeram o corpo para São Paulo e enterraram no cemitério no Embu. Aí dá aquela virada na história que todo mundo já conhece: meu pai sai em todos os jornais, revistas etc., uma coisa incrível. Foi muito interessante como o velho conduziu essa história, um negócio monstruoso; eu nunca vi nada parecido com aquilo. Acho que a única coisa que chegou perto foi quando nós prendemos o Naji Nahas.

Aquilo teve uma sequência impressionante de gente acompanhando, imprensa do mundo inteiro, muita gente em cima,

Israel não acreditava! Lembro que o Simon Wiesenthal não acreditava que era o Mengele. Aliás, acho que ele nunca quis acreditar, mesmo depois do exame de DNA. Eu até dizia que o maldito "Anjo da Morte" iria fazer 100 anos e o Wiesenthal continuaria crendo que ele estivesse vivo.

Algumas pessoas de outros países, que acompanharam todo o trabalho de investigação científica para identificar a ossada enterrada no cemitério do Embu, diziam que ele não queria acreditar que era o cara porque ganhava muito dinheiro para capturar o capeta de Auschwitz.

Se estivesse morto eles não iam acreditar. É que nem a morte do delegado Fleury: ninguém acreditou que ele teve uma congestão, caiu do barco e morreu. Seus desafetos não se conformam, certamente lhe desejavam morte mais trágica... Mas foi muito interessante como Tumão conduziu o caso: havia aquela ultrapressão internacional, não houve nenhuma restrição à participação de estrangeiros como acompanhantes ou ouvintes da investigação. Ele falava que o Brasil tinha equipe qualificada para fazer todo esse trabalho.

Não era necessário mais ninguém, mas poderiam acompanhar para dar legitimidade ao trabalho, transparência. Isso é o que ele preconizava quando democratizou a polícia política, ele sempre atuou assim, e foi quebrando a perna dos caras. Disse: "Pode vir; não vai dar palpite, mas vai acompanhar todos os nossos trabalhos, não tem problema".

Quando chegou no fim de todo levantamento, ele fez uma grande reunião na sala dele da Polícia Federal, em torno de uma mesa grande. Sentaram todos que tinham participado da investigação, os peritos, os observadores do mundo – isso depois de três meses.

Aquilo nunca ocorrera no Brasil. Ele fez a reunião e disse que ia comunicar o resultado do nosso trabalho: "Assinem o laudo; se um de vocês tiver dúvida se é a ossada do Mengele, não assine, que depois chegarei a uma conclusão. Isso tem que ser unânime; é um trabalho de muito desgaste mas confio absolutamente em todo mundo. Se um achar que não é ele, não assine, porque eu vou falar que um não acreditou, tem dúvidas, e então vamos continuar".

Ele falou isso e todos assinaram, inclusive os observadores internacionais. Então foi divulgada a continuação: "Chegamos à conclusão de que é o Mengele". Ainda assim, posteriormente houve quem dissesse que não era, e então meu pai fez contato com as autoridades da Alemanha e conseguiram que o filho do Mengele, Rolf, cedesse material para a realização do exame de DNA.

A Alemanha falou que conseguiria tirar dos restos mortais, dos ossos, o material necessário. Precisaria levar os ossos até lá, pois não dava para tirar aqui. Para colher da ossada dele o material, era preciso uma técnica especial, além de equipamentos e laboratórios que estavam lá.

Foi um negócio muito interessante porque o Tumão não quis deixar nenhuma dúvida. Ele tinha esse compromisso com a colônia judaica, que sempre lhe foi muito receptiva e amiga, desde os tempos em que ele era um comerciante na loja de enxovais e roupas de cama, mesa e banho do meu avô.

Ele quis fazer o DNA. A Alemanha fez o convite, e fomos: meu pai, o doutor Edson, que era o chefe da Interpol, o doutor Magalhães, que era diretor da DRE, e eu. O Tumão, obviamente pediu autorização à justiça para aquela diligência.

Era caso de interesse da humanidade, e nós levamos algumas peças do esqueleto do Mengele, cerca de 10 ossos, numa maleta de alumínio prateada, do tipo 007, larga, que na época era moderna pra caramba e chamava muito a atenção. Entre os ossos estavam um úmero, um ílio, algumas vértebras e o ulna de um dos braços, todos embrulhados separadamente em papel cinza. Cada vez que ia passar no raio x de um aeroporto, era um evento. A gente tentava se distrair para não ficar lembrando que estávamos viajando com o Mengele.

Ele, o Tumão, não queria nem chegar perto, então quem carregava a pasta éramos eu e o Edson. O Magalhães era um baita policial, combatia os maiores traficantes de entorpecentes, ótimo atirador, com uma baita coragem, mas não chegava perto da maleta, tinha um medo de morto que dava dó.

Ficávamos eu e o Edson nesse revezamento insano entre dormir e carregar o Mengele. Então, em 90% das passagens pelo aeroporto era o Edson que carregava, com o meu pai ao lado; o Edson tinha um inglês muito fluente. Ele explicava tudo, e, obviamente, já havia os avisos nos aeroportos para deixar passar o doutor Tuma, diretor da polícia brasileira, com o Mengele.

Daí a curiosidade dos policiais da imigração: todo mundo queria ver e não dava para abrir a maleta, até porque eram ossos de um cara ligado a um trágico fato histórico, mas era um morto. Sensação esquisita... Era um episódio em cada passagem de aeroporto e em cada país aonde a gente chegava; para dormir, então, era um drama, e não só na hora de dormir. Era uma companhia indesejada...

Quando íamos tomar um lanche em um dos países do exterior, ou precisávamos sair, onde largar o "indivíduo"? No hotel? Mas e se roubarem os ossos do Mengele? Ninguém queria carregar aquilo; era um negócio que trazia uma carga negativa pois se tratava de um cara que fez uma megamaldade. Mas era um fato histórico, e isso precisava ser feito; então eu falo que é a missão de quem tem vocação para ser polícia.

Quando você olhava para aquela maleta não dava a impressão de que você estava com uma simples maleta. Passava um filme pela cabeça: parecia que o maldito estava te olhando e queria fugir. Você olhava a maleta e não dormia sossegado, por conta da carga negativa de alguém que fez tanto mal à humanidade.

Era um ônus do serviço: e assim carregamos a maleta, chegamos à Alemanha e entregamos. Depois foi feito o exame e se comprovou que, efetivamente, aquela ossada era do Mengele. Uma história tragicômica, impressionante, mas a sensação de estar dormindo com o Mengele foi um negócio absolutamente indescritível de tão ruim.

Quando carregamos a mala prateada com o crânio e alguns ossos de Mengele, sabíamos que ali não éramos policiais, nem autoridades, e tampouco brasileiros: fazíamos o papel de braços da humanidade, ajudando a jogar luz sobre as trevas. Nem eu nem Tumão víamos naquilo um mero conjunto de ossos: a gravitação gerada pela mala, creia, nivelava nossos destinos com o mal personificado. Nós, árabes, Tumas, nunca nos sentimos tão judeus. Meu pai me disse, um dia, ao ver a mala num canto do quarto: "Filho, levar essa mala à Alemanha é ajustar contas com o Universo". A frase ainda reverbera em mim. Talvez eu nunca tenha me sentido tão humanamente tocado.

5 – CASO NAHAS

Naji Nahas foi absolvido em 2004 das acusações que me levaram a prendê-lo, em 1989.

As acusações apontavam que Nahas emprestava dinheiro de instituições financeiras para aplicar em ações, manipulando a valorização dos ativos e realizando negócios consigo mesmo, via laranjas ou corretores. Nahas chegou, sozinho, a controlar 6% das ações da Petrobras e 10% dos papéis da Vale em circulação, e foi acusado de ter quebrado a Bolsa de Valores do Rio de Janeiro.

Quero dedicar-lhe umas linhas, já que o caso Nahas também foi uma história interessante em minha vida. Houve um inquérito e foi decretada a prisão do Naji e do Elminho Camões. Estávamos em véspera de eleição e os políticos usaram aquilo para esbravejar que o governo federal não queria prender ninguém.

Guardei um artigo do *Jornal do Brasil* que explicava bem o caso:

> Em 1989, Nahas e seus laranjas (que operavam em seu nome) obtinham financiamentos informais de bancos e corretoras, para aumentar as compras de ações no mercado à vista e, com isso, o preço dos papéis. Apostando na posição de comprado no mercado de opções, Nahas obrigaria os vendidos, cobertos ou descobertos (que não tinham os papéis), a comprarem as ações para lhe entregar. Possuidor de grande quantidade de papéis, realizava a venda através de intermediários e acabava por recebê-los de volta. E isso, sem entrar com nenhum dinheiro. Na época, as bolsas liquidavam os negócios em cinco dias. Montou-se, então, uma pirâmide, que ruiu quando o então presidente da Bolsa de Valores de São Paulo, Eduardo Rocha Azevedo, convenceu financiadores de que Nahas iria quebrar, cortando seu fluxo de dinheiro e provocando uma quebradeira em cadeia.

O presidente Sarney não queria prender Nahas, referiam bocas unânimes, mas isso não era verdade. Então montaram-se duas equipes, uma no Rio de Janeiro, por conta de prender o Elmo Camões, e outra em São Paulo, por conta de prender o Nahas, porque ele tinha se estabelecido nessas duas cidades. Elmo Camões Filho, o Elminho, filho do ex-presidente do Banco Central, Elmo de Araújo Camões, era responsabilizado por ter 8% de participação naquelas ações de Nahas.

A revista *Veja* explicou assim:

Segundo as acusações, Naji Nahas tomava dinheiro emprestado em bancos para comprar e vender ações. Comprava e vendia para si próprio por meio de corretoras e laranjas. Com isso, conseguia ir elevando o preço dessas ações à espera de um momento propício para vender, pagar os bancos e embolsar a diferença. Trabalhava com ações da Vale do Rio Doce, Paranapanema e Petrobrás, na Bolsa do Rio de Janeiro. O sistema provocou uma bolha, que elevou o preço das ações da Petrobrás em 381% reais entre janeiro e junho de 1989. A alta das ações da Vale nesse período foi de 112%. Na primeira semana de junho, os bancos subitamente retiraram o crédito de Nahas. Ele deu um cheque sem fundo, outras pessoas também não puderam honrar compromissos e o castelo de cartas veio abaixo. Seis corretoras foram liquidadas na confusão e o presidente do Banco Central, Elmo Camões, perdeu o emprego. Seu filho Elminho, da corretora Capitânea, estava especulando em operações parecidas com as de Nahas e também quebrou.

Eu acabei ficando com a equipe de São Paulo... Lembro da data em que foi designada, já fazia mais de 60 dias que ele estava foragido. Montamos uma equipe dentro da PF Marítima e de Fronteiras, na avenida Prestes Maia, centrão de São Paulo, sob comando do Mauro Sposito. Fizemos vários trabalhos de inteligência, levantamos todas as possibilidades, onde ele poderia estar.

Àquela época não tinha o I2, o sistema de cruzamento de movimentações. Portanto não era nada fácil você fazer gestão e análise de vínculos. Nós fizemos uma grande aranha de contatos do Nahas, no papel mesmo, cruzando pontos abertos, estabelecendo vínculos: vimos pessoas que eram próximas dele, veículos, residências, locais de trabalhos... Estipulamos locais onde deveríamos fazer buscas, locais esses em que ele poderia estar.

Nesse ínterim, havia um trabalho de contrainteligência que Nahas fazia: consistia em para vazar locais falsos para nos confundir. Vejam a barbaridade: descobrimos que ele tinha um agente infiltrado na nossa equipe... Um dos agentes da PF, entre nós, dava informação a uma pessoa próxima a Nahas, para erigir seus despistes de nossas tocaias silenciosas.

Escolhemos 20 locais onde deveríamos fazer busca para tentar localizar Nahas. Eis que, no 12º local, ele tinha saído de lá um dia antes. Era evidente que ia mudando de lugar, a gente suspeitava disso. Nossa equipe tinha umas 16 pessoas – as que faziam a parte interna e burocrática, e as responsáveis pelos levantamentos e a parte de campo, que iam às buscas.

No 13º local, um apartamento, recebemos a informação de que ele tinha saído de madrugada. Chegamos atrasados por quatro ou cinco horas. O mesmo ocorreu no 14º local. Nisso veio a informação de que ele estaria na França, sustentada pelo Janio de Freitas da *Folha de S. Paulo*, mas não conseguimos confirmá-la. Até porque, se ele tivesse ido para Paris, não teria voltado... Ele nos disse que não foi e eu acredito que realmente não tenha ido.

Nahas cometeu um erro crucial para qualquer foragido: para desmentir a ida à França, tirou uma foto lendo o *Estadão* do dia. Ele lançou um desafio a quem faz a busca, deu uma entrevista foragido. O cara quando está sendo buscado e dá uma entrevista, está desafiando a justiça e a polícia descaradamente. Ele está falando para a polícia: "Vocês são uns otários! Eu estou aqui com a capa do jornal, venham me pegar".

Para quem tem sangue de polícia, é a pior coisa que um indivíduo foragido pode fazer. Aquilo deu um gás na equipe, deu mais vontade de achar o cara; foi uma injeção de ânimo. Numa corrida de 100 metros rasos, é aquele oxigênio para você dar os últimos passos e chegar na frente.

Começamos a desconfiar que havia um agente mentindo... Nessa nossa desconfiança intempestiva, fizemos um trabalho de contrainteligência, contrainformação. Foi quando chegamos ao 15º lugar, um apartamento onde morava o ex-diretor da empresa de Nahas, José Augusto McDowell Leite de Castro, na rua da Consolação. Nós preparamos a diligência no final de semana.

Meu pai foi para Curitiba na segunda-feira. Lembro que havia um movimento de classe, da Polícia Federal, no meio da rua, que o então superagente e chefe eterno do sindicalismo na PF, Francisco Carlos Garisto, tinha marcado. Era a primeira manifestação desse tipo. Meu pai foi para Curitiba levando o doutor Marco Antonio Veronezzi. O superintendente da PF em São Paulo ficou muito puto porque achou que o afastavam do estado para prendermos o Nahas durante sua ausência e em plena manifestação da PF. A repercussão da prisão foi tão grande que o ato grevista se esvaziou naturalmente. Todos queriam ver a "cana" da década!

Nós preparamos a operação. O tal agente infiltrado era muito ligado a um dos melhores amigos do presidente João Baptista Figueiredo: o Georges Gazale, dono do restaurante Au Liban, era quem vazava para o Naji as informações recebidas do tira Judas. O agente trabalhava na Polícia Federal e ia todos os dias prestar contas lá no Au Liban, na esquina da avenida 9 de Julho com rua Emannuel Kant, no coração do Jardim Europa.

Como a gente tinha chegado a dois lugares com um pequeno atraso, era muita coincidência essa mudança de cativeiro em cima da hora. Quando planejamos a operação de busca nesse 15º local, eu fiz uma ordem de serviço fria para uma equipe: disse que íamos fazer uma diligência porque tínhamos certeza de que ele estava na casa de um conhecido, que não constava daquela relação dos 20 endereços suspeitos.

Essa lista de 20 a equipe não conhecia, só eu e mais duas pessoas, além do delegado, sabíamos previamente quais eram os locais. A partir da denúncia da traição, passamos a organizar um movimento policial compartimentado. Falei na undécima hora que tinha surgido um novo local, a informação era quentíssima, esse endereço era em Curitiba... Por isso que o Tumão viajara para lá.

Fiz uma ordem de serviço para uma equipe, e a um dos agentes, de muita confiança, avisei que a ordem era fria, e que a gente não ia chegar lá. "No meio do caminho para Curitiba, damos outra ordem e vocês voltam, mas feche a boca". Fizemos a ordem de serviço e determinamos que eles saíssem à zero hora de São Paulo, no domingo, para poder chegar de madrugada em Curitiba.

Entregamos o envelope fechado, com determinações, para a equipe placebo. Botamos o agente traidor no plano Curitiba, demos essa missão a ele no sábado... o cara deve ter vazado. Não deu outra: o pessoal saiu às 22h/23h do domingo rumo a Curitiba, e no fim resolvemos que valia o sacrifício de perder viagem e ir mesmo. Foram até o fim, sem ordem de retorno.

O Judas partiu para Curitiba, enquanto nos preparávamos para fazer a operação às 6h, contra Nahas, aqui em São Paulo. Os membros da equipe placebo chegaram ao Paraná por volta das 4h30 da manhã. O endereço correto, porém, era na rua da Consolação, no apartamento do José Augusto McDowell. Às 6h da manhã cercamos o prédio. Quando entramos no edifício, e chegamos ao apartamento localizado no 5º andar, havia na área de serviço, junto à porta, um exemplar do *Estado de S. Paulo.*

O *Estadão* de domingo na porta, repousado, intacto... Lembro que olhei para minha equipe e disse, num discurso inflamado, de uns cinco minutos. Pô, *Estadão* de domingo na porta! Em apartamento de luxo os caras não deixam jornal na porta; se o morador não está, fica na portaria. Ninguém entrega correspondência se o morador está ausente! Ainda que coloquem o jornal, se está o de domingo, por que não o de segunda-feira?

O jornal de domingo teria passado o domingo inteiro aqui, até segunda-feira de manhã, às 7h da manhã, sem estar acompanhado do exemplar de segunda? Logo esclareci: esse jornal não foi posto pelo porteiro. Alguém sentiu o movimento e, para disfarçar, colocou o jornal na porta do apartamento para fingir que estava vazio, só que errou a data do jornal! Se fosse o de segunda tinha alguma justificativa, porque a entrega é às 4h da manhã. Estava claro: ele, Naji, havia colocado ali o jornal para desbaratinar a polícia.

Havia dois telefones no apartamento onde estaria Nahas. Eu mandava ligarem para um e dava ocupado; ligava para outro, chamava e não atendia; os telefones estavam com som baixo e a gente não ouvia. Tinha de mandar ligar porque, lembre-se, não tínhamos celular em 1989... Na Telesp davam a informação de que o número do telefone naquele endereço conferia com o nome do McDowell, mas a gente não ouvia o toque, e também não ouvia ninguém falando ao telefone.

Nisso liga para a PF o José Carlos Dias, um dos maiores advogados do Brasil, futuro ministro da Justiça de FHC. O pesso al da sala de meios da Polícia Federal me telefona para me fazer uma baixa frequência no rádio. "O Dr. Zé Carlos Dias queria falar com o senhor". Desci ao térreo, e ele perguntou, ao fone, onde eu estava. "Por que o senhor quer saber onde estou, doutor?". Falei-lhe que estava na rua, diligente. Ele: "Mas onde você está especificamente?". Devolvo, ríspido: "Por que quer saber? O senhor não é a minha nega pra saber onde estou!!!". Disse que ele marcasse comigo dali a uma hora, na sede da Polícia Federal. Ele perguntou de novo: "Onde o senhor está?". Retruquei: "Vamos trocar figurinhas: me diga onde está o seu cliente e eu te digo onde estou!!!"

Ele não ligou mais. Essa conversa aconteceu por volta das 9h.

Às 10h ele ligou de novo e pediu para me encontrar na esquina da Henrique Schaumann com a Brasil ou com a Consolação, naquele pedacinho. E perguntou: "Mas onde está seu pessoal?". Eu falei que meu pessoal estava na porta do apartamento onde Nahas se escondera. Ele disse: "É, doutor, mas vamos considerar, vamos tirar ele de lá". Dias tentou contemporizar, educada e malandramente; ele é um gênio da negociação, saibam. Contestei que não tinha acordo de trégua na entrega do procurado; afinal, eu estava há mais de 30 dias correndo atrás!

E emendei: "Doutor, nós vamos arrombar a porta; só não mandei arrombar ainda porque depois vou ter que pagar alguém para consertar. Tenho certeza de que ele está lá dentro, mas, como acho que o dono está envolvido, por favorecimento e proteção, vou indiciar o dono, e logo teria autorização do juiz para arrombar". Ele pediu: "Calma!"

Falei que ia avaliar uma coisa e depois ligava. Eram umas 10h30; por volta das 12h30/12h45, abre-se o elevador no 5º andar e sai o Zé Carlos Dias! Foi uma cena bíblica, um dos maiores tesões que senti na vida de polícia! A casa caiu e prendemos o Naji Nahas, que era "imprendível", ninguém conseguira pegar. Foi a cana do século, prendemos o cara!!!

O Zé Carlos chega, pergunta se está tudo bem, e bate na porta, calmamente, em tamboriladas espaçadas: "Naji, Naji, sou eu". Devia estar tentando falar no telefone com ele. Naji vem até a porta, fechada ainda, e pergunta: "Quem é?". "Naji, sou eu, o Zé Carlos Dias". Naji abre a porta, aparece arrumadinho, de barba feita e tal, bem vestido como sempre. O advogado se coloca entre a porta, o Nahas, eu e o pessoal. E, com aquele jeitinho dele, emenda: "Bom, Dr. Tuma, vamos considerar que é uma prisão espontânea"... A hora em que ele fala isso disparo: "Vai tomar no seu...". Nem deu tempo da gente pensar mais porque Naji Nahas entra na conversa e dispara: "Nem f... que será prisão espontânea! Você quer desmerecer o trabalho deles? Eu quis me entregar, você não deixou, agora que se foda. Eles me prenderam, azar nosso, não dá para desmerecer o trabalho deles".

Naji Nahas, o procurado mais famoso do Brasil de então, tirava o bolo duro de nossas gargantas de policiais e falava por nós: inacreditável para mim, até hoje... Eles tinham um informante na nossa equipe, o advogado fez proposta indecente na hora da prisão e coube a Nahas declarar que a casa caiu e que quer mesmo ser algemado. Meu pai não acreditava na prisão, saltava de alegria. A PF tinha muito ciúme de mim; afinal, eu era um delegado da Polícia Civil de São Paulo.

Levamos Nahas para a delegacia de Polícia Marítima, Aérea e de Fronteiras, onde ficava nossa base, ali na avenida Prestes Maia, e em pouco tempo juntou a maior quantidade de repórteres que já vi na vida. Acho até que superou aquela coletiva do Tumão quando declarou ao mundo que o cadáver encontrado era o do Mengele.

Então o encaminhamos a uma salinha no 5º andar, onde improvisamos uma cela. Com o acúmulo impressionante de repórteres no térreo, ávidos por notícia e por uma palavra do Nahas, o convencemos a escrever uma nota, para evitar confusão. Ele solicitou uma máquina de escrever e, numa Olivetti que dispusemos, datilografou e assinou uma nota à imprensa, cuja cópia você poderá ver no final desse livro. Naqueles tempos, os erros eram corrigidos com "branquinho" (corretor ortográfico).

Logo chegou um delicioso quibe de bandeja, ainda quente, recheado com carne moída e *snobar*, uma sofisticada semente dos pinheiros libaneses, feito por sua mãe ou esposa, que nos fez salivar de tão cheiroso. Fomos convidados e participamos daquele improvisado banquete carcerário árabe.

Poucos dias depois começou uma disputa: o Rio de Janeiro queria prendê-lo lá, o Nahas queria ficar em cana aqui. Quatro dias depois marcaram a audiência no Rio e me escalaram para escoltá-lo. Logo deduzi: o pessoal do Rio vai armar. A Polícia Federal do Rio de Janeiro tentou tomar Nahas de mim, para poder aparecer com ele na imprensa.

Depois de muita disputa por Nahas, numa vergonhosa cena em plena pista do aeroporto Santos Dumont, presenciada por toda a mídia nacional e estendida até a superintendência da PF no centro, estamos na audiência no Rio de Janeiro. Nahas pede para cumprir prisão domiciliar e o juiz pede para ver o diploma dele: "Cadê o seu diploma? Não estou achando nos autos...." Nahas levanta a voz e fala: "Puta que pariu, eu paguei um puta dinheirão para vocês irem ao Líbano buscar o meu diploma! Vocês não acharam, não trouxeram, puta que pariu!", xingando os advogados Nilo Batista e José Carlos Dias.

O juiz, ao ouvir os palavrões, reagiu: "Você pensa que está onde, senhor Nahas?". Ele se desculpa e fecha o bico, mas continua resmungando. Eis que o juiz me chama: "Delegado, você tem condições de dar segurança se ele ficar preso em casa? Você acha que ele foge?". Respondo :"Eu acho que ele não foge, mas, sinceramente, é um ônus muito grande para a Polícia Federal; nós não temos pessoal suficiente para ficar fazendo escolta em casa. O que o senhor mandar nós vamos cumprir, mas eu não acredito que ele fuja".

O juiz decreta prisão domiciliar, fala para voltarmos para São Paulo e que a polícia tem que fazer escolta 24 horas por dia na casa dele. Nahas comemorou poder ficar em sua casa paulistana. Na volta, sobre o golpe do qual era acusado (e do qual foi absolvido em 2004), Nahas me diz: "Isso eu faço todo dia, não é a primeira vez que eu faço isso. Vocês têm que ir atrás de fundo de pensão". Ficou a dica. Pelo visto, ele tinha razão...

Tenho para mim, até hoje, que aquela "quebra" na Bolsa de Valores do Rio de Janeiro se deu, em boa parte, por responsabilidade do então presidente do Conselho Administrativo da Bovespa, Eduardo Rocha Azevedo, com quem Nahas disputava um forte braço de ferro envolvendo as bolsas paulista e carioca. Consta que foi Rocha Azevedo quem pressionou os bancos a não honrar os pagamentos antecipados prometidos a Nahas por suas operações, deixando-as a descoberto e gerando aquele *boom*.

Tratava-se de um mecanismo recorrente na época, ao qual o megainvestidor tinha acesso. Era uma espécie de financiamento costumeiramente concedido a ele pelos bancos, e que naquela oportunidade lhe foi cortado, já com a operação em andamento, por pressão do presidente da Bovespa.

Enfim, uma praia para nadadores profissionais, mergulhadores escafandristas: os riscos de se apostar ou acompanhar o Nahas na Bolsa não era para qualquer apostador.

Ele especulava mesmo, a própria bolsa era um local de apostas, portanto dado a especulações, e, a bem da verdade, todo mundo dava a alma para ter um palpite do "mito" Naji Nahas naquela época.

Não tinha santo naquele jogo que todo mundo do mercado conhecia, especialmente os envolvidos. Não tinha inocente naquela história. Tanto é fato que o único prejudicado, ao que me consta, foi o próprio Nahas, pois a Bolsa em poucos dias voltou a operar normalmente.

Vamos lembrar: no dia 5 de agosto de 2004, Alberto Dualib e Nesi Curi, pelo Corinthians, e Kia Joorabchian, pela MSI, assinaram um instrumento particular de pré-contrato segundo o qual o clube manifestava interesse em firmar contrato de gestão exclusiva de seu departamento de futebol e licenciamento de propriedade intelectual com a empresa MSI. Esta ficaria com 51% do lucro líquido auferido pelo Timão.

Bom: a MSI prometia a nós, corintianos, os céus e o universo em si. Em 2004, a MSI contratou os jogadores argentino Carlitos Tevez, Javier Mascherano, Sebá Domínguez, o chileno Johnny Herrera, os brasileiros Roger, Carlos Alberto, Gustavo Nery, Marinho, Marcelo Mattos e o goleiro Bruno Fernandes para atuar no Coringão. Esses jogadores ficaram conhecidos pelos torcedores e pela imprensa como Galácticos. Com a ajuda desses craques, o Corinthians foi Campeão Brasileiro em 2005. Em 2006, Kia tentou comprar o West Ham United, que naquele ano recebera os atletas Carlos Tevez e Javier Mascherano, quando deixaram o Corinthians, após o clube ter sido eliminado da Copa Libertadores da América.

Em julho de 2007, o juiz Fausto Martin de Sanctis, da 6ª Vara da Justiça Federal em São Paulo, hoje desembargador, recebeu a denúncia do Ministério Público Federal contra oito pessoas envolvidas no caso da parceria MSI-Corinthians. Foi determinado o bloqueio dos recursos creditados em contas correntes do Sport Club Corinthians Paulista, devido ao contrato que a agremiação possui com o MSI Licenciamentos e Administração Ltda. Também foi bloqueado o dinheiro da empresa MSI depositado em contas correntes, fundos, aplicações e investimentos de qualquer tipo junto ao Banco Bradesco S.A.

A estrela de xerife que orgulhosamente herdei de meu pai

Com Lula e o ministro Tarso Genro, no Palácio do Planalto – Dezembro de 2007

Reunião com o pastor Silas Malafaia, o ministro da Justiça, Tarso Genro, e o deputado Evaldo Dias Pereira, primeiro vice-presidente do PSC, a respeito da classificação indicativa dos programas de televisão – Outubro de 2007

Foto Alziro Xavier

Nos festejos pelo Dia Nacional do Ministério Público, em que recebi o Colar do Mérito do Ministério Público – a mais alta homenagem da instituição – por relevantes serviços prestados. No flagrante, sou cumprimentado pelo governador Sérgio Cabral e pelo procurador-geral de Justiça do RJ, Marfan Martins, responsável pela concessão da comenda – Dezembro de 2008

Em Maceió com o ministro Patrus Ananias, do Desenvolvimento Social e Combate à Fome, após palestra que proferi durante evento da Associação Nacional dos Advogados da União – Novembro de 2008

Audiência com o governador da Bahia, Jaques Wagner, para tratar dos preparativos do XII Congresso da ONU sobre Prevenção ao Crime e Justiça Criminal – Dezembro de 2008

Reunião com os Senadores Eduardo Suplicy e José Nery, além da escritora francesa e militante pró-Battisti, Fred Vargas (de blusa escura), para tratar do caso do italiano – Dezembro de 2008

No Parlamento de Israel, em Jerusalém, com o ministro da Justiça, Yaakov Neeman – Outubro de 2009

Com o ministro Tarso Genro em solenidade de formatura de Agentes Penitenciários Federais – Dezembro de 2009

Em reunião de trabalho com o presidente do Senado, José Sarney, com o ministro da Justiça, Tarso Genro, o ministro de Relações Institucionais da Presidência da República, José Múcio, e o secretário de Assuntos Legislativos, Pedro Abramovay – Fevereiro de 2009

Com Wilson Roberto Trezza, diretor-geral da Abin, durante assinatura de termo de cooperação entre a Agência Brasileira de Inteligência e a secretaria nacional de Justiça – Janeiro de 2009

Com o presidente do Senado, José Sarney, e o ministro da Justiça, Tarso Genro – Fevereiro de 2009

Após reunião na sede da ONU, em Viena, momento de descontração com o ministro do STJ, Gilson Dipp (então corregedor nacional de Justiça e coordenador da Comissão da Verdade), o delegado Renato Halfen da Porciúncula e Lu, minha mulher – Abril de 2009

Como presidente da Reunião Preparatória Regional da América Latina e Caribe – Pré-Congresso da ONU, com meu assessor, Arnaldo Silveira – San José da Costa Rica, maio de 2009

Com o senador Romeu Tuma e o então procurador-geral de Justiça de São Paulo (hoje secretário de Segurança Pública), Fernando Grella Vieira, na assinatura do convênio para instalação do Laboratório contra a Corrupção e a Lavagem de Dinheiro no Ministério Público de São Paulo – Maio de 2009

Com o presidente Lula, em Brasília, durante solenidade de assinatura da Lei de Anistia para os estrangeiros em situação irregular, e do encaminhamento ao Congresso do novo projeto de Lei de Estrangeiros – Julho de 2009

De boina do "Che" em Cuba, onde fomos negociar acordos de combate ao crime organizado. Com o ministro Tarso Genro, o embaixador do Brasil, Bernardo Pericás Neto, Vinícius Wu e Aírton Michels – Setembro de 2009

Com a rainha Paola da Bélgica (ao centro) e a ministra da Justiça da Suécia, Beatrice Ask, após ter proferido palestra na Conferência Ministerial da União Europeia sobre Imigração e Tráfico de Pessoas – Bruxelas, outubro de 2009

Com a rainha Silvia, da Suécia, na mesma Conferência de Bruxelas, quando tratamos da realização de um evento sobre o mesmo tema no Brasil (o que se concretizou em 2010)

Com o presidente Lula, o ministro Tarso Genro e Tumão (à direita), dentre outras autoridades, comemorando o título do Coringão na Copa do Brasil de 2009. O Corinthians vencera na final o Internacional de Porto Alegre, time do coração de Tarso, que pagou o mico de se ver fotografado com a bandeira do Timão no dia seguinte ao jogo – Julho de 2009

Entregando o Certificado de OSCIP (Organização da Sociedade Civil de Interesse Público) ao presidente da Fundação Cafu – Dezembro de 2009

Discursando no Auditório Tancredo Neves, em Brasília, na cerimônia de criação da ENACC – Estratégia Nacional de Combate a Cartéis – Outubro de 2009

Na solenidade de abertura do Seminário Internacional sobre Extinção de Domínio, na tribuna do auditório do Interlegis, em Brasília. Da esquerda para a direita, o presidente do Coaf, Antonio Gustavo Rodrigues; o ministro Tarso Genro; o presidente do Conselho Federal da OAB, Cezar Britto, e o representante da UNODC no Brasil, Bo Mathiasen – Setembro de 2009

Na sede da Federação Internacional de Futebol em Zurique, Suíça, durante reunião preparatória para a Copa do Mundo de Futebol de 2014: com o ministro Tarso Genro, o presidente da FIFA, Joseph Blatter, e o secretário-geral da entidade, Jérôme Valcke – Novembro de 2009

Presidindo a Oitava Reunião de Ministros da Justiça ou de outros Ministros ou Procuradores-Gerais das Américas (REMJA-VIII), da OEA, em Brasília – Fevereiro de 2010

Em 2010, com a futura presidente Dilma Roussef no Ministério da Justiça

Com o presidente Lula, o governador Sérgio Cabral e o prefeito Eduardo Paes, do Rio de Janeiro, em solenidade no Ministério da Justiça – Janeiro de 2010

Diante da sede do FBI em Washington, EUA, quando lá estive em reunião com autoridades americanas – Janeiro de 2010

Discursando na solenidade de criação e lançamento da ENASP – Estratégia Nacional de Justiça e Segurança Pública, na presença do então presidente do STF, ministro Gilmar Mendes; do procurador-geral da República, Roberto Gurgel; do ministro-chefe da AGU, Luís Inácio Lucena Adams; do ministro da Justiça, Luiz Paulo Barreto, e do presidente do Conselho Federal da OAB, Ophir Cavalcanti – Fevereiro de 2010

Fotos Isaac Amorim

Com a rainha Silvia, da Suécia, e a ex-primeira-dama, Dona Mariza Letícia, em São Paulo, durante reunião sobre enfrentamento ao tráfico de pessoas, que ajustamos realizar quando estivemos na Conferência de Bruxelas – Março de 2010

Na mesma ocasião, o momento em que Dona Marisa Letícia e Vannuchi intercederam pela urgente cidadania de José Lopez Feijoo. Observado por mim, por Dona Marisa e pelo ministro da Justiça e senhora Luiz Paulo Teles Barreto, o então ministro-chefe da Secretaria Especial de Direitos Humanos da Presidência da República, Paulo de Tarso Vannuchi, telefona a Feijoo após o pedido expresso da primeira-dama

Fotos Isaac Amorim / ACS / MJ

Presidindo o XII United Nations Crime Congress – 12º Congresso das Nações Unidas de Prevenção ao Crime e de Justiça Criminal, que recebeu mais de seis mil participantes de aproximadamente 120 países em Salvador (BA) – Abril de 2010

Entrevista coletiva: acossado pela imprensa no dia em que publicaram notícias falsas contra mim, objetivando atingir meu pai politicamente e tirar-me do governo, onde eu contrariava interesses não republicanos – Maio de 2010

O Ministério Público Federal denunciou os dirigentes do Corinthians – Alberto Dualib, Nesi Curi, Renato Duprat Filho, Paulo Sérgio Scudiere Angioni e o advogado Alexandre Verri – por crime de lavagem de dinheiro e formação de quadrilha. Além disso, o juiz decretou a prisão do russo Boris Berezovsky e dos iranianos Kia Joorabchian e Nojan Bedroud. A decisão fixou que a Interpol fosse informada dos mandados de prisão. O juiz Fausto de Sanctis também determinou a expedição de ofício ao Ministério da Justiça solicitando a prisão preventiva dos réus estrangeiros e sua extradição para o Brasil.

Esse caso começa em minha vida quando estou na Assembleia Legislativa de São Paulo. Eu era também conselheiro do Corinthians, como sou até hoje. Havia uma disputa no clube, então numa situação difícil, e logo começou um boato de que iam assinar uma parceria com investidores estrangeiros. Procurei saber quem era e descobri que se tratava de um grupo comandado por um russo e por alguns investidores da Inglaterra.

Achei tudo estranho. Passei a procurar por mais informações. Uma parte da oposição ao Dualib, naquele momento, nem era a oposição de fato ainda. O Andrés Navarro Sanchez se juntou a ele, foi para Inglaterra, fez uma viagem sobre a qual pouca gente ficou sabendo. Foi ter um encontro com esse grupo. Começaram a vazar informações de que o tal grupo seria comandado por um magnata russo de nome Boris Berezovsky.

Andrés Navarro Sanchez queria levar essa proposta para o conselho deliberativo; e a gente começou a pedir informações sobre esse grupo. Eles falavam que era fundo de pensão: que não podiam se identificar por se tratar de grandes investidores que não queriam aparecer. Como não queriam aparecer?

Começam todas aquelas desculpas que para mim, então com 30 anos de experiência, não passavam de maquiagens verbais para ocultar lavagem de dinheiro. Evidentemente tudo era decorrente daquele desvio de recursos monstruoso, fomentado quando das privatizações na União Soviética. Aqueles oligarcas da ex-URSS desviaram dinheiro como quem canaliza córregos. Na Rússia, tinham tanto poder para modificar as leis com lobby que ganharam a alcunha de "Vory v Zakone" – Bandidos dentro da Lei. A canção "Za Chto Vy Brosili Menya?" foi considerada o hino da máfia russa durante os anos 1980 e 1990. O curioso é que a melodia é do brasileiro Dorival Caymmi, de sua música "Suíte dos Pescadores". A predileção pelo Brasil é antiga...

Uma parte dessa máfia foi para a Inglaterra e comprou aquele título de refugiado político, alegando que estavam fugindo da repressão – aquela história que a gente já conhece, com militante na área da polícia internacional. Voltando ao Corinthians: eu achava engraçado essa desculpa de que os reais investidores não poderiam aparecer....

Depois de muita insistência, comecei a investigar e apareceu uma pessoa que seria responsável por essa empresa que empreitaria o fundo, Joel Dichian.

Juntaram-se a mim, nessa pungente curiosidade, os conselheiros do Corinthians, Roque Citadini e o doutor Rubens Aprobato Machado – o primeiro presidente do Tribunal de Contas do estado de São Paulo e o segundo ex-presidente do Conselho Federal da OAB e da OAB/SP. E aí, nós três levantamos informações de que a empresa que seria representante desse fundo (e do Boris Berezovsky) seria a tal de MSI, Midia Sport Investment, com sede na Inglaterra. Nós fomos então levantar o pré-contrato que eles teriam firmado na Inglaterra. Datava de agosto de 2004, subscrito nessa viagem secreta em que estavam o Andrés Sanchez, o presidente Dualib, o senhor Nesi Curi e mais duas pessoas.

Constatamos que essa empresa não existia, não tinha sido constituída ainda. Aí começou uma guerra psicológica através da mídia, em que o conselho do Corinthians estava absolutamente dominado. O Dualib levaria essa proposta para aprovação do Conselho Deliberativo, que, de resto, não tinha acesso a nenhum documento, seja contrato ou pré-contrato. Por nossa insistência em investigar e denunciar, essa empresa acabou se criando na Inglaterra para tentar brecar, com um frágil verniz de legalidade, a nossa investigação.

Ela foi instalada em endereço onde funcionava uma academia de ginástica, e ninguém nunca tinha ouvido falar dessa empresa. Foi constituída depois da assinatura do contrato, com o capital social de 1 mil libras esterlinas. Para gerir um contrato, na época, exibiram um lastro de 20 milhões de dólares. Como deputado e delegado de polícia, presidente da Comissão de Segurança Pública na Assembleia, iniciei os levantamentos que tinha a obrigação de fazer como policial – como assessor da vice-presidência da Interpol, eu contava com alguns companheiros que estavam na área fora do Brasil.

A Interpol era comandada pelo Dr. Roberto Precioso, no Brasil. A Abin, comandada pelo Mauro Marcelo, também entrou na parada. Rapidamente essas instituições me passaram as informações, demonstrando efetivamente que se esse grupo fosse ligado a Berezovsky seria um "grupo de alto risco".

Boris Berezovsky tinha muitos antecedentes criminais, inclusive constava das cooperações de informações dos órgãos de inteligência que ele teria sido um dos responsáveis pelo financiamento da guerra da Chechênia e teria se aliado, em algum momento, a Osama Bin Laden no fornecimento de armas, isso descrito no documento de inteligência da própria Abin, que recebera essas informações e tinha isso em arquivo. Você há de perguntar: como um judeu, Boris Berezovsky, coopera com a Al Qaeda de

Bin Laden? Simples: Boris Berezovsky faria tudo, até o improvável, para se aliar a chechenos em luta contra Vladimir Putin.

Ele queria o Brasil como ilha de paz porque tinha medo. Afinal, em 2006 o ex-espião Alexandr Litvnenko, aliado de Berezovski nos ataques a Putin, foi envenenado em Londres com uma cápsula de material radioativo. Pouco antes de morrer, Litvnenko atribuiu diretamente ao presidente russo a ordenança do crime...

Pois bem: eu fazia todo o possível para impedir tal contrato de Boris com o Coringão porque, na verdade, eu tinha certeza de que usar o Corinthians para investir dinheiro no futebol era ainda uma fachada. Realmente o plano era muito maior, era gigantesco. Havia muitas coisas por detrás: a criação de um banco de apostas para manipular resultados esportivos, todo um envolvimento com gente do governo federal para atuar em projetos cuidadosamente indicados, e que gerariam parte dos recursos para financiar partidos e pessoas, como era o caso da compra da Varig, por exemplo.

Boris Berezovsky queria vir para o Brasil e se estabelecer aqui porque era delicada sua situação na Inglaterra, que ficara pequena para ele; a Rússia estava fazendo pressão e era um momento em que estava começando a crise mundial.

O Gafi (Grupo de Ação Financeira Internacional) e os países do Banco Mundial já estavam apertando para que não aceitasse qualquer tipo de recurso na sua economia formal e informal, principalmente quando começava a onda de terrorismo. Nós estávamos com problema de terrorismo desde o 11 de Setembro, houve uma alteração, esse recurso todo era malvisto nos países a partir de agora.

Sérios problemas se punham; a Inglaterra estava muito incomodada com a presença de Boris mas não queria tirá-lo porque ele tinha muitos recursos aplicados lá.

Boris fez sua cama brasileira com apoio de muitas pessoas do governo do Brasil, onde ele seria recebido com título de refugiado. O pano de fundo é que Boris queria comprar a Varig. Eu soube que ele se hospedou no Hotel Unique, na avenida Brigadeiro Luiz Antônio, em São Paulo.

Eis o que relatou Juca Kfouri em sua coluna no UOL, a 29 de abril de 2006:

> Explicação oficial: Boris Berezovsky veio ao Brasil para tentar comprar a Varig. Foi o que disse o deputado estadual Vicente Cândido (PT-SP) à imprensa ontem à noite. Ele foi enviado ao Hotel Unique quando soube que o russo corria o risco de ser preso.
>
> O deputado Romeu Tuma Junior falou com o ministro Márcio Thomaz Bastos e foi informado de que o bilionário entrou no país com autorização do Itamaraty, protegido pelo status de "asilado político".
>
> Pelo sim, pelo não, assim que vazou a notícia de que estava no país, Berezovski tratou de ir embora, em seu avião particular. Tinha oito quartos no hotel para sua comitiva e todos embarcaram sem sequer fazer o check-out ou levar todas as malas, providência que tomariam depois, segundo relatou o advogado do Unique.
>
> Tudo indica que Berezovsky procura um país como opçao caso mude a situação política da Inglaterra e ele tenha de sair de lá de uma hora para outra diante de novo pedido de extradição do governo russo.
>
> E tudo indica mais ainda que este país é o Brasil.
>
> Primeiro, o Corinthians, agora a Varig, dois gigantes pessimamente administrados.
>
> Em tempo: o outro nome que o chefão russo costuma usar quando sai da Inglaterra é Platon Yelenin.

Quando fiquei sabendo, mandei pessoas que diretamente estavam ligadas a mim na Assembleia, chamei a Polícia Federal e mandei prendê-lo. Ele tinha um mandado de prisão da Interpol. Recebi uma ligação do ministro Márcio Thomaz Bastos, que foi taxativo: numa voz profissional, ortopédica, embora não fosse meu chefe, ordenou que eu não agisse contra Boris.

A informação que eu tenho é a de que havia dois agentes da Polícia Federal fazendo a segurança de Boris. E eu imprimindo essa pressão, acionando a polícia para prendê-lo porque ele tinha um mandado de prisão internacional, numa difusão vermelha da Interpol para que fosse preso. Nesse ínterim, tive que me deslocar para o interior, para a cidade de Ibirá, próxima a São José do Rio Preto.

Foi o tempo do meu pessoal ir para o Hotel Unique e acionar a polícia. Quando desço do avião, recebo a informação de que o ministro Thomaz Bastos queria falar comigo ao telefone.

Ele me liga no celular. "Como vai o senhor ministro?". Ele responde: "Você não pode mexer com essa pessoa, ele está legal no Brasil". Devolvi, grave e hirto: "Como ele está legal no Brasil, ministro? Ele tem um mandado de prisão internacional, ele está na difusão vermelha da Interpol!"

Ele retrucou: "Não, mas ele é refugiado político. Eu conheço isso como ninguém...". Rebati: "Ministro, eu conheço isso muito bem, ele é refugiado político na Inglaterra porque a Inglaterra vende o título de refugiado político. Eu vou dizer uma coisa para o senhor: fui chefe da Interpol, instalei o escritório da Interpol em São Paulo, fui o primeiro chefe da Interpol em São Paulo".

Uma das primeiras coisas que a gente conhece e pratica na Interpol, a Organização Internacional de Polícia Criminal, é o Estatuto, e um de seus artigos diz literalmente que a Interpol não difundirá informação, não prestará qualquer tipo de apoio e colaboração quando se tratar de caso envolvendo questões raciais, políticas ou de credo.

Era a prova contundente de que Boris não era perseguido político, porque se a Interpol o considerasse assim jamais daria esse tipo de informação relativa a ele, muito menos a difusão do mandado de prisão internacional.

Expliquei rapidamente isso ao ministro Thomaz Bastos, do celular, e ele rebateu, célere: "Não, não pode prender de jeito nenhum, Romeu! A Federal não vai fazer nada, não vou permitir, ele não pode ser preso. Eu recomendo que você não mexa com ele".

Ele chegou a ligar para o meu pai, pedindo que o Tumão telefonasse para meus assessores se afastarem do hotel enquanto eu estava em voo, porque meu telefone estava na caixa postal!

Nesse ínterim começamos a acionar todo mundo; deu uma quizumba no hotel e ele fugiu. Só que houve tempo de se acionar o Ministério Público, que foi para o aeroporto e conseguiu abordá-lo antes que ele embarcasse.

Só que naquela tentativa de prendê-lo o Brasil ainda não reconhece a difusão vermelha da Interpol como mandado de prisão. Você precisa pegar aquela difusão vermelha, ir ao Supremo e pedir para que decrete a extradição.

Sobre a difusão vermelha: a Interpol conta com 188 países-membros, dentre os quais o Brasil. E dispõe de uma rede de troca de informações conhecida pelo código I-24/7 (Interpol – 24 horas/7 dias por semana). Ela se ramifica em difusões, ao todo são cinco. O mais alto grau é a difusão vermelha, que prevê a prisão de foragido internacional para fins de extradição, e cuja lista integra 98 mil nomes.

Nós já vínhamos de uma luta antiga, tentando fazer com que o Brasil aprovasse uma legislação. Alguns países já reconhecem a difusão vermelha da Interpol como mandado de prisão provisório. Na América do Sul a Argentina já tem isso; eu, como secretário nacional da Justiça, propus que o Mercosul adotasse isso.

Naquela época, Tumão apresentou um projeto de lei por conta do Boris – afinal, naquela mesma noite o ministro ligou para meu pai e pediu que ele desacelarasse o filho. Eu falei ao ministro mais de uma vez: "de jeito nenhum!!!". E fiz meu pai assinar o documento: eu tenho esse documento, um pedido de prisão. Como senador e vice-presidente da Interpol que Tumão era, pedi que ele encaminhasse aquele mandado para o Supremo decretar a prisão – já que o governo era omisso.

Caiu na mão da ministra Ellen Gracie, então do STF, e ela não decretou a prisão. Nessa confusão, evidentemente Boris teve tempo de se evadir. Estava lá até o deputado Vicente Candido, atrás dele, reclamando que o Tuma estava louco, que o cara era um investidor e ia comprar a Varig. Várias pessoas do governo, muita gente tinha interesse em que ele continuasse aqui para investir.

O objetivo de mantê-lo solto naquele momento era para Boris poder fugir; isso ficou claro, porque eu ia prender o cara. Não o fiz porque estava em Ibirá, no Oeste de São Paulo.

Eles, do governo petista, prometeram a Boris que seria protegido se viesse para cá. Também prometeram que ele teria a proteção do governo brasileiro através do título de refugiado político – o que seria uma saia justa para o Brasil, convenhamos. Era promessa e pronto. O ministro Thomaz Bastos me disse: "Ele é um refugiado político reconhecido e a sentença dele será no Brasil".

A permanência dele tinha interesse empresarial num primeiro momento, não tenho dúvida; por tudo que a gente vê hoje, por todos os favores que essas pessoas recebiam, havia um troco que ia para uma caixinha do Partido dos Trabalhadores.

Quando a flauta desafina, a cobra pica o faquir. Boris iria usar e abusar aqui, mesmo de quem o protegeu: o PT.

O Ministério Público foi à luta e conseguiu cercar o Boris no aeroporto. Apreenderam a agenda dele, os eletrônicos, um notebook e iniciaram as investigações. No âmbito do Corinthians, eu avisei que se o clube assinasse esse contrato, que era maléfico, eu iria representar no Ministério Público – porque a minha discussão era pública. Eles então firmaram um contrato com essa parceria, onde havia o Boris por trás e todo esse apoio do governo.

O Boris fez uma coisa inteligente, porque a intenção dele era outra: era comprar empresas, lavar dinheiro e se proteger politicamente num país de fronteiras continentais, onde ele poderia se deslocar para cima e para baixo, onde qualquer rosto cabe no passaporte. O passaporte brasileiro é o mais valioso no mercado negro, porque qualquer pessoa que botar o rosto no passaporte, qualquer fisionomia na foto do passaporte brasileiro é vista sem estranheza.

Nós temos uma miscigenação de raças aqui que é espetacular; então, você põe o rosto no passaporte brasileiro e ninguém estranha. Na hora em que ele compra um time como o Corinthians, automaticamente cria uma proteção de massa imensurável; para aquela grande parcela da população ele é um herói.

É como faz o traficante na favela: traficante não mora na favela porque quer sofrer; quem sofre na favela é o povo, que não tem condições de viver melhor. O traficante que mora na favela busca uma proteção social, porque na favela ele dá aquilo que o Estado não dá: creche, luz, o ponto do gatonet, a bola para as crianças jogarem no campinho, uma lata de leite para a filha do vizinho.

O Boris no Corinthians estava usando essa defesa social, a mesma do traficante.

Houve uma notícia dizendo que a justiça estava me investigando por conta da minha atuação no caso MSI; ou seja: a defesa do Kia e do Boris representaram contra mim na Justiça Federal, alegando que eu não poderia tê-los denunciado, e por isso o caso era nulo e eu deveria ser acusado por improbidade. Vejam só: o acusador virando réu e os acusados vítimas. Enfim, tive que responder junto ao MP de São Paulo a essa acusação, que no fim foi arquivada. No fundo tive que explicar por que não prevariquei, pois era isso que eles acham que eu deveria ter feito.

O estranho nessa história é que por trás de tudo estão as mesmas pessoas do governo e os mesmos defensores dos mensaleiros.

Como disse, não tenho dúvida de que muita gente foi poupada pela PF na investigação da MSI. O Andrés Navarro Sanchez é um caso concreto. O diálogo dele com o ex-presidente do Corinthians, Alberto Dualib, combinando depoimentos, em qualquer outra investigação teria sido motivo para o delegado Protógenes ter prendido ambos. No fim, talvez isso explique a proximidade posterior do delegado com os bastidores do futebol, com a CBF e sua filiação ao PC do B, partido que comanda há anos o Ministério dos Esportes e cujo ministro à época, Agnelo Queiróz, foi sucedido por seu secretário-executivo Orlando Silva, que cansou de me pedir para "ajudar" o Andrés. Que, a bem da verdade, era amigo dele e não do Lula. Aliás, a primeira ida do Lula ao Corinthians foi ainda na gestão Dualib, por minha sugestão, para a inauguração do memorial do clube em 26.01.2006.

E como acaba tudo isso? Em 19 de agosto de 2008, o ministro Celso de Mello, do Supremo Tribunal Federal, em decisão liminar, suspendeu a ordem de prisão contra Kia Joorabchian. Boris se matou enforcado, na Inglaterra, em março de 2013. O Ministério Público de São Paulo ainda investiga o caso. E, após a morte de Boris, a defesa de Kia sustenta que o real investidor da

MSI não era Berezovsky, mas sim o também russo Rafael Filinov. Bem: agora, em 2013, com Boris morto, deixo a palavra com o Blog do Perrone, do UOL, com data de 24 de março de 2013:

> Noite de sexta-feira agitada no luxuoso Hotel Unique, em São Paulo, em 2006. Jornalistas tentam confirmar se a Interpol está lá para prender o magnata Boris Berezovsky a pedido do governo russo.
>
> Como se fosse porta-voz do suposto comandante da parceria MSI-Corinthians, o deputado petista Vicente Candido diz que Boris já deixou o local. E explica que o russo havia entrado legalmente no país e que estava interessado em investir no Brasil. Entre outros negócios, queria comprar a Varig. O deputado apoiava o interesse.
>
> Hoje, Candido é vice-presidente da Federação Paulista de Futebol, sócio do poderoso Marco Polo del Nero, e foi relator da Lei Geral da Copa. Ontem, Berezovsky foi encontrado morto na banheira de seu apartamento em Londres. Mesma cidade em que recebeu importantes cartolas brasileiros nos últimos anos.
>
> Esses encontros, bem como o episódio no hotel paulistano, mostram que se estendiam além da parceria com o Corinthians as relações do russo, acusado de diversos crimes em seu país, com o futebol brasileiro.
>
> Em 2007, por exemplo, Boris se encontrou em Londres com Ricardo Teixeira e Marco Polo del Nero, que estavam na cidade para o amistoso entre as seleções de Brasil e Portugal, então comandada por Felipão.
>
> Del Nero já havia advogado para Kia Joorabchian, que segundo o Ministério Público trabalhava para Boris na MSI (...). A morte de Boris teve reflexo imediato entre cartolas brasileiros que conheceram o russo. Desenterraram histórias como o

hábito de levar suas próprias comida e bebida em restaurantes caros de Londres, com medo de ser envenenado.

No Corinthians, a morte de Boris reabriu a ferida provocada pela MSI. O conselheiro e delegado Romeu Tuma Junior disse que voltará a cobrar no Conselho Deliberativo o distrato formal da parceria. Quando houve o rompimento, os advogados corintianos afirmaram que não havia necessidade de um distrato porque a parceira havia descumprido o contrato.

"Quando falei que o clube não poderia se unir a essas pessoas, fiz isso por conhecimento técnico. Gente do governo federal que tinha interesse na presença do Boris no Brasil tentou decretar minha morte moral. Agora, só espero que não façam um minuto de silêncio na reunião do Conselho Deliberativo, na próxima segunda, em homenagem ao Boris", disse Romeu.

Nas redes sociais, a morte do russo gerou até piada. O dono de um perfil no Facebook que diz ser Kia Joorabchian postou: "Chupa MP, agora ir pegar (*sic*) seu depoimento no centro espírita".

CAPÍTULO 11

TUMÃO, MEU PAI

Tudo o que você leu até aqui, sobre minhas posturas, decisões e códigos de comportamento, tem como astrolábio, GPS e luz de fundo os ensinamentos e exemplos passados pelo meu pai a cada dia, ao longo de toda a minha vida. Consulto a primeira página de *O Grande Gatsby*, de F. Scott Fitzgerald, que me é cara... Ali está escrito: "Reservar para nós os nossos juízos é coisa que proporciona infinitas possibilidades". Esse era Tumão: calava-se, perpetuamente, sem julgar.

Ele era um cara com um espírito apaziguador muito grande, e não gostava de confusão, não brigava. Uma coisa que aprendi com ele, e marcou muito a minha trajetória profissional, foi seu enorme fascínio por laboratórios de polícia, provas técnicas, equipamentos de polícia científica.

Quando viajava e visitava a polícia de outros países, tinha muita vontade de conhecer as polícias técnicas e científicas. É aquilo que sempre falei: não adianta ficar só na prova testemunhal; sempre que possível, temos que buscar a prova técnica, a prova material.

Quando você tem uma prova material formalizada nos autos o cara pode falar o que quiser, você o desmonta. Se você contar só com a prova testemunhal, porque muitas vezes não há possibilidade de se fazer outro tipo de prova, fica-se numa situação difícil, simplesmente porque o cara pode chegar em juízo e solenemente declarar: "Falei porque apanhei, porque fui forçado, coagido".

Ele professava a mesma filosofia que tenho: esse negócio de partir do crime para o criminoso era, para ele, a única forma de se vacinar contra eventuais acusações de tortura física ou psicológica. Tem muita gente que, por preguiça ou incapacitação técnica, traz um sujeito para ser interrogado na delegacia, o indivíduo vem, confessa o crime. E fica-se só nisso. É aí que mora o perigo, porque lá na frente o cara é orientado falar que confessou porque se sentiu pressionado, porque foi torturado, e você tem que provar o que não fez. Essa é a pior coisa do mundo. Fica a sua palavra contra a do criminoso...

Partir do crime para o criminoso é uma vacina contra qualquer tipo de falsa acusação de tortura. Não há outra forma de você sair do crime para alcançar o criminoso a não ser a prova técnica. Então o afloramento da autoria aparece de uma forma robusta, é natural que apareça no meio social quem foi o autor. Tumão pensava assim.

A importância de você sair do crime para o criminoso é que no caminho você vai criando consistência para a sua investigação, e quando você apontar o autor certamente vai estar embasado, respaldado por provas que são irrefutáveis, facilitando todo trabalho da justiça.

O Tumão sempre foi um cara avesso a métodos não ortodoxos no trato da coisa pública e nos processos investigatórios. Ele sempre foi intolerante com a violência, o desvio de conduta, desvio de finalidade no trato da coisa do Estado.

Tinha uma verdadeira aversão à violência. Não é por acaso que os testemunhos históricos o excluem de qualquer transgressão nessa área durante a ditadura. Muito pelo contrário: foi ele que democratizou a polícia política e sempre foi reconhecido como homem do diálogo.

Não são poucas as matérias, manchetes e relatos de pessoas da esquerda histórica falando que o Romeu Tuma era "o cara do diálogo". Ele era sempre procurado nos momentos de crise maior, por pessoas da esquerda histórica inclusive, por ser um camarada equilibrado, aberto, que dialogava com serenidade, que recebia as reivindicações, negociava, fazia o meio de campo. Ele sempre encontrava uma saída negociada, sem vencidos nem vencedores.

Ele era muito reservado e não contava em casa conversas relacionadas a serviço, a não ser para sua confidente eterna que era a minha mãe.

A gente como filho não participava de quase nada, isso só ocorreu um pouco mais tarde. Eu era um privilegiado por ter seguido a carreira dele, tinha obviamente uma participação maior na sua vida. Mas a gente só veio a partilhar muitas coisas quando eu já estava mais amadurecido e atuava na mesma profissão.

Nós temos um episódio histórico do qual nunca me esqueço e que reflete bem isso. O Brasil deve a ele algumas conquistas que hoje são discutidas, quando tanto se fala em arquivos da ditadura... Lembro muito bem quando ele assumiu a superintendência da Polícia Federal em 1983. À frente desses fatos de investigação havia o Dops, um departamento superespecial, que fazia a segurança pública.

Todos os sequestros que ocorreram naquela época foram esclarecidos. Era a velha investigação, feita pela "tiragem", os grandes flagrantes sem grampos; era a superpolícia – a polícia que dava orgulho ao estado e ao paulista, uma polícia de elite, com política de segurança pública.

A polícia nunca havia sido democratizada, tanto que Tumão foi o cara que abriu os arquivos do Dops. Num belo dia, chamou a imprensa e mostrou inúmeras fichas e prontuários de diversas pessoas, dentre elas figuras públicas e conhecidas que haviam sido cadastradas nos arquivos da polícia política, e disse sorrindo: "Olha como são as coisas, o Monteiro Lobato é fichado", por exemplo. Os arquivos, quando ninguém cogitava nem jamais poderia supor, foram abertos pela primeira vez. Quem abriu e tornou público foi ele. Ele tomou uma dura danada do pessoal do Exército, ele era um cidadão democrático. Esse fato é muito relevante para a história, pois, com aquele gesto de tornar públicos vários prontuários e fichas do Dops, ele garantia o início da preservação daqueles arquivos; segundo ele, "dar publicidade era uma forma de comprovar a existência e impedir o desaparecimento dos documentos, dados e conteúdos". Isso deve ser creditado ao Tumão.

O Dops já estava democratizado, ainda que tivesse algum resquício de ditadura ali; era só assumir o novo governo, dito de esquerda, democrata, e então tudo se consertaria. Ora, que se mude a filosofia de trabalho, mas não era preciso acabar com um órgão que tinha todo um histórico na área de inteligência, especialmente na área de segurança pública.

Tanto isso é verdade que, após o fim do Dops houve uma greve de professores, porque Montoro tinha acabado totalmente com a área de inteligência, coisa que não deveria ter feito. Acabar com a área de inteligência significava que o governador não recebia mais relatórios, não tinha mais informantes e informações. Desprovido de antecipações de eventos, o governo de São Paulo ficou desarmado, tanto que os professores em greve foram lá e derrubaram as grades do Palácio dos Bandeirantes. E o Franco Montoro, assustado como nunca, foi visto escondido, espiando tudo de longe por uma janelinha do segundo andar.

Para perseguir o Tumão, o governo que assumiria pensou e anunciou nos bastidores que iria acabar com o Dops. Eis um momento em que deveriam ter mostrado que o órgão era uma instituição de Estado – uma superpolícia, que esclarecia todos os crimes que lhe competia investigar. Mas o que queriam era mesmo destruir o Tuma, e para tanto precisariam acabar com o Dops. Se quisessem perseguir o Tuma de verdade, botassem ele numa delegacia a uns 500km da cidade. Enfim, por causa de uma questão pessoal, acabaram prejudicando uma instituição inteira e o próprio Estado.

Era uma perseguição idiota. Algum tempo depois, o próprio governador Franco Montoro reconheceu o erro e verbalizou isso pessoalmente ao Tumão.

Mas, enfim, quando decidiram que ele ia para a Polícia Federal, como superintendente em São Paulo, ele negociou para que se preservassem os arquivos. Tumão nos falava que "esse arquivo era o nosso salvo-conduto", isso é uma coisa que eu ouvi dele.

Ele se referia ao fato de que aquilo era "o nosso acerto com a história, o salvo-conduto da nossa honra no futuro. Foi por isso que eu preservei; é a história do Brasil, é para que no futuro não se repita o erro e nos seja feita justiça", dizia o velho. O governador na época era o José Maria Marin; meu pai o fez assinar um decreto antes que acabasse com o Dops, tanto que oficialmente quem assinou o decreto foi o Marin. Na prática, o Montoro anunciou e o Marin acabou.

Foi então transferindo os arquivos do Dops para o governo federal, para a Polícia Federal, com o pretexto de que o Dops era uma sequência das atribuições da Polícia Federal. Se as atribuições retornaram para a Polícia Federal, então os arquivos também deveriam voltar.

Quando Tumão assumiu a PF de São Paulo, quem estava fazendo o discurso era o diretor-geral, o coronel do exército Moacir Coelho. Foi o penúltimo militar da Polícia Federal. O último foi o coronel Alencar Araripe, que antecedeu meu pai na direção geral. Depois disso, houve uma recaída quando o diretor Amaury Galdino saiu na gestão do presidente Itamar Franco. Ele recolocou um militar no comando da PF, o coronel Wilson Romão.

Vieram dar a notícia, bem naquele momento, na frente do coronel, de que o Dops e os arquivos estavam pegando fogo. Foi um choque. Deu aquele branco em todos: "Porra, nós precisamos preservar isso, é o nosso legado manter isso íntegro e não podemos perder. Romeu Junior, isso é uma sabotagem, um atentado contra mim. Corre lá, filho, e salva o máximo que der", falou o Tumão ao pé do meu ouvido. Eu saí feito um doido, junto com uns dois ou três investigadores – me lembro bem da companhia do Danilo Silvestre. Nós saímos a pé pela rua. De carro ou viatura demoraria mais porque não daria tempo de encontrar os proprietários ou motoristas dos vários veículos que estavam estacionados fechando os nossos, por conta da enorme presença de autoridades naquela posse. Por isso a gente saiu correndo a pé, feito um bando de loucos, pela rua Antônio de Godoy. Subimos a Casper Líbero, contornamos a praça Alfredo Issa, seguimos pela rua do Triunfo até o largo General Osório, onde ficava o prédio do Dops. Fizemos o percurso em no máximo cinco minutos.

Chegamos e ainda estava saindo aquela fumaça do segundo andar... Subimos as escadas, pegamos extintor, havia mais uns três funcionários tentando ajudar. Um corre-corre danado, tudo na raça, meia dúzia de policiais com extintores, alguns meio chamuscados, até a chegada dos bombeiros. No final conseguiram apagar o incêndio nos arquivos do Dops, que acabaram preservados, com pouca coisa queimada. A perda não foi tão significativa. Não havia dúvida de que fora um incêndio criminoso, como se constatou depois. Até hoje não sei se queriam queimar por protesto ou para pôr a culpa na gente – o que seria pouco inteligente e até pouco provável – ou se queriam mesmo fazer tudo virar cinza. O certo é, e disso não tenho dúvida, que alguém ateou fogo no arquivo para tentar apagar as memórias do passado.

Aí eu não sei o que deu depois: fomos para a PF e não tivemos mais acesso a nada. Não queriam ver a gente, da família Tuma, nem pintados... Tanto que eu fazia concurso para delegado e eles me reprovavam no exame oral, isso por três anos. Na Federal ninguém queria chegar perto da gente, no estado os caras não queriam me ver nem pintado de ouro. Foi um período muito difícil.

Acho tudo meio engraçado porque até hoje os arquivos ainda não foram abertos. Você vê esses caras fazendo tanto discurso: "Olha, precisamos abrir esses arquivos do Dops". Esquerda no poder e nada se abre. Parece que agora vai começar, mas será que fizeram uma "limpa" antes?

Na verdade, tudo está ali preservado, servindo de apoio para volumosas ações de reparação, a chamada "bolsa ditadura", e servindo para resgatar parte da história e parte da verdade dos anos de chumbo. Digo parte porque, igualzinho ao que acontece com os "arquivos" da polícia "democrática republicana" atual, só aparece o que interessa a um lado da moeda.

De todo modo, em tempos de Comissão da Verdade, que não se minta ou omita mais: "A César o que é de César". E justiça seja feita: se esses arquivos ainda existem é por causa do Tumão. A história tem esse acerto de contas com a memória dele.

Nós preservamos e salvamos os arquivos e ninguém abre. Vira e mexe tem reunião da Comissão da Anistia, as tais caravanas (eu nem vou entrar no mérito da questão), mas houve até uma passagem muito interessante naquela comissão. O ministro Tarso Genro designou-me para representá-lo numa importante solenidade junto à Comissão de Anistia. Foi muito engraçado porque fiz um discurso e contei minha história de vida, a do meu pai, e esses detalhes do incêndio. Ali estavam grandes ativistas da Comissão de Anistia e vários ícones da esquerda da época da repressão.

Eu fiz um discurso como representante do ministro. Contei até que eu falava para o Paulo Abrão, hoje meu sucessor na secretaria, que eu era o único exilado na época da democracia, porque fui exilado em Taboão da Serra por ter investigado a máfia dos fiscais.

Mas o melhor ocorreu quando eu fui anunciado para presidir a mesa e assim se referiram a mim: "Secretário Tuma Junior, representando o ministro da Justiça". Fui o único não aplaudido. Foi um silêncio geral, sepulcral, aterrador. As demais pessoas foram aplaudidas. Achei aquilo uma baita falta de respeito e de educação, acima de tudo, mas não me intimidei. Quando chamado a proferir meu discurso, contei a minha e a história do meu pai.

Disse algo como: "Fui exilado compulsoriamente. Não era um autoexílio porque não gostei do regime e então decidi morar na França ou no Chile... Fui mandado embora da cidade de São Paulo porque tinha um pai que era candidato e eu prendia bandido que desviava dinheiro na máfia dos fiscais".

Quando terminei meu discurso, eles levantaram e me aplaudiram de pé. Eu falei então: "Vocês não precisavam ter me aplaudido agora não, porque eu sou um Tuma, porque sou filho do Romeu Tuma, tenho orgulho de ser filho do Romeu Tuma, tenho orgulho de carregar esse sobrenome".

E disparei: "Até pelo discernimento que vocês têm, por tudo que vocês passaram, ao menos deviam ter o respeito de aplaudir quem eu representava, que é o ministro Tarso Genro".

Tudo se passou no Ministério da Justiça, no Salão Negro.

Quando foi de tarde, o ministro Tarso Genro me chamou e disse: "Doutor Tuma, soube que o senhor saiu de uma saia justa, parabéns!!!". Eu perguntei: "Por quê? Foi casa de caboclo?". Ele disse que não, "pelo amor de Deus, doutor Tuma Junior".

Depois de tudo isso, eu ainda coloco algumas questões sobre os arquivos da ditadura: se eles do PT não abrem, por que será? Haveria lá algum relatório do Barba escrito? Isso eu não sei, pode ser. Será que é por isso? Será que existe mais algum desses agentes duplos que hoje estão no poder e chegaram a altos cargos, postos de ministro? Será que estão analisando esses relatórios para tirar os agentes duplos fora? Ou você tem dúvida de que há um monte de agente duplo?

Será que eles estão demorando tanto para abrir esses arquivos por causa do Barba? Mas se a lei prevê que se dê transparência! Eles estão selecionando. Cada general que morre, eles encontram na casa dele meia dúzia de papéis e fazem um baita carnaval. Eu tenho sérias dúvidas sobre isso. Será que não tem nenhum relatório escrito de agentes duplos? Será que não é também por isso que o Tumão lutou tanto para preservar tudo?

História tem que ser aberta, mostrada e escrita por inteiro, senão, deixa de ser História e vira Estória. Quanto a isso, a sociedade precisa ficar atenta. Não existe verdade quando se tem relato de um lado só, de uma só versão. Com uma versão não se cria um fato real. É como uma moeda com uma só face: não pode ter valor.

Mas Tumão analisava tudo isso com tenacidade e parcimônia. Então o aprendizado, a paciência, a fala mansa, o sorriso amargo como censura de mancadas, essas eram marcas dele que eu nunca esqueço: a educação, a ausência de palavrão, o sorriso como forma de censura. Quem trabalhou com ele sabe: se desse mancada ele não falava um palavrão. Eu fui ouvi-lo falar um palavrão quando ele tinha 70 anos de idade.

Poucas vezes ele soltou um "puta que pariu", ou muito raramente "aquele filha da puta", mas em ambiente muito fechado.

Eu falo palavrão, demais, e ele sempre me censurava: "Para de falar palavrão, onde é que você aprendeu isso?"

Se alguém cometesse algum erro que chegasse até ele, humm... O medo que as pessoas tinham de errar e ter que encarar aquele sorriso ladino, de esguelha, enquanto dizia: "Putz, que mancada, caramba!". Aquilo, para a pessoa, aquele riso pela metade, meio amargo, era uma pena de morte. Era melhor ser xingado do que encarar aquele sorriso indecifrável.

Depois, com o tempo, acabei me tornando seu assessor. Ele era um professor e eu acabei virando uma espécie de consultor dele. Os anos foram passando e a gente conversava cada vez mais.

Sempre que ele ia fazer alguma coisa, algum projeto para apresentar a respeito da segurança, alguma manifestação mais contundente, me ligava: "Estou pensando nisso, naquilo, o que você acha e tal?". Passamos a ter momentos que mais pareciam de irmão mais novo e irmão mais velho. Foi um período muito legal, muito produtivo, uma época mais recente, em que a gente teve mais contato e eu adquiri mais maturidade. E ele sentiu que poderia conversar comigo sobre muitas coisas que estavam acontecendo.

Coisas que a gente foi sabendo e que eu tenho convicção de que ele deixou em algum lugar. Não papéis, porque isso ele não guardava... Mas acredito que possa haver algo, em algum lugar, registrando os momentos com o Tumão, contando histórias importantes, significativas, que tragam revelações sobre a história recente do Brasil. Fatos capazes de destruir mitos e revelar a realidade exatamente como ela foi.

Essa época em que a gente se sentiu menos como pai e filho e mais como irmãos ocorreu no período em que ele viveu um pouquinho no ostracismo, em 93 e 94. Foi depois que houve a eleição na Interpol, quando ele saiu do governo federal, deixando o posto de diretor da PF e da Receita e assumindo o cargo de vice-presidente da Interpol, polícia internacional. Como havia sido secretário da Receita, permaneceu mais algum tempo no governo Itamar.

Quando sai, é acolhido no Palácio dos Bandeirantes, sede do governo de São Paulo, então comandado pelo governador Luiz Antonio Fleury Filho. Tumão assume como assessor do governo, com status de secretário de estado. O Fleury traz para dentro do palácio a assessoria mundial da Interpol, a vice-presidência mundial da Interpol. O governador tinha visão: já fora policial e promotor, e sabia que a eleição do Tumão para o cargo de vice-presidente mundial da Interpol em 1991 havia feito dele, pelo menos até então, o brasileiro a conquistar, através do voto, um dos cargos mais importantes em organismos internacionais na história do Brasil. Acontece aí uma situação interessante: ele é vice-presidente da Interpol, sai do governo federal e vem para São Paulo.

O governador Fleury monta no gabinete dele uma secretaria especial de Assessoria Internacional de Polícia, e coloca o Tumão, o vice-presidente da Interpol, nessa secretaria. Ocorre aí um fato, muito interessante também, que pouca gente sabe: muda o secretário-geral da Interpol, o presidente se afasta e o vice-presidente mais velho encerra o mandato na Assembleia Geral da Interpol, que viria a ocorrer em outubro de 94.

Nesse período o Tumão está no ostracismo, no Palácio dos Bandeirantes, e quem aparece muito por lá sou eu, por causa de minha atuação na polícia e também por ser vice-presidente de futebol do Corinthians. Não por acaso eu estava sempre presente na mídia, e isso acabou ajudando o velho a ser lembrado e, assim, se eleger senador.

Essa foi minha pequeníssima retribuição a tudo que ele me deu de honroso: consegui manter o nome Romeu Tuma na mídia associando-o ao trabalho no futebol. Mas aí vem a ironia do destino: o Romeu Tuma (pai) vai assumir a presidência mundial da Interpol na Assembleia Geral em outubro de 94.

A Interpol mantém um presidente e três vices, com a condição de que em cada uma das quatro cadeiras esteja o representante de um continente. Se, por exemplo, o presidente for da Europa você tem que ter um vice da América, um vice da Ásia e outro da África. Ou seja, os quatro continentes devem estar representados.

É errado falar que é o vice-presidente para as Américas. O certo é dizer vice-presidente das Américas, vice-presidente da Europa. Mas, na verdade, cada um dos vices é vice- presidente mundial.

Ocorre que o Tumão era o primeiro vice naquele momento. Se o presidente encerrasse seu mandato, ou se afastasse por algum motivo, o primeiro vice-presidente, que era o Romeu Tuma, deveria assumir a presidência mundial da Interpol.

A eleição era justamente no dia da eleição para senador e governador no Brasil. O Tumão era, pela primeira vez, candidato a senador por São Paulo. Se ele se ausentasse do país no dia da votação, poderiam dizer que nem ele mesmo acreditava em sua vitória.

Ele ficou aqui e se absteve de participar de sua eleição para presidente da Interpol. Com isso, o segundo vice tornou-se presidente. O que a Interpol deliberou nessa reunião? Por causa do trabalho do Tumão, da dedicação dele, de tudo que ele tinha feito e representava para a Organização, criaram um cargo de vice-presidente honorário, que acho que se extinguiu com a morte dele.

Tumão virou vice-presidente mundial honorário, não por um continente, mas mundial. E se elegeu também senador nesse ano. Foi um fato histórico que aconteceu ali.

O interessante é que toda essa questão da Interpol havia começado no Congresso de 1991, quando mantínhamos o escritório de São Paulo. O Dr. Edson de Oliveira era diretor da Interpol brasileira.

Naquele ano os EUA haviam vencido a disputa para fazer a 12ª Reunião Regional da Interpol. Quando faltavam três meses e meio para a reunião, os EUA comunicaram que não teriam como sediar a reunião. A Interpol convidou o Brasil e o Brasil aceitou, muita loucura.

O Edson de Oliveira, delegado federal e homem da Interpol, competente e audacioso profissionalmente, me falou: “Se organiza!!!”. Os EUA, que não são pouca coisa, não têm condições de organizar e vocês querem que eu organize aqui com três meses de antecedência? O Tumão era candidato mesmo, então vamos fazer – e fizemos. Era a primeira vez na história que um diretor do FBI viria ao Brasil.

Naquele momento se iniciava um enredo muito interessante, em que o Mauro Marcelo Lima e Silva iria entrar. Ele era delegado do estado e ficou doido para conhecer o diretor do FBI. Eu o convidei para ir lá, ele tirou foto com o cara e teve uma respeitável entrevista exclusiva com ele.

O que aconteceu é que acabamos fazendo um superevento, organizado, com resultados muito positivos. A partir daí começamos a preparar a candidatura do Tumão para vice-presidente da Interpol. Uma candidatura que se consagraria com a eleição dele na Assembleia Geral de 92, que ocorreu em Punta del Leste, no Uruguai.

Aquilo foi emocionante porque já disputava um candidato, conselheiro da Interpol na Argentina, que tinha o apoio maciço da cúpula da Interpol. A gente começou a fazer um trabalho de formiguinha, eu fui coordenador da campanha do Tumão e o ministro Saulo Ramos ajudou. Fizemos um trabalho tão bacana que o Tumão ganhou por 61 a 39, ou seja, 70% dos votos da eleição. Minhas malas se extraviaram na viagem e só recuperei no dia de voltar. Isso me faz lembrar, com muito carinho, de uma homenagem do Tumão: ele me deu uma medalha que havia recebido do papa João Paulo II por comandar a segurança dele, quando veio ao Brasil.

Tumão foi um cara abençoado. Coordenou a segurança do papa duas vezes: quando era diretor da polícia, em 92, e na primeira visita em 80, quando dirigia o Dops.

Meu pai me deu a medalha dizendo que era o maior prêmio que ele tinha recebido, abençoado pela mão do papa. Ele queria me dar por ter capitaneado sua candidatura ao Senado e pela vitória, na qual ninguém acreditava.

Quando Collor saiu do governo e o Itamar assumiu, algumas pessoas começaram a querer ganhar espaço dentro da Federal. A PF se politizava em grupelhos. Foi quando começou essa maléfica prática que se estende até hoje.

Mas enfim, quando o Tumão começou a sentir um clima para enfraquecer a gente, veio uma proposta. Na ocasião, eu era chefe da Interpol em São Paulo. A proposta do FBI era para que eu indicasse um policial para fazer um curso lá.

Eu indiquei o Guilherme, meu agente na Interpol, mas ele não queria ir, pois era muito longo o curso. Aí eu indico o Aquiles. Ele era um cara que tinha visão: colocara os filhos com quatro anos, naquela época, para aprender chinês, isso em 93. A direção geral vetou a ida sem justificativa. O mesmo ocorreu com o Boanova, outro agente da Interpol.

O Galdino era o chefe da polícia federal e o Tumão era o secretário. Galdino vetou a ida para o curso no FBI de quem era vinculado ao Tuma. Isso, em detrimento da instituição e por puro ciúme, quando teve início a formação dos grupelhos que tanto apequenam a PF.

Foi aí que eu voltei para a Polícia Civil. Antes pensei: já que o diretor da PF está tripudiando, não vou perder essa vaga.

Preciso de um delegado de polícia que fale inglês e que tenha apetite para o curso. Pensei no Mauro Marcelo, meu colega, delegado de Polícia Civil de São Paulo, que falava inglês como um Shakespeare e que era apaixonado pelo FBI. E Mauro foi pro FBI fazer o curso. Mais tarde, seria o primeiro diretor da Abin de Lula. Quando assumiu a Abin, Mauro usava o anel do FBI. Um luxo.

Quero narrar outros episódios que ajudam a entender quem era o Tumão.

Quando saiu na imprensa que eu estaria metido com um contrabandista, Tumão foi presidir uma comissão, aliás, muito chateado porque o Demóstenes Torres convocou uma reunião às pressas. Ele era presidente da Comissão de Justiça e o Tumão era membro. Isso foi em 2010.

Demóstenes convocou uma reunião com o Luiz Fernando, diretor da PF, e com o Troncon, que foi junto. Como o Demóstenes tinha um compromisso, pediu para o meu pai presidir a comissão, e Tumão falou: "Pô, vai estar o Luiz Fernando e não queria encontrar com ele..."

A moral da história é que, durante esse encontro, ocorreu um fortíssimo bate-boca do Tumão com o Luiz Fernando. Meu pai o acusou de me prejudicar para atingi-lo, vazando falsas notícias e dossiês contra mim.

Para meu pai, o filho era sempre uma criança. Travou-se uma discussão feroz, muito grave. Quem acompanhou foi o delegado Cavalheiro, e até hoje eu busco detalhes de tudo. Foi tão violento que o Tumão acabou internado às pressas em Brasília, após ser atendido no posto médico do Senado. Eu corri para lá e permaneci com ele.

Uma coisa que percebi, com meu pai, é que, quando Márcio Thomaz Bastos era ministro, o diretor da Polícia Federal se reportava a ele. Na época do Tarso Genro, o diretor da PF se reportava direto ao presidente da República. O homem de ligação era o Gilberto Carvalho, tanto que o Luiz Paulo, enquanto ministro da Justiça, reclamava muito disso.

Ele tinha muitos contatos com a imprensa, numa relação marcada pela franqueza. Contava as coisas com o compromisso de não vazar, e isso foi uma marca na abertura da democratização da polícia política.

Eu procurei sempre agir assim, especialmente quando entrava em grandes casos, como o da máfia dos fiscais. Aprendi a transparência do Tumão na relação que ele tinha com a imprensa.

Na época do Dops eram muitos os sequestros. Tumão abria as portas para o pessoal da imprensa, mandava buscar quibe, esfiha e todo mundo ficava na sala com ele.

Tumão falava: fique aqui dentro, acompanhe tudo, mas só divulgue aquilo que não possa comprometer a investigação.

Ele sempre gostou de sobriedade na postura, e apostava que os policiais, as coisas da polícia, viaturas, prédios, instalações, eram a forma mais eficiente de se buscar uma aproximação e consequente confiança da população. As pesquisas mostram que ele tinha razão, pois as polícias que ele dirigiu sempre estiveram entre as instituições que gozavam de maior credibilidade e confiança da população. Foi assim com o Dops e com a Polícia Federal.

Você pega um exemplo que é histórico e até meio ridículo: uma vez eu fui a Manaus, viajava muito a trabalho; o pessoal convidou para fazer uma pescaria, conhecer o rio Negro, o Tumão foi de terno. Ele foi pescar de terno! Não se dava ao direito de tirar o terno nem para pescar.

Os caras tiraram a foto, ele de terno pescando. Saiu até notícia disso: "Diretor da Polícia Federal vai à pescaria de terno".

Só fui ver o Tumão de shorts em público, na água de uma piscina de hotel, depois que ele já era senador. Minha mãe ia à praia com a gente de vestido. Dona Zilda também sempre foi muito reservada; Tumão dizia que a imagem do servidor é importante para a instituição, e é mesmo.

Ele era muito rígido nesse sentido. Mas é verdade: quando você chega perto de uma viatura limpa, arrumada, o policial bem-vestido, você sente segurança. Se você vê uma viatura caindo aos pedaços, com os policiais malvestidos, vai achar que eles parecem bandidos, já sente uma total desconfiança naqueles homens. No serviço público, a imagem e a apresentação também são a "alma do negócio".

Ele tinha razão, e sempre preservou isso; queria as viaturas bonitas. Aprendi muito nessa área, é um negócio que marcou. Mas, cá entre nós, não precisava chegar ao cúmulo de ir pescar de terno...

Com relação aos palavrões, ele cansava de me chamar atenção por causa disso; eu o estimulava a xingar em vez de ficar remoendo por dentro e aumentar o risco de um novo infarto. Eu falava: "Xinga, fala uns palavrões, porra!"

A maneira carinhosa e respeitosa de chamar todo mundo de chefe, que ele tinha, acabei herdando dele. Na polícia tem isso de chamar todo mundo de chefe, como forma carinhosa e reverencial de tratar os mais velhos, os mais antigos e experientes. Herdei também a mania de colecionador. Ele adorava uma quinquilharia e minha mãe ficava puta da vida, tão doida como fica a minha mulher hoje. "Para que você comprou isso aqui?" "Eu não sei, depois dá para os meninos, divide", dizia ele. Meu pai ia naquelas barraquinhas de ambulante, camelô, e comprava umas coisas, adorava umas bugigangas.

Herdei também os dentes abertos embaixo; por isso fui vítima de piada do colunista Tuty Vasquez. Só não arrumei ainda por falta de recursos, mas estou fazendo agora com o meu irmão, é a área dele. Estou botando aparelho. Esse Tuty é um debochado, fez uma notinha sobre um episódio na Polícia Federal. Ele escreveu na coluna: "Aliás, você deveria arrumar esses seus dentes horríveis". Ele criticando os meus dentes! Isso é papel de colunista, falar dos meus dentes? Meu pai também tinha os dentes assim, abertos. Ele arrumou um dentista do Rio, o doutor Olympio Faissol, que o tratou de graça, fez um tratamento e um implante.

Eu só não herdei do Tumão a imensurável capacidade de engolir sapos cururus gigantescos e a capacidade de conviver com inimigos covardes: ele, sabiamente, afirmava que era melhor tê-los por perto.

Meu pai dizia, do alto de sua sabedoria, que inimigo é bom manter próximo para saber o que ele está fazendo, às vezes até contra conhecidos e amigos. O pessoal de cima protestava: "Você bota um cara desses para ser chefe disso ao seu lado? Você pretere um amigo?". E ele falava: inimigo você tem que ter do lado.

Os caras davam uma facada nas costas mas ele virava de frente e abraçava o sujeito. Eu nunca vi alguém com essa capacidade.

Tumão não ligava para as preferências político-partidárias das pessoas. Era um democrata e recolhia as virtudes de todos os lados. Uma vez, um delegado federal, o Orzomarso, fez um memorando ao superintendente da PF em São Paulo, Marco Antonio Veronezzi, pedindo que afastasse o delegado estadual Antonio Carlos Torres, sob alegação de que "ele era comunista ligado a movimentos estudantis". Um absurdo! O Torres, meu colega de infância, trabalhava comigo no Dops da PF em São Paulo e havia sido presidente do centro acadêmico da Faculdade de Direito da Universidade Mackenzie. Pessoas ligadas ao CCC (Comando de Caça aos Comunistas), que eram amigas do Orzomarso, contaram para ele e ocorreu esse absurdo. Tumão ficou louco da vida. Quis punir o Orzomarso: "Isso não existe, não estamos na ditadura, nem na União Soviética às avessas.

O que é isso? Perseguir um cara porque é de direita ou de esquerda, isso não existe! Você está louco? Isso é crime e está na Constituição!" – o Tumão disse isso ao Orzomarso.

Trabalhávamos no Dops da Polícia Federal, é lá também tinha esse tipo de coisa; então, em solidariedade, pedi para ir embora daquele lugar. Foi daí que acabei na Polícia Marítima, Aérea e de Fronteiras, e depois chefiando a Interpol.

Eis por que Tumão gozava de trânsito entre esquerdas e direitas, generais e sindicalistas. Era um profissional da lei. E ponto final.

O cartunista Paulo Caruso eternizou na ficção, na coluna Avenida Brasil da revista *Isto É*, as personagens pai e filho, o Tumão e o Tuminha, em diálogos engraçados, sempre na caça de supostos infratores do poder e com poder. Aqui trago alguns dos últimos diálogos e traços da personalidade real desse maestro que tantos exemplos de cidadania, dignidade e hombridade me legou.

Meu pai foi, sem dúvida, o homem de maior espírito apaziguador com quem já convivi.

O fascínio por cooperação, integração entre organismos, por provas técnicas e equipamentos de polícia científica e laboratorial era uma característica que o Tumão tinha e que certamente me legou.

Comungávamos da mesma filosofia de partir do crime para o criminoso. Ele não cansava de afirmar que era a única forma de se vacinar contra eventuais falsas acusações de tortura ou abuso de autoridade durante investigações.

Desde sempre absolutamente contrário a métodos não ortodoxos de conduta no trato da coisa pública e no processo investigatório, tinha verdadeira aversão à corrupção e à violência. Não por acaso, os testemunhos históricos o excluem de qualquer transigência nessa área durante a ditadura. Sempre foi conhecido como o "homem do diálogo".

O aprendizado, a paciência, a fala mansa, o sorriso de canto da boca como censura de mancadas ao invés da bronca, a educação, a escassez de palavrão, mesmo quando necessário para expressar um sentimento, eram marcas muito peculiares nele.

Fui um aluno muito aplicado, mas de personalidade diferente. Com o tempo, acabei virando uma espécie de assessor, um consultor pessoal, "um professor", como ele gostava de me apresentar aos outros. Normal, porque a pessoa vai ficando afastada do dia a dia, se desatualiza e acaba necessitando de alguém para ajudar a dirimir dúvidas ou compartilhar opiniões mais íntimas.

Tumão passou um tempo no ostracismo entre 1993 e 1994, período em que deixou o governo federal. Mas foi pronta e respeitosamente acolhido pelo então governador de São Paulo, Luiz Antonio Fleury Filho, que lhe deu cargo e função de secretário de estado para poder continuar a exercer a vice-presidência mundial da Organização Mundial de Polícia Criminal – Interpol.

Na mesma época, fui dirigir, a pedido do governador, o futebol do Corinthians, tendo que conciliar a vice-presidência do clube com a titularidade do 96º DP no Brooklin, Zona Sul de São Paulo. Com boa atuação, fui colecionando glórias para Timão e para o Tumão, ambos campeões naquele ano de 1995 – o Tumão porque o governador Fleury, após acordo partidário, resolveu lançá-lo candidato ao Senado, e acabou ensejando sua eleição com mais de 5 milhões de votos. Estava carimbado o passaporte do delegado que democratizou a polícia em plena ditadura para a entrada, pelas mãos do povo, no parlamento democrático.

Quantas vezes o vi calado, muito sofrido e amargurado, por conta dos escândalos envolvendo senadores, e também por causa das enormes sacanagens político-partidárias de que foi vítima. Tinha um senso de justiça muito afinado, tal qual um sismógrafo. Não permitia um milímetro de variação sem sinalizar.

Outro fato que muito mal lhe fez, e que marcou seu final, foi a discussão com o delegado Luiz Fernando Correa, então diretor da PF, durante a minha fritura, quando se encontraram num evento na Comissão de Constituição e Justiça do Senado, que ele presidia em substituição ao senador Demóstenes Torres. Tumão cobrou do delegado toda aquela trama feita contra seu filho. Se ele, Tumão, era o verdadeiro alvo, por que não atingi-lo diretamente, ao invés do filho? Aquela discussão acalorada lhe rendeu uma internação no ambulatório de emergência do Senado, fato testemunhado pelos delegados Roberto Troncon e Cavalheiro.

Tumão me disse algo que marcou profundamente, algo que até hoje me faz refletir, pois traduziu um sentimento que dificilmente a gente consegue explicar: lamentava que na política e perante os seus pares as pessoas só tivessem valor pelo mal que poderiam causar, e não pelo bem que praticavam. Que a régua de medição e valoração da grande maioria dos políticos era o "quanto" de prejuízo político e maldade o indivíduo poderia causar.

Tumão não tinha vícios. Não jogava nem futebol, nunca fumou e não bebia. Tinha um vigor que impressionava. Fazia viagens uma atrás da outra, dormia pouco, não se incomodava com telefonemas a qualquer hora, acordava cedo, lia todos os jornais, agendas e relatórios, hábitos que manteve até seus dias finais.

Quando na ativa, como delegado, todos os dias ia direto despachar com o secretário de Segurança Pública, na época da Polícia Civil, e com os vários ministros da Justiça a quem se subordinou quando na Polícia Federal. Telefonava para o Cepol e para a Sala de Meios da PF e se informava de tudo. "Quem não quer ser incomodado não serve para policial", dizia, orgulhoso, ao insistir para ser acordado a qualquer hora em que fosse necessário receber ou repassar uma nova informação.

Tinha muita proximidade com a imprensa, numa relação marcada pela franqueza, especialmente com os setoristas aos quais ele contava as coisas, facilitando o trabalho, mas com o compromisso de não divulgarem nada antes do momento oportuno. Isso foi uma marca na abertura política e na democratização da polícia. Nos casos de sequestros, por conta disso, não havia estresse nem vazamentos que pudessem colocar as vítimas em risco.

Tudo isso que vivi junto a ele foi um aprendizado que não se tem na escola. É a tal faculdade da vida, que não te dá diploma mas confere uma experiência que dinheiro nenhum no mundo compra.

Herdei também várias características físicas dele, dizem que sou sua xérox.

Com ele não existia "NASA" (gíria para identificar que um delegado de classe especial está encostado, sem função). Na polícia, ele punha todo mundo para trabalhar porque, segundo dizia, o inimigo trabalhando numa função de muita responsabilidade não tem tempo para xavecar.

Depois que caí, por conta da separação que me impuseram da família e das minhas filhas, tive que ficar no vaivém entre Brasília e São Paulo. Então, voltei a viver com ele, sob o mesmo teto, e nos aproximamos muito mais. Aí entendi melhor, nas conversas que mantínhamos, o que era a força do Estado criminoso, muito diferente do crime que se infiltra no Estado como poder paralelo.

A força da injustiça, do que eles seriam capazes, eu só entendi ali. Ali tive a exata dimensão do quanto era monstruoso um Estado policial. Na época, eu, com 30 anos de polícia, com muita experiência de vida e sabendo das coisas da segurança pública e do submundo do crime, por conta da minha profissão, me senti um ninguém. Fiquei imaginando a sociedade, que da missa não conhece um terço...

Lembro bem, após a morte do Tumão, quando estive no Senado para tratar de assuntos referentes às suas coisas, de uma conversa com o presidente José Sarney, na qual ele me testemunhou, com muita clareza, que a ação do vazamento criminoso do meu pseudocaso matou o Tumão. "Ele mudou! Virou outro Tuma. Sofreu demais, ficou muito angustiado e amargurado. Aquilo foi uma injustiça que matou o seu pai. Saiba que eu não sinto só saudade dele, eu sinto falta dele. O Tuma faz falta aqui", disse-me o presidente, levando-me às lágrimas.

As últimas conversas no hospital com Tumão me marcaram. Percebi sua firme vontade e decidido propósito de sair daquela cama, querendo fazer caminhadas e gravar nova propaganda eleitoral para a TV. Afinal, ele era um fenômeno, pois mesmo sem campanha, com a notícia falsa de que havia morrido dias antes da eleição, ainda fez mais de 4 milhões de votos. Não é pouca coisa e não é para qualquer um. Ele teve o reconhecimento público por sua obra. O povo se identificava e se entendia com o Tumão.

Lembro-me também de um dia em que cheguei no quarto e ele aparentava estar dormindo, entubado. Eu estava pensativo, vendo aquela cena, quando minha mãe me disse: "Romeu Junior, fala alguma coisa com teu pai porque ele está escutando, ele está te ouvindo".

Pensei em algo bom que o deixasse feliz e ao qual pudesse responder sem sinal, sem palavras. Lembrei na hora: o Corinthians tinha acabado de vencer o Palmeiras pelo campeonato brasileiro. Mandei: "Pai, o Corinthians ganhou do Palmeiras por um a zero". Não poderia ter dito nada melhor: os olhos dele chegaram a piscar, como se estivesse comemorando o gol. Mudei de humor na hora.

CAPÍTULO 12

OPERAÇÃO SATIAGRAHA

Da Wikipédia: "Satyagraha é um termo hindi composto por duas palavras: *satya*, que pode ser traduzida como verdade; e *agraha*, que significa firmeza, constância, em sânscrito. Assim, Satyagraha é a 'firmeza na verdade', ou 'firmeza da verdade'. Satyagraha significa o princípio da não-agressão, ou uma forma não-violenta de protesto, como um meio de revolução. Satyagraha também é traduzido como "o caminho da verdade" ou "a busca da verdade". É uma filosofia desenvolvida por Mohandas Karamchand Gandhi (também conhecido como "Mahatma" Gandhi: grande alma Gandhi) para o movimento de resistência não-violenta na Índia.

Gandhi empregou o satyagraha na campanha de independência da Índia e também durante sua permanência na África do Sul. A teoria do satyagraha influenciou Martin Luther King Jr. durante a campanha que liderou pelos direitos civis nos Estados Unidos da América.

Esse termo, um dos principais ensinamentos do indiano Mahatma Gandhi, designa o princípio da não-agressão, uma forma não-violenta de protesto, que não deve ser confundida com uma adesão à passividade; é uma forma de ativismo que muitas vezes implica desobediência civil".

Interessante, nesse aspecto, lembrar que o governo colocou todos os obstáculos possíveis para esvaziar e inviabilizar a Operação Satiagraha. Seria daí a escolha do nome? A desobediência simbólica? O protesto? A bem da verdade, de toda filosofia que cerca a prática, foram as únicas coisas que consegui identificar para justificar a escolha do nome pelo delegado Protógenes. O que o teria movido?

O nome Satiagraha, portanto, é um "mantra" utilizado por Mahatma Gandhi (no original, *Satyagraha*) para pedir a independência da Índia através da "firmeza na verdade". E firmeza na verdade não parece mas dizem ser o trabalho que a Polícia Federal faz, doa em quem doer. O batismo da operação faria todo o sentido se fossem firmes e verdadeiros os propósitos de todos os envolvidos, especialmente nessa desastrada e enigmática ação.

O delegado Paulo Lacerda saiu da PF e foi para a Abin, elegantemente enxotado, porque ele tocou tudo em frente. E caiu por dois motivos: ele estava indo para cima do Daniel Dantas, estava fazendo a Satiagraha na Abin, ocupando o lugar da Polícia Federal. A operação não convinha ao governo e, na versão do governo, ele autorizou que fizessem uma busca na casa do irmão do Lula sem dar ciência ao presidente. Ele não impediu a busca, no que eu acho que ele acertou. Primeiro porque é difícil o delegado deixar de fazer algo quando se tem convicção, não há como controlar; e depois não seria papel do chefe dar uma ordem ilegal. Mas ele não deu ciência ao presidente, e nisso acho particularmente que errou; tinha que dar ciência, mesmo que não confiasse no Lula. Era melhor, se fosse esse o motivo, ir embora, mas teria que avisar seu superior sobre uma operação com tamanha implicação política.

Tudo já vinha da Operação Chacal, quando apreenderam os tais HDs do Daniel Dantas que nunca quiseram abrir de verdade, pelo menos oficialmente. No próprio PT e no governo, o Dantas não era uma unanimidade. Tinha fiéis defensores e fiéis adversários. Todos, é claro, movidos pelos muitos reais, dólares e euros que ele era capaz de gerir. Lacerda tinha que informar também o ministro da Justiça, que deveria falar para o presidente, se achasse necessário. Era um caso grave em que se tem de prestar informações à hierarquia. Se bem que, no caso do Lula, o Barba, a gente não sabe o que ele é capaz de fazer. Mas todo presidente, em um caso grave, que pode gerar uma crise institucional, tem de ser informado.

Num cargo desses, eu tenho que ter a consciência de um homem de Estado. Vão prender a minha mãe, digamos: eu vou ficar puto, gritar, chorar, mas tenho que ficar calado e esperar ela ser presa; depois vejo o que vou fazer, como filho e como presidente. De um homem de Estado se espera isso. Tem que ter responsabilidade, nem que se vá lá, avise a autoridade sobre a iminente prisão de um parente próximo e fique com ele a noite inteira até o fato se consumar. Mas não posso sujeitar o presidente a sair para um compromisso oficial e alguém chegar de inopino e disparar... Vejamos a cena:

"Presidente, o que o senhor achou da prisão da sua mãe?"

"Como é, minha mãe o quê?",

"Sim, sua mãe foi presa pela polícia, o que o senhor achou? O que o senhor tem a dizer sobre isso?"

"Desculpe, não estou sabendo da prisão de minha mãe".

Isso não pode ocorrer nem em pesadelo, e é para isso que existem os órgãos de inteligência, de informação, que chegam no cara e falam que a mãe dele cometeu tal crime e vai ser presa. Dizem que a gota d'água foi Paulo Lacerda não ter avisado que iam fazer busca na casa do irmão do Lula, o Vavá.

O Paulo Lacerda caiu porque estava fazendo, por conta e risco pessoais, operações contra o Daniel Dantas. E o presidente Lula, após dar sinal verde, mudou de ideia e mandou brecar a Satiagraha, acreditem. O governo enviou sinais inequívocos de "para tudo!" porque a Satiagraha atingiria o governo. A Super-Tele, que sob o presidente FHC era chamada de "Tele-Gangue", estava resolvida: consórcio BrOi, entre Carlos Jereissati e Andrade Gutierrez, levou tudo; os italianos da Tim de fora, e o Dantas fulminado. O Dantas já estava frito, mas Paulo Lacerda fez da Satiagraha sua guerra pessoal, atropelando a tudo e a todos. Seu cão de guarda, Protógenes, cometeu falhas inexplicáveis, deixando dúvidas se não teriam sido até propositais, e conseguiu proporcionar motivação para que as cortes superiores anulassem a operação.

Por isso, quando o Paulo Lacerda sai da Polícia Federal a operação é praticamente zerada. Nós vamos provar que eles pararam também, por inércia proposital, o serviço que o Departamento de Recuperação de Ativos e Cooperação Jurídica Internacional – DRCI estava fazendo. Interromperam a operação, mas não se deram conta de que o Protógenes continuava tocando a Satiagraha, na Polícia Federal, sem nenhum apoio: ele mantinha a operação escondida. O Paulo Lacerda ficava apoiando através da Abin, sabendo que a Federal não estava dando recurso para ele, Protógenes, tocar a operação.

Ainda não ficou bem apurada a participação dos agentes da Telecom Italia na Operação Chacal, que precedeu a Satiagraha, e supostamente na própria Satiagraha. A Procuradoria de Milão investiga a malversação de 120 milhões de euros, dinheiro do erário italiano, para pagar espiões – que vinham por aqui comprar autoridades brazucas. E botar a Telecom Italia no lugar do Dantas, e do que é hoje o consórcio BrOi. Deu errado, caiu a casa. Italianos se provaram mestres em massa: massa falida.

Não é para menos que, em julho de 2013, a Justiça italiana condenou o empresário Marco Tronchetti Provera, presidente da *holding* Pirelli, ex-controladora da operadora de telefonia Telecom Italia. A pena fixada foi de um ano e oito meses de prisão pelo crime de receptação de dados. Provera já havia sido condenado a pagar 900 mil euros aos acionistas da Telecom Italia por danos materiais.

Em fevereiro de 2013, sete arapongas contratados pela Telecom Italia para espionar as atividades da Brasil Telecom, que era de Dantas, foram condenados pela justiça italiana. Dantas contratou a Kroll para investigar a Telecom Italia – que, junto do Citibank e fundos de pensão de grandes estatais brasileiras, eram acionistas da Brasil Telecom, de Dantas.

O governo petista plantou na mídia que Dantas, com ajuda da Kroll, a maior empresa de investigações privadas do mundo, havia investigado o governo Lula. O fato é outro: queriam investigar ligações espúrias entre o governo Lula e a Telecom Italia. A PF de Lula montou a Operação Chacal, contra a Kroll, como antessala da Satiagraha. A Justiça Federal de São Paulo engavetou a Operação Chacal. Agora a denúncia do Ministério Público de Milão afirma que pelo menos 10 milhões de euros foram enviados ao Brasil com o objetivo de tirar Dantas e seu banco do controle da Brasil Telecom. O que a Justiça italiana apura agora é o uso do dinheiro italiano para corromper autoridades brasileiras, e assim liquidar Dantas. Não seria a primeira vez que a PF brasileira usaria de todos os meios de Estado para fulminar setores da iniciativa privada.

Pois bem: a Satiagraha é o segundo capítulo do thriller burlesco iniciado pela Operação Chacal.

O governo, obviamente, estava usando o Daniel Dantas. E depois fez dele, como já disse, um fraldão. É bom registrar que, fora o povo que assistia estupefato a tudo, não há vítimas nem inocentes nessa história. Ele, Dantas, em algum momento deve ter se sentido abandonado ou acuado: aí saiu dando tiro para todos os lados, fazendo acusações contra várias autoridades.

Dantas é o tipo do indivíduo que, na minha concepção (não tem como dar uma qualificação jurídica para o que eu vou falar), não suborna as pessoas: quando precisa, tenta contratá-las. Na verdade ele não é o único a fazer isso no Brasil. É a lei do capitalismo moderno, de primeiro mundo: contrata profissionalmente. Tem uma diferença simbólica forte de *modus operandi* entre você comprar um indivíduo ou contratar seus serviços. No primeiro caso ele se sente corrompido, no segundo sente-se funcionário.

Ele tem muito dinheiro e pode fazer isso. E há uma vantagem que é extirpar aquela situação de a toda hora estarem batendo na porta dele para achacar; o cara sendo contratado vai vestir a camisa dele. Vira funcionário. A pessoa passa a acreditar efetivamente que ele tem razão, acredita na causa, então o defende com unhas e dentes.

Imortalizado por ter conduzido a Operação Satiagraha, o ex-delegado e hoje deputado federal Protógenes Queiroz lançou, em São Paulo, outra tentativa de se perenizar nas páginas da história. Dessa vez é uma revista, intitulada *Protógenes contra a corrupção*, lançada em dezembro de 2011. São 24 páginas em papel couchê, tiragem de 5 mil exemplares. Entre fotos e charges, Protógenes teve sua feição estampada oito vezes ao longo das páginas. E o que mais me chamou a atenção: em sua revista, o delegado encomendou ao repentista Jason Lemos dos Santos um cordel de 98 linhas, cuja escansão se dá em 14 estrofes. Num dos versos está escrito que a Operação Satiagraha foi uma missão presidencial:

"Com delegado afastado/a coisa não anda boa/ em missão presidencial/ largaram o cara à toa/já Lacerda é exonerado/e de adido foi levado/pra embaixada de Lisboa".

Protógenes deu a dica: fulminar Dantas era uma missão conferida pela Presidência.

Agora voltando: em 2006, uma matéria da revista *Veja* azedou as relações de Daniel Dantas com estrelas do governo federal: Lula, José Dirceu, Paulo Lacerda, Palocci, Márcio Thomaz Bastos e Luiz Gushiken. Até meu pai entrou na dança. Segundo a revista, essas autoridades teriam contas não declaradas no exterior. A cúpula do governo ficou pê da vida com as acusações atribuídas a Dantas. Este desmentiu que fosse a fonte das informações veiculadas, e escreveu a todos os acusados negando qualquer responsabilidade na geração da matéria. Mas o Dr. Paulo Lacerda considerou a desculpa esfarrapada e partiu para cima de Dantas. Chegou-se a comentar que o número de uma conta citada em *Veja* seria do deputado Zé Dirceu, e aí está o pulo do gato, como se verá mais à frente.

Ao mesmo tempo, ele, Dantas, fez várias acusações. (Na *Veja* de 17 de maio de 2006, na capa há uma chamada: "Daniel Dantas, o banqueiro-bomba"). E um dos acusados é o Paulo Lacerda, que Dantas afirmou ter uma conta no exterior. O Dr. Paulo é um cara, ao que me consta, muito correto, linha dura. Por isso se sentiu ofendido, atacado, nao só pelo Dantas mas pela *Veja*. E comprou uma guerra com ambos – justo a revista que deu uma capa fílmica pra PF do Lacerda, intitulada "Os homens de preto", algo que a PF jamais vira igual...

Mas isso tudo fugiu ao controle do governo, ficou muito pessoal contra a *Veja* e o Dantas. O governo tentou controlar para as investigações não avançarem mais, mantendo esse negócio de coloca-a-pedra-e-tira-a-pedra, só que perdeu o controle. E a Polícia Federal estava investigando o Dantas com o Protógenes por fora, a contragosto do governo, o que não era do seu perfil.

O Protógenes fez a investigação da MSI que eu entreguei de bandeja: de repente virou assessor da CBF, e não deu em nada a investigação, como tantas outras que fez. Especialmente contra vários envolvidos que, coincidentemente, tinham origem ou amigos no governo e/ou no partido do governo. Simplesmente foram excluídos. Ele faz a investigação da Satiagraha, depois entra no lugar dele o Ricardo Saadi, e não dá em nada também. Aliás, o delegado Ricardo Saadi foi o indicado pelo ministro Márcio ao meu sucessor, Abramovay, para assumir o DRCI. Essa ação teve dois objetivos pontuais: paralisar definitivamente a Satiagraha (era a segunda vez que um delegado largava o caso) e neutralizar as ações do próprio DRCI, mudando os rumos de sua atuação. Registre-se que ambos os objetivos foram atingidos prontamente. Aliás, o próprio Saadi, antes de assumir o departamento, já dissera em público que não concordava com a existência do DRCI. Pelos frutos das viagens internacionais que lá anda colhendo e saboreando, estou certo de que deve ter mudado de opinião.

A Satiagraha só vai dar algum resultado, fora todo aquele barulho, na parte em que atuei, que foi no bloqueio dos bens e valores do Opportunity e do Dantas.

Quando se detona essa operação, a *Folha de S. Paulo* faz uma matéria referindo que já havia uma investigação no DRCI sobre isso. Mas lá não tinha nada. Eu mandei fazer uma busca e aí encontrei a investigação no fundo dos armários. O caso era para descobrir quais os brasileiros que tinham participação no fundo no exterior. Já havia uma investigação em 2003, engavetada pelo Antenor Madruga; estava no armário da diretora, que era o mesmo do Madruga.

Mas, logo que assumi, me deram a ordem: "Não mexe com o DRCI". Descubro o porquê: o Madruga, mesmo fora, era o interlocutor das diretoras, falando diretamente com o ministro da Justiça.

Quando mandei apurar por que estava engavetado, criei "um problema para o governo". Eu mando fazer a sindicância e entrego na mão do ministro. Só vou descobrir tudo, inclusive que não apuraram nada, na hora em que estou saindo.

Enfim, o Paulo vai para a Abin, e o que acontece é que o Protógenes está fazendo a investigação, a Federal muda a cúpula e para tudo. Ao mesmo tempo, tem um processo daquela conta: o Paulo Lacerda manda um pedido para o DRCI investigar, manda abrir inquérito contra ele mesmo, contra o Gushiken e contra o Zé Dirceu, porque a revista *Veja* publicara que eles têm conta no exterior.

O Tumão repeliu a acusação veiculada pela *Veja* durante reunião na Comissão de Constituição, Justiça e Cidadania do Senado Federal (CCJ), em 7 de julho de 2006, na qual também Dantas foi ouvido. Vale a pena citar o início da fala de meu pai: "Eu estou aqui, presidente Antonio Carlos Magalhães, porque houve uma revolta profunda na minha família e comigo: a minha indignação com a publicação da *Veja* me citando como proprietário de uma conta inexistente, mentirosa, falsa, não sei aonde, em que banco, nem em que cidade, porque eles tiveram o cuidado de tarjar as referências a respeito, e por isso eu estou tomando todas as providências jurídicas que a lei me permite. Eu não saio da lei. Então, num trabalho profundo da minha vida profissional, por mais de 50 anos, procurei seguir uma linha de dignidade e respeito para com as pessoas, até indiciadas, ou que tiverem que se submeter a qualquer investigação da minha parte. Nunca desfiz ou agredi qualquer pessoa em qualquer sentido, por isso tomei realmente um susto e fiquei indignado, porque a reação da minha mulher foi quase parar no médico, em razão da amargura, pois ela sabe o que todos nós passamos e o sacrífico dela em cuidar para que meus filhos me tivessem como bom exemplo".

O pedido de cooperação jurídica para descobrir essas contas vai para o DRCI. As respostas da Suíça chegam e o Paulo Lacerda não tem nada, o Gushiken também não aparece em nada, e as Ilhas Cayman respondem que há possibilidade de haver uma conta do

José Dirceu, mas pede mais dados dele, além da matéria da revista. Há uma confusão caleidoscópica que mais à frente vou relatar.

O Dantas é um cara que sabia demais, mas usaram ele também como fraldão. Quando foi descartado gritou! A *Veja* creditou a ele, em matéria publicada em maio de 2006, o ter soltado o número de uma conta. Na minha opinião, por tudo que investiguei, deve ser a conta que mantinha o Mensalão no exterior.

Aí está uma das razões de eu ter sido defenestrado: porque mandei abrir uma sindicância sobre a possível conta do Mensalão, a qual não apuraram. Eu fiquei em cima daquela conta, a conta mencionada pela revista. No meio de um monte de acusações divulgadas na matéria da *Veja,* atribuídas a Daniel Dantas, havia uma interrogação: vão me abandonar?

O Protógenes vai ao Paulo Lacerda e fala que não tem recursos. Lacerda o conforta: "Se não estão dando, deixa que eu te dou". Ele dá, através da Abin, agente, pessoal para ajudar a resolver as coisas; ele detona a operação sem conhecimento da Polícia Federal. E cai da cadeira porque a Operação Satiagraha é detonada. Tanto que dá aquela confusão de anedota, e troca todo mundo. Por que o Protógenes largou a operação? Deu um piti e disse que iria fazer um curso na Academia da PF? Ora, qual profissional de polícia larga uma operação com aquele vulto na hora de colocar no papel tudo que encontrou e fechar o relatório?

Por que ele não queria continuar? Recebera ordens para parar o que já tinha começado? Não tinha condições de prosseguir? Ele deu a porrada que queria dar mas interrompeu a operação na hora em que deveria produzir provas eficientes e eficazes. Isso foi irresponsabilidade. Protógenes deveria dizer publicamente que ordens recebera, se elas eram ilegais, e por que as cumpriu!

Aliás, toda aquela celeuma entre a Abin e a PF, causada na Operação Satiagraha quando do grampo no Supremo, foi o estopim para se rever o funcionamento do Sisbin – Sistema Brasileiro de Inteligência, hoje tão necessário no combate à violência urbana, e para criar uma PNI – Política Nacional de Inteligência. O governo montou um grupo restrito de *experts* que desenvolveu um profundo trabalho nessas áreas, inclusive apontando, já em 2009, ameaças ao Estado brasileiro que hoje estão estampadas nos jornais sob o tema "a espionagem do governo americano", enquanto o trabalho permanece dormindo na gaveta da mesa presidencial. Nesse caso e na Satiagraha, houve uma forte cisão e disputa interna no governo: o ministro Nelson Jobim e a cúpula da PF de um lado e a Abin de outro. Por incrível que pareça, o Jobim quis devolver a Agência para o comando dos militares, com o apoio do diretor da PF, que na verdade queria enfraquecer a Abin para usurpar suas atribuições...

O Luiz Fernando ficou doido com o Paulo Lacerda, que também não se bicava com o ministro Jobim. Na verdade o Dr. Paulo foi o verdadeiro pai da Satiagraha. Ele viabilizou a operação e garantiu a estrutura para o Protógenes trabalhar. Acabou traído pelo governo.

O que eles fazem quando descobrem o grampo feito pelo pessoal da Satiagraha, conforme o próprio Edson me confirmou? Eles vazam e jogam na conta do Paulo Lacerda, na conta da Abin.

Não foi a Abin que fez aquilo, mas eles jogam nas costas do Paulo Lacerda e da Abin. A Polícia Federal quer que a Abin saia, ela quer encampar inteira a parte de inteligência, e a Abin tem controle. As atividades da Abin têm, em tese, controle e fiscalização da Comissão de Controle da Atividade de Inteligência do Congresso Nacional, além do que, na Abin, a inteligência é de Estado, e não se mistura com polícia judiciária, ao passo que a Polícia Federal, por ter um braço armado, não tem controle... Aí se vê o que está acontecendo hoje no país.

A Polícia Federal quer comandar as atividades da Abin. É aquele antigo projeto da centralização de um superórgão que eu me opus a criar na SNJ.

Nós tivemos uma forte discussão na Política Nacional de Inteligência em um ponto entre a Polícia Federal e a Abin.

Eu era sempre o mediador, mas tive que arbitrar e ficar do lado da Abin; eu era representante do Ministério da Justiça lá. Por isso, criei muita inimizade com essa cúpula da Federal.

Voltando à Satiagraha: o Paulo Lacerda, certamente, assumiu uma bronca que não era dele. Ele nunca aceitou isso e ficou muito amargurado, por isso talvez o velho Tumão, que devia saber bem dessa história, falava: "A gente não sabe do que eles são capazes".

Não acredito que o Paulo Lacerda foi motivado por algum objetivo escuso. Penso que o governo pressionou para ele não fazer nada. Com a honra atacada, ele reagiu, evidentemente, e ligou o botão do: "Foda-se o governo e todo mundo! Eu vou investigar!".

Acho que na Satiagraha havia inúmeros interesses envolvidos, e eles acabaram por motivar várias ações ou omissões durante o conjunto das medidas postas em prática durante essa operação.

De todos esses heróis da Satiagraha, nada sobrou. Mas sobrou o bloqueio que fiz do dinheiro do Dantas nos EUA, que foi desbloqueado logo após a minha queda.

Vou te contar o que eu pensava a respeito. Existem duas formas de cortar o fluxo financeiro. Uma é tomar o dinheiro do cara, mas o Brasil é um desastre porque a nossa lei não permite. Enquanto o indivíduo não tem sentença condenatória com trânsito em julgado, ninguém é condenado. O bacana fala: "O que existe contra mim? Tem condenação definitiva, transitada em julgado? Então até logo e passar bem..."

No caso do Dantas, sabe quando vai transitar em julgado a sentença dele? Eu creio que nunca. Isso porque o sistema de

Justiça no Brasil é lento, uma vergonha... Nunca vou conseguir tirar um tostão dele. Sobra então outro caminho: cortar o fluxo financeiro. Se não consigo tirar o dinheiro dele, pelo menos devo tentar bloqueá-lo. E fazer com que o investigado não utilize os recursos provenientes do suposto crime.

Com esse discurso na ONU, e introduzindo a regra na Convenção de Palermo, o mundo se convenceu de que para combater a criminalidade precisamos cortar o fluxo financeiro. Na Convenção de Palermo conseguimos incluir referências que deixam o objetivo não de todo claro, mas o suficiente para levar os americanos a reconhecerem que não é necessário o trânsito em julgado da sentença para se bloquear recursos suspeitos.

E fomos além: criamos uma política nacional de capacitação dos promotores e delegados, de provocar os juízes a decretar o confisco de bens, ou o bloqueio, ao menos. Se tirar o dinheiro da empresa, ela quebra, e quanto maior ela for, mais chances tenho de sufocá-la financeiramente. Em um processo recente, em Brasília, a juíza decretou bloqueio dos bens, assim o cara não faz mais nada. Está certo, é essa a filosofia. Com isso, veja o quanto cresceram no país os leilões de bens apreendidos. Já imaginou um juiz, com todos os seus afazeres, ainda ter que cuidar de bens apreendidos? E sobretudo quando os bens são perecíveis: gado, criação de peixes, etc.

A filosofia da lavagem de dinheiro começou a mudar por causa do recrudescimento do terrorismo. Acentuou-se o aperto dos paraísos fiscais, e aí nós passamos a insistir: tem de mudar, tem de mudar, não só a legislação mas a filosofia, a cultura e os paradigmas de combate à criminalidade e às organizações criminosas.

Dava para lutar nesse sentido, pois foi com base na Convenção de Palermo, da qual o Brasil é signatário, que deu para fazer o bloqueio dos recursos de Dantas. Na época a Federal não foi atrás, ninguém acreditava, ou ninguém tinha vontade de agir. Quando o Protógenes saiu da Operação Satiagraha, o PT parou tudo, deixaram as coisas encaixotadas. Eu disse: "Me dá as contas que vou bloquear o dinheiro do cara". Aí mandei dois funcionários para mexer nas caixas e fomos para cima dos americanos, tanto que na nossa Justiça o lance não foi aprovado, mas os americanos ficaram firmes e atenderam ao nosso pedido.

Enquanto estive na secretaria, a coisa funcionou. E o auge se deu quando, no Congresso da ONU de Prevenção ao Crime e de Justiça Criminal, em abril de 2010, nós fizemos um desafio para o mundo. Autorizado pelo presidente Lula, o governo brasileiro fez a proposta que eu havia sugerido: criar um Fundo Mundial para financiar os países a organizarem grupos de investigação e cooperação internacional, a fim de aplicar a política do bloqueio dos recursos, e devolver a cada um dos países vítimas todo o dinheiro de corrupção e de lavagem. Firmamos um compromisso de que, de todo o dinheiro que o Brasil recebesse de volta, 5% seriam entregues a esse fundo para financiamento das estruturas, capacitação e operações nos países sem recursos para montagem de equipes especializadas.

Quando conseguimos bloquear o dinheiro do Opportunity, Tarso queria que disséssemos que os bens eram de Daniel Dantas, com todas as letras. Fui eu que insisti: "Fala que é da Operação Satiagraha, senão estaremos dizendo de quem é, e ele vai processar todo mundo". Ainda assim acabei processado. Essa tática da melhor defesa é o ataque o Dantas sabe usar como ninguém. Ele é exímio na arte de pôr seus investigadores na defesa. Encher as pessoas de processos, para que não tenham tempo de pensar em outras coisas, é uma estratégia de razoável eficiência para os abastados. Fui processado pelo Dantas, que não se conformou com o bloqueio do dinheiro no exterior e com a nota à imprensa, divulgada pela assessoria de comunicação do ministério, informando o fato. Ele representou contra mim na Justiça em Brasília e no próprio Ministério da Justiça. Na Justiça, após eu apresentar defesa, em primeira instância foi arquivado, não deu em nada, mas, preservando a tática, ele recorreu com o Dorio Fermann. No ministério, coincidentemente, o ministro Luiz Paulo arquivou durante as minhas férias forçadas, após aquele vazamento, quando ele já deveria saber que meu destino estava traçado. De uma coisa tenho certeza: Tarso era de uma facção contrária à majoritária no PT, e quando falo em facção contrária refiro-me a grupos antagônicos mais adversários do que a própria oposição. Por essas e outras, não gostava de Lula e Dirceu, e queria ver o circo pegar fogo. Sabia que Dantas tinha boas relações com vários expoentes do PT e de outros partidos. A desgraça do banqueiro e de parte de seu partido, naquele momento, poderia render a Tarso novo protagonismo, como ocorrera quando do escândalo do Mensalão, o que lhe beneficiaria na disputa presidencial (ele postulava a candidatura e não aceitava Dilma), ou no mínimo ao governo gaúcho. Afinal, Tarso sabia, como já dissera Protógenes, que a Operação Satiagraha era uma "missão presidencial", que depois foi suspensa pelo envolvimento de gente do próprio Palácio do Planalto.

Eu estava em visita à China, como secretário nacional de Justiça de Lula, quando soube, num templo da Cidade Proibida, que havia conseguido manter congelado os US$500 milhões controlados pelo Daniel Dantas nos EUA. Comemorei. Os chineses atribuíram minha vitória às velas votivas que acendi no templo.

E lembro de alguns episódios que me levam a pensar no quanto Lula não terá me usado como um fraldão para pegar o Daniel Dantas, pelo bolso, em nome de interesses do partido e do governo. É óbvio que esses interesses, em várias ocasiões, eram também os da iniciativa privada. As investigações ora em andamento na Procuradoria de Milão já evidenciaram que a Satiagraha foi uma operação que atendeu a interesses da iniciativa privada.

A primeira grande denúncia contra Daniel Dantas foi relatada no computador de Luiz Roberto Demarco, fundador da lojinha do PT, ex-funcionário de Dantas – e assinada pelo procurador da República, Luiz Francisco Fernandes de Souza, outro usado pelo PT como fraldão. Demarco é acusado de ser quem recebia dinheiro da Telecom Italia para tirar Dantas do jogo. Tronchetti Provera, ex-chefão da Pirelli e da Telecom Italia, é acusado pela justiça de Milão, por ocasião em que escrevo estas linhas, de ter despejado pelo menos 120 milhões de euros para comprar autoridades na América Latina em geral, e no Brasil em particular.

A Operação Chacal foi a antessala da Satiagraha. Ambas foram desmontadas pela Justiça. Na primeira, Dantas foi absolvido. Já a segunda foi anulada pelo Superior Tribunal de Justiça. Espiões italianos do *Tiger Team*, que trabalhavam para a Telecom Italia, fizeram delações premiadas e entregaram as atividades ilegais de Provera. E Provera, por sua vez, em novembro de 2012 posou ao lado de Lula e Sophia Loren, no lançamento do calendário Pirelli no Brasil. As atenções foram todas para a belíssima atriz e celebridade. Ninguém citou o papagaio de pirata postado na foto ao lado da bela e da fera. Eu vivo de meu salário, moro de favor, e um delegado federal, o homem da Satiagraha, Protógenes Queiroz, segundo o site Consultor Jurídico, tem sete casas cuja origem não sabe justificar ao público, e um bom dinheiro embaixo do colchão. Por sua vez, Daniel Dantas, o ex-brilhante aluno de Mario Henrique Simonsen, está muito longe de ser um santo. Mas agora, sempre que vejo a figura de Lula, me pergunto: "Presidente, quanto o senhor terá usado o talento investigativo de um Tuma para seus propósitos inconfessáveis?".

Nunca me arrependo do que fiz, mas certamente me deixei cegar pela luz petista, e fui usado para propósitos que ainda desconheço, os quais me proponho a investigar enquanto eu for um Tuma. Não sinto nenhum medo de ter em minha vida a massiva presença do que os filósofos chamam de "devir", que é a capacidade de transformar as coisas em seu contrário. Não tenho lado, nem esquerda, nem direita: os Tuma são homens da lei. Não tenho medo de rever minhas opiniões: a Justiça afinal é cega, anda por onde a lei determina. O quanto fui usado vocês logo saberão. Até porque, no fechamento desta obra, recebi a notícia de que os documentos gerados pela Procuradoria de Milão, que investiga a contratação de espiões para fulminar Daniel Dantas, vão chegar ao Brasil, permitindo assim que muitos episódios nebulosos da recente política brasileira, sejam conhecidos em todas as suas particularidades.

CAPÍTULO 14

O ALVO E A OPERAÇÃO TROVÃO

Como se escolhe um alvo, por que e para que nasceu a Operação Trovão. Um resumo de como e por que virei alvo e alguns dados da operação, com minha defesa e as falcatruas dos autos

Aqui, neste livro, não há denuncismo, vingança ou troco. Eu até teria direito a tudo isso; afinal, lido com organizações criminosas. Aqui há apenas a defesa da dignidade de um cidadão honrado, cuja vida vale muito menos que sua honra e reputação, pois que essas foram construídas sob o império da justiça e da verdade. Um homem honesto, que teve seu pai morto pelo desgosto de ver as forças policiais que ele tanto lutou para democratizar e "desaparelhar", politicamente falando, voltarem a ser usadas como instrumento para o mal!

É um relato que se presta para restabelecer a verdade. Mais do que isso, alertar a sociedade e suas instituições republicanas, em especial o Poder Judiciário, que tem sido tíbio: se não tiver atenção e firmeza, já e principalmente na primeira instância, para impedir esses abusos, nada mais restará a não ser aceitar mos a convivência com o estado policial e futura ditadura judicial, a pior que o mundo pode conhecer. O mesmo Judiciário em cuja porta bati várias vezes e deixei de ser atendido sob a alegação de que não era investigado; em outras oportunidades, porque uma magistrada pedia desculpas mas alegava não poder atender partes. Ora, primeiro uma monstruosa incoerência: afirmar que não sou investigado e que sou parte. Segundo: se a juíza se recusa a ouvir alguém que procura espontaneamente a

Justiça para falar-lhe, ela certamente está na profissão errada. E a Corregedoria da justiça Federal não funciona na terça parte do que cobra dos tribunais estaduais.

Eu havia demitido a subchefe do DRCI por priorizar os interesses pessoais em detrimento do público, além de, juntamente com a diretora, agirem como *longa manus* do ex-diretor Madruga, que lá continuava dando as cartas. A titular pediu as contas em "solidariedade" à adjunta demitida. Em seguida, correram à *Veja* para me derrubar e acabaram cometendo um crime e confessando outros. Com a proteção interna, para variar, ficaram impunes, exceto no meu caso, que as interpelei judicialmente; isso quase me custou o cargo, pois, segundo o então secretário de Assuntos Legislativos do ministério, Pedro Abramovay, amigo de ambas, se eu prosseguisse com a ação ele "mandaria" o ministro me demitir. Respondi-lhe que a minha honra não tinha preço, mas valor, e que eles enfiassem o cargo naquele lugar.

Em seguida, na primeira reunião coletiva que marquei com todos os funcionários do DRCI, após a demissão das diretoras que tentaram provocar uma rebelião contra mim – forçando um pedido de demissão coletiva que acabou frustrado porque ninguém aderiu – constatei que o banheiro principal do órgão estava interditado. Ele servia de depósito de vários bens que a esposa do senhor Madruga – naquela altura sócio do advogado de Daniel Dantas – se recusava a guardar em casa, tais como: mesa de totó (ou pebolim), guarda-sol, cadeiras de praia, raquetes de frescobol e outras quinquilharias. Enfim, um puxadinho pessoal, pago com dinheiro do Estado. Um ótimo retrato de como a coisa pública estava sendo usada.

No meio da reunião, abro a palavra para os funcionários e logo noto que aquilo não era comum ali. O tradutor oficial do departamento, Ricardo, o Rick, lasca uma pergunta que me mostra claramente que tanto a direção que acabara de demitir quanto a forma de administração não eram unanimidade, muito ao contrário. Questionou ele: "Secretário, a partir de hoje, as promoções aqui no DRCI vão observar o critério do merecimento e todos terão as mesmas oportunidades?"

Francamente surpreso pela revelação contida na pergunta, respondo com uma indagação óbvia: "Mas não era assim aqui?" E emendo, para não expor o rapaz perante seus colegas nem desencorajar os demais: "Pode ficar tranquilo que essa é minha forma de trabalhar; e o novo chefe do DRCI vai usar a meritocracia como critério para as promoções, viagens a serviço quando mais de um dominar o assunto, e tudo o mais.

Logo após a demissão da diretora, e a retirada daqueles bens pessoais que ocupavam uma sala do departamento, começaram a aparecer processos devolvidos pela demissionária, que estavam em sua casa. Portanto, saíam os bens particulares e entravam os públicos, escondidos em casa. Dentre eles, chamou a atenção um caso do Coaf, cuja relatoria era da representante da SNJ naquele colegiado e que, surpreendentemente, dizia respeito ao senhor Alberto Dualib, justamente relacionado ao caso MSI – Corinthians...

Em 2008 desenterrei o processo do Fundo Opportunity, irregularmente arquivado – na verdade, engavetado para não ser apurado desde 2003... Solicitei ao ministro que instaurasse sindicância para apurar aquela grave conduta, o que, no âmbito do Ministério da Justiça, ao que me consta, não ocorreu.

A conta do Mensalão era outro caso engavetado no DRCI que eu descobri e mandei apurar sem saber o que de fato era; só soube após cair. Não sei se estava na casa da ex-diretora Maria Rosa, pois do jeito que ela era protegida pelo Pedro Abramovay...

Quando promovi o bloqueio das contas do Opportunity, foi a gota d'água e o início do meu calvário. Ali fui eleito alvo pelo governo e pela PF, que se esforçavam em abafar, pondo um fim no fogo amigo que se tornou a Operação Satiagraha.

A PF inventou um novo método de burlar a regra da prerrogativa de foro: não era meu caso, mas era o mesmo *modus operandi*. Eles dizem que não estão investigando mas vão grampeando suas conversas via terceiros, atingindo o mesmo objetivo sem deslocar a competência dos autos.

O sigilo é da comunicação, quer seja a falada ou a escrita digital; não é a linha, o aparelho, o e-mail, mas quem está usando por meio da voz ou da palavra escrita. A proteção é pessoal, e não do equipamento.

Nesse sentido, quando se grava uma conversa, um diálogo entre uma pessoa investigada e uma outra com prerrogativa de foro, essa conversa sem autorização do foro especial não pode ser utilizada como prova, sob pena de nulidade.

Isso não tem sido observado pela justiça, e a polícia aprendeu a usar esse caminho para evitar deslocamento de competência. É o grampo tabelado, por tabela ou "escuta tabelinha", como chamo na gíria. O truque nisso é que a PF usa muito bem o fato de magistrados não exigirem a comprovação da prova de titularidade e/ou uso das linhas ou endereços eletrônicos de investigados e "alvos".

A escolha de "alvos", já disse, obedece a critérios alicerçados eminentemente em interesses políticos e pessoais.

Muitas vezes, é necessário se valer de interpostas pessoas e de uma história como cobertura para se ludibriar o MPF e a Justiça; caso o "alvo" seja conhecido, pessoa pública ou ainda uma PPE – Pessoa Politicamente Exposta, especialmente quando não se sabe se ele é ou não autor de algum delito, corre-se o sério risco de ter o pedido de monitoramento negado ou a competência transferida de instância. Lembre-se que, nesses casos, nunca se está investigando fatos e muito menos crimes, mas pessoas. O que, por si só, constitui uma implacável arbitrariedade.

Para se evitar isso ou burlar o controle judicial, a PF aponta como alvo um "laranja" ou "alvo fictício", alguém que se tem certeza de que o verdadeiro "alvo" vai contatar, ou é de seu relacionamento. Isso muitas vezes pode necessitar de mais uma outra pessoa, ou seja, o verdadeiro "alvo" vai aparecer como terceiro interlocutor.

Esse método é o mesmo utilizado para se grampear parlamentares com mandatos e autoridades com prerrogativa de foro. É o chamado grampo "tabelinha": depois de feito e vazado, ninguém mais segura. A aposta certeira é no clamor público, que se obtém com as edições bem realizadas e os trechos cuidadosamente escolhidos e montados para a divulgação.

A lei protege a palavra, a fala do interlocutor, independentemente de quem seja o investigado, por isso é ilegal a escuta que capta áudios de quem tem prerrogativa; sem autorização da instância competente, fica para a justiça. O estrago, depois de divulgados os diálogos, é irreparável: condenação no Supremo Tribunal do Google – STG não tem recurso.

Ao desmontar, sem saber, a estratégia do governo de proteger Dantas, ou melhor, de interromper a Operação Satiagraha porque ela levaria a pessoas e recursos do núcleo duro do poder, me coloquei na linha de tiro e precisava ser alvejado, transposto e abatido, a qualquer preço e de qualquer forma.

O próprio ex-ministro Luiz Paulo Teles Barreto, desde o primeiro momento, quando soubemos que eu estava sendo monitorado, ainda em 2009, apostou cegamente que por trás da Operação Trovão estava o DVD, como chamávamos o Daniel Valente Dantas.

Aliás, o próprio nome da operação escolhido pela PF, "Trovão", demonstrava bem seu propósito: fazer barulho. Só barulho, mas altamente estrondoso e capaz de derrubar o secretário. Todas as operações da PF têm um nome que remete aos seus objetivos. O que poderia significar Trovão senão barulho sem chuva?

A bem da verdade, naquele mapa das operações da PF, onde eles registram ano a ano, mês a mês, suas operações com uma explicação sobre o nome, local, os objetivos e um resumo do resultado, a "Trovão" jamais constou. E a "Wei Jin" e a "Linha Cruzada", derivadas dela, só passaram a constar após eu ter registrado essa manifestação em público.

Na operação em si, não conseguiram porque não encontraram nenhuma irregularidade por mim cometida após dois anos de monitoramento. Aí fizeram o vazamento de trechos engenhosamente escolhidos, montados, falsamente manchetados, pinçados de contextos, para dar a impressão de que havia malfeitos, e jogaram no *Estadão,* que topou a campanha midiática. Mas com um problema: depois de tudo já ter sido arquivado há mais de oito meses. E mais: tudo armado, após a juíza do caso receber uma denúncia de tortura contra o delegado. Coincidência?

Moral da história: como no papel não se produziu nada que prestasse e servisse para me acusar, vazaram, depois de quase um ano, num jornal de grande circulação que se prestou a isso, combinado para fazer o tal "barulho", objetivo inicial da tal "Trovão".

Reconheço que enfrentar DVD com a proteção do governo foi minha maior loucura. Mas, em nome da sociedade e da justiça, era uma missão que eu tinha que cumprir. Afinal, meu cargo e minhas atribuições não eram compatíveis com covardes. Enfrentá-lo sozinho, com sua eficiente, competente e gigantesca estrutura de assessoria advocatícia, jurídica e de imprensa, não era tarefa para amadores – imagine com o apoio de gente graúda do centro do poder.

Mas eu não podia contar com isso. Também não deixaria de fazer se soubesse. O Dantas tem uma peculiaridade: ele não é daqueles que saem simplesmente corrompendo funcionários públicos. Ele contrata as pessoas que lhe interessam para integrar seu grupo. Faz isso diretamente, por interpostas pessoas, ou através dos renomados escritórios de advocacia que o defendem, nesse caso como "especialistas" nos assuntos respectivos.

Isso lhe traz uma vantagem enorme. Primeiro: elimina a hipótese de arrependimento, delação e achaques cotidianos; e, segundo, porque os cooptados, como funcionários, sentem-se parte do negócio, passam a acreditar na causa e duplicam sua dedicação, além de não sentirem o gosto amargo da *vendetta*. Ficam imunizados à traição.

Foi assim que importantes figuras do MPF, como o ex-procurador da República Luciano Feldens e do DRCI, além de Antenor Madruga, Ana Maria Belotto e Stefania Campos, esta filha de Nelson Campos, secretário-executivo do CFDD – Conselho Federal Gestor do Fundo de Defesa de Direitos Difusos, passaram para o lado de lá, o da iniciativa privada, eu diria; e que a chefe do departamento inglês congênere ao DRCI da minha secretaria, Carmen Dowd, foi contratada por 250 mil libras anuais por um escritório de advocacia da Inglaterra para lhe prestar serviços.

O governo usou bem o Daniel Dantas, mas ele não ficou atrás: soube dar o troco na mesma moeda. Depois de flertar com os tucanos e empresários de todos os partidos, caiu ou se jogou no colo do PT. É um homem de negócios, ou dos negócios, e não pode parar.

Fundo de pensão não tem partido, ou ao menos não deveria ter. Mas é "bom" negócio, já me dissera Naji Nahas em 1989, lembram?

É como agora, que a Comissão da Verdade deu para tentar "descobrir" os supostos empresários que colaboravam com a ditadura pelo simples registro de que eles passaram pelas portarias dos Dops, Comandos do Exército, Marinha, Aeronáutica, enfim. Ao se supor que, ao adentrar um desses órgãos públicos, nos anos em que o Estado enfrentou a subversão com violência de lado a lado, quem era empresário estaria "colaborando" para financiar a repressão, podemos deduzir que a Comissão da Verdade também supõe que os empresários que frequentaram o Palácio do Planalto entre 2003 e 2005 contribuíram para o Mensalão, é isso? Então que se puna os financiadores da corrupção, os corruptos e os corruptores. Ora, chega de jogar para a torcida e gastar dinheiro público à toa. Todos os empresários brasileiros vão ter colaborado com todos os governos do Brasil, e não é por questões político-partidárias ou ideológicas mas porque se não o fizerem caem em desgraça, são alijados em seus negócios e estarão fadados ao insucesso – ou estou falando alguma bobagem? Uns podem até ter maior afinidade com a esquerda ou a direita, mas estão sempre contribuindo, nas campanhas e fora delas, para não serem perseguidos. Será que essa pressão toda de hoje é um prenúncio de que eles serão novamente chamados a colaborar, "voluntariamente", às vésperas das eleições para não terem seus nomes, ou o de suas empresas, citados no relatório final da comissão? A conferir...

Recentemente li uma notícia que me deixou muito esperançoso. Sob o título "A Comissão da Verdade vai investigar casos de empresas perseguidas pelo regime militar", a matéria trazia uma entrevista com a advogada Rosa Maria Cardoso da Cunha, que chegou a defender Dilma e seu ex-marido nos anos de chumbo, e que hoje é membro da comissão. Tratava do caso da companhia aérea Panair, cujo fundador chegou a ser investigado por agentes do SNI (Serviço Nacional de Informações) sob a acusação de enriquecimento ilícito.

A representante da comissão avaliou que a história dos empresários da Panair pode se enquadrar em um caso de violação dos direitos humanos. Não vou entrar no mérito da questão, até porque não conheço os detalhes do caso, mas saúdo o reconhecimento feito pela ilustre membro da comissão ao afirmar: "A lei da tortura trata não apenas da tortura física, mas também da mental. E esses empresários foram torturados com as acusações que sofreram naquele período".

É importante consignar que não foi só naquele período que empresários e cidadãos sofreram esse tipo de violação, a tortura sem "pau de arara". Será que este entendimento servirá também para os perseguidos pelo regime civil, que age com o mesmo *modus operandi*, ainda mais perverso por estar disfarçado de democracia? Servirá para reconhecer direitos tolhidos, aniquilados e violentados pela ditadura do estado policial que se instalou no Brasil e criou a versão moderna do instrumento hediondo hoje conhecido como "pau de arara virtual"? Ou se trata de mais uma defesa de interesses pessoais, daquele tipo: o que vale para os nossos não vale para os outros?

Nesse mesmo caminho, a bárbara morte de Vladimir Herzog não pode servir de símbolo para justificar os crimes cometidos por terroristas profissionais que subvertiam a ordem pública com atentados contra tudo e todos, buscando o poder pelo poder para se locupletar em nome de uma ideologia da qual nunca foram fiéis praticantes. Vlad não merece ser símbolo dessa gente, por inúmeras diferenças no caráter, na conduta e pelo simples fato de que ele não possuía esse DNA lampianesco. Ele foi duplamente vítimado: pela ditadura, naquela época, e hoje por aqueles que desde sempre se valeram dela para atingir objetivos inconfessáveis.

A polícia nunca combateu uma ideologia, um partido, específicas pessoas ou alvos, como faz hoje a *Stasi* do governo; naquela época, a polícia estadual intervinha em graves questões e distúrbios que subvertiam a ordem e atentavam contra a segurança pública. A motivação não era o que balizava ou indicava a atuação policial: ontem como hoje, combatia os efeitos da violência, independentemente das causas. É falacioso querer atribuir às polícias qualquer responsabilidade não meritória no combate ao crime organizado dos anos de chumbo. Ela cumpria seu papel constitucional: combater o crime, preservar a ordem pública e garantir a segurança da população.

Se expoentes criminosos daquela época viraram importantes figuras políticas, públicas e ilustres mandatários, sinal dos tempos, azar do povo e prenúncio de que aqui tudo é possível, e pode se repetir com o hoje clandestino Partido da Criminalidade.

Voltando ao assunto: quando Dantas se sentiu bem usado e, à beira de ser descartado como um fraldão, mandou uma mensagem cifrada para o núcleo central e duro do poder. Diz a *Veja* que ele sacou um número de conta e despejou nas entrelinhas da matéria da revista. Penso que se tratava da conta que alimentava o Mensalão via exterior, cuja investigação o governo havia interrompido. Acabei só descobrindo a trama completa depois que caí, por indicação de uma pessoa influente de dentro do ministério, confirmada por outra que se viu abandonada na ação 470 do Supremo e me alertou com relação aos processos conexos aos engavetados pela antiga direção do DRCI, que eu havia demitido.

A Operação Satiagraha não seria realizada, era muito arriscada para o governo. Dantas tinha amigos e inimigos em todos os lados, mas no caso da Satiagraha havia dois times em ação: um recebia dinheiro para destruir Dantas, outro queria o dinheiro dele para não destrui-lo.

Um dos envolvidos na operação, que cobrava diretamente o Planalto através do Gilberto Carvalho, era o eterno credor de Lula e do próprio PT das raízes, ou "velho de guerra": Greenhalgh, para sorte de Battisti, como já contei.

Nesse tiroteio com silenciador, onde havia denúncias de toda ordem, inclusive de pagamento para atingir o próprio Dantas, cometeram um erro de avaliação: atacaram a honra do delegado Paulo Lacerda, acusando-o de manter, ilegalmente, uma conta no exterior.

Foi aí que, a meu ver, o controle saiu das mãos do governo.

O próprio delegado mandou investigar a si mesmo e jurou ao presidente e ao ministro Márcio, à época, que iria até o fim. Naquele momento ambos deram carta branca, apostando tratar-se apenas de um desabafo, mas não era. Quando o governo sentiu que estava prestes a ter sérios problemas com a deflagração da operação, aproveitou a busca feita pela PF na casa do Vavá, irmão do Lula, sem que o presidente fosse avisado, para estabelecer um clima de desgaste e de suposta quebra de confiança, suficientes para, na primeira oportunidade, promover uma mudança grande na área de segurança e inteligência, já sob Tarso Genro. Deslocou o Paulo Lacerda para a Abin, o Luiz Fernando Corrêa da Senasp para a PF, o Antônio Carlos Biscaia da SNJ para a Senasp, e enfim me convocou para assumir a SNJ.

Com a PF sob controle, a SNJ toda montada pelo Biscaia e eu chegando novo, sem mudar ninguém, e o pessoal do DRCI despachando em jantares reservados com o antigo secretário, ou mesmo com o Pedro Abramovay da SAL, além da total submissão das diretoras ao seu padrinho Antenor Madruga, já advogando no escritório de Francisco Müssnich, tudo parecia sob controle e dominado pelo governo e seus sócios "extramuros". Com a entrada do LF na direção da PF, todos os recursos da

Satiagraha foram cortados. Ela deixou de ser prioridade, o governo mandou parar, abafou.

Só que ninguém contava, ou não lembrava, que o Paulo Lacerda avisara que era ponto de honra levar aquele caso até o final. Acompanhando tudo e sabendo, por informações diuturnas do delegado Protógenes, que a PF havia tirado todos os recursos e todo o suporte, não teve dúvida: colocou a Abin para suprir, material e pessoalmente, as necessidades operacionais, e deu no que deu. Para surpresa geral, a Satiagraha eclode, realizada pelo delegado Queiroz, até ali fiel ao seu ex-diretor Paulo Lacerda.

Aí se estabeleceu a confusão. A própria nova cúpula da PF foi pega de surpresa. Os diálogos daquela reunião que houve logo após a operação, da qual o presidente Lula mandou divulgar apenas quatro minutos do que foi discutido e gravado, deixam isso muito claro. A saída do Protógenes também foi mal explicada, inclusive por ele, que disse que iria fazer um curso na Academia da PF. Difícil acreditar que alguém vocacionado larga uma investigação dessas para fazer um curso. Foi desleal com o próprio Paulo Lacerda, pois, na hora de mostrar a que veio, largou o inquérito, fazendo o jogo do governo e deixando um caminhão de melancias despencar sobre seu ex-chefe. Se estivesse tão incompatibilizado com o governo, teria saído candidato por um partido de oposição.

Na página 459 da denúncia oferecida contra Carlos Cachoeira, pelo Ministério Público Federal de Goiás, na Operação Monte Carlo, está degravada uma escuta telefônica em que Idalberto Matias de Araújo, o sargento Dadá (braço direito de Cachoeira, preso da Monte Carlo, e agente recrutado por Protógenes Queiroz na Operação Satiagraha) confessa a interlocutores que está criando, com amigos, uma empresa de segurança privada chamada "Satiagraha". A gravação foi feita a partir das

13h29 pela PF no dia 4 de abril de 2011. Durou dez minutos e treze segundos. Na conversa, há trechos como: "o negócio de Minas Gerais ainda não fechou. Evaldo tá criando a empresa Satiagraha". Fala-se na criação de uma *home page* para a empresa Satiagraha e na presença, nessa futura empresa, de pessoal treinado em Israel, EUA, Iraque e Afeganistão – ou seja, ex-militares dos EUA. Os cursos para os demais membros seriam dados no Rio de Janeiro, com intuito de "vender segurança para a América do Sul".

O balcão de negócios em que se transformou a PF sob Lula contaminou as operações com esse tipo de gente. Sinceramente, no meu entendimento técnico, com relação à participação da Abin não houve falha. Cooperação é isso mesmo. As falhas ocorreram por conta da participação ilegal de "gansos", travestidos de agentes da Abin, e da PF, além das vaidades pessoais e profissionais na execução da operação, tudo somado, é claro, à própria incompetência profissional de alguns, inclusive com vazamentos privilegiados e impertinentes – feitos por quem tinha o comando dos trabalhos e o dever do sigilo. Não fossem esses abusos, o processo estaria hígido até hoje.

Por outro lado, toda a cooperação que vinha sendo feita naquele primeiro inquérito, solicitado pelo Paulo Lacerda, estranha e repentinamente foi paralisada por vontade e inércia do delegado da PF que o presidia, tão logo se deram as mudanças na cúpula. E por tal atitude, de responsabilidade do governo, descobri, tempos depois, como mencionei, que se paralisou a investigação destinada a confirmar a existência de uma conta em nome do ex-ministro José Dirceu, ou controlada por ele, nas Ilhas Cayman, que seria bloqueada, que era a conta do Mensalão no exterior.

É importante registrar que, no exterior, as contas bancárias, na esmagadora maioria dos casos cujo detentor não quer ser identificado, têm nomes-fantasia, e para se descobrir uma titularidade não basta questionar se o nome do investigado é o nome do titular. A negativa não significa em absoluto que a pessoa não seja o correntista, o titular ou ainda o responsável pela conta bancária. Lá é preciso saber o nome da conta, do titular ou titulares dela, do responsável, das identidades, das assinaturas que constam no cartão de "autógrafos" e do gestor da conta.

Eu havia mandado apurar o porquê desse engavetamento, ainda sem saber que poderia ser a conta do Mensalão. Essa apuração no ministério nunca avançou. Parece que só andou na AGU, e isso teria contribuído para irritar alguns importantes membros do governo, que pediram minha cabeça, e provocado o vazamento daquela malfadada investigação da PF.

A tal mensagem cifrada que o Daniel Dantas havia passado através da *Veja* sugeria que ele sabia e sabe demais. Suas sociedades são reveladoras. Consta que da lista até o Lulinha faz parte, outro forte motivo para impedir a Satiagraha. Aqueles HDs que foram apreendidos com ele na busca da Operação Chacal nunca foram abertos porque nunca houve interesse em abrir. Ouvi do próprio Paulo Lacerda, que os manuseou, que se fossem acessados oficialmente "derrubariam a República".

É muito estranho, para dizer o mínimo. Eu estava trabalhando no governo federal, era o secretário nacional de Justiça e estava servindo ao meu país. Agora, contando essas passagens e o que aconteceu comigo, me sinto como se fosse um policial infiltrado e descoberto, num governo malfeitor, no seio de uma organização criminosa. Francamente não era isso, até porque muito do que descobri foi como um quebra-cabeças cujas peças foram se encaixando com o tempo. Mas que a sensação é péssima, é.

Recentemente, quando já revisava esta obra, deparei-me com a coluna do perspicaz Augusto Nunes, na internet, jornalista que o Tumão sempre respeitou; ali havia um artigo de J.R. Guzzo, publicado na revista *Veja*, e um parágrafo traduziu bem o que já me parecia claro nas facções estatais – especialmente quando Lula diz que salvará a sua história e a reputação do PT. Transcrevo Guzzo: "Lula, com o PT atrás, fala em salvar a sua biografia, seu projeto nacional e a reputação do partido. Teriam mesmo de fazer essas coisas todas, pois áreas inteiras do governo federal viraram, nos últimos dez anos, uma espécie de cracolândia para viciados no consumo ilegal de verbas, favores e empregos públicos". Observo a árdua missão do ex-presidente: se salvar ou ressuscitar reputações assassinadas já é uma tarefa sobrenatural, imagine recuperar aquelas perdidas por conta da lambança dos próprios atores em cena!

O início da Operação Trovão, cujo "alvo" era eu, demonstra bem como se insere no contexto da Satiagraha, objetivando impedir minha atuação. Faço um breve relato da participação decisiva da secretaria nacional de Justiça, e dos seus heroicos funcionários, no bloqueio dos bens do Opportunity, para que se possa entender cronologicamente o estratagema montado contra mim.

Era 14 de julho de 2008, e o DRCI recebeu ligação da autoridade central estadunidense, informando que, a partir de notícias veiculadas na mídia a respeito da Operação Satiagraha, o Opportunity Fund, de Daniel Dantas, estaria liquidando alto valor de ativos junto à instituição financeira em Nova York. Posteriormente, foi possível saber, de modo informal, indireto e reservado, que esses valores totalizariam US$ 600 milhões, e que a instituição financeira era a Brown Brothers Harriman & Co.

Naquele contato, as autoridades estadunidenses solicitaram que fossem encaminhados os documentos necessários à cooperação (no caso, pedido de cooperação, *affidavit* – ou declaração juramentada – e decisão brasileira de bloqueio de ativos naquele país), para que fosse possível bloquear a quantia acima mencionada. Solicitaram também as ordens de prisão de Daniel Dantas no Brasil.

Diante dessa notícia, e cientificado dos fatos, determinei que os técnicos da secretaria nacional de Justiça imediatamente entrassem em contato com o juiz responsável pelo caso, Dr. Fausto de Sanctis, bem como com o procurador da República responsável, Dr. Rodrigo de Grandis. O Dr. Fausto solicitou que lhe fosse encaminhado ofício requerendo cópia das decisões, o que foi prontamente realizado. A cópia das decisões foi encaminhada ao DRCI pelo Dr. Fausto no fim daquele mesmo dia 14 de julho, sendo imediatamente enviada para tradução. Uma vez que se tratavam, no total, de cerca de 200 páginas, as traduções ficaram prontas apenas em 21 de julho de 2008.

Por outro lado, soube, através de conversas mantidas entre técnicos do DRCI e o Dr. Fausto, que este informou que ainda não havia expedido ordem de bloqueio dos ativos de Daniel Dantas e do Grupo Opportunity, seja no Brasil ou no exterior.

Imediatamente, o DRCI solicitou ao Dr. Rodrigo de Grandis que fosse feito breve documento, contendo a correlação entre Dantas, o Opportunity Fund e as contas mantidas nos EUA, bem como informações sobre os supostos fatos de ser ele o real beneficiário daqueles ativos, e de que esses ativos seriam ilícitos. No fim, o Dr. Rodrigo não formulou tal documento, que acabou por ser realizado, em forma de minuta de pedido de cooperação, por técnicos da própria SNJ. Frise-se que o DRCI não tem competência para assinar pedidos de cooperação, que são eventualmente preparados e até rascunhados pelo departamento para análise pela autoridade competente, a qual, se de acordo, pode apresentá-lo às autoridades estrangeiras, sempre por meio da SNJ, autoridade central brasileira para tratar do assunto e fazer tramitar os documentos.

Ainda em 14 de julho de 2008, tão logo foram recebidas as decisões de prisão de Daniel Dantas, o DRCI enviou sua versão em português para as autoridades estadunidenses, para conhecimento, informando que encaminharia a tradução tão logo estivesse pronta.

Na noite do mesmo dia, a autoridade central estadunidense agradeceu o recebimento das decisões encaminhadas, comunicando que o pedido, embora urgente, não tinha mais tanta premência, já que os valores naquele país não seriam liquidados, mas apenas reinvestidos, tendo em vista que se tratava de conta bancária de fundo de investimento. Ressaltou também aquela autoridade a importância de se manter o sigilo e a cautela para não gerar pânico aos investidores, visto que naquela soma de dinheiro poderia haver valores de terceiros de boa-fé.

No dia seguinte, 15 de julho, o pessoal da SNJ entrou em contato com a Dra. Karina Souza, delegada da Polícia Federal responsável, juntamente com o Dr. Protógenes Queiroz e o Dr. Carlos Eduardo Pellegrini, pela condução do inquérito, solicitando-lhes maiores informações sobre o caso, em especial números identificadores de contas nos EUA, já que as decisões de prisão de Daniel Dantas não conteriam elementos suficientes para elaboração de pedido de cooperação para os EUA. Nesse ponto, a Dra. Karina informou que supunha existir contas no bojo do inquérito, porém tais elementos deveriam ser buscados e que logo retornaria a ligação. Essas informações, contudo, não foram repassadas ao DRCI naquele momento, tendo em vista que a Dra. Karina foi retirada temporariamente da investigação.

O DRCI, então, por minha determinação, que sentia um clima de dificuldade maior que o normal diante parcas informações havidas no bojo das decisões do Dr. Fausto, buscou organizá-las e iniciar uma minuta de pedido de cooperação, que por si seria insuficiente para lograr a quebra ou bloqueio nos EUA, por não estabelecer o nexo entre a propriedade dos ativos, sua ilicitude, e como foram enviados do Brasil para aquele país. Apenas em 17 de julho, no fim da tarde, o DRCI recebeu cópia de decisão do Dr. Fausto, tomada naquela data, de bloqueio de contas nos EUA. Essa decisão, contudo, por ser genérica e sem conter números identificadores de contas bancárias, tampouco apresentou o necessário nexo para obter tal medida.

Em nova comunicação da autoridade central estadunidense, datada de 17 de julho de 2008, fomos informados de que o Opportunity Fund estaria tentando liquidar US$ 11 milhões naquele país. Pelo fato de que o DRCI não dispunha de elementos necessários para ao menos propor minuta de pedido de cooperação para buscar um bloqueio dos valores, determinei, após muita negociação entre o DRCI e a PF, e com anuência do delegado Troncon – o mesmo que recentemente coordenou a busca no escritório da Presidência da República em São Paulo, o escritório de Lula, Dilma e Rosemary – à época diretor de uma divisão em Brasília, o envio de dois técnicos da Coordenação-Geral de Recuperação de Ativos do Departamento da SNJ para São Paulo. O objetivo era obter acesso aos documentos da Operação Satiagraha, que estavam encaixotados, e assim formular minuta de pedido de cooperação para que, se de acordo a autoridade competente, fosse por esta assinada e transmitida aos EUA.

Também em 17 de julho de 2008, a autoridade central dos EUA noticiou ao DRCI que a instituição financeira estadunidense, custodiante internacional dos ativos do Opportunity Fund, iria enviar comunicação ao Fundo, informando-lhe que a instituição não mais desejava ter o citado Fundo como cliente, dando-lhe prazo de 75 dias para liquidar seus ativos junto àquela instituição. Nesse ponto, sem elementos necessários para lograr a cooperação, a SNJ solicitou encarecidamente às autoridades estadunidenses que impedissem ou, ao menos, retardassem o envio dessa comunicação ao Opportunity Fund. A despeito disso, as autoridades estadunidenses confirmaram o envio dessa carta pela instituição financeira ao Opportunity Fund, em 18 de julho de 2008.

No mesmo dia 18, já em São Paulo, os técnicos da secretaria encontraram-se, de uma só vez, com todos os atores da Operação Satiagraha – Dr. Fausto, Drs. Rodrigo de Grandis e Anamara Silva (procuradores da República), além dos Drs. Ricardo Saadi e Karina Souza (delegados de Polícia Federal, o primeiro substituindo o delegado Protógenes e esta última já reintegrada à investigação). Naquele momento, foi esclarecido que, dada a situação posta pela mídia, as provas ainda permaneciam lacradas, e que pouco poderia ser obtido *in loco*. Uma desculpa sem sentido. Percebia-se claramente que não havia muito interesse na polícia de se avançar com o inquérito, muito menos obter os números das contas para bloqueio.

Não obstante, foi dado integral acesso às representações e relatórios formulados pela Polícia Federal. Deles, foi possível extrair diversos elementos indiciários importantes, porém não suficientes para estabelecer o nexo necessário para possibilitar a cooperação jurídica com os EUA. É de se ressaltar que, ao compulsar os autos, foi possível extrair conversas telefônicas em que apontariam funcionário da instituição financeira dos EUA como possível partícipe da organização criminosa. Após autorização do Dr. Fausto, os áudios foram transmitidos imediatamente para as autoridades dos EUA. Essas, por seu turno, informaram que tal informação, por si só, não bastaria e seriam necessárias outras provas e um contexto.

Assim, com esses elementos, insuficientes para a cooperação, e pelo fato de que as provas ainda permaneciam lacradas (foram deslacradas apenas em 21 de julho de 2008), foi formulado esboço de pedido de cooperação, concluído em 25 de julho de 2008, dado o volume de documentos que foram analisados pelos técnicos do DRCI. Essa minuta de pedido foi remetida para todas as autoridades envolvidas, que, por seu turno, a analisaram e a restituíram por via eletrônica ao departamento em 28 de julho de 2008, precisamente às 18h23.

Frise-se que, em 28 de julho, após nova visita dos técnicos da SNJ e de muita pressão, os delegados de Polícia Federal deram acesso aos documentos e alguns números de contas bancárias foram identificados. Esses números foram remetidos à autoridade central dos EUA na mesma data.

Por fim, em 29 de julho, recebemos da autoridade central dos EUA comunicação eletrônica com algumas ponderações sobre o caso. Essas ponderações em muito se assemelhavam àquelas feitas pelos técnicos do DRCI, já que focavam em dois pontos principais já repassados às autoridades responsáveis pela Operação Satiagraha: identificação da titularidade da propriedade de ativos e informação sobre como os ativos foram movimentados, ambos no contexto Opportunity Fund.

O relato é minucioso para que se possa entender passo a passo a nossa atuação, a nossa batalha e o quanto incomodávamos fortes interesses contrários ao andamento daquela ação de corte do fluxo financeiro de uma organização que estava sendo investigada. Era uma guerra contra o poder de um exército do qual desconhecíamos o tamanho, a amplitude e a engrenagem. Admirador de Sun Tsu, hoje vejo que minhas chances eram nulas. Fui até longe demais.

A Operação Trovão, que se prestou a me derrubar sem encontrar uma irregularidade sequer contra mim, um ato aético tampouco, nascia ali, como se verá mais à frente. Após muita luta e muito trabalho dos técnicos do DRCI, com meu total apoio e respaldo institucional, logramos, para desespero de muitos, sucesso no bloqueio de bilhões de dólares envolvidos na Operação Satiagraha, tanto nos EUA quanto no Reino Unido e em outros países. Em setembro foram U$ 46 milhões só na Inglaterra. Nos EUA, meio bilhão de dólares. Fora outros países.

Isso efetivou-se em dezembro de 2008. A partir dali, a disputa com o Grupo Opportunity de Dantas estabeleceu-se mais ferozmente na justiça americana, onde conseguimos manter o congelamento dos recursos numa primeira decisão. Logo que o Ministério da Justiça noticiou o bloqueio dos bilhões relativos à Operação Satiagraha, já no início de 2009, mesmo sem citar seu nome nem o do fundo que ele presidia, Dantas passou a investir contra mim abertamente.

Lembro bem que até o ministro Tarso queria que eu dissesse com todas as letras que eram do Dantas e do Opportunity os recursos bloqueados. Eu insisti com ele e ponderei para a assessoria de comunicação social: "Fala que é do caso Satiagraha, senão estaremos dizendo de quem é, e ele vai processar todo mundo".

Ainda assim acabei processado. Claramente era seu alvo, além de ser de alguns de seus sócios ou parceiros, inclusive do governo. Essa tática da melhor defesa é o ataque o Dantas sabe usar como ninguém: processar as pessoas para que não tenham tempo de pensar em outras coisas é uma estratégia de razoável eficiência para os abastados. Fui processado pelo Dantas, que não se conformou com o bloqueio do dinheiro no exterior e com a nota à imprensa, divulgada pela assessoria de comunicação do ministério informando o fato. Ele representou contra mim na Justiça em Brasília e no próprio Ministério da Justiça. Na Justiça, após eu apresentar defesa em primeira instância, o mandado de segurança foi denegado, mas, preservando a tática, ele recorreu com o Dório Ferman, e o caso está parado há três anos no TRF. No ministério, coincidentemente, o ministro Luiz Paulo, aquele que creditava a Dantas a minha sina, arquivou durante as minhas férias forçadas, após aquele vazamento, quinze dias antes da minha saída, quando eles não precisavam mais de motivos e certamente já deveriam saber que meu destino estava traçado. Isso faz parte. Eu sempre disse que na polícia existem processos que, pela circunstância, tipo e autor, acabam sendo currículo. Dentre eles, tive esse e um do Maluf na época da máfia dos fiscais – aliás, na agradável companhia do atual ministro da Justiça, José Eduardo Cardozo, e dos promotores do Gaeco de São Paulo, José Carlos Blat e Roberto Porto.

Com relação ao bloqueio de Dantas, com um recurso de seus advogados, no início de março de 2009, o Tribunal Distrital de Columbia, nos EUA, desbloqueou os bens do Opportunity Fund, alegando que a justiça americana "só teria competência para manter a ordem de bloqueio se Dantas tivesse sofrido condenação definitiva no Brasil". Mas, com imediato recurso apresentado por nós juntamente com a autoridade central norte-americana, os bens foram rebloqueados, pelo menos até maio. Eu estava na China, visitando um templo budista com os policiais daquele país, no exato momento em que recebi a notícia.

Em meados de maio, a justiça americana adiou sua decisão, mantendo o bloqueio, no mínimo, até setembro de 2009, coincidentemente, mês em que a PF deflagrou as operações Trovão e Wei Jin, onde prendeu o Paulo Lee anunciando que ele era um "dirigente de uma associação da colônia chinesa e professor de lutas marciais". Nenhuma palavra ou qualquer insinuação sobre "máfia".

O centro da disputa era a questão de se ter ou não uma sentença transitada em julgado, o que, se for valer nesses casos que envolvem grandes grupos financeiros ou organizações criminosas com lavagem de dinheiro, jamais teremos êxito. Para tanto, temos a Convenção das Nações Unidas Contra o Crime Organizado, conhecida como Convenção de Palermo, que prevê a possibilidade de bloqueio antecipado de bens sem sentença com trânsito em julgado.

Nisso nos baseamos para manter a decisão e assim fomos obtendo êxito, inclusive porque, em caso contrário, caberia uma reclamação formal à ONU sobre o descumprimento de sua convenção pelos EUA, fato que acarretaria enorme embaraço político e desconforto internacional para as autoridades norte-americanas e ainda geraria um grave sinal que contrariava todo o discurso daquele país, qual seja: com uma decisão dessas, estaria aberta a porteira para a maior e mais segura lavanderia de dinheiro do mundo. Justamente no país que vive impondo regras e sanções aos outros, inclusive e principalmente após a forte atuação do Banco Mundial, do BID, do G8 e das 40 + 9 recomendações do Financial Action Task Force ou Grupo Ação Financeira Internacional – FAFT/GAFI – um organismo intergovernamental que tem por objetivo conceber e promover, em nível internacional, estratégias contra o branqueamento de capitais e o financiamento do terrorismo. Abalaria inclusive sua condição de todo-poderoso no Conselho de Segurança das Nações Unidas.

Ressalte-se que as autoridades estadunidenses, responsáveis pela cooperação conosco, eram, assim como nós, muito interessadas nisso. Pagariam um alto preço se sua justiça mudasse o entendimento. Essa disputa era acirrada, e nós sempre enviando sinais de que recorreríamos formalmente à ONU se sua convenção não fosse respeitada, numa questão que era vital. Para encurtar, tão logo eu saí da secretaria, aproximadamente um mês após, os EUA desbloquearam os recursos do Opportunity, e o Brasil, através de meu substituto, apenas lamentou em uma notícia sobre o fato. Nenhum gesto institucional ou formal de indignação do Brasil quanto a isso. Era uma oportunidade de ouro para mostrar ao mundo a porteira que os americanos estavam abrindo para o dinheiro do terrorismo e da lavagem. Mas, ao contrário de qualquer reclamação ou chiadeira, uma parcela desses recursos apareceu depois na conta de campanha do PT à Presidência da República. Estupefato, fui entendendo minha queda e aquele silêncio.

A guerra contra mim, pelo jeito e pelas datas, cronologicamente, já tinha se iniciado antes, quando mandei apurar uma denúncia do jornal *Folha de S. Paulo* de 24.07.2008. Ali acabei atirando no que vi e, por mandar aprofundar a investigação, acertei no que não vi: a conta do Mensalão no exterior, que explicarei mais à frente.

A matéria da *Folha* era uma denúncia muito grave. Confira:

"Órgão do governo arquivou processo contra Opportunity

Banco é suspeito de fazer remessas ilegais para o exterior; secretário nacional de Justiça vai abrir investigação interna
Paralisação foi feita no DRCI durante a gestão de Antenor Madruga, atualmente sócio de um dos principais advogados de Daniel Dantas

Alan Gripp / Andréa Michael
Leonardo Souza / Da sucursal de Brasília

O secretário nacional de Justiça, Romeu Tuma Junior, determinou a abertura de investigação interna para apurar se o banco Opportunity, de Daniel Dantas, foi favorecido em processos paralisados no DRCI (Departamento de Recuperação de Ativos e Cooperação Jurídica Internacional), órgão do Ministério da Justiça subordinado à secretaria.

O anúncio foi feito depois que a *Folha* procurou o secretário questionando dados sobre um processo engavetado no DRCI contra a instituição financeira, apesar das suspeitas de que o banco fizera remessas ilegais de brasileiros para paraísos fiscais.
A investigação contra o Opportunity foi paralisada na gestão de Antenor Madruga, hoje sócio de um dos principais advogados de Daniel Dantas, Francisco Müssnich, que é namorado da irmã do banqueiro, Verônica Dantas.
Procurado pela *Folha*, Tuma Junior informou que localizou o processo no arquivo do DRCI e que, por isso, ordenou a abertura de uma sindicância. "Realmente há um procedimento antigo, sem solução, arquivado irregularmente. Vamos instaurar um procedimento para apurar consequências, extensão e profundidade dos fatos.

Alerta da CGU

Em 2003, o ministério recebeu um comunicado da CGU (Controladoria Geral da União) alertando sobre a suposta existência de aplicações de brasileiros em um fundo aberto pelo Opportunity exclusivamente para nao-residentes no Brasil (isentos de Imposto de Renda).
O Opportunity Fund foi aberto nas ilhas Cayman, um paraíso fiscal. O caso foi repassado ao DRCI e, pouco depois, arquivado após um despacho de Madruga.
Ele comandou o DRCI desde a sua fundação, no início de 2004, até março de 2007. Poucos meses depois de deixar o ministério, tornou-se sócio do escritório Barbosa, Müssnich & Aragão Advogados, que tem entre os seus fundadores Francisco Müssnich. Müssnich defendeu o Opportunity, entre outras causas, em processo na CVM (Comissão de Valores Mobiliários), que tratava exatamente do Opportunity Fund.

Em setembro de 2004, a CVM decidiu multar, por unanimidade, o grupo Opportunity em R$ 480 mil.

As penalidades foram aplicadas a Verônica Dantas, Dório Ferman (presidente do Opportunity) e a três empresas do grupo, por operações que teriam desrespeitado normas do Banco Central e a legislação fiscal. As multas foram canceladas após recurso interposto por Müssnich no Conselho de Recursos do Sistema Financeiro Nacional, o Conselhinho.

A sindicância aberta na Secretaria Nacional de Justiça vai apurar de quem foi a responsabilidade pelo arquivamento da denúncia encaminhada pela CGU e se ele foi feito indevidamente. Se a apuração concluir que houve favorecimento ao Opportunity dentro do DRCI, o ministério poderá enviar uma representação criminal ao Ministério Público.

O DRCI é o órgão do Ministério da Justiça responsável por firmar acordos de cooperação internacional e por tentar, entre outras funções, repatriar os recursos que deixaram o país ilegalmente.

Operação

A descoberta das supostas fraudes no Opportunity Fund está entre as acusações que levaram a Polícia Federal a deflagrar na última terça-feira a Operação Satiagraha. Daniel Dantas, Verônica, Ferman e mais 14 pessoas foram presas acusadas pelos crimes de corrupção, sonegação fiscal, evasão de divisas e crime contra o sistema financeiro. Todas as pessoas ligadas ao Opportunity foram liberadas menos de 48 horas depois pelo presidente do STF (Supremo Tribunal Federal), Gilmar Mendes.

O processo na CVM foi aberto a partir de denúncias feitas pelo empresário Luiz Roberto Demarco, ex-sócio do Opportunity e adversário declarado de Daniel Dantas. Demarco informou à CVM que havia investido US$ 500 mil em vários subfundos do Opportunity Fund, em Cayman, em 1997. Ele também disse que o banco admitia brasileiros em aplicações criadas para residentes no exterior, desrespeitando a legislação brasileira. E entregou à CVM cópias de fac-símiles, e-mails e as planilhas das aplicações.

Em depoimento à comissão, a então funcionária do Opportunity Rosângela Browne confirmou que preencheu dois documentos de subscrição do fundo para Demarco, "destinados à aplicação nos subfundos do Opportunity Fund Money Market e Brazilian Hedge".

Aliás, esse meu caso é tão escrachado, é tão esdrúxulo, deixa tão clara a armação do Planalto com a PF para me atingir, que eu reproduzo logo à frente um trecho do relatório do delegado que presidiu o inquérito – que precisei implorar na justiça para ser instaurado – objetivando apurar o vazamento criminoso e seletivo dos "grampos" contra mim. Registre-se antes, porém, que existe uma fila de repórteres intimados para serem "indiciados" na PF pelos mesmos crimes, e no meu caso com um agravante: o próprio DG da PF disse que o jornalista foi à sede da polícia com uma cópia dos autos "embaixo do braço", o que já tipificaria, no mínimo, o delito capitulado no artigo 180 do Código Penal, ou seja, receptação.

Transcrevo parte de uma representação que formulei já em juízo, onde aponto a descabida e inadmissível falha na investigação, donde se deve observar bem o que acaba por admitir a digna autoridade policial:

"...O requerente, conforme é de conhecimento comum, foi vítima de uma massacrante sequência de reportagens caluniosas e campanha midiática capitaneadas pelo jornal *O Estado de S. Paulo*, com base em informações que teriam sido criminosamente vazadas da "Operação Trovão" (Procedimento Criminal Diverso nº 0011923-07.2008.4.03.6181 – 3ª VCF/SP), que tramitou no Setor de Inteligência Policial da Superintendência Regional da Polícia Federal, em infringência ao previsto no art. 10, da Lei nº 9.296/1996 e ao art. 325 do Código Penal Brasileiro.

Inconformado com a total ausência de providências por parte das autoridades federais em determinar a cabal apuração dos fatos (conhecedoras, há muito, do vazamento, como melhor veremos adiante), o requerente solicitou providências, em 07.05.2010, diretamente a esse MM. Juízo da 3ª Vara Criminal Federal de São Paulo (doc. 01), nos seguintes termos:

Postular a adoção de medidas para apurar a responsabilidade criminal pelos vazamentos de informações sigilosas ocorridos nos presentes autos, de forma a cessar a odiosa prática e fazer valer a garantia constitucional de proteção à intimidade, honra e vida privada, possibilitando, ainda, eventual adoção de medidas judiciais.

Destarte, foi determinado pelo MM Juízo da 3ª Vara Criminal Federal de São Paulo (no bojo do Processo nº 0010296-31.2009.4.03.6181), e também atendendo a pedido da defesa de Parte naquele Processo, inclusive mediante a juntada dos documentos anexados pelo requerente na Petição supracitada, que o criminoso vazamento fosse investigado (doc. 02):

"*... tendo em vista as constantes notícias veiculadas pela imprensa, por todos os meios de comunicação, determino, nos termos do artigo 5º, II, do Código de Processo Penal, seja expedido ofício à Superintendência da Polícia Federal a fim de que seja instaurado inquérito policial para apurar eventual vazamento de informa-*

ções e interceptações sigilosas constantes destes autos, remetendo-se cópia de fls. 1460/1470.

Atendendo à determinação judicial, expressa no Ofício nº 2090/2010/APR-S.3 – 3ª VCF/SP, de 14.05.2010 (doc. 03), a Autoridade Policial instaurou, em 17.06.2010 (ou seja, mais de trinta dias depois), o Inquérito Policial nº 1.713/2010-1 – SR/DPF/SP, Processo nº 0002293-19.2011.403.6181 – 5ª VCF/SP, que, dentre as parcas providências, requereu ao juízo da 3ª VCF/SP dados referentes às investigações que geraram a ação criminal nº 0010296-31.2009.403.6181 (2009.61.81.010296-5), a qual foi deferida com a seguinte recomendação do Ministério Público Federal, exarada em julho de 2010 (doc. 04):

O MPF, as fls. 1784/1785, manifestou-se no sentido de que os autos fossem disponibilizados à Autoridade Policial para exame, anotando que deve também ser dirimida a hipótese do vazamento ter ocorrido em repartição interna da Polícia Federal.

Ressalte-se que o requerente, em que pese vítima do vazamento e diretamente interessado no deslinde da apuração e, principalmente, no efetivo auxílio às investigações, teve seu pedido de vistas (efetuado em 23.06.2010) indeferido pela Autoridade Policial ao argumento de que:

Tendo em vista que a *notitia criminis* protocolizada sob o nº 08500.037672/2010-21 não se trata de investigações "contra" Romeu Tuma Jr., indefiro vista, já que se trata de investigação que corre sob segredo de justiça.

Desta forma (pasme-se!), com apenas duas diligências (o pedido de informações ao Juízo da 3ª Vara Criminal Federal e a oitiva, por precatória, do DPF Rodrigo de Campos Costa) efetivamente procedidas, e em poucos meses de tramitação, ao invés da cabal apuração da criminosa violação do sigilo das informações e das interceptações telefônicas que integram o referido PCD, o apuratório foi arquivado, sem que ao menos se reduzisse a termo as declarações dos jornalistas responsáveis pela publicação das matérias veiculadas, ou mesmo da(s) vítima(s) ou de eventuais responsáveis pelo vazamento ou testemunhas úteis à elucidação, ao pífio argumento de que:

"Ao término das possíveis diligências e analisando o contexto de toda a investigação não é possível ser apontado o autor do vazamento dos diálogos para a imprensa. Válido ressaltar o contorno político de que se investiram as operações retro mencionadas, na medida em que surgiu como alvo o então Secretário Nacional de Justiça Romeu Tuma Junior. Certo é que novas oitivas de jornalistas e advogados seriam improdutivas em razão do sigilo previsto para o desempenho de suas atividades".

Note-se bem: diferentemente de todos os Inquéritos Policiais (e não são poucos) originados da indigitada Operação Trovão, o presente apuratório tramitou brevemente, com apenas duas – isso mesmo: duas! – diligências e um só pedido de prazo.
A primeira das (duas) diligências foi prontamente atendida pela própria 3ª Vara Federal, em deliberação de 29.07.2010:

Trata-se de pedido formulado pela Autoridade Policial que preside o Inquérito policial nº 2-1713/10 para que sejam fornecidos diversos dados referentes às investigações que geraram a ação criminal nº 2009.61.81.010296-5. O MPF, às fls. 1784/1785, manifestou-se no sentido de que os autos fossem disponibilizados à Autoridade Policial para exame, anotando que deve também ser dirimida a hipótese do vazamento ter ocorrido em repartição interna da Polícia Federal. Razão assiste ao Douto Procurador da República. Defiro a consulta aos autos n°s 2009.61.81.010296-5 (ação penal) e 2008.61.81.011923-7 (interceptação telefônica) à Autoridade Policial, Dr. Thiago Henrique Peres Meireles, salientando-se que os mesmos ainda correm com sigilo de documentos.

Compulsando os Autos (do IPL nº 2-1713/10), constata-se que nesse Inquérito Policial estava delineado de forma bem clara um fato típico, que deixou vestígios e, portanto, com reais possibilidades de se encontrar o autor, partindo-se do crime para o criminoso, percorrendo a trajetória da boa prática de Polícia Judiciária eficiente e republicana, que infelizmente a autoridade dsprezou. Não quis identificar e responsabilizar o criminoso pelo vazamento.

Ora! A Autoridade relata o "término das possíveis diligências" (que não efetuou), reconhece, na forma de "confissão", o "contorno político de que se investiram as operações", e, finalmente, conclui como certo que "novas" (como se tivesse feito alguma durante as pseudoinvestigações!) "oitivas de jornalistas e advogados seriam improdutivas em razão do sigilo previsto para o desempenho de suas atividades" (doc. 05). Ou seja, sequer foram ouvidos os policiais ou funcionários que participaram das buscas, das escutas e das investigações ou que manusearam os autos, como recomendaram o próprio Ministério Público Federal e a M. Magistrada!..."

Tanto pressionei que em 26 de agosto daquele ano, ou seja, um mês depois da nossa atuação na Satiagraha, a PF instaura às pressas um Procedimento Criminal Diverso, um procedimento absolutamente anômalo, sem nenhuma previsão no Código de

Processo Penal que ela mesmo batizou, sem até hoje explicar o porquê da escolha do nome, de Operação Trovão.

Sobre esse PCD, apresento um resumo para que se tirem as próprias conclusões:

OPERAÇÃO TROVÃO

Como a Polícia Federal induziu o Ministério Público e a Justiça Federal a darem seguimento a uma investigação viciada e de interesses escusos

A Operação Trovão teve início em 26.08.2008, exatamente um mês após eu descobrir aqueles processos engavetados pela antiga direção do DRCI que eu havia afastado e mandar cópia ao ministro propondo apuração, bem como um mês também após a descoberta das contas do Opportunity, quando o DPF Rodrigo Campos Costa representou pelo monitoramento telefônico, em face da notícia de indícios de corrupção envolvendo policiais federais da SR/SP (distribuída para a 3ª VCF/SP), levantados durante o monitoramento da Operação Persona, que a antecedeu, sem contudo guardar qualquer conexão com a Trovão.

Registre-se também que essa representação, despachada em tempo recorde pela promotoria e pela magistrada, sem fundamentação e sem inquérito instaurado, data também de um mês após eu ter enviado os técnicos do DRCI para descobrirem, nas caixas "lacradas" após a Operação Satiagraha, os números das contas de Daniel Dantas para provocar o bloqueio. Ressalte-se que um dos técnicos, o mais antigo e experiente da secretaria nacional na área de Cooperação em Matéria Penal, aquele que ali estava desde o início das atividades do departamento, foi pressionado a se demitir após algum tempo da minha saída, limando assim a memória viva do departamento. Trata-se de Leonardo Couto.

No monitoramento da Operação Persona apurou-se "possível existência de esquema de facilitação de passaportes". Foi claramente identificado o agente de viagens Fábio (da empresa Cantatur Viagens) e citados os servidores da PF: Leal (em tese, Roberto Leal de Araújo, APF aposentado); Paulinho Careca (em tese, Paulo Marcos dal Chicco, motorista oficial); e Tião (em tese, o APF Sebastião Monteiro Júnior, lotado na Interpol), e ainda um servidor de nome Eri, não identificado pelo analista. Registre-se que o ofício comunicando os indícios de corrupção foi encaminhado para o setor de Inteligência Policial da SR/DPF/SP pela coordenadora (delegada Érika) da Operação Persona, em 18.07.2007, ou seja, um ano e quarenta dias antes do pedido oficial de monitoramento, datado de 26.08.2008.

Contexto: de fato, em meados de 2007, a PF enfrentou graves problemas, criados, diga-se, por absoluta incompetência administrativa na emissão de passaportes, conforme pode ser verificado no amplo destaque dado pela imprensa à época. A situação só se estabilizou no final daquele ano, com a criação do agendamento pela internet, vigente até hoje. Evidente que esses fatos eram de conhecimento da Inteligência, que funciona no mesmo prédio do setor de Passaportes.

Já a informação do analista (que analisa o "esquema" de Fábio e identifica as pessoas, em tese, de Leal, Eri, Tião e Paulinho Careca), elaborada em 25.08.2008, não requereu nenhum esforço ou diligência extraordinária. Todos os identificados são policiais/servidores conhecidos na superintendência em São Paulo, pois lá trabalham há mais de 15 anos. A análise também não traz as degravações, mas apenas o resumo feito pelo analista da Operação Persona.

Abro um parêntesis para salientar que a tal Operação Persona pode ainda ser considerada nula por ter se iniciado com base em denúncias anônimas, assim como se iniciou a forjada Operação Trovão, onde, como já demonstrei, utilizaram denúncias apócrifas, inclusive inutilizadas na própria Persona, para justificar a instauração do anômalo Procedimento Criminal Diverso – PCD contra mim.

Que fique claro que o fato de se utilizar denúncias anônimas para se iniciar um inquérito, um procedimento de polícia judiciária, uma apuração do Ministério Público ou um processo, traduz preguiça, incompetência ou armação, pois basta que essa denúncia seja submetida a uma investigação preliminar, checagem legitimada por uma ordem de serviço e um consequente relatório de investigação, subscrito por policiais designados para tal fim, confirmando a procedência ou, ao menos, indícios de veracidade, que ela já deixa de ser anônima.

Isso não foi feito na Persona e tampouco na Trovão. Num país sério, tudo seria anulado. E os preguiçosos, para dizer o mínimo, seriam responsabilizados.

Observe aqui como funciona a agilidade da PF: nesse caso, já no dia seguinte, o pedido de monitoramento dá entrada no Judiciário. Tudo indica que o despacho foi feito pessoalmente pelo delegado, com o representante do MPF e com a juíza da 3ª VCF, pois no mesmo dia o MPF já havia concordado, e no dia seguinte (27.08.2008) o pedido já estava autorizado pela Justiça. Uma informação fica um ano e dois meses parada e em apenas dois dias já se autoriza uma quebra de sigilo telefônico de forma nada criteriosa e visivelmente açodada.

Observo que a Operação Satiagraha foi deflagrada em 08.07.2008, 50 dias antes do início das investigações da Operação Trovão. A investigação interna, que eu anuncio para identificar o motivo de terem ficado engavetados no DRCI alguns processos de interesse do Opportunity, deu-se 30 dias antes da Operação Trovão. Descobre-se que, dentre esses processos, está um da possível conta do Mensalão no exterior, mencionada na já referida matéria da *Veja*.

Além desses, vários e estranhos outros fatos chamam a atenção:

Questiono por que, com quatro pessoas (em tese) identificadas, somente é pedida a quebra de sigilo do APF Sebastião. Respondo: no mais rudimentar exercício de lógica policial, o monitoramento deveria se iniciar (1º) pelo próprio agente de viagens Fábio, que era quem teria trânsito e obteve vantagens junto a policiais federais; (2º) pelo motorista Paulinho, o único que trabalhava na Delemig, que é a delegacia responsável pela expedição de passaportes, e continuava trabalhando no mesmo prédio; (3º) pelo APF Leal, único que trabalhava com passaportes (a informação da delegada Érika relata que ele havia sido transferido para Alphaville, onde funciona um dos postos de Passaporte da Polícia Federal). Lendo-se com atenção os diálogos juntados aos autos, nota-se que os principais envolvidos (em tese) são Leal e Eri. Consta dos autos que Leal teria sido "TRANSFERIDO PARA ALPHAVILLE POR CAUSA DO ENVOLVIMENTO COM A VENDA DE SENHAS". Ao mesmo tempo, Sebastião é citado apenas uma vez nos diálogos, como eventual "quebra-galho".

Para dar sustentação ao seu pedido, o delegado Rodrigo junta denúncia anônima (datada de março de 2007) relacionada à pessoa de Tânia (em tese, chefe do setor de Passaportes naquele período) e ao APF Aguirre (funcionário do setor de Passaportes); denúncia recebida via e-mail, envolvendo o policial Leal (pasme! de fevereiro de 2006); e a denúncia de venda de senhas na porta da superintendência pelo proprietário de um veículo de placas BFB-9792 (25.07.2007), dado que sequer foi pesquisado. Aliás, nenhuma pesquisa ou levantamento foi feito. Absolutamente nada!!!

Ou seja, o policial Sebastião é citado apenas uma única vez, e com envolvimento distante dos eventuais responsáveis. Entretanto, o que não consta dos autos é que, de todos os citados envolvidos, somente o APF Sebastião é amigo pessoal e parceiro de trabalho do APF Paulo Guilherme Mello Dias, que, desde 17.03.2008 (DOU, seção 2, pág. 23), estava cedido à secretaria nacional de Justiça – a pedido do próprio secretário Romeu Tuma Jr., com quem já havia trabalhado e com quem também mantém relações de amizade e pessoais – por ordem do diretor geral da PF, para permanecer em São Paulo.

Por que iniciar uma investigação somente um ano e 40 dias após a denúncia formal de um possível "esquema" de burla à fila de passaporte, jogando-se por terra o princípio básico da atividade policial, que é o "princípio da oportunidade", e quando a situação no respectivo setor já está totalmente normalizada?

Respondo: porque até então não havia interesse em deflagrar esse tipo de operação (e nem havia de ter, pois a emissão de passaportes já estava totalmente normalizada). Esse interesse só apareceu quando se vislumbrou a possibilidade de, através da continuidade dos monitoramentos, chegar rapidamente e de forma dissimulada ao secretário Romeu Tuma Junior, através de seu assessor Paulo Guilherme, amigo pessoal de Sebastião e de Romeu.

Por que dar o nome de Operação Trovão a uma investigação iniciada para esclarecer possíveis irregularidades ligadas a "furar fila" na expedição de passaportes?

Hoje a intenção fica bem clara: era uma operação que atingiria o alto escalão do Ministério da Justiça e faria muito barulho, o que de fato veio a ocorrer, com a campanha apoiada pelo jornal *Estadão*, para quem foi vazada a investigação sigilosa pela PF, quase dois anos após ser iniciada e quase um após ser encerrada.

Em 15.09.2008 é dado o nome à operação, é feita a prorrogação do grampo ante a falta de diálogos, e a inclusão do aparelho Nextel de Sebastião, sob o argumento de ser o equipamento com que ele habitualmente se comunica, via rádio, com Paulo Guilherme.

O analista informa que Sebastião é o principal alvo da operação, aponta dois recados (um de seu filho de seis anos e outro de um amigo de Goiás que pede "ajuda") e solicita a quebra de sigilo de mais dois telefones por ele utilizados! Que fique bem claro: trata-se de grampo do diálogo entre o filho de Sebastião com a secretária eletrônica do telefone do pai, na verdade um monólogo infantoeletrônico. Seria mais honesto dizer que se tratava do único alvo da operação, ou de um caso típico do "grampo tabelinha", já explicado anteriormente.

É o típico e moderno "pau de arara" virtual, ferramenta de trabalho implantada, implementada e indiscriminadamente utilizada com o propósito de se obter confissões, sem qualquer outra investigação comprobatória, pela polícia dita republicana e serviço do governo PTralha.

Aí começa o induzimento, além da leniência, que eu reputo tão grave quanto o primeiro. Sem absolutamente nenhum indício, o MPF se manifesta pela manutenção do grampo nesses termos: "*Ele utiliza esse equipamento apenas para receber mensagens e caixa postal. Dentre elas, uma mensagem de um certo Danilo menciona uma 'ajuda' que o alvo poderia realizar. Tal fato merece ser investigado em profundidade, já que indica que as suspeitas iniciais são relevantes*". Ou seja, em outras palavras: a absoluta falta de indícios é um forte indício! Onde nós estamos?

Em 22.09.2008, leniente decisão do juiz no mesmo sentido. Somente em 17.10.2008 – apesar do relatório do analista não trazer nenhum fato digno de ser considerado indício – é pedida a quebra de sigilo de Paulinho Careca. O ofício do delegado traz mais uma curiosidade: a linha telefônica xxxx.xx29, de Sebastião, foi desligada no mesmo dia em que o monitoramento da linha Vivo xxxx.xx73 foi prorrogada. Esta linha e a linha xxxx.xx70, também de Sebastião, foram mantidas desligadas durante todo o período monitorado. Outra linha, de Tininha (xxxx.xx53), também foi desativada no período.

Logo em seguida, "minuciosa" e fundamentada cota do MPF: *"Opino pelo deferimento do requerido à fl. 84, ante o caráter de imprescindibilidade para o sucesso dessa investigação"*.

Decisão da juíza: *"Existem fundadas suspeitas de que Sebastião Monteiro Jr. faça parte de um "esquema" de facilitação de obtenção de passaportes dentro de própria Polícia Federal"*.

Por mais que eu ou alguém se esforce, não será possível enxergar qualquer fundamento na decisão. Passados dois meses do início das investigações, não havia qualquer indício que comprometesse Sebastião. Se houve vazamento, isso deveria ser investigado. Se não houve, não existem indícios para prosseguir nas investigações.

Só depois de algum tempo eu descobri, apesar de parecer evidente, que o delegado Jorge Pontes, amigo e devedor do Tião, veio de Brasília para lhe avisar que ele seria monitorado mas que o "alvo" não era ele: o objetivo era chegar em "pessoas de maior escalão". Não foi só uma vez que o delegado Pontes avisou ao Tião que ele seria usado como alvo-laranja. Com o fim da operação, após o vazamento e a minha saída da secretaria nacional de Justiça, o delegado Jorge Pontes, que era chefe da Interpol em Brasília, foi agraciado com a chefia da adidância policial da embaixada do Brasil em Paris.

Ao final, depois de meses grampeado, os investigadores concluíram que Sebastião não cometera qualquer tipo de ilícito.

Nenhuma surpresa, não é? Afinal o delegado Pontes já lhe havia avisado. De estranho, mais um fato: por que a PF grampeou, no meu caso, a delegada que trabalhou comigo na Polícia Civil e namorara o Tião? Para chegar ao irmão dela, que era alguém que o PT também odiava: o delegado Edmilson Pereira Bruno, responsável pela prisão dos "aloprados". Há um ofício do delegado, de 28.11.2008, cuja dedução, conclusão e assertiva são ímpares, incríveis. Diz a autoridade: "*O fato de Sebastião não falar nos seus telefones significa que ele tenta evitar qualquer conversação de cunho criminoso*" (fls. 164). E ainda: *"a necessidade de se identificar o terminal pelo qual o policial federal Sebastião possa estar tramando os atos criminosos que lhe foram apontados"* (fls. 165). Ou seja: se alguém que é escolhido alvo, mesmo que de 'araque", não fala ao telefone, é porque está cometendo crime em silêncio? Essa é magistral! Aliás, o tal princípio constitucional da presunção de inocência foi transformado na presunção de culpa.

No mesmo documento (fls. 175/176) o delegado, baseado nos fatos de que Sebastião e Paulo Guilherme eram amigos, se comunicavam por rádio e esse último tinha sido chefe do setor de Passaportes por muitos anos, pede a quebra de sigilo de Paulo Guilherme. Ou seja, foi incluído na investigação simplesmente por ser amigo de Tião e ter sido chefe do Passaporte! Aqui surge um exemplo do "grampo tabelinha", já explicado anteriormente.

Por que a PF não quebrou então o sigilo da policial Tânia, cujo nome constava da instrução do pedido inicial, e tinha chefiado o setor de Passaportes quando da ocorrência dos fatos?

Respondo: porque o objetivo era chegar a Paulo Guilherme e, futuramente, ao secretário Romeu Tuma Junior, como de fato ocorreu.

Em 25.11.2008, o MPF acompanhou o pedido policial e afirmou que o eventual "esquema" de facilitação de passaportes funcionaria desde 16.05.2007. Que esquema!? Passados três meses, não havia qualquer indício nesse sentido!

O juiz determinou, entre outras várias providências invasivas, a quebra do sigilo dos telefones de Paulo Guilherme, em razão da amizade, e de Maria Angélica Dala, por ser ex-esposa de Sebastião. Fundamentação e justificativas vergonhosas.

Em 13.04.2009, ofício da Inteligência cita as operações Avalanche e Persistência (onde são presos cinco e dois policiais federais, respectivamente): citada a relação entre Sebastião e Paulo Guilherme; citada a relação entre Paulo Guilherme e Paulo Li (ou Lee), descrito como vice-presidente da Associação Geral Brasil-China Comércio, Indústria e Cultura.

Atenção: daqui para frente, chegaram em Paulo Li por acaso, por ele ter falado com Paulo Guilherme. É o tal do "Guardião" operando. Observem por favor quantas vezes ele vai ser tratado como "chefe" ou "membro" de alguma organização mafiosa, ou da tal "máfia chinesa". Estamos a exatos um ano e um mês de o *Estadão* me acusar de ter relações com o chefe da "máfia chinesa" em São Paulo, atribuindo o rótulo à PF, e nenhuma menção a isso é feita nesse ou em qualquer outro procedimento, inquérito ou processo. Até hoje, só no jornal se mencionou a tal "máfia", numa prova inequívoca de que o veículo de comunicação estava combinado com a PF para criar essa rotulação clamorosa. Fosse mentira, teria cobrado os resultados da PF pela "barriga".

Estou resumindo as diligências constantes dos autos para proporcionar ao leitor uma análise de quão inescrupulosa foi a armação perpetrada contra mim na divulgação de fatos distorcidos.

Em 16.04.2009, passados quase oito meses do início das operações, o juiz continua decidindo, com base em suspeitas, que Paulo Careca e Sebastião, mediante pagamento de vantagem indevida, burlavam o agendamento de data para obtenção de passaportes! Entretanto, não existe qualquer indicativo nesse sentido. Como pode, em um estado democrático de Direito, alguém ficar grampeado por oito meses, sem qualquer indício que o incrimine, e permanecer nessa situação?

Em um relatório de Inteligência de 03.05.2009, observa-se os seguintes comentários do analista da PF: "*Apesar de no período em análise não se ter comprovado a participação de GISELE (Glauce) em nenhuma ilicitude aparente, é de suma importância para as investigações a manutenção da referida interceptação. Até o momento não foi observado nenhum tipo de ilicitude que desabonasse a conduta da mesma; entretanto, é importante o monitoramento deste alvo a fim de que possamos tirar conclusões mais apuradas e mais claras das atitudes do mesmo*".

Conclusão: não tem nada, e em razão disso devemos continuar o monitoramento. Na minha opinião, a tipificação penal disso é: abuso de autoridade! Esplendorosamente, o MPF se limita a um: *nada a opor*... Aliás, a delegada Glauce Bruno Kfouri foi mais uma vítima da máquina despudorada de grampos governamentais. Glauce cometeu suicídio em novembro deste ano, jogando-se da sacada do apartamento onde morava, nos Jardins. Ela passara a sofrer perturbações de ordem psicológica por conta da violação de sua vida íntima.

Em dado momento, o analista trata da preocupação de Paulo Guilherme com documentos que tramitam na SR/DPF/SP. O diálogo é com o delegado da PF em Brasília, Reinaldo César, e o documento em questão é de interesse do senador Aloizio Mercadante (seu porte de arma), o que, estranhamente, é deixado de lado na fundamentação da prorrogação da escuta.

Aliás, é deixado de lado em todo o resto da investigação o detalhamento da obtenção daquele porte, cuja taxa eu mesmo paguei e cuja entrega foi realizada em sua residência pelo então superintendente, e hoje diretor, Leandro Coimbra, sem que ele apontasse qualquer advocacia administrativa ou tráfico de influência de sua parte.

O processo todo é fortemente discriminatório: basta ser chinês para ser bandido!

Creio que, contaminados pela proximidade imprudente e temerária com os investigadores, os relatórios e despachos da autoridade judicial são sempre permeados de especulações e de conclusões equivocadas, certamente por induzimento da Policia Federal. Não bastasse, os confusos e frágeis argumentos são utilizados para fundamentar as decisões judiciais.

A justiça muitas vezes me negou acesso ao tal PCD sob a falsa e violenta alegação de que eu não era investigado. A própria PF dizia isso também: "O secretário não é alvo das investigações". Mas em 25.06.09, às fls. 912 do famigerado e anômalo PCD, o delegado afirmava que "os diálogos de Tuma Jr. demandam maior análise".

Ora, a própria justiça autorizava que eu fosse monitorado através de gravações ambientais e quebra do sigilo telefônico. Imaginem então o que deveria ocorrer com alguém investigado, no entendimento da Justiça Federal, de primeiro grau? Quando eu dizia isso, as pessoas não acreditavam. Eis a prova. É bem possível que aquela conversa entre mim e o secretário Pedro Abramovay, que a *Veja* reproduziu em 2010, onde ele acusa o Gilberto Carvalho e a Dilma de encomendar dossiês, tenha sido gravada no contexto de uma dessas medidas invasivas, autorizadas pela juíza do caso sem qualquer fundamentação. As provas dos monitoramentos estão às fls. 586 e seguintes, e às fls. 1.274,1.429,1.516,1.522,1.532,2.268 e seguintes dos autos do anômalo PCD.

Os acontecimentos e as pseudoinvestigações são tão maldosas e criminosamente conduzidas que, em determinado momento, os próprios policiais elucubradores perdem a noção e cometem grave desatino, corroborado pela autoridade judicial: um desavisado agente confessa em um relatório de inteligência, após um ano de espionagem, "não haver nenhum indício de conivência do secretário".

O pior é que essa informação do relatório de inteligência precede o pedido de TEI – Técnicas Especiais de Investigações, com base na Lei do Crime Organizado, a 9034/95.

Ora, a justificativa do delegado e a fundamentação da magistrada se dão em cima de um relatório que diz não haver nada que indique participação do secretário? Aplicar a Lei 9034/95 sem que haja um Inquérito Policial instaurado com fundamento nessa mesma Lei, mas em um procedimento criminal diverso? Uma aberração. Enfim, a polícia passa a ter autorização para implantar escuta ambiental onde bem entender, onde quer que me encontre, a partir de junho de 2009 – inclusive naquele jantar com o ministro Tarso em que Paulo Lee estava presente, no meu aniversário.

Num determinado diálogo, gravado, entre o agente Paulo Guilherme e o cabeleireiro da família Lula da Silva e da presidente Dilma, Wanderlei Nunes, o analista da Polícia Federal, avançando irregular e ilegalmente em suas atribuições, como sempre, insere comentários, chegando ao absurdo de criar novo tipo de análise de inteligência ao comentar: "*é um dos mais badalados cabelereiros do Brasil...*". É o que se pode chamar de comentário de inteligência fashion!

Seria cômico, digno de comédia policial do tipo *Loucademia de Polícia*, não fosse trágico e não tratasse de graves violações dos direitos e garantias fundamentais. Um abuso absurdo, lenientemente acobertado pela autoridade judicial.

DIAGRAMA DE VÍNCULOS

A coisa é tão sórdida que, para impressionar e dar características de um relacionamento malfeitor, sem qualquer base, comprovação ou fatos que justifiquem, chegaram a fazer um diagrama de vínculos, ligando esdruxulamente todos os citados, comigo ao centro, como se tratassem de uma organização criminosa, envolvendo a própria SNJ e seus departamentos – uma irresponsabilidade; a justiça em nenhum momento cobrou a efetiva análise dos reais fatos e vínculos, deixando apenas no desenho geométrico, no próprio diagrama. Por que não me responsabilizaram por nenhuma conduta ilícita? Porque não encontraram. Porque sabiam que não havia. Se a justiça tivesse naquele momento uma verdadeira magistrada, possivelmente o delegado viraria o "alvo" pelos abusos que cometia. Ele seria o responsabilizado, e responderia minimamente por abuso de autoridade.

Com relação ao senhor Fang Ze (Thomaz), este nunca teve nenhuma "mercadoria" apreendida, mas apenas livros fiscais. Ademais, por que a PF não foi atrás de tais "mercadorias" para verificar e apreender, se fosse o caso? Eles sabiam do que se tratava; a distorção era proposital, com o fim de criar argumentos para prosseguir nas escutas e preparar clamor no vazamento.

Após tudo isso, em 17.09.2009 são deflagradas as operações Wei Jin e Linha Cruzada. Dois dias depois, por minha iniciativa, presto esclarecimentos na sede da PF em São Paulo, com a devida ciência do ministro Tarso Genro.

Após oito meses de engavetamento, sem nada comprovado contra mim, e após o PCD ter sido encerrado com despacho do juiz titular da vara federal, eis que ocorre aquele vazamento criminoso, combinado com o *Estadão*. Daí, descobre-se a montagem de documentos sem ordem cronológica, e novo inquérito é instaurado para se apurar as mesmas coisas, simplesmente para dar maior impacto no vazamento junto à opinião pública, fazendo crer que aqueles fatos eram novos, ou como estivessem sendo "descobertos" naquele momento. O *bunker* da PF entrava em ação com a total conivência da Justiça Federal de primeiro grau.

RESUMO

PROCEDIMENTO INVESTIG.
Nº 0005254-64.2010.403.6181 – 3ª VCF – 13.05.2010
DISTRIBUÍDO POR DEPENDÊNCIA AO PCD
Nº 2008.61.81.011923-7 (Operação Trovão).

As fls. citadas referem-se às dos autos.

FLS. 02/03 – OFÍCIO Nº 350/2010 – SIP/SR/SP, de 11.05.2010, DPF Rodrigo de Campos Costa.

– Informa que solicitou o afastamento do sigilo telemático de Paulo Li (Li Kwok Kwen), no dia imediatamente anterior à deflagração da Operação Wei Jin (depois que acessaram ilegalmente seu e-mail, cuja senha haviam obtido por escuta telefônica, quando Paulo passou os dados para a esposa).

– Solicita a instauração do IPL junto a SR/DPF/SP.

FLS. 05 – MEMO Nº 939/2009-SIP/SR/SP, de 27.11.2009, assinado pelo chefe do SIP, DPF Rodrigo Morais Fernandes, direcionado ao SR/SP, encaminhando o MEMO Nº 902/2010, de 12.11.2009, assinado pelo DPF Rodrigo de Campos Costa.

FLS. 06/10 – MEMO Nº 902/2010 SIP/SR/SP, de 12.11.2009, assinado pelo DPF Rodrigo de Campos Costa, encaminhando o Termo de Declarações prestado por Romeu Tuma Jr., em 19.09.2009 (para esclarecimentos dos fatos tratados na Operação Wei Jin), sugerindo investigação em desfavor de Romeu Tuma Jr. e Luciano Pestana Barbosa, em face de "possível existência de recebimento ilícito de valores para praticar ou deixar de praticar atos de ofício".

Obs: nessa mesma data, 12.11.2009, a juíza da 3ª VCF/SP encaminha ao DPF Rodrigo de Campos Costa o ofício nº 5217/2009, solicitando esclarecimentos quanto à denúncia de tortura sofrida por PAULO LI (no dia 21/09/2009), datada de 08.11.2009.

INFORMAÇÕES FALSAS CONSTANTES DO MEMORANDO Nº 902/2009-SIP:

1) Informa que a Operação Trovão tinha como objetivo inicial a coleta de provas em desfavor de Paulo Guilherme de Mello Dias (APF cedido para a SNJ) e Sebastião Monteiro Júnior (APF lotado na Interpol/SR/SP), num possível "esquema de cobrança para emissão de passaportes".

A informação é FALSA: a Operação TROVÃO foi iniciada apenas em desfavor de SEBASTIÃO MONTEIRO JUNIOR, que, aliás, não teve identificada qualquer participação em eventuais delitos. Paulo Guilherme só foi incluído na investigação após, aproximadamente, três meses de iniciada a Operação Trovão, em razão de laços de amizade com Sebastião.

A conclusão de que Paulo Guilherme "burlava o sistema de agendamento de passaportes" não se coaduna com o escopo da investigação, e a instauração de IPL, para apurar a possível prática de advocacia administrativa em seu desfavor, serviu apenas para justificar a Operação Trovão.

2) Informa que Paulo Li foi preso preventivamente por crimes de contrabando, formação de quadrilha e corrupção ativa e que se trata de um dos "principais contrabandistas de celulares de São Paulo".

A informação é FALSA. Paulo Li não foi preso nem denunciado por crime de corrupção ativa e também não se trata de contrabando, mas de descaminho (de celulares). ["2) *Trata-se de ação penal proposta pelo Ministério Público Federal em face de Lee Kwok Kwen, como incurso nos artigos 334, 1º, c) e d), e 288, c.c. 69, todos do Código Penal" (disponível em www.jfsp.jus.br, Ação Penal nº 0010296-31.2009.403.6181, Consulta da Movimentação Número: 42].*

Ao mesmo tempo, o volume de "operações" de Paulo Li (ou Lee) pode ser considerado pequeno. Aliás, em qualquer loja mediana da Galeria 25 de Março, em São Paulo, certamente existe um volume semelhante de celulares à venda em relação aos aparelhos efetivamente apreendidos (com diversos comerciantes e não com Paulo Li, diga-se), ou que tiveram sua introdução fraudulenta comprovada. Realmente Paulo Li defendia interesses da comunidade chinesa, o que é perfeitamente natural e legítimo. A própria Polícia Federal confirma em suas investigações que se trata de um líder comunitário ligado a diversas associações de chineses, conforme apurado na Operação Trovão (cf. fls. 280 e 316, op. Trovão) e reiterado no referido memorando como quem "fora presidente de uma importante associação chinesa na cidade de São Paulo".

3) Informa que as impressões de tela protocolo SIAPRO são de uso privativo da administração pública federal.

A informação é absurdamente FALSA. A movimentação de processos no SIAPRO está regulamentada na Instrução de Serviço nº 14/2008-DPF, que não determina qualquer tipo de sigilo ou mesmo reserva. Os dados contidos no seu bojo indicam apenas a existência de determinado pedido e a sua eventual localização, e são fornecidos pela própria PF e pela Central de Atendimento da SNJ. Tanto isso é verdade que, quando os processos de competência do departamento de Estrangeiros, etiquetados via SIAPRO (sistema utilizado pelo DPF e disponibilizado para a SNJ), ingressam no Ministério da Justiça (que utiliza o sistema MJdoc), eles são incluídos nos bancos de dados e disponibilizados na Internet aos interessados. É o que se chama de transparência. Aliás, a SNJ tem entabulado uma série de reuniões com a PF com a finalidade de unificar os sistemas em face de que o SIAPRO (que tem mais de 20 anos de concepção e uso) já é um sistema obsoleto e pobre em informações, além das normativas do Ministério da Justiça que determinam a utilização do sistema MJdoc por todas as suas unidades. Ou será que o DPF não faz parte do Ministério da Justiça!?

Observação importante: o próprio secretário executivo Luiz Paulo Telles, à época, recebeu do DPF Pontel a informação de que haviam sido localizados diversos extratos de SIAPRO em buscas na residência de Paulo Li, e de imediato esclareceu que, desde a época em que era diretor do departamento de Estrangeiros, no final da década de 90, o fornecimento dos extratos já era um procedimento usual.

4) O delegado conclui que existe pelo menos um caso de favorecimento de pleito de Paulo Li em um processo de naturalização.

A informação é FALSA. Paulo Li efetuou consultas ou procurou informações relacionadas a pouquíssimos processos, e sempre na condição de representante de Associação Cultural de Chineses, além do que existe uma distância muito grande entre o que Paulo Li pede e o que de fato é atendido. Os dois casos citados nos autos e na mídia já se encontravam deferidos quando Paulo Li solicitou informações sobre o seu andamento. Não existe nos autos qualquer pedido de "agilização", e boa parte dos casos amealhados no expediente estão relacionados a "anistia" concedida aos estrangeiros irregulares, de competência do departamento de Polícia Federal, conforme claramente explicitado na legislação pertinente. Ao mesmo tempo, solucionar os problemas relacionados a estrangeiros é atribuição do DEEST e da SNJ, inclusive no âmbito dos órgãos que também se relacionam com o assunto e interagem, como a coordenação geral de Imigração do próprio DPF, a coordenação de Imigração do MTE, a divisão de Imigração do MRE e o conselho nacional de Imigração (CNIg).

A SNJ atende semanalmente dezenas de pedidos de associações diversas relacionadas a estrangeiros (a exemplo do Centro de Apoio ao Migrante – CAMI e Pastoral do Imigrante, em São Paulo, Instituto de Migrações e Direitos Humanos – IMDH, em Brasília, associações de coreanos, paraguaios, nigerianos etc., consulados, embaixadas, parlamentares, CNIg e outros).

Evidente que, se Paulo Li, em tese, obtinha algum tipo de vantagem, isso não era de conhecimento do secretário Tuma Jr. ou do diretor Luciano Pestana. Da mesma forma, ressalte-se, não existe qualquer prova de atendimento privilegiado. O que existe são meras suposições, de cunho pessoal, claramente viciadas em seu conteúdo.

5) Delegado afirma que Romeu Tuma Jr. apresentou diversas contradições quando ouvido, espontaneamente, em declarações.

As conclusões são FALSAS. (a) O fato de Tuma Jr. ter solicitado um aparelho celular a Paulo Li não significa que ele tenha conhecimento de suas atividades relacionadas a descaminho.

(b) O cartão de visitas utilizado por Paulo Li, como assessor do SNJ, tem um padrão diferente do utilizado pelo secretário e assessores de Tuma Jr. e do próprio MJ. Se eventuais cartões foram utilizados por Paulo Li (há provas da existência do cartão, mas nenhuma prova de que tenham sido apresentados para alguém), isso ocorreu à revelia de Tuma Jr. Entretanto, é de se ressaltar que Paulo Li efetivamente foi assessor parlamentar de Tuma Jr. quando este foi deputado estadual em São Paulo, e que ambos mantêm laços de amizade.

(c) Paulo Li nunca encaminhou qualquer tipo de lista para Tuma Jr. ou para Luciano Pestana. Os pedidos (de andamento de processos, e não de agilização) eram esporádicos e pontuais, e normalmente relacionados a casos antigos de pessoas (evidente que chineses) que procuravam a sua associação. Se os responsáveis pela investigação se preocupassem em pesquisar as "listas" encontradas com Paulo Li, iriam perceber que se tratam, na maioria, de processos de estrangeiros beneficiados pela "anistia", procedimento de competência instrutória e decisória do departamento de Polícia Federal, nos termos da legislação pertinente.

Ao departamento de Estrangeiros restou apenas uma competência residual, para casos omissos, e, dos casos até hoje analisados, não houve nenhum caso deferido que envolvesse chineses.

Comentário: o difícil é o delegado explicar por que o depoimento espontâneo de Tuma Jr. não foi anexado aos autos das investigações relacionadas à Operação Wei Jin, ou ao inquérito que apura fraude em face da anistia, também atribuído a Paulo Li, suprimindo importante prova que deveria, obrigatoriamente, ser levada a conhecimento do MPF e da Justiça Federal. Ademais, como pode haver contradição em algo que não foi sequer juntado aos autos? E, ainda que houvesse, para que serve "aditamento" de oitiva? Esclarecimentos adicionais? Acareação, se fosse o caso de alguém ter dito algo que fosse contraditório? E ainda: por que não indiciou Tuma Jr.?

6) O delegado afirma que Romeu Tuma Junior em momento algum figurou como alvo dentro do procedimento de investigação principal, qual seja a Operação Trovão.

A informação é absurdamente FALSA. A Operação Trovão perdurou por mais de um ano, e Romeu Tuma Junior também foi alvo de investigação, pois nos autos afirma-se que: (a) os diálogos entre Paulo Guilherme e Tuma Jr. demandam maior análise (cf. fls. 912, op. Trovão); (b) foi pedida colocação de escutas no automóvel de Paulo Guilherme em face de ser o veículo onde ele transporta seu chefe (Tuma Jr.) e seus assessores (cf. fls. 1273 e 1518, op. Trovão) e poderiam *"ocorrer diálogos relevantes"*; (c) é pedida a quebra do sigilo dos extratos telefônicos de quatro telefones de Romeu Tuma Jr. (cf. fls. 1274, op. Trovão), entre outras citações. Foi realizado monitoramento físico em bares, restaurantes e locais frequentados por RTJ e PG, conforme consta dos autos.

Obs: a Inteligência da Polícia Federal se utiliza da doutrina da "análise lógica dedutiva e cronológica dos acontecimentos". A título de ilustração, nos autos do PAD nº 013/2007-COGER, em desfavor do delegado executivo Zulmar Pimentel, que havia sido denunciado e afastado em razão de suspeita de vazamento de informações, a subprocuradora da República, Lindora Maria Araújo, afirmou que *"desconhecia o referido método, mas, depois de conhecer, o desaprova"* (Relatório do PAD disponível na Internet).

FLS. 11/13 – Termo de Declarações prestado por Romeu Tuma Jr., espontaneamente, em 19.09.2009, em face dos fatos tratados pela Operação Wei Jin.

Comentário: o Termo nunca foi juntado nos autos da Operação Wei Jin. Deveria ter sido instaurado inquérito para apuração de crimes de prevaricação e abuso de autoridade.

FLS 14/119 – Auto Circunstanciado – Operação Trovão

FLS. 16 – Afirmação do analista: *"O foco principal da Operação Trovão repousa sobre atos de corrupção praticados por policiais federais ativos e aposentados desta superintendência"*.

Comentário: a informação do analista é propositadamente genérica. Em tese, a Operação Trovão nasceu para investigar "*possível esquema de facilitação de passaportes*".

RELATÓRIO DE ANÁLISE DE E-MAILS ENTRE TUMA JR. E PAULO LI

Aqui demonstra-se com clareza o quanto era espúria aquela diligência realizada no meu gabinete, com a conivência do ministro, um ano após os fatos, objetivando invadir e "espelhar" meu computador sem ordem ou autorização judicial.

Primeiro, porque eles tinham todos os e-mails que, porventura, eu pudesse ter trocado com os investigados, pois seus computadores foram apreendidos. Segundo: nos próprios autos isso está provado com a juntada que fizeram, como se pode notar no relatório abaixo.

Qual era o objetivo, então? Especular, buscar novos fatos, espionar, procurar algo que comprometesse o próprio ministro e o presidente. Ou alguém vai acreditar que, após um ano de uma investigação absurda daquelas, alguma autoridade com o mínimo de tirocínio encontrará algo em um computador? Era só para criar novo clamor público, desta feita às vésperas da minha ida à Comissão de Ética Pública e da minha volta.

Aliás, a PF se especializou em realizar buscas e prisões para depois iniciar investigações. É o legado dessa nova polícia. Aquelas em que trabalhei e as que eu conheço, primeiro investigam para depois realizarem buscas e prisões. Credite-se uma boa parcela disso também à conivência de alguns juízes que, ao invés de atuarem como magistrados, atuam como "magitiras".

FLS. 156/158 – Caso Xangai – O analista informa que as "conclusões aventadas baseiam-se na impressão pessoal dos analistas" e que "os fatos narrados apontam para fortes indícios da tipificação do crime de Advocacia Administrativa de forma recorrente".

Comentário: aqui o analista extrapola o direito de impor a sua "impressão pessoal" sobre o que chama de caso Xangai. Não houve no caso qualquer esforço concentrado ou indício de advocacia administrativa. Simplesmente foi efetuada uma consulta à divisão de Imigração do MRE, que possui vários processos, inclusive de investigação, com o DEEST, e as respectivas respostas. Como se pode observar na troca de e-mails, o pedido de reunião familiar já estava deferido desde o ano de 2007, e, por uma possível falha, não foi comunicado à respectiva repartição consular. Não me parece justo nem humano que um casal aguarde mais de dois anos para obter um visto de ingresso no Brasil, amparado na própria Constituição Federal. O que fica bem claro é que não houve qualquer pedido de agilização ou coisa do gênero, mas simplesmente uma consulta.

Na verdade, os processos de reunião familiar são bem rápidos (de dois a três meses, em média) e chamou a atenção de Luciano o fato de o protocolo expedido pelo consulado em Xangai ser um documento bastante simples e com rasuras (cf. fls. 173), a ponto de imaginar que o casal poderia ter sido vítima de estelionato. Por isso a expressão: "É caso do Paulinho. Mais um caso resolvido". Primeiro, não é *mais um caso* do Paulinho, mas, sim, *um caso* do Paulinho, que foi quem trouxe a situação ao conhecimento do secretário, sob a suspeita de fraude. Segundo: para Luciano, é como se tivesse resolvido um mistério policial, do tipo Sherlock Homes. A expressão "é noisssssss" é utilizada para brincar com Tuma Jr., que, todos sabem, é corintiano. Quem já trocou e-mails com Luciano conhece o seu jeito de escrever e de sempre trazer um pouco de brincadeira e alegria à formatação "seca" dos e-mails. Houve, portanto, má fé da polícia ao divulgar o uso dessa expressão nas mensagens como sendo algo suspeito.

RELATÓRIO DE ANÁLISE DE DOCUMENTOS APREENDIDOS. AS FLS. A QUE ME REFIRO SÃO DO INQUÉRITO POLICIAL

FLS. 184/186 – Fotos de Paulo Li acompanhado de vários políticos, entre eles Romeu Tuma, Romeu Tuma Jr., Robson Tuma. Verifica-se que, apesar de vários políticos fotografados, somente os da família Tuma merecem destaque por parte da PF.

Comentário: o que essas fotos comprovam? Que Paulo Li é amigo da família Tuma? Parece desnecessário, já que Tuma Jr. assumiu e reassumiu a amizade com Paulo Li, que inclusive foi seu assessor parlamentar quando deputado estadual.

FLS. 208/212 – Fotos diversas de Paulo Li, com a família Tuma e o deputado William Woo.

Comentário: o senador Suplicy, o deputado Jamil Murad, dentre vários outros, também estavam nesse evento. Onde será que foram parar suas fotos com Paulo Li? Corre o boato que algumas fotos foram devolvidas ao próprio diretor da PF, e esse, por sua vez, as devolveu a seus protagonistas. Crime de fraude processual.

FLS. 217 – Relaciona diversos botons, chaveiros, emblemas da PF e Interpol, crachás de conferência e de instrutor de Educação Física na PF (década de 90).

Comentário: Paulo Li foi professor voluntário de Kung-Fu na academia montada nas dependências da superintendência da Polícia Federal em São Paulo. Ele também colaborava como intérprete nas autuações em flagrante de nacionais chineses, inclusive na Justiça Federal. Tratava-se, portanto, de pessoa destacada e conhecida no meio policial.

FL. 221/222 – CONCLUSÃO DO ANALISTA – "Material apreendido com PAULO LI comprova uma ligação muito forte deste com as pessoas de Romeu Tuma, Robson Tuma e principalmente Romeu Tuma Jr.".

A MONTAGEM

FL. 223 – Memorando do chefe do SIP/SR/SP, DPF Rodrigo Morais Fernandes, datado de 01.12.2009, encaminhando todo o expediente ao SR/SP.

FL. 224 – Despacho do SR/SP, DPF Leandro Daiello Coimbra, datado de 03.02.2010, informando que os documentos do presente expediente encontravam-se "acautelados" em seu gabinete, em face de outras operações.

Comentário: o expediente ficou engavetado por dois meses, e em seu verso constam despachos com datas nao sincronizadas.

FLS. 225/229 – Pareceres da Corregedoria, datados de 11.02 e 26.02.2010, opinando pela instauração de inquérito policial, em face da "*conclusão da eventual participação de servidores públicos federais em possíveis crimes contra a administração pública*".

Comentário: depois de tanta falsidade e indução maldosa na análise e interpretação dos fatos, fica até difícil para a Corregedoria opinar pelo contrário.

FL. 229 – Despacho do superintendente, datado de 11.05.2010, concordando com o parecer da Corregedoria, e convocando o DPF Rodrigo de Campos Costa para dar prosseguimento ao expediente.

Comentário: mais uma vez, o expediente fica "engavetado" com o superintendente, desta feita por mais de 70 dias, até a determinação de alguma providência – coincidentemente, após o vazamento das informações sigilosas constantes na Operação Trovão e sua veiculação, a partir de 05.05.2010.

É isso mesmo! As declarações prestadas por Romeu Tuma Jr., secretário nacional de Justiça, nos autos das operações Trovão e Wei Jin, ficam circulando de mesa em mesa e de gaveta em gaveta, ao arrepio do MPF e da Justiça Federal, por quase oito meses! E é ele que está respondendo a inquérito policial!!!

Enfim, há um festival de elucubrações, achismos, plantações, invenções, que resultam simplesmente no arquivamento dos inquéritos abertos e reabertos. Não sem antes se prestar a uma condenação sem qualquer efeito no mundo jurídico, mas com toda a força de uma sentença de morte no mundo virtual, nos sites de buscas; no que chamo de STG – Supremo Tribunal do Google, que é onde as investigações da PF desse governo melhor se destacam.

Os diálogos gravados no festival de grampos que envolviam o senador Mercadante, o ex-secretário nacional de Segurança Pública adjunto e ex-chefe da inteligência do MP de SP, Guaracy Mingardi, dentre muitos outros, assim como seus atos, foram propositadamente escamoteados. Não interessava à PF nem ao governo investigar onde poderia haver crime, somente desmoralizar quem eles sabiam que não havia cometido nenhum.

Depois que fui ouvido, não fizeram absolutamente mais nada nos autos. É uma prova de que o objetivo era me atingir. Com meu comparecimento imediato, coisa que eles não esperavam e até desestimularam, foram desarmados e precisaram vazar para o Trovão fazer o barulho “sem chuva”.

Por que fui depor rápido? Porque iriam fazer uso político com o vazamento das fotos no dia seguinte, no *Estadão*; porque iríamos viajar para Cuba e não queria especulação: se havia algo, que se esclareça já; para mostrar que não devia nada e não temia nada. Todo mundo primeiro quer ver os autos, eu não; porque sabia que poderia ser uma armação contra quem denunciava policiais federais e deputados; e para saber o que efetivamente o Paulo Li poderia ter feito que eu não soubesse.

Naquelas idas e vindas, era comum ouvir o Gilberto Carvalho e o Márcio Thomaz Bastos dizerem que o Luiz Fernando "perdeu o controle". Eu respondia que ninguém tinha que ter controle político, mas o controle da legalidade e administrativo; para tanto, era só agir dentro da lei. É a questão correcional inerente ao cargo.

No âmbito do Executivo e da própria instituição, a polícia não tem que ter controle, ela tem que ter comando. O chefe tem que saber comandar, não controlar. O controle é realizado por mecanismos legislativos, correcionais, constitucionais e externos, não por ordem ou contraordem interna. Quando se diz que alguém perdeu o controle sobre um aparato policial ou militar, é porque ele foi instrumentalizado. Você pode perder o comando, mas o controle da legalidade, nunca. Na verdade, o descontrole é do dirigente e não da instituição. Pode-se atribuir a uma fraqueza individual, não institucional – exceto nos casos de anarquia ou revolução, que não é o caso, ainda.

Lula montou um esquema na PF que o deixou refém da própria força repressiva, sujeito a chantagens, inclusive institucionais. Uma instituição policial usada como instrumento de governo dá abertura para que ela mesma se julgue no direito de se utilizar como instrumento de si mesma. É assim que se atingem objetivos corporativos e individuais demandados pelos caciques a comandar tais instituições: o governo vira presa do monstro que criou.

O difícil de se enfrentar, nesses casos, é quando a justiça fica realmente cega, não no sentido da imparcialidade, mas no sentido oposto, que só enxerga o que a polícia a induz a enxergar sem qualquer avaliação de conteúdo. O tratamento, os prazos, são absolutamente antagônicos. Para uns, dias; para outros, horas. Aliás, a corregedoria nacional de Justiça, ao invés de bater só nos tribunais de Justiça estaduais, poderia acabar com certos desmandos de algumas varas federais cujos magistrados se julgam acima da lei!

No meu caso, até hoje estou esperando que apurem por que não juntaram minha oitiva no IP para o qual fui ouvido, onde estão os extratos dos telefones que a PF dizia que eram meus ou de meu uso, aos quais nunca tive acesso e jamais apareceram nos autos, e, pior, a denúncia de tortura da qual foi vítima o Paulo Lee. Nesse caso, o governo também adora apurar as torturas alheias, mas as dos seus asseclas... Outros empresários tiveram seus negócios encerrados após terem seus nomes divulgados nos jornais, tachados como "contrabandistas", "mafiosos", enfim: durante a própria investigação a PF reconheceu que "havia se enganado e se confundido no grampo".

Não resta dúvida de que a escalada de operações ditas "republicanas", da Polícia Federal, culminou em dois portentos: a espetacularização dos homens de preto, algemando advogados e empresários, sobretudo; e a ultimação de todas as responsabilidades nas cortes superiores. A chamada endoxa, ou opinião comum, foi assim naturalmente conduzida à ideia de que togados do Supremo Tribunal Federal e Superior Tribunal de Justiça só serviam "para soltar bandido". Escamoteou-se do populacho a lição principal trazida pela PF de Lula: se não fossem os togados de tais cortes – os "Batman", como derrisoriamente ficaram conhecidos – a democracia brasileira não teria sido preservada.

A engenharia reversa determinada pelas cortes superiores, ao admitir que advogados virassem as ditas operações republicanas de ponta-cabeça, as trouxe às suas origens – e daí passaram a brotar as provas das ilegalidades cometidas *in illo tem-*

pore, desde os primeiros momentos das investigações da PF. O Brasil deve ao STF e ao STJ, insisto em afirmar, a preservação do estado de direito e das garantias individuais. Mas é preciso muito mais ainda. Como em *Alien, o 8º passageiro*, o monstro renasce de um pedaço de rabo. Vide as diuturnas tentativas de constranger as cortes superiores e seus integrantes.

O controle, no Brasil, deveria ser o da Legalidade! Por que nunca puniram ninguém por vazamento dessas operações da PF? Ao optar pelo controle político da corporação, deixou-se de lado o mecanismo institucional de controle da legalidade – assim enfraquecendo a Corregedoria, afrouxando os mecanismos de correição interna etc.

Sob Lula, deu-se absoluta prioridade ao uso político operacional em detrimento dos princípios republicanos e do uso técnico institucional. Ao se incentivar e permitir abusos contra terceiros, ou ao não puni-los, óbvia e inadvertidamente abriu-se a porteira que dá respaldo à prática contra si mesmo. Não adianta dizer que a PF está fora de controle porque, técnica e operacionalmente, ela não deve ter controle mesmo, exceto o do Judiciário e os correcionais. O controle administrativo, que o governo institucionalmente deveria exercer, ele mesmo afrouxou ou simplesmente não exerceu. O governo sob o PT só fala em inteligência, mas não em inteligência de segurança pública, e sim naquela que mais se assemelha aos antigos aparatos estrangeiros do tempo da guerra fria. Criaram a DIP e as SIPs, que em resumo são *bunkers* de produção de "alvos" e dossiês.

Não existe polícia incontrolável, o que existe é mal administrada e mal comandada. O problema aqui é que, quando os abusos cometidos são contra adversários, o governo bate palma, incentiva e apoia efusivamente! Quando o monstro se vira contra ele, vem a grita daqueles que circundam o núcleo do poder no sentido de que a polícia está sem controle.

O grave nisso é que eles não conhecem ou fingem não conhecer, o que é muito pior, e não praticam o mecanismo legal chamado Controle dos Atos das Autoridades e Instituições, que é fruto do Princípio Secular dos Freios e Contrapesos. E esse desconhecimento, fruto do despreparo e da omissão de um comando político-partidário da força policial, põe em sério risco toda a sociedade.

Ademais, temos ainda o controle externo da atividade policial, que deve ser exercido, no âmbito da polícia judiciária da União, pelo MPF; este, cá para nós, ao invés de ficar lutando para ter poder de investigação, deveria estar aprendendo a melhorar seus mecanismos de atuação no controle das ações policiais. Do jeito que vai, não faz bem nem uma coisa nem outra. Se for menos conivente, já estará dando uma grande contribuição à manutenção do Estado democrático de direito. Não se espelhar nos anos 70 seria um bom início.

A verdade é que a polícia comete os abusos, em muitos dos casos, porque o MP, ao invés de promotores e procuradores de Justiça, está representado, cada dia mais, por verdadeiros promotores de Polícia, ou "promotiras". O próprio desespero e desequilíbrio de postura institucional contra a PEC 37, já rejeitada, comprova tal assertiva.

CAPÍTULO 15

A EMBOSCADA E O SINCERICÍDIO

Nessa narrativa, agi maciçamente como juiz de partida. Apontava faltas, dizia não a excessos, brandia a lei, a Constituição, os fundamentos de ética que aprendi com Tumão. Fui, aos poucos, dizendo sonoros "nãos" às demandas de Lula e do PT, sobretudo as relacionadas ao fuzilamento sumário de inimigos de ocasião, pelo fácil atalho do fomento à produção de dossiês. Tornou-se mais que óbvio, ao Barba, que eu era um sumidouro de demandas. Jamais cumpriria determinações partidárias. E esse meu código de comportamento, errático aos olhos do PT, ia sendo, sem que soubesse, espetado na minha conta. Os papéis, digamos assim, ultrapassaram o limite do espeto. Então era a hora de vazar papéis contra mim. Eu, o juiz das partidas, que quebrava lanças em defesa da lei, iria ao cadafalso que sempre condenei: os jogadores foram para cima do juiz e cometeram contra ele uma penalidade máxima – para depois expulsá-lo de campo e entregar seus rins, fígado, o diabo, à torcida barbuda e rediviva.

A 5 de maio de 2010 o *Estadão* mancheta: "Interceptações telefônicas da PF pegaram a linha de Li Kwok Kwen, conhecido como Paulo Li". Verbera o jornal que Paulo Li (ou Lee), chinês, era acusado de chefiar uma quadrilha de contrabando e distribuição de produtos piratas em São Paulo. Amigo da família Tuma há mais de 30 anos, ele foi meu assessor quando fui deputado estadual.

Paulo Li me telefonou no dia em que os federais deram uma batida em sua casa, durante a Operação Wei Jin (contrabando, em chinês), em 2009, e ele e outros 14 acusados foram presos. Segundo o *Estadão*, em uma das conversas vazadas, eu encomendava um celular e um computador ao suposto contrabandista. Segundo a *Carta Capital*, "em outro grampo, Li tenta agilizar processos em tramitação no departamento de Estrangeiros do Ministério da Justiça, setor subordinado ao secretário, aparentemente com o intuito de garantir a emissão de vistos permanentes para chineses em situação ilegal no Brasil. Teria havido ainda uma aparente tentativa de o secretário interceder a favor de um genro, em meio a uma das fases de seleção de concurso em 2009 para escrivão da Polícia Civil de São Paulo. E, aliado a uma clara tentativa de colar o escândalo ao Palácio do Planalto, divulgaram-se conversas nas quais se insinuava uma rotina de favorecimentos na secretaria nacional de Justiça para a emissão privilegiada de passaportes, entre os quais estaria o caso de um cabeleireiro da primeira-dama, Marisa Letícia".

Perceba que a investigação contra mim, numa primeira etapa, foi iniciada em 2008 com a Operação Trovão e concluída com a prisão de Li em setembro de 2009 na Operação Wei Jin. Segundo a própria PF, mentirosamente, nunca cheguei a ser investigado formalmente no inquérito. Pedi para ser ouvido pelo delegado responsável pelo caso. Depus num sábado, logo após a prisão do Paulo, porque no domingo viajaria com o ministro Tarso para Cuba. E minhas declarações foram subtraídas de relatórios e do inquérito da PF.

Foi a antiga amizade com Li que fez o chinês me telefonar, em 17 de setembro de 2009, quando policiais federais chegaram à sua casa com um mandado de prisão. Além do que, ele havia me denunciado uma quadrilha que envolvia federais na venda de facilidades para a anistia. Naquele momento achou que pudessem ser falsos federais. Eu, então secretário nacional de Justiça, estava no Rio de Janeiro, participando de um seminário sobre democracia e segurança pública na América Latina ao lado do diretor-geral da PF, Luiz Fernando Corrêa, e do então ministro da Justiça, Tarso Genro. Paulo Li me disse que havia um pessoal na porta se dizendo da Polícia Federal. Queria saber o que fazer, e eu disse a ele que pedisse a identificação. Se fosse da PF, era para deixar entrar.

No mesmo dia chamei Corrêa para uma conversa na presença do ministro Tarso. Aos dois expliquei que pretendia me apresentar, voluntariamente, para me inteirar e prestar depoimento sobre o caso, pois temia a utilização política da prisão de um amigo. Antes, quis saber qual era o crime do qual Li era acusado. Quando me disseram que era contrabando, estranhei, porque ele nunca ostentou riqueza alguma e vivia duro. Provou-se mentirosa a acusação. Ele sequer foi denunciado por esse crime.

O ministro Tarso Genro pediu um resumo verbal da operação a Corrêa e, após avaliar o caso, me desestimulou a depor na PF. Ele não via qualquer embaraço para mim nem para o governo. Ainda assim, insisti em depor e criar uma salvaguarda para o caso de, mais à frente, alguém decidir usar a prisão de Li como pretexto para me fulminar no cargo. No dia seguinte, um jornal noticiou a prisão e disse que, com o "professor de lutas marciais, havia fotos do senador Romeu Tuma". Era o sinal de que o caso já estava politizado propositalmente. Após essa notícia, eu disse ao ministro que iria depor, no cargo ou fora dele, e ele acabou concordando. Mas, depois que o caso veio à tona, em 2010, quase um ano depois, Tarso Genro ofertou à mídia outra versão: disse que, desde o início, recomendou a mim que falasse aos federais.

Meu depoimento foi prestado ao delegado Rodrigo de Campos Costa, que estava acompanhado de um outro doutor Rodrigo, seu chefe, dois dias após a prisão de Li, em 19 de setembro de 2009, na sede da superintendência da PF de São Paulo. Estabeleci ao delegado a minha disposição anterior, inclusive em ofício enviado a Corrêa, de investigar a intermediação ilegal de vistos de permanência para chineses em São Paulo. A conversa durou uma hora e meia e resultou num texto curto, de apenas três laudas. Dois meses depois, fui informado de que o assunto havia sido arquivado pela PF, por falta de indícios ou provas de minha participação no esquema do contrabandista chinês.

A *Carta Capital*, sobre isso, escreveu que "era uma falsa trégua". Sob a minha gestão na secretaria nacional de Justiça, o governo brasileiro conseguiu bloquear no exterior cerca de 3 bilhões de reais evadidos ilegalmente por esquemas de corrupção e fraude. O delegado Corrêa alegou ter sido procurado por um repórter de *O Estado de S. Paulo* em março de 2010. O jornalista já teria em mãos o inquérito. Mesmo diante dessa informação, o diretor-geral não abriu qualquer procedimento para apurar o vazamento. Para mim e para o ministro Luiz Paulo, ele havia dito que esse fato ocorrera em novembro de 2009, o que é pior ainda. Na terça-feira, dia 11 de maio, parecer emitido pela corregedoria da PF em São Paulo foi favorável à instauração de um inquérito policial específico para me investigar por suposta prática de crime contra a administração pública. Um dia antes, na segunda-feira 10, a Comissão de Ética da Presidência da República havia aberto outro procedimento, com base nas notícias veiculadas sobre o meu suposto envolvimento com a máfia chinesa. A comissão, presidida pelo ex-ministro do Supremo Tribunal Federal Sepúlveda Pertence, deu-me um prazo de cinco dias para me explicar.

Prossegue a *Carta Capital* que, "à frente dessa operação interna, dois auxiliares diretos do presidente Lula atuaram: o ministro-chefe da secretaria de Comunicação, Franklin Martins, e o chefe de gabinete, Gilberto Carvalho. Não houve motivação pessoal. A dupla foi escalada para neutralizar o escândalo, afastá-lo das imediações do Planalto e evitar que a crise contaminasse a campanha da pré-candidata do PT, Dilma Rousseff.

Martins e Carvalho insistiram no afastamento voluntário do secretário nacional de Justiça, mas Tuma Jr. decidiu bater o pé e avisou que só sairia demitido. O vazamento das novas conversas o obrigaram, porém, a negociar com Barreto, seu chefe, e aceitar ao menos a solução provisória das férias. Na PF, aventa-se a possibilidade da abertura de um inquérito exclusivo para investigar o envolvimento do secretário com algum tipo de crime. Segundo relatos na mídia, os federais acusam Tuma Jr. de ter transformado a secretaria em uma 'central de favores'."

Vejamos esse trecho da mesma revista:

> "Mais uma vez tende-se a aplicar dois pesos e duas medidas. Relembremos o caso do próprio diretor-geral da polícia. Em 2001, Corrêa foi acusado de deter ilegalmente e torturar, à base de chutes, pauladas, socos e eletrochoques, a empregada doméstica Ivone da Cruz, nas dependências da superintendência da Polícia Federal no Rio Grande do Sul. Ivone, então com 39 anos, trabalhava na casa da avó da mulher do delegado, Rejane Bergonsi. Presente durante um assalto à casa da patroa, Ivone foi apontada como suspeita de cumplicidade com os criminosos, embora nenhuma prova ou evidência tenha sido levantada contra ela até hoje. Corrêa chefiava a delegacia de Repressão a Entorpecentes (DRE) da PF no estado. Para cuidar de Ivone, passou por cima das atribuições da Polícia Civil local".

A mesma publicação informou que "a investigação sobre Corrêa durou oito anos e foi arquivada, sem publicidade ou vazamentos, em 29 de janeiro de 2009, quando ele já ocupava o posto de diretor-geral da PF. Quem cuidou do arquivamento foi o corregedor-geral da corporação, Valdinho Caetano, amigo de Corrêa e indicado para o cargo por ele, 53 dias antes. Ivone da Cruz, moradora da periferia, ficou cega após os maus-tratos".

Hoje, Valdinho Jacinto Caetano, também por indicação de Corrêa, é o secretário extraordinário de Segurança para Grandes Eventos do Ministério da Justiça, responsável pela Copa do Mundo e Olimpíadas, cargo com atribuições semelhantes às do padrinho no Pan de 2006. Corrêa recebeu tratamento diferente porque acredita-se que ele tenha fotos comprometedoras de Lula. Quem me afirmou isso foi ninguém mais, ninguém menos que sua excelência o senhor ministro da Justiça do Brasil – que aliás, à época, disse, juntamente com sua chefe de gabinete, que eu o teria gravado dando-me tal informação grave... Soube até que ele chegou ao cúmulo de se justificar, ao Planalto e ao próprio diretor da PF. Alegava ter sido a frase, gravíssima, uma "brincadeira", como forma de "antecipar-se" à veiculação dessa notícia na mídia... Detalharei esse diálogo mais à frente. A primeira internação do meu pai, no processo que culminou com sua morte, deu-se ao saber desse fato. Ele era vice-presidente da CPI da pedofilia.

Salta aos olhos, como principal característica da PF que se diz "republicana" nesse governo, que ela enterrou três "pequenos" itens do seu manual de atuação de polícia judiciária da União: o direito de defesa, o contraditório e o devido processo legal. Isso não existe mais. São letras mortas. Ela revogou por desuso ou portaria virtual. Com isso, criou uma enorme insegurança jurídica e, pior, insegurança pública típica de país sob a tutela do estado policial, onde impera a perturbação da ordem pública por parte de quem deveria garanti-la.

Ali começava meu calvário! Eu, um experiente policial, era vítima do clássico *modus operandi* do crime organizado e das verdadeiras organizações mafiosas que se infiltram no Estado e coabitam o governo junto aos servidores públicos. Com isso, aniquilam aqueles que dirigem investigações, mormente os que as descobrem, identificam seus membros e ousam enfrentá-las e extirpá-las. Assim como tantos outros mundo afora, Falcone (Operação Mãos Limpas), Paolo Borsellino, Baltasar Garzón, juízes que investigaram a máfia ou casos suprapolêmicos e que foram desmoralizados e/ou mortos – apenas para citar três exemplos recentes e os quais conheci pessoalmente – estava eu sendo assassinado. Sim! Claro! Para quem acha que o patrimônio moral vale muito mais que o físico e material, e ainda mais para quem passou mais de 30 anos no serviço público sem qualquer mancha em sua carreira, assassinar uma reputação é fazer um homem morto! O crime organizado sabe bem disso. E ainda de quebra mataram de verdade, fisicamente, meu maior suporte, meu grande exemplo, meu paradigma, aquele que também vinha enfrentando corruptos e criminosos com vigor por décadas a fio, o grande xerife, o saudoso e querido Tumão. Morto de amargura, angustiado, com os nervos abalados pelo que mais o preocupava ao me alertar: "Romeu Junior, você não sabe do que eles são capazes, eu sei...". Ouvi essa frase com voz alterada, muito alterada, como nunca o tinha ouvido. Alertava em tom de represália a mim, seu filho, mas parecia estar falando com o menino de cinco anos de idade. Era certamente o pressentimento da experiência que anunciava o trágico final daquela armação do Estado Policial, na qual eu custava a acreditar.

Senti o festival de covardias logo no primeiro dia das falsas notícias, quando vi uma entrevista do ex-ministro Tarso dizendo que "se fosse verdade, tinha que sair", se referindo a mim. Ora, justo ele, que conhecia todos os fatos desde um ano antes, a quem pedi afastamento e me respondeu que eu "deveria esquecer o assunto" porque não havia nada contra mim? O mesmo homem a quem eu avisei sobre a questão dois dias antes da matéria, pois iria dar uma palestra sobre o plano de governo dele no Rio Grande do Sul, na área da segurança pública, e achei melhor não ir. Ele ainda insistiu para que eu fosse, dizendo que não teria problemas. Eu havia comprado passagem do meu bolso e ia a Porto Alegre para ajudá-lo na campanha; resolvi não ir para não desviar o debate e não atrapalhar sua candidatura. E ele, que sabia de toda a sacanagem da PF, vinha na mídia dizer que aquilo era grave *se fosse verdadeiro*?

Depois mudou o discurso. Ele conhecia o processo, pois em 2009 pediu um relatório e, quando eu quis me afastar, não permitiu. Então aquela mudança, em dois dias, só poderia ser orientação do Planalto. Depois todo mundo queria combinar o que falar. O Luiz Fernando, o Tarso, todos eles me ligaram para dizer que não tinham nada contra mim, que era para combinarmos o que dizer à imprensa. O Luiz Fernando chegou a me convidar para ir à PF para acertarmos um discurso. Tivesse eu aceito, e ele não instauraria mais nada. Mas, naquele momento, a única coisa que consegui combinar com os covardes foi um "vão à puta que os pariu". Ora, depois de morto, queriam acender vela e mandar flores! Não aceitei.

Li outro dia uma frase, dita pelo jornalista Reinaldo Azevedo, que reflete bem o que eu tenho tentado dizer há muito tempo e espelha de forma clara e cristalina uma verdade: "Na democracia petista, os crimes dos companheiros devem ficar sem castigo, e os adversários não têm nem mesmo direito de defesa".

A CONTA DO MENSALÃO

O segundo inquérito do Mensalão e as diligências complementares necessárias e fundamentais para o completo esclarecimento daquele estratagema criminoso só foram pra frente porque o governo acreditou que tinha brecado a investigação. É mais ou menos uma repetição da Operação Satiagraha, mas tendo o delegado Luiz Flávio Zampronha no papel do Protógenes e eu no do Paulo Lacerda – respeitados os currículos, personalidades e caráter de cada um, é óbvio.

Como eu disse, o governo tirou todos os recursos do delegado Zampronha, que presidia as investigações requeridas no processo do Mensalão junto à procuradoria-geral da República e ao Supremo. Ele estava trabalhando numa modesta mesa localizada no corredor da divisão de Combate ao Crime Organizado, no imponente e espaçoso edifício sede da PF em Brasília, conhecido como "máscara negra". Total e completamente sobrecarregado, desprestigiado e desestimulado.

A Federal fazia o possível para ele abandonar tudo, até porque nenhum outro delegado seria capaz de concluir aquela investigação com celeridade e eficiência, pela complexidade que apresentava. Até pegar o fio da meada, o caso estaria prescrito, e era essa a estratégia do Planalto e de seus mensaleiros de estimação. Eu, como presidente do grupo Operacional e Estratégico da ENCCLA, tinha o Zampronha como meu vice e conhecia suas qualidades. Sabendo que a PF queria tirá-lo do caso, armei uma estratégia que teve um resultado extraordinário, mesmo com minha queda.

No início de outubro de 2009, coincidentemente, quando se fechava o cerco da Trovão armada contra mim, convidei o Zampronha para trabalhar comigo na SNJ, onde prometi que teria posição de destaque na estrutura da secretaria.

Combinamos que ele iria para o DRCI ocupar uma diretoria que poderia até ser a Geral. Fiz o convite, pedi sua liberação junto à PF, através do Luiz Fernando, que topou na hora, e ajustei reservadamente com o Zampronha que ele terminasse o relatório do processo do Mensalão para o Dr. Roberto Gurgel, procurador-geral, e para o ministro relator Joaquim Barbosa.

Como já era final de 2009 e a esposa dele tinha um curso programado no exterior, acertamos que ele tiraria licença e a acompanharia, aproveitando o tempo livre para ir fechando o relatório, enquanto o governo achava que tudo estava morto e esquecido na gaveta daquela mesinha mequetrefe. No final do primeiro trimestre de 2010 ele retornou; como estávamos às vésperas do *XII Crime Congress* – congresso da ONU de Prevenção ao Crime e Justiça Penal, com mais de cinco mil participantes e sede no Brasil, que eu e minha secretaria estávamos organizando, ficou acertada a ida dele para o DRCI para logo após o final do evento, por volta de maio.

Nesse percurso, ocorreu um fato bem interessante. Na edição da ENCCLA 2010, em final de novembro de 2009, em Salvador, eu me encontrei com o delegado Roberto Troncon, à época diretor da delegacia de Combate ao Crime Organizado, chefe imediato do Zampronha, o qual veio me perguntar, com um ar de ansiedade disfarçado, se eu iria mesmo acolher o Zampronha na SNJ e se ele teria uma função relevante. Me segurei para não gargalhar daquela situação, mas, sem muita cerimônia, respondi que iria, sim, acolhê-lo na SNJ, e que ele poderia ficar tranquilo porque comigo, certamente, Zampronha receberia uma função bem mais prestigiosa do que uma escrivaninha no corredor.

No fim das contas, eu acabei sendo defenestrado da SNJ antes da vinda do Zampronha – que continuou no corredor, mas com o relatório – que conseguiu terminar graças à nossa estratégia de pensarem que ele já havia abandonado a causa por vislumbrar interesse só na mudança; e, com seu bom e dedicado trabalho, contribuiu muito para o resultado final do processo do Mensalão. As novas diligências feitas na "miúda", na "moita" e na "manha do gato", como dizemos na gíria policial, foram decisivas. O que o Zampronha não sabia, até aqui, é que quem impediu a descoberta da conta do Mensalão no exterior foi o próprio governo antes que ele assumisse o caso, juntando, para enganar a justiça, lá no outro inquérito, uma informação do Coaf, que não tem prerrogativa de autoridade central para cooperação jurídica internacional em matéria penal; por lei, isso é competência da secretaria nacional de Justiça.

Reproduzo nota publicada na coluna "A semana", assinada por Otávio Costa, na revista *Isto É* de 28.10.2009, que noticiou o fato, vazado após eu ter formalizado o pedido de comissionamento do delegado Zampronha junto ao diretor da PF, Luiz Fernando Corrêa:

> *"NOVO ENDEREÇO*
> *O delegado da PF Luiz Flávio Zampronha, que presidiu o inquérito do Mensalão, vai deixar a corporação. Ele aceitou convite do secretário nacional de Justiça, Romeu Tuma Junior. Atuará no setor de recuperação de dinheiro desviado dos cofres públicos".*

O governo já sentira que eu não era pau para qualquer obra, exceto as que tivessem "alvará"; muito menos comungava do ditado de que os fins justificam os meios. Acho que minhas negativas, ao invés de serem entendidas como medidas de proteção, eram vistas como desobediência, mas eu não tinha nenhuma obrigação de cumprir ordem ilegal – muito ao contrário: como secretário nacional de Justiça, deveria balizar a legalidade das ações de governo e do governo. O que eles queriam era um comparsa, não um secretário. E pra essa função eu não era o cara.

Eu contrariava o Planalto e o titular da subchefia para assuntos jurídicos da Casa Civil, o Beto Vasconcelos, que há um bom tempo, juntamente com o Pedro Abramovay, insistia para emplacar na chefia do DRCI um advogado de nome Aldo de Campos Costa, contra quem eu não tinha nada de pessoal, até porque não o conhecia. Entretanto isso contrariava minha filosofia de que lá não era lugar apropriado para quem militava na iniciativa privada. Eu tinha que preservar aquele local que tratava de assuntos altamente delicados e sigilosos. Estava determinado em transformá-lo num órgão de Estado e, para tanto, preferia pessoas com vínculos institucionais com a administração pública.

Os Ministérios Públicos dos estados, o Federal e a Justiça, nossos maiores clientes, certamente perderiam a confiança no departamento se eu mudasse essa estratégia e cedesse. O exemplo Madruga já havia sido suficiente.

Cansados de pressionar, passaram a demanda para o Luiz Paulo logo após ele ter assumido o ministério. Um dia, o ministro me ligou e foi taxativo: "Ou você contrata ele ou me diz logo um "não", pois vou ter que colocá-lo aqui no meu gabinete. É uma ordem do Planalto". Eu respondi que no DRCI não poderia pôr. Disse que eu havia estado com o Aldo, achei-o um camarada bacana, com bom currículo, mas que eu estava preservando a mim, ao governo e ao próprio candidato indicado. No fim, logo após terem vazado aquelas falsas denúncias contra mim, durante minhas "férias", o Luiz Paulo o contratou como assessor especial.

Mas sua atuação no passado acabou "denunciando" toda aquela pressão do Planalto e do Abramovay. Eu desconhecia, mas o Aldo havia sido advogado no episódio dos "aloprados". Tinha defendido o Jorge Lorenzetti, conhecido como o "churrasqueiro" do presidente Lula, e um dos principais acusados de planejar a operação do dossiê contra o Serra. Logo que foi publicado o ato do ministro no DOU, por volta de 18.05.2010, nomeando o Aldo para seu gabinete, a imprensa associou seu nome e resgatou o episódio dos aloprados, noticiando ainda um problema do escritório dele com a Fazenda Nacional.

Depois da repercussão, e de eu ficar sabendo sobre o caso em que o Aldo atuou, lembrei aquela conversa do Pedro sobre os aloprados e entendi por que ele ficava no meu pé para contratar o Aldo. No fim, até me questionei: "Se não tivesse nada a ver com aquele episódio, porque Pedro não nomeou o Aldo na secretaria de Assuntos Legislativos – SAL, da qual era o titular, e para a qual seu currículo era bastante compatível?"

Se eu o tivesse colocado no DRCI, aquela parte da mídia que dizia que eu instrumentalizava politicamente o órgão e a secretaria, certamente, teria me dizimado sem apurar o porquê de eu ter feito a "opção", e, por óbvio, os "mandantes" do Planalto teriam copiado Pilatos. Ao final, não aconteceu nada com o Aldo, que, diga-se de passagem, no meu episódio foi extremamente solidário, talvez até por conhecer de perto os protagonistas.

Reproduzo uma nota da coluna do Lauro Jardim, da revista *Veja*, sobre a nomeação do Aldo:

> "Advogado de aloprado vira assessor do ministro da Justiça
>
> O advogado criminalista Aldo de Campos Costa, que defende o aloprado Jorge Lorenzetti, foi nomeado assessor especial do ministro da Justiça, Luiz Paulo Barreto. Costa também advogou para o ex-reitor da Universidade de Brasília, Timothy Mulholland, que há dois anos ficou nacionalmente famoso por ter usado dinheiro público para comprar uma lixeira de quase 1.000 reais para o apartamento funcional onde morava.
>
> Não são só os clientes de Aldo que têm problemas com a Justiça. Desde o ano passado, a Fazenda Nacional move dois processos de execução fiscal contra o escritório dele por suposta existência de dívidas tributárias".

Minha ascensão à presidência do CNCP também tinha incomodado muita gente. A começar pelo secretário executivo do órgão, André Barcelos, que nos bastidores sonhava com o cargo por ser amigo pessoal do Luiz Paulo – que agora virara ministro e teria que nomear outro presidente para substituí-lo – e do Leandro Daiello Coimbra, que fora o representante da PF no conselho e estava coordenando as investigações contra mim como superintendente em São Paulo.

O André demitiu-se por email enviado diretamente ao Luiz Paulo, numa clara demonstração de que estava puto da vida. Alegou que, como integrante da carreira de gestor público, deveria seguir novos horizontes. Quando eu tomei posse, fiz um apelo, em nome de seu efetivo conhecimento e competência na matéria, e o André acabou permanecendo comigo no conselho até a minha saída.

Nesse curto espaço de tempo, consegui viabilizar uma importante medida legislativa, fazendo com que o presidente Lula enviasse ao Congresso uma proposta de alteração na Lei para facilitar e viabilizar as perícias nos produtos piratas por amostragem, o que traz um enorme ganho para as polícias e para a justiça, eliminando um dos gargalos da impunidade. Uma grande vitória que obtive contra os grandes grupos criminosos da contrafação.

Aliás, quando ele enviou essa proposta, após muita insistência junto à subsecretária de Assuntos Legislativos da Presidência da República, o próprio Lula disse ao Luiz Paulo, então ministro: "Fala para o Tuma não ficar aborrecido. Avisa que eu mandei aquela proposta dele para o Congresso". Isso ocorreu em maio de 2009, em pleno início da campanha do *Estadão* dizendo que eu era "amigo do chefe da máfia chinesa"; por isso ele disse para "não ficar aborrecido"...

A promessa de começar a extinguir o domínio – perda dos bens – ou propor o bloqueio dos bens de quem fosse pego com produtos piratas, inclusive nos prédios da região da rua 25 de Março em São Paulo, era ousada e ameaçadora para a máfia. "Chega de só prender camelô", dizia eu. O ponto final que coloquei aos polpudos "agrados" mensais dos fabricantes de cigarro e da associação de *softwares*, obrigados a pagar para as coisas funcionarem, era um desafio a corruptos e corruptores.

Eu representava uma verdadeira ameaça à indústria da pirataria. Na primeira reunião que fiz em São Paulo, junto com vários órgãos ligados ao tema, na sede da prefeitura, expus claramente essa nova forma de atuação do Conselho Nacional e anunciei uma proposta de convênio com o GNCOC – Grupo Nacional de Atuação Contra o Crime Organizado do MP. Comuniquei que o presidente da República tinha acatado minha sugestão de alteração na lei no que dizia respeito a facilitar a prova por amostragem, o que era uma reivindicação antiga, que facilitaria imensamente os trabalhos periciais e as autuações. Dei algumas entrevistas para as rádios de São Paulo, alertando que, a partir daquele momento, acabara a era de só se prender ambulante e apreender tablado e cavalete. Acho que era muita mudança para um só mês. Deve ter assustado e provocado duras reações da verdadeira máfia chinesa – e de outras nacionalidades também.

ERA ASSINADO O MEU ÓBITO – CAUSA MORTE: SINCERICÍDIO

Como escapo da morte num botequim do Lago Norte para morrer no gabinete presidencial

Tantas operações me foram encomendadas, vazamentos, e eis que chegou a minha vez... O Lula, nosso informante Barba,

Este livro foi impresso na Gráfica Ediouro.
Rua Nova Jerusalém, 345 Bonsucesso, Rio de Janeiro, RJ.

obviamente por trás de tudo, sempre tendo alguém como escudo, e repetindo que de nada sabia... Quero relatar os bastidores do íntimo do poder, onde as decisões são tomadas – muitas vezes, e quase sempre, de forma ladina, oblíqua, lateral, enviesada. Essa é, de resto, a coreografia de poder que Lula estabeleceu com seus sublocados.

Estamos agora em maio de 2010. Na quarta-feira, dia 5, *O Estado de S. Paulo* publicou reportagem denunciando a relação próxima entre o secretário nacional de Justiça, Romeu Tuma Jr., e o chinês Li Kwok Kwen, o Paulo Li, apontado pelo jornal como "chefe da máfia chinesa paulista", investigado pela Polícia Federal. Segundo o inquérito, "Li tinha livre trânsito na secretaria e ganhava dinheiro intermediando vistos para chineses ilegais. Por outro lado, o secretário, que preside o Conselho Nacional de Combate à Pirataria, aparece como cliente de Li, encomendando celulares e um videogame. Outras gravações mostram Tuma Jr. fazendo lobby em favor do namorado de sua filha", escreveram.

Dois dias depois de o governo ter plantado o vazamento das fitas contra mim no *Estadão*, no início de maio de 2010, me liga um angustiado Gilberto Carvalho. Como de praxe, respondo: "Como vai o senhor, tudo bem?". Ele devolve: "Senhor o caralho, porra, me chama de você, Tuma. Você sabe que comigo não tem dessa! Venha me ver, nem precisa marcar, venha aqui agora, vamos tomar um café". O tom, inabitualmente despojado, e com tantas referências a "caralho" e "porra", me fez perguntar se aquele seria Gilberto mesmo. Afinal, o secretário da Presidência, com status de ministro, a quem eu sempre chamei de ministro, jamais estabelecera comigo códigos de comportamento tão informais assim.

Saí para ir ao Planalto. No meio do caminho, lembrei do extrato da conversa em que Gilberto Carvalho falava: "Imprensa o cacete, entra pela porta da frente mesmo!". Havia uma preocupação, da minha parte, de que os repórteres que cobrem a Presidência me vissem entrar no gabinete e ficassem especulando, sem eu poder explicar por que estava ali. Só aí, já a caminho, toquei-me de que o Palácio do Planalto estava em reformas, e que eu seria atendido num gabinete improvisado, no Centro Cultural Banco do Brasil.

Entrarei pela garagem, penso. Mas lá não tem entrada de garagem, lembro! O desembarque das autoridades e o estacionamento são no térreo! Volta a frase de Gilberto Carvalho, numa centelha, aos meus ouvidos: "A imprensa que se foda, entra pela frente". Estou agora numa sala bem pequena. Terá seus seis metros quadrados, um sofá minguado, mesinha, secretaria protocolar: tudo precário, provisório. Aguardo, se tanto, cinco minutos.

Entro, hirto, retesado, na sala de Gilberto Carvalho, ainda mais precária que a antessala: era uma sala de guerrilha. Disparo: "Ministro, do jeito que as coisas estão na mídia, eu achava que iria ser colocado aqui dentro num carro de bombeiros..." Ele devolve um sorriso de esguelha. "Haaaa... Fica tranquilo, o presidente Lula me disse pra te transmitir que é para você ficar muito, muito tranquilo...".

Nisso o telefone de Carvalho dispara. Era Lula. O sorriso de esguelha se transmuta num outro, de doce e compulsiva subserviência. Escuto um "sim, presidente, estou aqui com o Tuma..." Gilberto interrompe a conversa por alguns segundos. E, sem botar a mão esquerda no bocal do telefone, me transpõe, agora usando uma terceira classe de sorriso, a fala do presidente. "Olha, o presidente está dizendo que é pra mandar o abraço dele para o Tuminha!". E, ao final daquela conversa telegráfica com Lula, me diz:"Olha, Tuma, o presidente acaba de me dizer que a Polícia Federal tá foda, o Luiz Fernando perdeu o controle, ninguém tem mais o controle dela...". Pensei: "Que bom, voltou a ser Polícia de Estado!"

Mas achei aquilo um blablablá sem sentido. Passei a pensar, na frente de Gilberto Carvalho, como naqueles balõezinhos das histórias em quadrinhos: "Nossa, como estou me sentindo protegido! O vazamento das fitas foi obra da oposição, o governo está me dando atenção, amor, respaldo". Na conversa com Gilberto Carvalho, externei uma preocupação especial: a PF havia instaurado um inquérito policial contra um agente de minha confiança, acusado de atender demandas para encaminhar solicitações de urgências na expedição de passaportes. O Gilberto respondeu: "Faço 30 por dia; se for crime, então onde vou parar?". Alertei que minha preocupação era que um dos casos dizia respeito a um pedido dele, em nome do presidente Lula, para que eu atendesse a Márcia da FEDIN, e que se isso vazasse poderia dar pano para manga. Ele respondeu que o Luiz Fernando estava sem controle mesmo. Pensei comigo: "ao contrário"; mas saí dali aliviado. Fiz o alerta, isso estava no IP, mas nunca vazou e nem foi objeto de investigação – nem da PF, obviamente, nem por parte do MPF, e muito menos da juíza, que, aliás, só fazia o que o delegado mandava. Despeço-me dele. Já estava com o pé direito na sala da secretária quando Gilberto solta uma frase. Eu estava de costas, e meu ângulo de visão já não mais permitia divisá-lo. "Ooooo, Tuma, agora que está tudo contornado, nós precisamos marcar para tomarmos um chope". Retorno a pisada, viro-me para ele e Gilberto Carvalho aponta para a janela: "Vamos tomar um chope ali num bar à beira do Lago Norte... Cara, você precisa me falar o que descobriu no caso da morte do Celso. Até hoje eu não consigo dormir direito pensando naquilo. Fico muito amargurado, preciso entender o que aconteceu e você precisa me contar. Até hoje não me contaram toda a verdade do que aconteceu com o Celso Daniel". E ele faz um gesto sobre seu gogó, como se ali estivesse de fato entalado um bolo duro.

Sou uma pessoa franca. Falo o que penso. Acho que isso pra mim está muito associado a lealdade com as pessoas, independentemente de serem amigas, conhecidas ou não. Por isso descobri que sou vítima do meu sincericídio, sempre. E, com quase 35 anos de polícia, comecei ali, na frente do secretário de Lula, a cometer meu sincericídio mais violento, quiçá mais hediondo. Sem dúvida o meu grande crime no governo, justamente num dos cadafalsos do PT: a sala de Gilberto Carvalho. Não esperei o chope. Poderia ter meu pai vivo e, se tivesse estômago, estar lá até hoje, especulo. Também não posso descartar a hipótese de que, ao cometer aquele SINCERICÍDIO e, sem querer, evitar o chope, tenha escapado de uma emboscada do tipo que vitimou o Celso Daniel. Minha morte, ali, ficou restrita ao campo moral, pois, sem perceber, evitei a morte física. Quem pode duvidar hoje, após tudo, de que naquelas vias desertas, à beira-lago de Brasília, eu não seria emboscado e morto numa suposta "tentativa de assalto"?

Mas o sincericídio foi assim: "Ministro, vou dizer ao senhor o que aconteceu no caso Celso Daniel até onde pude apurar. A priori, seus amigos de Santo André não queriam matá-lo, mas assumiram claramente esse risco. Planejaram e mandaram executar o sequestro de Celso Daniel para lhe dar um susto. Sentiram-se ameaçados pela voracidade do partido. No caminho, ocorre um acidente de percurso e acabam matando o prefeito. Em resumo foi isso que aconteceu". Gilberto Carvalho muda de feição pela quarta vez, ganha uma face profissional, de novo, e conclui: "Não diga! Precisamos conversar". Sem perceber que eu já havia esgotado o assunto, e dado exatamente o que ele pretendia obter ao perder uma noite num botequim me embebedando, respondi: "Ok, me liga e vamos tomar um chope".

Me despeço novamente e, quando já estou no corredor, lembro-me de alertá-lo sobre o dossiê Perillo. Paro, viro, dou dois passos e, sem vê-lo, digo que abortei a investigação solicitada sobre o dossiê. Falo ainda para ele tomar cuidado que esse tipo de atitude pode ocasionar sérios problemas para o presidente. Com a porta aberta, ele responde como alguém que já estivesse informado sobre minha atitude: "Ok, tudo bem, fica tranquilo; mas, se puder ferrar ele, o presidente vai achar ótimo, vai ficar muito contente".

Não me havia caído a ficha de que meu sincericídio tinha selado o meu futuro ali: acabara de revelar a Gilberto Carvalho duas posturas com altas doses de octanagem. Eu via no comando do poder o partido que fomentou o sequestro de Celso Daniel, porque investiguei isso como ninguém. E eu via no (comando do poder e do) PT, agora, o partido que plantava dossiês apócrifos contra os inimigos de ocasião de Lula: afinal, tais plantações vinham do próprio presidente. A partir daquele momento, comecei a dizer a todo mundo que me perguntava sobre o Celso Daniel que só faltava o PT arrumar alguém para matar o delegado do caso: eu.

Durante aquele mês de maio e no mês de junho, após eu tirar férias forçadas, a imprensa não mais noticiou sobre os fatos. O *Estadão* fez aquela campanha bem articulada, dando quatro matérias em manchetes completamente descontextualizadas para criar o clamor público; depois publicou uma sobre a MSI e o Berezovsky, querendo ainda me tornar "criminoso" por ter sido o responsável em denunciar formalmente a máfia russa, e encerrou com um editorial que, para os padrões de quem defende o direito à liberdade de imprensa e a ética no jornalismo, deixa muito a desejar. Em resumo, dizia que, mesmo se eu provasse minha inocência, eu era culpado. Tudo sem ouvir o outro lado, oportunidade em que poderia ter uma explicação sobre o princípio fundamental da presunção de inocência que, no meu caso, já não era presumida mas comprovada havia mais de oito meses.

Ou seja, se já era quase impossível se provar inocente de um crime que a própria polícia, o Ministério Público e a Justiça dizem, tecnicamente, que você não cometeu, como esse alguém, ou melhor, por que esse alguém tem que provar inocência?

Enfim, durante aqueles dias havia um jogo de contrainformação pesado dentro do governo. O ministro da justiça, Luiz Paulo Barreto, me dizia que o Gilberto Carvalho e o MTB me falavam que estava tudo bem mas para ele falavam outra coisa. Era um jogo sórdido. O ministro dizia sutilmente que eu não confiasse nem no ex-ministro Márcio, que teria entrado no "jogo" para administrar a crise, nem no Gilberto, nem no Vacarezza, que era líder do governo e eu julgava meu amigo.

O Vacarezza, por sua vez, dizia que tudo estava tranquilo mas que o ministro precisava me defender publicamente. E era notinha pra lá e notinha pra cá, sempre na coluna da Mônica Bérgamo, na *Folha de S. Paulo,* alimentada pelo Planalto e pelo gabinete do ministro da Justiça. Em *O Globo* e no *Estadão*, via dois repórteres que tinham um apego muito grande com a assessora de imprensa do ministro, a Christina Abelha, vista tarde da noite saindo escondida no carro de um deles, do fundo do ministério. A cabeça de Lula era um só trevo, dividida e pressionada entre uma chantagem e uma monstruosa injustiça, um passado muito presente e um presente que já era passado, um sentimento de gratidão e uma infinita ingratidão; por tudo isso, chamava, em público, o Dunga, o técnico da Seleção Brasileira de Futebol, de Tuma.

Na verdade, o governo não queria deixar o assunto esfriar.

Para tirar a limpo, volto um dia à sala do Gilberto Carvalho. Aí foi o fim do mundo. Agora já estamos em junho de 2010. Liguei antes. Ele atendeu descontraído mais uma vez: "Oh, Tuma, já te falei que você nem precisa ligar, vem sem avisar". E assim, incontinenti, voltei à sala de Gilberto Carvalho, que ainda funcionava no Centro Cultural Banco do Brasil. Ele me recebeu com um sorriso naquela mesma salinha precária e proclamou de pronto: "Tuma, o Luiz Fernando Corrêa, diretor da PF, perdeu o controle da polícia". Eu respondi que o objetivo era atingir o meu pai: "Ô Gilberto, você e o presidente pedem para eu fazer uma coisa, que é não falar, e ao mesmo tempo o governo faz outra e bota tudo na imprensa. O que eu faço?". Gilberto Carvalho apenas me disse: "Eu vou falar com o presidente".

Em seguida, me contou que estava puto com o Luiz Fernando por essas e outras, inclusive por um fato que havia ocorrido e ele precisava ser ouvido. Ao falar com o Luiz Fernando, este disse que enviaria um delegado de sua confiança para fazer o procedimento no próprio gabinete presidencial, sem publicidade, o famoso "deixa comigo". De fato foi lá um delegado que acabou "querendo me indiciar, e depois fez um carnaval na imprensa, caralho!". E completou: "Filho da puta, ele perdeu o controle. Não fosse o Márcio Thomaz Bastos conseguir um habeas corpus, eu estava fodido".

Essa mesma história o ministro Luiz Paulo viria a me contar mais à frente.

Eu disse a ele que minha honra e minha reputação valem mais que minha vida, e que jamais faria algo que pudesse macular o nome do meu pai e a confiança do presidente da República. Ademais, repeti que esse caso já fora exaustivamente investigado e arquivado, e era de conhecimento de todos os meus superiores desde oito meses atrás, quando tudo ocorreu. Portanto, eu não poderia aceitar aquela armação, aquela injustiça.

Nesse momento comecei a chorar. Meu queixo tremia do mesmo jeito que o de Caetano Veloso cantando aquele "Cucurucucu" no filme do Pedro Almodóvar, só que de raiva. Repeti em letra de fôrma: "Gilberto, meu nome, o nome que eu herdei do meu pai, o meu passado, são toda a reputação que tenho. Meu nome é o passaporte que eu guardo para a minha aposentadoria. Eu jamais mancharia o nome que meu pai me deu e a confiança que o presidente Lula me depositou. Estou vivenciando uma injustiça de verdade, e olha que eu nunca cometi injustiças. Eu sou um delegado que ouve os dois lados e bota tudo no papel".

Nesse instante, o insuspeitável: o todo-poderoso Gilberto Carvalho começa a chorar junto comigo, sua voz trôpega atropela minha fala e as próprias sílabas: "Eu te entendo. Veja, Tuma, o quanto fui injustiçado no caso Celso Daniel. Não aceito essa injustiça até hoje. Imagina você que eu era o braço direito do Celso, seu homem de confiança. Quando saiu aquela história de que havia desvios na prefeitura, eu, na maior boa fé, procurei a família dele para levar um conforto. Fui dizer a eles que o Celso nunca desviou um centavo para o bolso dele, e que todo o recurso que arrecadávamos eu levava para o Zé Dirceu, pois era para ajudar o partido nas eleições".

E prosseguiu, para meu espanto, numa espécie de Síndrome de Estocolmo às avessas: "Falei aquilo para confortar a família, para testemunhar que o Celso era honesto, e não é que os irmãos dele depois passaram o que lhes contei para a imprensa! Por isso sei o que é uma injustiça, sei o que você está passando".

Confesso que, naquele momento, senti que estava diante da maior confissão que poderia obter, e que me esclarecia de vez o caso da morte do ex-prefeito de Santo André. Uma das únicas coisas de que eu tinha dúvida, a única coisa que eu sabia mas não tinha prova: se havia arrecadação mesmo, como ela era feita e para quem ia.

Só depois, quando voltei do susto, pensei que a comparação feita pelo Gilberto não tinha o menor sentido; afinal, eu era inocente, por isso injustiçado. Mas reconheço que, naquele instante, diante de tanta emoção e sentimentos dos mais diversos, e vendo aquele cara botando pra fora algo entalado, senti pena do meu interlocutor. Era como se eu estivesse presidindo um interrogatório. Acabara de colher uma prova testemunhal irrefutáfel: uma confissão, a última peça que faltava no meu quebra-cabeça. E aí virei as costas em confiança, quando jamais deveria te-lo feito. Precisamente ali, assinei meu destino e o de meu pai.

CAÍ NUMA CILADA

Naqueles dias o que eu mais ouvia era que fulano perdeu o controle, beltrano se mostrou sem controle. O próprio ex-ministro Márcio, que se envolveu na história, chegou a me dizer que o Luiz Paulo não se mostrara preparado para o cargo, pois não havia assumido o controle da situação nem da pasta; para ele, "era uma decepção".

Também pudera. No dia de sua posse, que ocorreu em uma sala do Centro Cultural Banco do Brasil, onde ainda funcionava o gabinete do presidente da República, momentos antes, o ministro Tarso, já prevendo a animosidade existente entre ele e o Luiz Fernando, por conta do Luiz Paulo atribuir ao DG da PF um grampo clandestino contra si, entrou na sala do Lula e pediu para que o presidente acalmasse ambos. Ato contínuo, Lula chamou os dois e disparou: "Vocês têm que me ajudar a manter o governo bem, viu, Luiz Paulo e Luiz Fernando? Trabalhem em conjunto e em harmonia". E acrescentou: "Luiz Paulo, não troque ninguém. Mantenha a equipe que está indo bem. Em time que tá ganhando não se mexe".

O Luiz Paulo saiu puto da vida, me contou a conversa, disse que o ministro Tarso o amarrou, e acabou descontando sua crise de autoridade onde não devia: nas coitadas das secretárias do gabinete do ministro. Elas eram muito experientes e eficientes, mas ele trocou todas. Devo reconhecer que o Pedro Abramovay, quando falou da fraqueza do Luiz Paulo para o posto, tinha certa razão: ele sequer conseguiu administrar o ciúme que sua chefe de gabinete tinha do secretário executivo no aspecto "quem manda mais"!

Quando o ministro comunicou a decisão da minha saída, naquela reunião do dia 13, nomes foram cogitados, ele me sondou, eu sugeri a Regina Miki, que estava sem função específica no ministério e vinha sendo aproveitada por mim nos assuntos da secretaria, mas apostei que voltaria o Pedro Abramovay, aquele que havia saído por discordar da "irresponsabilidade dos pedidos do Planalto", sem um ministro forte para dar guarida, como me havia confidenciado. O Luiz Paulo rechaçou de plano. Ele não esquecera da armação do Pedro ao tentar tirá-lo da sucessão do ministro Tarso, propondo seu nome para concorrer ao cargo de diretor do UNODC.

Na época, com muita habilidade e aconselhado por alguns amigos próximos, entre os quais me incluía, o Luiz Paulo deu o troco. Sabendo da vaidade incontrolável do Pedro, agradeceu ao ministro a proposta, e contra-atacou com a sugestão da indicação do Pedro para o cargo.

Não deu outra. O Pedro, que em mais de uma oportunidade foi capaz de fazer o ministro Tarso, quando em viagem internacional, arrumar agenda para que seu secretário executivo o acompanhasse ou viajasse a outro país, só para ser designado a responder pelo ministério e plantar nota nos jornais como o ministro mais jovem da Esplanada, acabou aceitando e levando a sério a disputa.

Como eu que vivia junto ao UNODC e conhecia bem seus bastidores, sabia que até eu tinha muito mais chance do que ele. Com um bom candidato, que fosse do ramo, e com o apoio do governo, por todo destaque que estávamos tendo nessa área de combate ao crime organizado, em cooperação jurídica, e nossa atuação pró-ativa nos ditames das convenções das Nações Unidas contra o Crime Organizado Transacional e de Combate à Corrupção, respectivamente Convenções de Palermo e de Mérida, o Brasil teria toda chance do mundo. Se o Lula desse um telefonema para o Ban Ki-moon ou despejasse telegramas aos países da ONU – o que ele se recusou a fazer pelo Pedro Abramovay – o nosso embaixador em Viena, Júlio Zelmer, e eu mesmo, que era do ramo, certamente estaríamos eleitos para a direção do UNODC. A Argentina também tinha um bom candidato, o embaixador junto ao UNODC em Viena, que acabou fora do páreo pela candidatura do Pedro, impedindo o Mercosul de lançar outro nome. Foi uma grande oportunidade perdida, uma ação de vaidade política pessoal deletéria, que contrariou os objetivos da nossa política externa e os interesses não só do Brasil, mas do Mercosul.

Com um candidato considerado imaturo, inexperiente, muito vaidoso e favorável à liberação do tráfico de entorpecentes de pequena monta, nem a sério fomos levados, apesar dos disfarces de alguns países, por questões diplomáticas. As chances dele eram nulas. Mas o Luiz Paulo não resistiria a uma indicação do MTB para ele ocupar meu lugar. Afinal de contas, o ministro Márcio foi quem convenceu Lula a escolhê-lo para substituir Tarso, o que também não era difícil prever, pois Lula até hoje não esquece as graves acusações lançadas contra ele pelo Zé Eduardo Martins Cardozo, em 1997, segundo me confidenciou o próprio atual ministro. Ele acusou o Lula de crime quando fez aquela investigação interna do PT em São José dos Campos com o Paulo de Tarso Venceslau. Além do mais, ao atender a um pedido do MTB, Luiz Paulo garantia um crédito numa bola dividida futura.

Mas isso não adiantou muito. O próprio MTB me verbalizou que o Luiz Paulo se mostrava incapaz de gerir o ministério como autoridade máxima. Era uma aposta decepcionante, infelizmente. Para que você, leitor, tenha uma ideia, vou contar um episódio sobre a administração dele que caracteriza bem essa falta de comando, de capacidade de administrar vaidades, que muitas vezes ocorriam por conta de suas próprias omissões, ou de sua própria falta de diretrizes e diálogo com a equipe.

Sob Tarso, nós tínhamos uma reunião semanal dos secretários nacionais e diretores gerais; entretanto, o da Polícia Federal não ia e nem mandava representante, a não ser em casos raríssimos. Eles despachavam direto no Planalto, ou muito pontualmente com o ministro, em agendamentos específicos. Até o presidente da Funai ia a todas.

Quando o Luiz Paulo assumiu, disse que seria diferente, que a partir daquela data todos os secretários e diretores gerais participariam. Que o Luiz Fernando teria que vir como vinham o Depen, a PRF, a Funai, enfim, sem exceções. Nas três primeiras reuniões, o diretor da PF não veio e nós gozamos o novo ministro. Ele disse que daria um jeito e deu: acabou com as reuniões.

A SAGA DE JUNHO

Aquele mês foi marcante. Na verdade, quanto mais eu ouvia que alguém ou alguma coisa estava sem controle, mais eu sentia que tudo estava absolutamente sob controle, tudo dominado, saindo do jeito que eles queriam. Era a verdadeira fritura em óleo morno.

Num belo dia, o governo, que não poderia deixar o assunto morrer, manda a PF espelhar meu computador na minha sala, no Ministério de Justiça, e copiar todos os meus e-mails no provedor do ministério. Combinaram tudo com o ministro. Eu havia dito ao ministro que, se quisessem, bastava me chamar que eu franqueava o acesso, e lhe recomendei para não ser conivente com arbitrariedade e ilegalidade. Eles preferiram a ilegalidade. Por quê? Era importante se noticiar que eu sofrera busca, o que reacenderia a mídia. No fim, não fizeram contraprova do que foi espelhado, sequer cópia reserva dos meus emails, o que provocou a constatação, quando liguei a máquina, acompanhado por um técnico do ministério, de que a mesma fora adulterada. A malfadada diligência foi tão atabalhoada e irregular que a própria chefe da consultoria jurídica do MJ se recusou a assinar o termo, alegando ser ilegal a "invasão" do meu computador e dos meus emails sem ordem judicial.

Ela estava absolutamente certa. A Justiça Federal de Brasília anulou a diligência, que tachou de "irregular e ilegal". Quando eles vazaram na imprensa, a justiça já havia anulado a diligência. Mas é óbvio que surtiu seus efeitos pirotécnicos. Cuidadosamente, vazaram para ser publicada a notícia erroneamente pela *Folha*, no dia da minha oitiva na CEP – oitiva essa que foi outro capítulo à parte.

Logo que as denúncias foram plantadas no *Estadão*, eu disse que o único lugar que teria razão em me pedir algum tipo de explicação seria a Comissão de Ética Pública da Presidência da República, haja vista que eu já havia respondido a tudo aquilo em todos os demais órgãos e instâncias em 2009; portanto, nenhuma novidade para ninguém, muito menos para meus superiores. Lembro que, à época, por minha insistência, o ministro Tarso pediu um relatório do que havia contra mim e eu pedi afastamento, tendo ele negado peremptoriamente. Naquele momento, em 2009, de posse do relatório, apenas me perguntou o que viria a ser "campei", tendo eu respondido que se tratava de uma saudação em chinês, que eu proferi, durante uma conversa, quando estava sendo gravado, no jantar com uma delegação de policiais da China. Ele me ofereceu o relatório para ler, o que descartei de pronto. O ministro riu e me mandou esquecer o assunto: "Doutor Tuma, toca o pau, continua seu bom trabalho". Mas fez uma ressalva: "Por que o senhor não devolve o agente que está à disposição da SNJ para a PF?"

Primeiro perguntei a ele: "O senhor sabe quem é o agente, ministro?". Diante da negativa, completei: "É o Paulo Guilherme, aquele que o senhor elogiou naquele dia, no aeroporto de Cumbica, por ser o único que ostentava o *pin* identificador de funcionário do ministério na lapela do paletó, lembra? Se houver algum indício de que ele cometeu algum crime ou abusou da minha confiança, faço isso imediatamente. Mas cometer injustiça eu não vou. Não faço com ninguém o que não aceitaria que fizessem comigo. Esse rapaz está sendo usado para me atingir, o senhor vai ver que ele não cometeu nenhum crime".

Ele entendeu e eu não o devolvi à Polícia Federal.

Voltando: eu dizia então, em maio de 2010, que só a CEP deveria me cobrar explicações, e imediatamente, antes mesmo que se manifestasse, apresentei um requerimento pedindo para ser ouvido pessoalmente. Com aquele meu pedido, abriu-se um procedimento na comissão, mas minhas explicações foram solicitadas por escrito. Eu as apresentei e insisti para ser inquirido pessoalmente.

Durante o processo de fritura, o governo teve uma ideia, da qual só me dei conta depois. A comissão "atendeu" meu pedido e marcou minha oitiva para o dia 11 de junho, uma sexta-feira, véspera da minha volta ao trabalho na secretaria. Muito bem: compareci com o Márcio Palma, meu advogado ali, e comecei o meu depoimento, que, a pedido da comissão, foi gravado.

Relatei os fatos, respondi a perguntas de todos os membros, um pouco tumultuado porque era a primeira vez após minha oitiva na sindicância administrativa do MJ, cuja instauração eu mesmo sugerira. Afirmei que podia falar sem "pudores" tudo aquilo que estava entalado e o governo me fazia engolir com o patrulhamento. Estranhei a insistência de um membro, representante da CNBB e muito ligado ao Gilberto Carvalho, no sentido de induzir que eu avaliasse a possibilidade de me afastar do cargo para me preservar e preservar o governo. A ele respondi firmemente: "Padre, quando os fatos ocorreram, eu propus ao ministro meu afastamento e ele não aceitou, porque julgou que nada havia contra mim. Isso já faz mais de oito meses e, na verdade, eu já teria voltado porque não se apurou nada contra mim. Repito o que já disse aos senhores: não há qualquer fato novo nessas criminosas gravações vazadas, e todos esses fatos e essas distorções são de amplo conhecimento de todos os meus superiores atuais e da época. Por fim, o dia em que o secretário nacional de Justiça se curvar a uma injustiça contra alguém, ou mesmo contra si, pode fechar a porta da secretaria nacional de Justiça porque ela perde a razão de existir".

A reunião prosseguiu e, num determinado momento, o presidente Sepúlveda Pertence pediu que eu saísse da sala e aguardasse na secretaria da comissão, pois queriam ter uma conversa reservada. Após quase uma hora de chá de banco, meu advogado foi chamado e logo voltou com a minha mala – mala mesmo, de documentos que eu havia levado para rebater pontualmente cada informação distorcida lançada na mídia – e me disse: "Vamos embora". Estranhando, perguntei: "Por quê? O que aconteceu? Eu não acabei de depor ainda. Tenho mais a dizer". E o Márcio: "Não, acabou mesmo, eles te dispensaram. Disseram que não sabem como agir; vão analisar tudo e depois fazem contato comigo".

Fiquei meio perplexo e confesso que não entendi o que estava ocorrendo, se aquilo era positivo ou negativo. Uma coisa me ficou clara: a comissão agora conhecia a versão oficial dos fatos, as aberrações e os abusos cometidos pela PF.

Com muito custo, convenci o Márcio de que iria ao menos abrir a porta da sala onde ocorria a reunião para me despedir. Ele foi na frente e pediu autorização para que eu pudesse fazê-lo, e assim parti. Minha dúvida, porém, não durou muito. Ao anoitecer, recebi uma ligação no celular vinda do Planalto. Era o Gilberto Carvalho, já com um tom de voz menos caramelizado, me perguntando sobre a ida à comissão e se eu tinha falado com o ministro. Respondi que havia recebido um recado de que o ministro queria falar-me, mas, em vista da comissão, a conversa ficaria para o final de semana.

Com relação às novidades, lhe disse que a Justiça Federal havia decidido que aquela diligência da PF no meu gabinete era ilegal, e que na comissão eu achava que tinha ido bem.

Aí veio o esclarecimento daquela minha dúvida. Diz o Gilberto: "A comissão ficou reunida por mais de duas horas após sua saída e não chegou a um veredito. Eles falaram que você foi muito enfático. O presidente queria uma posição para resolver seu caso e eles não deram". Seguimos na conversa com mais uns blablablás e ele me recomendou, novamente, que falasse com o ministro: "Fala com o Luiz Paulo, e qualquer coisa te ligo". Entendi tudo. A comissão me convocou porque o governo achou que poderia me coagir, no sentido de me chamar logo após e dizer algo do tipo: "Olha, a Comissão de Ética vai sugerir uma repreensão a você, uma sanção; então achamos melhor você pedir para sair porque aí eles encerram o processo". Posteriormente, descobri que naquela ocasião já existia até um pré-relatório, eivado de falhas e completamente desconecto dos fatos reais, preparado por funcionários diretamente ligados ao Planalto. Eles sabiam que para mim isso era pior que pena de morte ou prisão perpétua. Com mais de 30 anos de serviço público, ilibado, currículo limpo, ter uma punição por falta de ética no trato com a coisa pública? Era melhor me fuzilarem.

Calcularam mal: não havia na minha conduta absolutamente nada capaz de ser censurado, além do que a comissão também era integrada por gente ilibada que, quando se confrontou com a verdade e fez o contraponto, percebeu que havia uma grande armação, e suspendeu a reunião – por mais que hoje eu esteja convencido de que a orientação do Planalto fosse no sentido contrário. Hoje não restam dúvidas. Vejam o resultado do meu processo, aprovado por unanimidade: o relator, que foi presidente do STJ, o recém-falecido ministro Humberto Gomes de Barros, desconsiderou, no mérito, aquele relatório mal elaborado, construído por encomenda dos asseclas do "viúvo" funcional de Celso Daniel, Gilberto Carvalho.

Reproduzo o voto do ex-ministro e relator, repito, aprovado por unanimidade pelos membros da Comissão de Ética Pública; aqui também se pode notar que o próprio gabinete do ministro da Justiça e meus substitutos na secretaria nacional de Justiça, Izaura Miranda e Pedro Abramovay, fizeram de tudo para inviabilizar um desfecho favorável a mim naquele caso, e para prejudicar a eleição do Tumão. Acho relevante esse resultado, pois se pode cometer desvio ético sem cometer crime, mas é impossível se cometer crime sem desvio ético.

Escreveu o ministro relator:

> *"Adoto o relatório elaborado pela Secretaria Executiva.*
> *Registro preliminarmente a má-vontade com que se houveram a Secretaria Nacional de Justiça e o Gabinete do Senhor Ministro da Justiça. É que, malgrado reiteradas solicitações nossas e repetidas promessas, esses órgãos não remeteram as informações solicitadas. Tal recusa atrasou o procedimento ético e levou-me – pre-*

mido pela angústia que o atraso acarreta a todos os interessados – a encerrá-lo sem tais informações.

No mérito, afasto-me da sugestão que encerra o relatório, no que respeita à sanção aplicável.

Faço-o porque, malgrado a volumosa documentação trazida a exame, nenhum dos deslizes éticos imputados ao Dr. Romeu Tuma Junior foi comprovado.

É possível que (comprovada a assertiva de que o Sr. Paulo Li é "o maior contrabandista do Brasil"), ao manter com ele reconhecido vínculo de amizade, o Dr. Tuma colocou-se em situação de risco.

No entanto, o potencial dano não se consumou.

Tenho para mim que o indiciado não merece qualquer das sanções cominadas pelo Código de Conduta. Correto seria dirigir-lhe recomendação para que, no futuro, seja mais prudente em suas relações particulares.

Brasília, 17 de Setembro de 2010

Humberto Gomes de Barros"

Outro resultado importante a ser lembrado é o caso do Aeroporto de Cumbica, onde a imprensa disse que tentei impedir um flagrante de evasão de divisas que envolvia familiares de uma deputada paulista. Julgo importante para que se tenha noção do grau de distorção e invenção utilizado no intuito de atingir o espúrio objetivo de transmitir à opinião pública a autoria de um fato simplesmente inexistente.

Na verdade não mantive nenhum contato com qualquer pessoa a respeito da prisão daquela família, e, quando fui questionado, os presos já estavam soltos! A maldade foi tão grande que chegaram a noticiar que liguei para "o delegado" do caso, quando se tratava de uma delegada com a qual jamais tive contato. Era um crime impossível, pois não falei com ninguém, tampouco designei interlocutor.

O Ministério Público Federal arquivou o caso e tal arquivamento foi homologado por deliberação unânime da 5ª Câmara de Coordenação e Revisão do MPF, conforme publicação no DOU de 03.04.12. O coordenador da Câmara era o atual procurador-geral da República, Rodrigo Janot.

O festival de contrainformações e covardias continuava.

Domingo, véspera da minha volta, mais uma conversa com o ministro, a derradeira; e não poderia ser diferente, a não ser que eu me dispusesse a ser um deles, ou me transformasse em um ser desprezível, pior que um mau caráter: um sem caráter.

Ouço do ministro da Justiça do Brasil, após alguns encontros e algumas conversas, que os personagens do Planalto me dizem uma coisa, fazem outra e o mandam fazer uma terceira. Soube até que o próprio ex-ministro Márcio Thomaz Bastos sugeriu que rascunhassem uma linda cartinha para que eu assinasse, pedindo demissão, talvez me confundindo com um aloprado ou um mensaleiro, coisa que nele não combinava porque me conhecia muito bem. Ali ele já fazia pressão para que o Pedro Abramovay assumisse meu lugar e retomasse o plano da Supersecretaria que eu frustrei.

Imaginem se, antes de me derrubarem, eu tivesse levado adiante o projeto de abarcar o Coaf? Se eu tivesse viabilizado o projeto de concentração absoluta de poder na secretaria nacional de Justiça, imaginem? O que teria ocorrido com o Conselho de Controle das Atividades Financeiras, ou em que mãos poderia estar? O que seria hoje da Unidade de Inteligência Financeira Brasileira? E a imprensa menos avisada, ou a que estava a serviço do governo, dizendo que eu politizava o DRCI...

Veja que, a despeito de uma campanha forçada, feita por jornalistas do *Estadão* a serviço do governo, eu, ao contrário do que eles plantavam, não politizei os órgãos; muito ao contrário, os protegi!

Enfim, o ex-ministro Márcio já tentara emplacar o Pedro como secretário executivo na saída do Tarso. Não deu certo porque o Luiz Paulo pediu para o presidente o Beto Vasconcelos, justamente para queimar a pressão do Márcio Thomaz Bastos. Com a negativa do Lula, que não deixou o Beto sair da subchefia da Casa Civil, o Luiz Paulo emplacou o Favetti, muito mais confiável e leal. Após garantir que, se eu saísse, não colocaria o Pedro na secretaria, o Luiz Paulo engoliu mais uma. Eu, francamente, diria que como ministro da Justiça ele foi o melhor secretário executivo do ministério, só perdendo para o Anastasia, atual governador de Minas Gerais.

Enfim, conversa vai, conversa vem, ouço que meu caso "é um julgamento político", ao que reajo dizendo: "Então estão julgando meu pai, e não eu. Julgamento político se faz no Congresso, na Comissão de Anistia etc. – não é meu caso".

Depois o ministro afirma que "ninguém tem coragem de te absolver no governo...". Uma espécie de chantagem subliminar do tipo "sai que tudo termina". Aliás, cobro dele que os jornalistas Mônica Bérgamo e Ricardo Boechat falaram exatamente isso na segunda-feira anterior, num noticiário na rádio, ouvido por mim, que então telefonei para ela dizendo: "A sua fonte confessou uma chantagem".

O ministro, assustado, disfarçou, mas não consegui entender se a fonte era a assessora de imprensa dele ou o Planalto.

Mostrando-se muito abatido, o ministro desabafou. Disse-me que reconhecia tratar-se tudo aquilo de uma grande injustiça. Sugeriu que eu pedisse para sair do governo, já que ele não queria me tirar. Diante da cena, sinceramente, por alguns segundos, me vi entre uma enorme vontade de gargalhar e uma enorme vontade de dar uma porrada na mesa de centro da sala da casa dele. Fiquei só na vontade.

Vejam vocês: era o ministro da Justiça dizendo que o secretário nacional de Justiça estava sendo defenestrado por uma injustiça: uma suprema contradição, um oximoro.

Não era um ministro da Casa Civil, da Pesca, dos Esportes, ou outro qualquer... era o da Justiça, aquele que senta à direita de "Deus Pai todo-poderoso".

Lembrei-me do barão de Montesquieu e de sua célebre frase: "A injustiça que se faz a um é uma ameaça que se faz a todos". Por isso cabia a um secretário nacional da pasta da Justiça resistir, não se acovardar e não ceder àquela chantagem que, em resumo, era um "saia numa boa que tudo acabará bem e rapidamente".

CAPÍTULO 16

A CHANTAGEM CONTRA O PRESIDENTE DA REPÚBLICA

Já contei anteriormente sobre a insistência do Gilberto Carvalho em me mandar falar com o ministro, ir lá na casa do Luiz Paulo Barreto. O ministro me falou exatamente a mesma coisa que eu ouvira na conversa entre Boechat e a Mônica Bérgamo, uma semana antes, na Band News, deixando nas entrelinhas que o PT só iria me absolver se eu saísse do governo. Começaram a sapatear sobre mim. Tudo virou um jogo de espelhos quebrados, uma caleidoscopia, uma coreografia de poder indecifrável: iriam me fritar e me demitir sob acusação de ter contato com um amigo de 30 anos, acusado de ser da máfia chinesa? Ou não?

O ministro me falou que ninguém tinha coragem de me absolver no governo. Não sei de onde tirou isso, até porque eu sequer era indiciado. Claramente, referia que meu julgamento era político, que era uma injustiça o que estava acontecendo comigo. Bizarro: o ministro da Justiça fala para mim, o secretário nacional de Justiça, que eu sofri uma injustiça e quer que eu saia? Porra, se fosse ministro do Esporte, da secretaria de Portos, da Pesca eu até entendia, mas o ministro da Justiça fala para você que é uma injustiça e você tem que sair? Piada.

Digo ao ministro: "Porra, isso nós estamos vivendo onde? Na ex-União Soviética? Na parte onde só tem gelo? Na geleira? É o fim do mundo!"

Finalmente digo que não vou sair do governo: "Vocês que me pagam, então vocês me tirem". Só ladrão sai; não vou sair para preservar o governo pois tenho que me preservar, não sou ladrão, não sou bandido. "Você sabe que eu não fiz nada porque você acompanhou isso desde quando era secretário executivo".

É engraçado, porque falavam que eu ia responder inquérito, e por isso não poderia ficar no governo. Eu jamais respondi inquérito, jamais fui indiciado, denunciado e processado. Meu bom nome segue imaculado, e minha ficha devidamente limpa. Veja o leitor: é o senhor Gilberto Carvalho, hoje secretário particular de Dilma, e já àquela época ministro, que estava respondendo por improbidade administrativa. E o Luiz Fernando, ex-diretor da PF, foi acusado pela *Carta Capital* e pelo governo de ser um baita de um torturador.

A *Carta Capital*, revista intimamente ligada ao governo petista, falou que ele era torturador e pediu a sua cabeça mas não aconteceu nada...

Lembro que o ministro Luiz Paulo queria tirar o Luiz Fernando quando assumiu. "Não faz isso, esquece, porque o presidente não vai tirar; faltam oito meses para acabar o governo, você acha que vai trocar o diretor da Polícia Federal?", eu disse ao então ministro Barreto.

O Barreto chegou a dizer ao Tarso Genro, quando assumiu: "O Luiz Fernando me grampeou".

Eu tinha liberdade com o Barreto, antes de ele ser ministro. Dizia para ele que eu tinha certeza de que não ia ser o Zé Eduardo Martins Cardozo o ministro da Justiça do final do governo Lula: tudo porque o Zé Eduardo não se dava com o Lula. Ele acusou o Lula de crime quando fez aquela investigação interna do PT, em São José dos Campos, com o Paulo de Tarso.

O Lula não ia botar o Zé Eduardo para cumprir os últimos oito meses de governo. O Lula deu aquela desculpa, mandou optar pelos secretários executivos... eu sabia que iria ser o Luiz Paulo. Falei para o Luiz Paulo: 'Vai ser você, mas não fica se queimando senão eles não vão te pôr, não vão querer problema".

Tanto que, no dia da posse, o ministro Tarso entrou no gabinete do Lula, um pouquinho antes, no Centro Cultural Banco do Brasil; o Lula vem no corredor e chama o Luiz Paulo, novo ministro da Justiça, e fala: "Vem cá, chama o Luiz Fernando, diretor da PF, também".

Chamou os dois na sala, ninguém sabia o que acontecera... Ao sair, Luiz Paulo estava lívido. Saimos de lá, do CCBB, que substituía o Palácio, e o Luiz Paulo me contou: "O Tarso me fodeu! O presidente vem e fala que não quer confusão com nós dois, quer a gente quietinho, eu e o Luiz Fernando, até o final do governo".

O presidente falou isso para o Luiz Paulo: "Não mexe com o Luiz Fernando, deixa ele quieto lá; vocês que se entendam, ele vai até o fim. Na boa, hein? Não muda ninguém no ministério e toca o pau, Luiz Paulo".

Quer dizer, aquilo demonstrou que eles não se bicavam mesmo. Tanto que, um dia, quando aconteceu o vazamento dos fatos montados, conversando com o Luiz Paulo na sala dele, falei: " Diante desse jogo, se vocês pedirem para sair, eu saio". Ele disse que não queria. Retorqui: "Olha para mim e pede que eu saia". Ele pega, então, e me devolve: "Tuma, tem que cair o Luiz Fernando, diretor da PF; eu já tenho até quem pôr no lugar, você poderia me ajudar a derrubá-lo, falar com o Sarney, falar com alguém..."

Luiz Paulo me diz em sua casa: " Tudo isso é político; você está sendo julgado politicamente. Ninguém tem coragem de te absolver enquanto estiver no governo". Respondo: "Pô, se o julgamento é político, então estão julgando meu pai na minha pessoa. Querem atingir o Tumão, uma verdadeira chantagem subliminar do tipo "pede para sair que tudo se resolve". Um assédio moral. Exatamente o que havia antecipado a Mônica Bérgamo com o Boechat uma semana antes. Devolvi que achava estranho o Luiz Fernando: ele cometeu esse puta abuso, criou essa situação e não vai acontecer nada? O ministro Barreto arremata: "Não acontece nada com o Luiz Fernando".

E então revela: "Ele tem umas fotos do presidente, uma coisa muito comprometedora que aconteceu na Amazônia... Ele deixou implícito que chantageia o presidente, que tem o presidente na mão, por isso o Lula não mexe com ele".

Eis o retrato final desse projeto de poder. Todo país totalitário é assim, começando por esses chefes de polícia, num esquema onde a polícia é usada como instrumento de governo. Em 99% dos casos o chefe de polícia é o chefe do Estado. As raízes são estruturalmente históricas: se você pega lá atrás, quando se falava do FBI, dos desmandos do Edgard J. Hoover, o Putin na Rússia, em todos esses países do Leste Europeu é tradição o chefe de polícia ser o chefe de Estado; é comum o homem de inteligência e espionagem virar comandante de fato.

Luiz Fernando Corrêa tinha de tal forma acesso ao núcleo central do poder, detinha um instrumento tão forte e decisivo de poder nas mãos, que fazia tudo que o governo queria e vice-versa, e sabia de tudo que acontecia. Essas fotos do Lula o Luiz Fernando obteve quando era secretário nacional de Segurança Pública.

O acesso a tal material conferiu-lhe poderes para superar os militares na disputa para a coordenação de segurança dos Jogos Panamericanos, em que ele, como coordenador, fez compras superfaturadas e por isso responde judicialmente até hoje... Desse fato, e a partir desse ponto, ele passou a ser o prometido, iria ser diretor da Polícia Federal. O ministro Márcio Thomaz Bastos cansou de falar para mim: "Não sei o que o presidente Lula vê no Luiz Fernando, não acho ele um bom cara para ser diretor da

PF, não gosto dele; ele não é o secretário nacional de Segurança que eu queria, na verdade".

Como é que pode ser feita a chantagem, tecnicamente, do Império criado por Lula? De duas formas: uma veemente, o assalto medieval, mano a mano, em que você já se achega pimpão, falando: "Olha, amigo, está aqui". Não acho que essa era a forma que Luiz Fernando Corrêa usava, porque, se você faz uma chantagem, você cria um inimigo e corre o risco de ser enfrentado.

Isso pode ter sido feito subliminarmente, da forma mais "inteligente" que existe, que é você chegar e falar: "Olha, presidente, descobri essas fotos aqui; os caras queriam ferrar o senhor. Estão aqui as fotos e estou lhe entregando, toma cuidado".

Quer dizer, você entrega para o cara, mas depois cai a ficha: "O outro ficou com cópia, né? Ele está sabendo, putz, eu preciso protegê-lo para que não vire meu inimigo". É o pacto de morte às avessas...

Dessa forma a chantagem é "amigável", podemos assim dizer; é a chantagem do compromisso íntimo, moral.

O ministro que fala isso – que tem fotos comprometedoras do presidente – está ferrado. O que tem de grave nisso é o ministro da Justiça dizer que o diretor da polícia não cai porque ele soube, por terceiros, que esse diretor tem fotos do presidente. Inaceitável.

O ministro da Justiça não pode afirmar isso a ninguém, em nenhuma hipótese, em nenhuma situação, em nenhuma condição; porque na hora em que o ministro verbaliza isso para qualquer pessoa, até para a mulher dele, admite que também está sob chantagem. E foi exatamente o que ocorreu, ou seja, ele disse que não agia por conta das fotos! Se alguém reporta ao ministro da Justiça uma situação dessas, e ele admite para uma terceira pessoa que ele ouviu isso, imediatamente tem de tomar uma atitude. Uma não: duas.

Uma atitude é ir ao presidente e contar que o cara tem fotos dele que devem ser mantidas em sigilo. Segue-se então o famoso "eu vou embora", ou "eu soube e vou demitir o cara, e o senhor não precisa ficar sabendo por que estou demitindo o cara". Ou nem vai ao presidente, chama o cara e fala que ele está demitido. Se ele perguntar por quê, você se sai assim: "Porque estou te demitindo; estou trocando a administração para botar outro dirigente com o perfil mais adequado ao que pretendo".

Aí você espera para ver a reação do presidente; se ele te chamar e falar que não quer que troque, você pergunta: "Por que o senhor não quer que troque? Se o senhor está achando que é chantageado, eu assumo essa parada; o senhor não pode ser presidente da República e sofrer chantagem de um chefe de polícia, porque ele está chantageando o Estado Democrático de Direito".

O fato de o cara saber que existe isso já é uma chantagem, porque não permite ao presidente tomar qualquer atitude que possa contrabalançar.

Vejamos o meu caso: por que ele, Lula, e a PF instauraram outro inquérito para investigar o que ele já tinha investigado, e tinha arquivado – o famoso *bis in idem*? Para fazer parecer que as notícias vazadas eram fatos novos e provocar um clamor com as montagens de diálogos que não existiam, ou estavam fora de contexto, o que eles fazem comum e impunemente. Tanto é verdade o que eles visavam, o objetivo criminoso, que instauraram outro inquérito e não me indiciaram, sequer tiveram coragem de me ouvir... Então era isso, eles iam me ferrar... Caí porque não tinha dossiês nem queria a proximidade deles para negociar a minha permanência em troco da fritura de alguém. Definitivamente, não sou um galeão holandês, que afunda atirando.

Como é que o presidente Lula deixou a polícia instrumentalizada com o objetivo de me ferrar, acusando-me de ligação com um contrabandista? Então era tudo verdade: eles queriam arrebentar meu pai e me arrebentar. Por que ele não deu um murro na mesa e falou: "A minha polícia não é instrumentalizada para prejudicar ninguém, nem amigo, nem inimigo, nem adversário, nem parceiro, nem companheiro; minha polícia é técnica, judiciária, da União"?

O presidente Lula certamente vai ficar sabendo, por estas linhas, que um homem a quem ele recebia em seu gabinete, e que subvertia a hierarquia no Ministério da Justiça, divulgada a torto e a direito, se mantinha no cargo por conta do acima exposto. É, no mínimo, para ser investigado. E me pergunto: o quanto esse tipo de chantagem não terá contaminado o governo Dilma? Dilma-me com quem andas e te direi quem são...

Quero relatar como a hipertrofia da PF (com exercícios anabolizados e musculatura de gente metida a fazer tocaias silenciosas) estragou a própria corporação. Quero contar como o próprio presidente Lula foi vítima do monstro que ele criou.

E assim me vem à cabeça a principal revelação do ministro da Justiça, Luiz Paulo Barreto. Foi uma reação dele quando eu lhe perguntei o por quê de todos falarem mal do Luiz Fernando, então diretor da PF, e ele continuar a dar as cartas como bem entendesse (abusando de sua autoridade e fazendo suas vítimas junto ao e com o governo)

Numa daquelas derradeiras reuniões com o ministro Luiz Paulo, por ordem do Gilberto Carvalho, ouvi o que abalaria qualquer República séria que estivesse, realmente, vivendo uma democracia sob um Estado Democrático de Direito. Ao questionar o motivo, qual a força que sustentava um governo dito de esquerda, do PT, que tanto discursa contra isso (que, aliás, é implacável contra adversários em situações muito mais brandas), ouvi uma barbaridade. Perguntava por que um diretor geral da PF, sobre o qual pesavam tantas acusações, mantinha-se ainda no cargo. Afinal, Luiz Fernando Corrêa era formalmente acusado de tortura por ter cegado uma indefesa doméstica que lhe prestava serviços; era acusado de manter sociedade com a empresa fornecedora do *software* Guardião e estava envolvido em denúncias sobre superfaturamento nas compras dos jogos Pan-Americanos. Do ministro Barreto ouvi, como resposta, algo que me estremeceu. Segundo o ministro da Justiça, o chefe da Polícia Federal havia interceptado fotos comprometedoras do presidente Lula. Meu Deus, um caso grave envolvendo o presidente da República, descoberto pelo chefe da Polícia Federal, o fazia permanecer no cargo, ou o fez nele ascender?

Pior: Corrêa havia interceptado as fotos. Onde estariam essas fotos para que ele as pudesse ter interceptado? O que significaria a interceptação? Quem as tirou, com que objetivo, e como chegaram até suas mãos? Isso era muito grave.

Tudo era muito grave. O fato em si era gravíssimo e revoltante. Estaria Lula sendo chantageado por isso, ou já teria sido no passado? Quem afirmara era simplesmente o ministro da Justiça ao explicar por que seu diretor de Polícia não poderia ser enfrentado ou repreendido em seus abusos. Aquilo me pareceu algo mais do que chantagem, até porque, pelo que entendi, após passar o forte baque, isso ocorrera quando o delegado chefiava a Senasp; talvez fosse esse o motivo de ter sido convidado para assumir a PF, como um prêmio, uma gratidão, um "cala boca" por ter entregue tais fotos ao seu protagonista, o presidente Lula – uma espécie de chantagem silenciosa ou subliminar, muito conhecida mundo afora, nos porões das polícias de regimes totalitários das décadas de 40 a 70 do século passado.

Certamente estava ali a resposta para a indagação que o ex-ministro Márcio Thomaz Bastos se fazia, e me verbalizou ao se referir ao Luiz Fernando Corrêa, numa manhã de domingo em seu apartamento: "Não sei o quê o presidente Lula vê nele."

Estava explicado, mais do que respondido. Agora eu poderia imaginar o que o Lula via nele. Eu não queria acreditar, me calei. Por alguns segundos refleti sobre aquela informação, vislumbrei aquela imagem, fiquei pasmo. Mas era o ministro da Justiça que dizia, o superior imediato do suposto "chantagista". Pensei: como ele poderia aceitar no cargo alguém nessas condições? Caberia a ele poupar o PR.

Como alguém, chefe de polícia de um governo que se diz de esquerda, defensor dos direitos humanos, que havia sido denunciado por prática de tortura contra uma indefesa doméstica – fato noticiado por uma revista da importância da *Carta Capital*, aliada do governo – havia sobrevivido incólume no cargo, sem nenhuma manifestação dos "sempre alertas" organismos governamentais e não governamentais de Direitos Humanos brasileiros?

Ele sabia demais. Mais do que saber demais, ele tinha algo que poderia, realmente, derrubar a República, e com isso a chantagem passiva era factual.

Para compreender, voltei aos tempos das ditaduras de esquerda, dos estados policiais do velho continente europeu. Nada havia mais a ser feito. O Brasil não tinha presidente que se opusesse a alguém que o ameaçava. Covardia bilateral – não, naquele caso, trilateral: o ministro da Justiça se curvara.

Fim da linha. Fato hediondo, situação hedionda, crime hediondo. Tentei poupar o Tumão, afinal ele era o vice-presidente da CPI da pedofilia; mas, diante da insistente discordância dele em relação ao fato de eu ter preferido ser afastado do que pedir para deixar o cargo, relatei tudo o que pensava sobre os que pediam a conta, do ponto de vista de quem estava dentro do poder, e repeti o que havia ouvido do ministro sobre as fotos comprometedoras do presidente. Uma informação que, se vazada, certamente desabaria como um meteoro no governo.

O Tumão fez silêncio por alguns segundos, perguntou-me se era sério o que eu dizia; após minha confirmação de que não lhe contara antes para poupá-lo, ele silenciou novamente por mais alguns segundos, e se despediu com um "vamos descansar, filho".

Não saí do governo por iniciativa própria, repito, porque não devia e não devo nada. Fui "saído" pelos tantos motivos já aqui apontados

Passados alguns minutos, por volta das 22h daquele domingo, dia 13 de junho, ligou-me minha filha mais velha, contando que minha mãe havia saído correndo com meu pai para o hospital, pois ele havia passado mal. E ali, naquela noite, para minha eterna tristeza, começou o calvário que só se encerraria quatro meses depois, em 26 de outubro, quando meu pai se afastou para sempre do nosso convívio.

Um pouco antes, eu havia recebido uma mensagem, pelo celular, da Gláucia, chefe de gabinete do ministro da Justiça, que comigo estivera na casa do Luiz Paulo, e que até aquele momento se mostrara amiga. Referia-se ao que tinha ficado decidido. Dizia assim: "Eu lamento profundamente, com todo o meu coração. E, em tudo que eu puder, vc pode contar comigo, sempre. Um beijo!". Amargurado, em tom de desabafo, respondi com a notícia que recebera de minha filha: "Não comente com ninguém, por favor, mas meu pai acabou de ser internado em SP por conta dessa merda!"

Em seguida falamos por telefone; ela disse que iria comunicar ao ministro, eu pedi que não o fizesse; trocamos algumas palavras, muitas lamentações, fiz um desabafo e desligamos. Afinal, meu pai estava num hospital por conta de uma notícia que lhe causara um choque – creio que muito menos pela forma como eu estava sendo tirado do governo do que pelo por quê eu estava sendo afastado.

No dia seguinte, quando soube pela imprensa que o ministro encaminhara o pedido de minha substituição ao Planalto, preparei uma nota à imprensa para explicar minha saída. Gláucia apareceu em minha sala com o propósito de ajustar (censurar) os dizeres. Ali me acendeu uma luz bem amarela mas já era tarde.

Depois vim a saber que ela fazia uma pressão descomunal, a pedido do Luiz Paulo, sobre a consultoria jurídica do ministério, no sentido de não ser exarado parecer final relativamente ao meu caso. Já havia ocorrido isso na comissão sindicante: suas pressões foram tão descabidas que a consultora-chefe em exercício, com o aval da titular em férias, num belo dia chegou a colocá-la porta afora sob ameaça de denunciá-la por crime de coação no curso de processo.

A valentia moral e a isenção profissional da consultora-chefe da consultoria jurídica do Ministério da Justiça, Giselle Cibilla, e de sua coordenadora-geral de processos judiciais e disciplinares, Lilian Barros de Oliveira, garantiram a conclusão daquela sindicância sem a nefasta interferência e contaminação político-pessoal. A se lamentar é que o Tumão se foi sem saber do resultado final de arquivamento.

Existe um provérbio escocês que espelha muito bem a prática usada por essa gente do Planalto e seus agregados, inclusive, e principalmente, nas redes sociais; é o seguinte: "Uma ferida ruim pode sarar, mas uma reputação ruim matará". Por isso se prefere atacar a reputação do que a própria pessoa. O físico pode ter cura sem deixar cicatrizes, mas, para uma reputação morta, não há ressurreição, é prego no caixão.

Naquele momento tudo ficou claro pra mim como uma revelação, uma centelha de todo código de comportamento do governo: Gilberto Carvalho, sob aquelas lágrimas de crocodilo, indicava nas entrelinhas que eu passara de risco iminente a perigo consumado, pois, se resolvesse sair falando por aí o que sabia do caso Celso Daniel, e o que ele havia me confessado, ao invés do governo continuar me fritando, ele estaria frito.

Chegara minha vez e a do Tumão, numa cartada só. É fato que, com relação ao Tumão, foram insidiosos, abusaram na dose e ele partiu de verdade. A indústria de assassinato de reputações – instituída, patrocinada e administrada pelo Estado – não pode parar. A fila tinha que andar.

A indústria de assassinato de reputações já se transformou numa verdadeira chacina de reputações, quer pela quantidade de vítimas num mesmo caso – pois atinge a família, parentes e amigos – quer pela quantidade de casos ocorridos. Enfim, essa escalada criminosa do Estado não pode parar... desde que Barba não saiba de nada, não é?

Cansei de falar e repito mais uma vez: como não conseguiriam matar fisicamente o delegado da cena do crime do Celso Daniel, usaram o "modo-plantação" para o cozimento e a execução de sua alma. Eu era testemunha no julgamento do Sombra, um dos acusados do crime contra Celso Daniel. A Polícia Federal me intimou a prestar depoimento em Brasília, sobre as acusações que o *Estadão* publicara contra mim, exatamente no dia em que eu ia depor no caso Celso Daniel. A sensibilidade era tão grande que o delegado mandou expedir a intimação no dia em que meu pai morreu. Tamanha a armação que, quando cheguei à PF de Brasília, nem o delegado estava lá para me ouvir. Na *Veja on line* plantaram que eu não queria depor, e eu lá tomando uma canseira, pagando passagem do meu bolso, e o delegado ganhando diária em São Paulo.

O presidente Lula sempre me falava nas mais de cem vezes em que o encontrei no mandarinato na secretaria: "Tuma, quem não deve não teme; enfrenta a imprensa de peito aberto, na cara e na coragem". Mas na prática a bravata de Lula passou a ser uma contradição em termos: emanavam dele ordens para que eu não desse entrevistas sobre o escândalo envolvendo meu nome, e ao mesmo tempo o governo montava uma indústria de plantar notinhas contra a minha pessoa. Marx treme na tumba: o PT refez a dialética do trabalho a seu modo, não?

Por isso, no meu caso, eles me propuseram o céu para pedir para sair, e eu não aceitei. Não era e não sou ladrão nem corrupto. Quem tinha que correr da polícia não era eu. Tecnicamente, sequer posso me considerar absolvido porque não fui denunciado nem indiciado pela polícia! Aliás, essa é uma das características do Estado Policial e do assassinato de reputação, um típico crime de Estado: só fica o que saiu na mídia, pois nas instâncias públicas, jurídicas e de direito, simplesmente, não existe nada contra você. É mais monstruoso que o caso da Escola Base, quando, em 1994, um delegado de polícia acusou donos de uma escola de São Paulo de abusarem dos alunos. A escola foi depredada pela população e fechada após a divulgação pela imprensa de que crianças ali matriculadas eram vítimas de abusos sexuais. A acusação se revelou infundada e o inquérito foi arquivado. As indenizações ganhas contra a mídia somaram milhões. A imprensa publicou as acusações, verberando apenas as palavras do delegado, que foi incapaz de reproduzir as denúncias no papel porque sabia que eram caluniosas e inverossímeis.

Fica evidente que os objetivos do governo foram atingidos. O Tumão, na cama de uma UTI, perdeu a eleição e logo depois morreu; eu tive a reputação assassinada, sem direito a ressurreição; o dinheiro do Opportunity foi desbloqueado poucos dias após minha saída e há registro de que, um mês depois, o banqueiro Daniel Dantas, generosamente, doou ou foi instado a doar, nas eleições daquele ano, um milhão e meio de reais para o diretório nacional do PT por meio de três fontes: o banco, a Opportunity Gestora e a Opportunity Lógica. O Pedro da história dos dossiês e dos aloprados assumiu meu lugar, e tentou implantar a política dos "sem cadeia" para os pequenos traficantes; no DRCI assumiu o sobrinho do sócio do ex-ministro da Justiça Thomaz Bastos, e nunca mais eu soube de qualquer fato novo que pudesse ter origem em alguma negociação que não tenha se iniciado ou passado por mim; os brasileiros do fundo de Daniel Dantas apareceram e lá estava um Abramovay, por mera coincidência, que não virou notícia – e se, por acaso, fosse um Tuma, acho que também não seria notado; por fim, a conta do Mensalão no exterior, que eu mandei investigar, foi para o beleléu.

Pena que a Justiça de primeiro grau ainda repousa em "berço esplêndido", talvez à espera do dia em que os "homens de preto" da polícia PTralha batam, literalmente, em sua porta, não a do fórum, mas a da casa de algum de seus mais ilustres representantes – o magistrado – quando já será tarde para acordar.

Atravessei o vale das trevas do PT e só tive como proteção meu caráter intimorato; não fosse isso, não estaria vivo para relatar tudo. Ainda espero a Justiça. O destino tem sido irônico e impiedoso. O autor do crime assumiu a cara da vítima. Cada vez que olho para o Lula enxergo o meu pai. O Tumão não merecia reencarnar num corpo desses. Nem mesmo na aparência...

Pródigo em prescindir de agentes da lei, o governo petista requer, sim, agentes de partido; e é dos retalhos de falsa s acusações que é feita a substância ora a compor as bandeiras do lulismo.

Parece estranho mas hoje tenho um íntimo orgulho, até honra, digamos, de ter sido demitido daquele governo. Eles ficaram extremamente constrangidos em fazê-lo. E eu nunca esqueço que contrariei o próprio velho Tumão quando bati o pé, e falei que não pediria para sair. Nesse esquema, quem deve pede para sair – um dispositivo talvez incompreensível àqueles fora do governo. Esse obviamente não era o meu caso.

Vigora um acordo, meio que subliminar, para se tolerar malfeitos no íntimo do poder – desde que não sejam descobertos e publicizados. Mas, quando isso ocorre, as pessoas tentam se segurar. E, em cumprimento ao ritual preestabelecido, mesmo esperneando, pegam o boné e se mandam, sempre com a velha e batida desculpa de que "vai se defender fora do governo; vai precisar de tempo para sua defesa; vai sair para não atrapalhar o governo; as acusações são políticas para desestabilizar o governo". E, assim, tudo parece lindo, como se os malfeitores fossem sendo punidos, faxina feita etc. O caramba! Salvo exceções, sai um, entra outro, a fila segue, e os "esquemas" continuam iguais. São endêmicos.

Não era e não sou ladrão: nunca fui indiciado, denunciado ou, obviamente, condenado. Meu nome e tradição, herdados do meu pai, seguem maciçamente incólumes.

Os que não abjuraram da fé na mentira, e seguiram produzindo fraudes, trambiques, sinecuras e desmandos, ora são investigados pelo STF – seja ministro, delegado federal, ou deputado. Tanto se esmeraram em catapular à nossa Suprema Corte informações inverazes, para fulminar inimigos, desafetos ou adversários, que acabaram eles mesmos presas de suas ciladas, réus em várias instâncias.

E eu sigo meu caminho: limpo, impávido, altivo e honrado. Do jeitinho que Tumão ensinou.

ANEXOS

LEGENDAS

| PÁGINA 525

Amostra de uma série de documentos constantes de um *pen drive* que recebi do governo petista, como secretário nacional de Justiça, em 2009. A ordem era investigá-los, vazar na mídia e assim fulminar o alvo: o senador Tasso Jereissati. Ainda hoje me pergunto: por que Tasso era a bola a ser encaçapada, então, pelo comando petista?

| PÁGINAS 526 a 529

Em 28.04.2010 propus ao gabinete do ministro da Justiça remessa, à PF, do dossiê montado para fulminar o senador Marconi Perillo Junior. Eu queria, com ajuda da PF, apurar a autoria do dossiê, que atribuí ao Palácio do Planalto. Uma semana após meu pedido de providências, saiu a primeira manchete do *Estadão*, que acabou me afastando do cargo. Provocado pela corregedoria do Senado, e em resposta a meu despacho, o DRCI, do Ministério da Justiça, negou que houvesse qualquer investigação contra Perillo até aquela data. Ou seja: o dossiê era falso, por isso nunca o investiguei.

| PÁGINA 530

Parte da representação que assinei em 18.01.2005, com o despacho a mão do chefe do MP de São Paulo, Dr. Rodrigo Pinho, pontapé inicial para a investigação sobre lavagem de dinheiro russo no acordo MSI-Corinthians. Os acusados eram Boris Berezovsky, Kia Joorabchian, Alberto Dualib, presidente do Corinthians, e seu vice, Nesi Cury.

| PÁGINA 531

Mesmo procurado pela Interpol, Berezovsky trafegava com desenvoltura no Brasil. Em 28.04.2006, acionando a PF, tentei prendê-lo no Hotel Unique, Zona Sul de São Paulo, onde sua trupe ocupava oito quartos. Mas o ministro da Justiça, Marcio Thomaz Bastos, impediu-me de, como deputado, contar com apoio federal para tocaiar o mafioso. Recorri então ao senador Romeu Tuma, que nesse documento declara à presidente do STF, ministra Ellen Gracie, ser necessária e legítima a prisão do mafioso russo.

| PÁGINAS 532 a 535

Relatório que recebi da Agência Brasileira de Inteligência, em agosto de 2004, elencando as atividades suspeitas do russo Berezovsky. A Abin o acusava de lavagem de dinheiro da máfia no futebol e de participação no financiamento de Osama Bin Laden na Chechênia – novidade jamais divulgada.

| PÁGINA 536

Carta à imprensa, datilografada e assinada por Naji Nahas quando preso nas dependências do Serviço de Polícia Marítima, Aérea e de Fronteiras da PF - São Paulo, outubro de 1989.

| PÁGINA 537

Cópia do cheque que recebi do procurador-geral de Justiça de Nova York, Robert Morgenthau, em novembro de 2007, no valor de US$1,608 milhão, referente à primeira parcela dos recursos do esquema Banestado repatriados ao Brasil.

| PÁGINA 538

O documento mostra, no alto à direita, nota escrita a mão, em 27.11.2008, pelo ministro Tarso Genro, me convocando para reunião ("Dr. Tuma, falar comigo"). No dia seguinte, decidiu-se que Cesare Battisti não deveria receber refúgio no Brasil; Greenhalgh recorreu e logrou êxito – não no STF, mas no governo: Lula não entregou Battisti à Itália. Veja que o próprio ministro grifa o nome de Greenhalgh. Teria este sido recompensado com a soltura de seu cliente por ter sido investigado na Operação Satiagraha? Não tenho dúvidas de que o italiano foi beneficiado num acerto de contas entre o Planalto e seu advogado.

| PÁGINA 539

Boletim de ocorrência de 20.01.2002 em que determino instauração de inquérito para apurar a morte do prefeito de Santo André, Celso Daniel, cujo corpo foi encontrado em Juquitiba.

| PÁGINA 540

Prova inédita: testemunha afirma ter visto veículos oficiais, com logotipo da prefeitura de Santo André, no local em que o corpo de Celso Daniel foi encontrado, na noite anterior à da localização do prefeito morto.

| PÁGINAS 541 e 542

Primeira e última folhas do laudo sobre os cabelos apreendidos no Santana estacionado no cativeiro em que eu sustento ter passado Celso Daniel antes de morrer. Tal laudo mostra que, se eu não tivesse tirado a foto dos cabelos encontrados no porta-malas do carro, a perícia diria que eram pelos de animal. Na última folha, o laudo é taxativo: não se afasta a hipótese de os seis fios de cabelos serem de Celso. Por que a tão aparatada perícia paulista iria descartar isso? Quem estaria pressionando os peritos?

| PÁGINA 543

Ofício em que a CGU solicita à SNJ cooperação para identificar investidores brasileiros do Fundo Opportunity no exterior. Os pedidos foram arquivados e o processo paralisado. Estaria, já em 2003, o governo Lula criando dificuldades para vender facilidades?

| PÁGINA 544

Outro documento sobre o mesmo assunto, enviado a Antenor Madruga, responsável pelo despacho a mão e pelo não cumprimento do pedido. Enviei cópia do processo para que o ministro determinasse providências, e até hoje desconheço o que ocorreu no âmbito do MJ.

| PÁGINAS 545 a 555

Em maio de 2006, a *Veja* publicou que José Dirceu, entre outros, teria conta em paraíso fiscal das Ilhas Cayman. Eu, como secretário nacional de Justiça, já investigava casos engavetados, relativos ao Opportunity. Mas, nesse esforço, recebo um retorno diverso: Daniel Dantas aparecia como denunciante e não como réu. Embora tivesse cargo executivo no governo petista, eu suspeitava da existência de tal conta. E mais: que essa conta era a lavanderia do Mensalão no exterior. Os documentos anexos revelam o pedido de cooperação, determinado pela Justiça e estranhamente abandonado pela PF, além da insistência das autoridades caribenhas em que o Brasil enviasse mais informações. Mesmo assim, o governo brasileiro nunca remeteu os dados solicitados. Nessa época, Luiz Fernando Corrêa assumia a direção da PF. E os brasileiros esperaram caducar o prazo dado pelas autoridades do Caribe (descumprindo até decisão judicial). Mandei cópia para o ministro Tarso Genro apurar isso, e espero a resposta até hoje... Será que fui defenestrado por ter chegado na conta caribenha do Mensalão?

| PÁGINAS 556 e 557

Manuscrito em que Paulo Li denuncia à Justiça ter sido psicologicamente torturado por um delegado da PF para envolver meu nome em atos ilícitos inexistentes. O delegado lhe prometeu proteção na custódia da PF em troca de me acusar por qualquer crime que eu não tivesse cometido: caso contrário, o chinês seria enviado para o cadeião de Pinheiros, na Zona Oeste de São Paulo (o que de fato ocorreu). Reportei o caso verbalmente ao ministro da Justiça, ao diretor da PF e ao ministro interino da secretaria especial de Direitos Humanos da Presidência da República; ao que me conste, todos prevaricaram solenemente.

ANCANAJO TRUST

Fee Agreement

This agreement is hereby made this __________ day of _____________, 1998, between Julius Baer Trust Company (Cayman) Ltd. as Trustee and Tasso Ribeiro Jereissati as Settlor.

The Trustee will charge for their services using the following fee schedule:

Acceptance Fee

Initial Trust set up US$3,600.00

Annual Administration Fee

This fee is 25 basis points of the value of the Assets under Administration and subject to a minimum of US$3,000

Termination/Withdrawal Fee

If the Company retires in favour of another trustee, or if the Trust is terminated, a fee based on the time spent will be charged

Assets will be held at Bank Julius Baer, New York. If there is any change in the institutions managing or acting as Custodian for the Assets, the Trustee will review the fee arrangement and any proposed change will be communicated to the Settlor.

The Trustee will be entitled to pay from the Assets of the Trust the expenses of any Company owned by the Trust, including annual

MINISTÉRIO DA JUSTIÇA
SECRETARIA NACIONAL DE JUSTIÇA

DESPACHO nº 735 /2010

Referência: **Protocolo nº 08000.000534/2010-98**

Assunto: **Requerimento do Senador Marconi Pirillo Júnior.**

Interessada: **Advogados Antonio Carlos de Almeida Castro e Pedro Ivo R. Velloso Cordeiro**

Junte-se memorando nº 188/2010-DRCI.

Acolho as ponderações do Coordenador-Geral de Recuperação de Ativos do DRCI, pelo que determino a devolução à Secretaria Executiva, com proposta de remessa ao Departamento de Polícia Federal.

Dê-se ciência de tal decisão aos nobres advogados subscritores do requerimento, certificando-se.

Em 28 de abril de 2010.

Romeu Tuma Júnior
Secretário Nacional de Justiça

DRCI/CGAI/DIADM
Divisão de Administração
08099.001382/2010-39

MINISTÉRIO DA JUSTIÇA
SECRETARIA NACIONAL DE JUSTIÇA
DEPARTAMENTO DE RECUPERAÇÃO DE ATIVOS E COOPERAÇÃO JURÍDICA INTERNACIONAL
COORDENAÇÃO-GERAL DE RECUPERAÇÃO DE ATIVOS

Memorando nº. 187 /2010/DRCI-SNJ-MJ

Brasília, 26 de abril de 2010.

Ao Senhor Secretário Nacional de Justiça

Assunto: **Ofício nº 004/2010 – CORR, de 20.04.2010 – Solicita cópia do procedimento adotado com referência ao requerimento do Senador Marconi Perillo.**

1. Refiro-me ao despacho datado de 22 de abril de 2010 pelo qual Vossa Senhoria determinou o encaminhamento do Ofício nº 004/2010 – CORR, de 20 de abril de 2010, a este Departamento, para conhecimento e providências cabíveis.

2. Por intermédio do Ofício nº 004/2010 – CORR, de 20 de abril de 2010, o Senador Romeu Tuma, na qualidade de Corregedor do Senado Federal, solicita que seja encaminhada à Corregedoria Parlamentar do Senado Federal cópia do procedimento adotado na Secretaria Nacional de Justiça que faz referência ao Senador Marconi Perillo, tendo em vista denúncia do próprio Senador de que o dossiê apresentado em relação à matéria seria falso.

3. Em resposta, informo a Vossa Senhoria que não há atualmente qualquer procedimento adotado pelo DRCI-SNJ que faça referência ao Senador Marconi Perillo.

4. Coloco-me à disposição para qualquer esclarecimento que se fizer necessário.

Respeitosamente,

Leonardo do Couto Ribeiro
Coordenador-Geral

SCN Quadra 6, Conjunto A, Bloco A, 2º andar, Ed. Venâncio 3000, Brasília – DF – CEP 70716-900
Telefones: + 55 61 2025-8938 Fax: + 55 61 2025-8915 drci-cgrap@mj.gov.br

Almeida Castro
Advogados Associados

EXCELENTÍSSIMO SENHOR MINISTRO DA JUSTIÇA DR. LUIZ PAULO BARRETO

MJ/SE
Secretaria Executiva
08004.000534/2010-98

MARCONI FERREIRA PERILLO JÚNIOR, brasileiro, casado, Senador da República, portador da cédula de identidade nº 1.314.602/SSP/GO, inscrito no CPF/MF sob o nº 035.538.218-09, residente e domiciliado à SQS 309, Bloco G, apto. 601, Brasília - DF, vem, respeitosamente, à presença de V. Exa., por seus advogados *in fine* assinados, expor e requerer o que segue.

1. O requerente lançou sua pré-candidatura ao cargo de Governador do Estado de Goiás por intermédio do conhecido *Twitter*[1], na última terça-feira, 6 de abril de 2010, fato que gerou grande repercussão na imprensa daquele Estado e também de parte da imprensa nacional.

2. Não por coincidência, na mesma data, chegaram às mãos do requerente documentos apócrifos, claramente forjados com o fim de prejudicar a reputação do requerente (doc. anexo). Iniciou-se, com efeito, a campanha política suja, trazendo consigo a temporada de dossiês clandestinos, de conspirações caluniosas e de toda sorte de expedientes espúrios para prejudicar ilicitamente reputações.

3. A documentação lembra o conhecido Dossiê Cayman, que

[1]Twitter é uma rede social e um servidor para microblogging que permite aos usuários que enviem e recebam atualizações pessoais de outros contatos (em textos de até 140 caracteres, conhecidos como "tweets"), através do website do serviço, por SMS e por softwares específicos de gerenciamento

SCN - Quadra 02 - Bloco "D" - Torre "A" - Sala 1125
Centro Empresarial Liberty Mall - Brasília-DF
Cep: 70.712-903 - Tel/Fax: 55 61 3328-9292
almeidacastro@almeidacastro.com.br

CGMA/CDI/DICOM
Protocolo Geral MJ
08000.004608/2010-03

SENADO FEDERAL
CORREGEDORIA PARLAMENTAR

Ofício nº 004/2010-CORR Brasília, 20 de abril de 2010

Senhor Secretário,

Solicito a V. Exª a gentileza de encaminhar a esta Corregedoria, para conhecimento e providências que se fizerem necessárias, cópia do procedimento adotado nesse Órgão que faz referência ao Senador Marconi Perillo, tendo em vista denúncia do próprio Senador de que o dossiê apresentado em relação à matéria seria falso.

Na oportunidade, renovo a V. Exª protestos de alta estima e distinta consideração.

Senador Romeu Tuma
Corregedor

A Sua Excelência o Senhor
ROMEU TUMA JÚNIOR
Secretário Nacional de Justiça
Esplanada dos Ministérios, Bl. T, Ministério da Justiça, 4º andar, sala 430
70064-900 – Brasília - DF

Anexo II – Térreo - 70165-900 – BRASÍLIA/DF
Tels.: (61) 3303-4561 e 3303-5259 – FAX: (61) 3303-5260

ASSEMBLÉIA LEGISLATIVA

Deputado
Romeu Tuma

Encaminhe-se ao GAECO para investigação

ofício Dep. RT. nº 37/05

São Paulo, 18 de janeiro de 2.005.

S.P.d.S.

RODRIGO CÉSAR REBELLO PINHO
PROCURADOR-GERAL DE JUSTIÇA

Senhor Procurador-Geral,

Cumprimentando-o cordialmente, venho à presença de Vossa Excelência solicitar as providências que julgar cabíveis diante da tal parceria envolvendo o Sport Club Corinthians Paulista e a Media Sports Investiment – MSI -, tendo em vista os fatos que passo a expor:

A Media Sports Investiment – MSI - é um fundo de investimentos criado por investidores estrangeiros, não identificados até aqui, e com a participação de **BORIS ABRAMOVITCH BEREZOVSKI**, demais dados ignorados, conforme anunciado pelo presidente da agremiação corinthiana, **ALBERTO DUALIB**, em reunião do Conselho Deliberativo daquela entidade, realizada em 24 de agosto p.p. .

1

Palácio 9 de Julho – Av. Pedro Álvares Cabral, 201 – 2º andar – sala 2007 – CEP 04097-900
Fone: 3884-2175 – Fone/Fax: 3886-6567/6534 – e-mail: rtuma@al.sp.gov.br

Excelentíssima Senhora Ministra Presidente do Egrégio Supremo Tribunal Federal

ROMEU TUMA, brasileiro, casado, Senador da República pelo Estado de São Paulo, Carteira de Identidade nº 1.342.276-SSP/SP, CPF nº 010973348-72, vem, respeitosamente, à presença de Vossa Excelência requerer a homologação de mandado de prisão preventiva em desfavor de **Boris Berezovskiy**, nascido em 23 de janeiro de 1946, na cidade de Moscou, Rússia, que também usa o nome de **Platon Elenin** constante no documento anexo, por estar referida pessoa inserida na **inclusão vermelha** da **INTERPOL**, pela prática de crimes de lavagem de dinheiro, formação de quadrilha, fraudes contra Estatais Governamentais, entre outros delitos, condenado à pena de prisão pelo Poder Judiciário da Rússia, responsável pela condenação.

Esclarece o requerente, ex-Vice Presidente da Interpol à época em que também era Diretor-Geral da Polícia Federal, que o estrangeiro procurado encontra-se hospedado em hotel na cidade de São Paulo. E que a Polícia Federal está de posse do respectivo Mandado de Prisão junto a Interpol.

Requer-se, por derradeiro, tramitação de urgência para que o procurado não se evada do território nacional.

Termos em que p. deferimento.

ROMEU TUMA
Senador da República

RELATÓRIO DE INTELIGÊNCIA N° 0086/4200/ABIN/27 AGO. 2004

INDÍCIOS DE LAVAGEM DE DINHEIRO ENVOLVENDO COMPRA DE TIMES DE FUTEBOL POR EMPRESÁRIOS DO LESTE EUROPEU

RESUMO

Há suspeitas de que o interesse de empresários de origem russa e ucraniana em investir em clubes de futebol no Brasil possa vir a encobrir transações ilícitas ligadas aos negócios de organizações criminosas do Leste Europeu. Transações envolvendo jogadores de futebol são comumente usadas para a prática de evasão fiscal, remessa ilegal de divisas e lavagem de dinheiro. Além disso, a relação desses negócios com a indústria de reciclagem de alumínio é outro fator que reforça as suspeitas de que aqueles empresários estejam envolvidos com atividades ilícitas. Esses fatores indicam que essas organizações estejam buscando consolidar sua presença no Brasil por meio de investimentos no esporte.

* * *

CONFIDENCIAL

RELATÓRIO DE INTELIGÊNCIA N° 0086/4200/ABIN/27 AGO. 2004

INDÍCIOS DE LAVAGEM DE DINHEIRO ENVOLVENDO COMPRA DE TIMES DE FUTEBOL POR EMPRESÁRIOS DO LESTE EUROPEU

Em 24 ago. 2004, o Conselho do Sport Clube Corinthians Paulista teria aprovado contrato de parceria com a empresa MSI, a qual, conforme apurações de Rubens Approbato Machado – presidente da Ordem dos Advogados do Brasil (OAB), membro do Superior Tribunal de Justiça Desportiva e conselheiro vitalício do clube –, não existe e estaria em vias de ser formada no Brasil e no exterior com a suposta participação de Boris Berezovski e seus associados. O porta-voz da proposta ao time de futebol paulista é o iraniano Kia Joorabchian (passaporte britânico nº 093023841), que teria comandado a compra de importante grupo de comunicações russo e estaria associado a fundos de investimento nas Ilhas Virgens, conhecido paraíso fiscal.

Segundo o pré-contrato assinado em 5 ago. 2004, a parceria renderia ao clube cerca de R$ 90 milhões ainda para o corrente ano, dos quais aproximadamente R$ 35 milhões para contratações. Alguns conselheiros, no entanto, não concordam com a proposta. Liderados pelo presidente do clube, Alberto Dualib, prometem impedir a parceria na votação final que deverá ocorrer daqui a um mês.

A suposição é de que Kia Joorabchian seja um testa-de-ferro de Boris Berezovski, magnata russo envolvido com organizações criminosas. O interesse de Berezovski em ampliar seus investimentos poderia estar relacionado com a prática de lavagem de dinheiro.

Essa não é a primeira iniciativa de empresários russos ou ucranianos, supostamente ligados a criminosos, de estabelecer parcerias ou adquirir clubes de futebol no Brasil. Em maio de 2004, o cidadão ucraniano Serguey Shibinsky (protocolo de RNE nº 08506.001843/2004-86) comprou o time de futebol União Barbarense Futebol Clube Ltda., da cidade de Santa Bárbara D'Oeste/SP, e substituiu a presidência do clube. O atual presidente é Francisco Silveira Mello, ex-gerente internacional do banco Banespa na Holanda e em Nova Iorque/EUA, considerado experiente operador financeiro do mercado internacional.

Shibinsky é sócio do cidadão ucraniano Oleksii Borovikov, também conhecido como Alexei Bogorian, proprietário da UB Corporation, empresa suíça que tem participação nos clubes de futebol Will, da Suíça, e Opal, da República Tcheca, além de contatos com o CSKA, clube de futebol do exército russo. Consta no contrato social do time União Barbarense, registrado por intermédio de suborno do funcionário responsável pelos assentamentos da junta comercial de Limeira/SP, que a empresa suíça detém 99% de participação societária.

Desde que começou a atuar no Brasil, a UB Corporation já negociou dezesseis jogadores para clubes estrangeiros e continua realizando avaliações e testes de vários atletas para futuro envio à Turquia, à República Tcheca e à Rússia. Há suspeitas de que essas transações possam estar sendo usadas para a lavagem de dinheiro.

CONFIDENCIAL

O escritório da empresa suíça no País seria no mesmo endereço da SpMetals Trading, uma das maiores empresas paulistas do mercado de reciclagem de alumínio, com negócios em vários países. A indústria de reciclagem é considerada como uma atividade propícia à lavagem de dinheiro, sonegação e evasão fiscal, já que o material obtido por catadores é vendido aos atravessadores e depois repassado às recicladoras sem que haja controle fiscal adequado sobre as quantidades comercializadas.

Borovikov é portador do passaporte ucraniano EC041101 e do passaporte paraguaio P03456533. Esse último teria sido obtido por determinação do Ministro das Relações Exteriores do Paraguai após contato com José Luis Britos Villate, cidadão argentino residente no Paraguai, agente da FIFA e proprietário da BB Soccer, empresa que atua na Argentina, Brasil, Uruguai, México, França, Espanha, Itália, Inglaterra e Arábia Saudita.

Segundo Yuri Panfilov, atual preparador físico do União Barbarense, Borovikov seria ligado a Roman Ramanovich Abramovitch, conhecido criminoso russo ligado a empresários que controlam o mercado de minérios e petróleo na Ucrânia, atual dono do time de futebol inglês Chelsea e antigo parceiro de Boris Abramovich Berezovski.

A suspeita de que o interesse de empresários de origem russa e ucraniana em investir em clubes de futebol no Brasil possa vir a encobrir transações ilícitas está também relacionada com o passado de Abramovitch e de Berezovski (Anexo A) e suas ligações com negócios ilegais, favorecimento político e associação com a máfia tchetchena e russa Solntsevskaya. Transações envolvendo jogadores de futebol são comumente usadas para a prática de evasão fiscal, remessa ilegal de divisas e lavagem de dinheiro. Além disso, a relação desse negócio com a indústria de reciclagem de alumínio é outro fator que reforça as suspeitas de que os empresários do leste europeu estejam envolvidos com atividades ilícitas.

Esse cenário indica que organizações criminosas do leste europeu estão atuando no Brasil e buscam consolidar sua presença por meio de investimentos no esporte.

* * *

ORIGEM: 4200/Abin
DIFUSÃO: * * *
DIFUSÃO ANTERIOR: * * *
REFERÊNCIA: * * *
ANEXO: Dados de Boris Abramovitch Berezovski (2 páginas)

o controle acionário do primeiro canal de televisão privatizado, compra o sexto canal privatizado com o apoio de Ted Tuner e adquire a revista Ogniok e o diário Nezavissimaia Gazeta.

Aproveitando seu papel de financiador da campanha de Yeltsin em 1996, Berezovski entra para o governo. Diante das crises de saúde de Yeltsin, autoridades ligadas a Berezovski têm a oportunidade de exercer maior influência no governo e favorecer os interesses dos oligarcas. Na época, o Banco Stolitchnyi, de Berezovski, recebe autorização para aumentar sua participação no estatal Banco Agroprom. Surgem denúncias de que ele havia encomendado a morte de Goussinski e de outros personagens ligados ao mercado da comunicação, na mesma época em que Berezovski assume como secretário adjunto do Conselho de Segurança. No posto, Berezovski atua como negociador da crise na Tchechênia.

No entanto, Berezovksi é acusado de ter tido papel importante no desenvolvimento da "jihad" islâmica ao financiar as ações de grupos ligados a Bin Laden na Tchetchênia em 1999. Na verdade, o oligarca teria desempenhado o papel de banqueiro informal dos movimentos wahabitas tchetchenos. Dados indicam que Berezovski teria utilizado o antigo vice-primeiro ministro tchetcheno, Movladi Odougov e seu irmão para financiar as atividades em prol do movimento de independência. Esses se apoiavam militarmente na organização islâmica integrista de Kattab, um árabe jordaniano que se formou junto com Bin Laden no Afeganistão e chegou na Tchetchênia entre os anos 1994 e 1996. Representantes desse grupo, que se situa entre os mais radicais do movimento islâmico, uniram-se às brigadas do antigo ex-primeiro ministro Chamil Bassaev para atacar o Daguestão em agosto de 1999, quando se iniciou a segunda etapa de conflitos na Tchetchênia. Há suposições de que Berezovski tenha contribuído, assim, para a ascensão de Vladmir Putin ao poder.

Ainda em 1999, Berezovski elege-se para a Duma (Poder Legislativo), envolve-se com o ramo do alumínio e decide apoiar abertamente Vladmir Putin. Paradoxalmente, ao assumir o poder, Putin neutraliza Berezovki, que até então tinha aliado política, negócios e criminalidade como recursos de poder. Berezovski é condenado por fraude e remessas ilegais de capitais ao exterior. A ação de Putin contra Berezovski torna-se o símbolo da nova administração da Rússia contra a política dos oligarcas. Berezovski foge para Paris e estabelece-se em Londres.

As apurações de denúncias de fraudes que se seguem mostram irregularidades envolvendo empresas estatais e privatizadas com possíveis participações de Berezovski. Ele é acusado de venda ilegal de cerca de 300 mil veículos em 1996; de fraude junto a Aeroflot; de envolvimento em negócios fraudulentos no ramo de petróleo; de assassinatos; de remessa ilegal de capitais ao exterior; e de lavagem de dinheiro. Em dezembro de 1996, adquiriu o *Chateau de la Garoupe* e, em julho de 1997, o *Clocher de la Garoupe*, dois dos mais importantes imóveis de Cap-d'Antibes, em Cote-d'Azur, por 22,11 milhões de euros.

Desde 2002, Berezovski iniciou uma campanha explícita de enfrentamento a Vladmir Putin, por ocasião das investigações sobre os ataques terroristas em Moscou, quando ele e outros homens de sua confiança, também exilados na Inglaterra, começaram a acusar as forças de segurança e inteligência russas de terem promovido os ataques com supostos objetivos políticos para favorecer Putin. Em setembro de 2003, a Grã-Bretanha concedeu asilo político a Berezovski, que é procurado pela Interpol.

* * *

" Sou uma vítima de todo um processo, que visando a minha pessoa quase destruiu o mercado de ações.

Acusam-me de muitas coisas, de ter manipulado o mercado em meu benefício, de ter provocado altos artifícios na Bolsas de Valores.

A passagem do tempo e a reação do próprio mercado recuperou, na minha ausência, o valor das ações que hoje estão acima, em termos reais, do ponto que se deflagrou a crise.

Fui o grande perdedor em tudo isso. Os prejuízos cairam sobre mim e as minhas empresas.

Os lucros, que certamente houveram, nenhum dos inquéritos ainda conseguiu apurar.

Não saí do país, Não me apresentei, aguardando a decisão da Justiça sobre a prisão preventiva, cujas razões até agora não consegui entender.

Com serenidade aguardo a decisão da Justiça. Ela certamente me dará a oportunidade de defesa que tantos estão procurando me negar. Mais do que isso a Justiça vai permitir que afinal fique esclarecido o episódio de junho último e que apareçam os verdadeiros manipuladores e os que de qualquer forma tiraram proveito da crise que procuraram provocar.

Reservo-me em falar à imprensa depois do meu depoimento na Justiça."

NAJI NAHAS

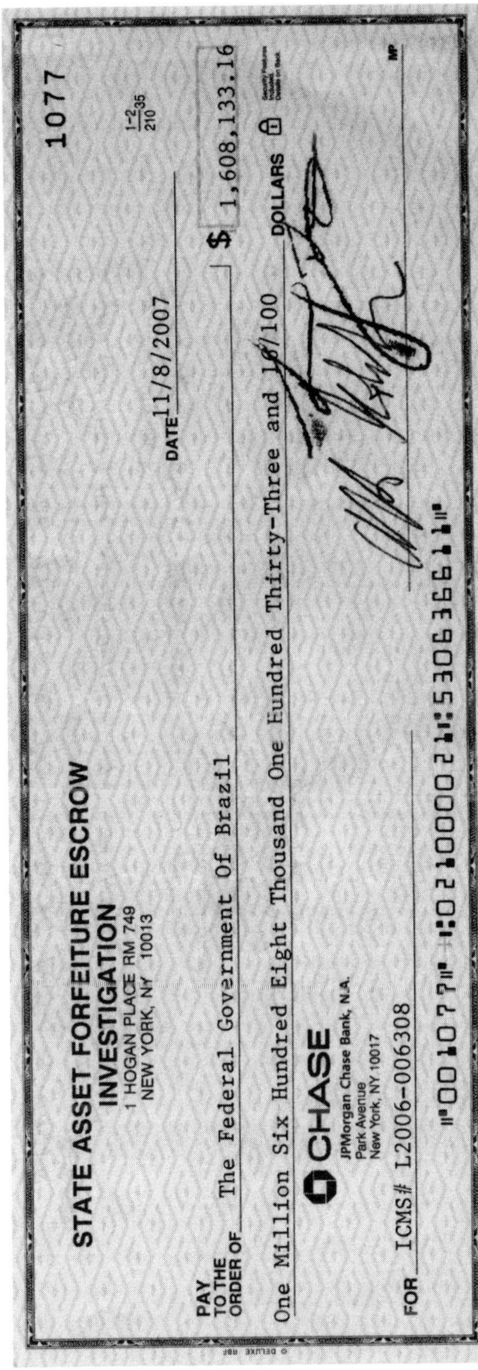
STATE ASSET FORFEITURE ESCROW INVESTIGATION
1 HOGAN PLACE RM 749
NEW YORK, NY 10013
1077
1-2/35 210
DATE 11/8/2007
PAY TO THE ORDER OF The Federal Government Of Brazil
$ 1,608,133.16
One Million Six Hundred Eight Thousand One Hundred Thirty-Three and 16/100 DOLLARS
CHASE
JPMorgan Chase Bank, N.A.
Park Avenue
New York, NY 10017
FOR ICMS# L2006-006308
⑈001077⑈ ⑆021000021⑆530636661⑈

DR TUMA
p/ man analizar
27 NOV 2008
Tarso Genro
Ministro de Estado da Justiça

Ferman and also to natural and legal persons of Daniel Dantas' and Dório Ferman's families.

d. **Eduardo Duarte** is considered the greatest "nominees" of the Opportunity Group. He appeared as partner to over six hundred companies; part of these companies worked as supplier of shell companies for the specific purposes of laundering of assets.

   Eduardo Duarte was part of the group of shareholders of the companies belonging to the Opportunity Group:

   i. 121 Participações e Empreendimentos Ltda.;

   ii. Caraiva Participações S/A, Bilimbi Participações S/A;

   iii. XX de Novembro Securitizadora de Créditos Imobiliários S/A.

e. **Eduardo Penido Monteiro** was a partner to several companies of the Opportunity Group, and acted as the front man in the administration of banking and financial businesses; he appeared as director of operations and partner of the Opportunity Asset Management Ltda., responsible for the management of the Opportunity Fund. He is currently the Director of the Opportunity Fund, as will be detailed below.

f. **Danielle Silbergleid Mínio** was the Director of Legal Affairs of the Group, but his duties surpassed the area of activity. She was directly linked to Daniel Valente Dantas, as well as to Verônica Valente Dantas, Arthur Carvalho, Carlos Rodemburgo and Dório Ferman.

   Danielle was part of the companies and also the administration council of *Brasil Telecom S/A*, and was responsible for negotiations referring to the merger of Brasil Telecom and Oi, ~~whose lawfulness shall be investigated~~.

   She is connected, for instance, with Daniel Valente Dantas, by means of wiretapping, in which Daniel Valente Dantas informs that he is in New York testifying in a proceeding initiated by the Citibank, and requesting Danielle to verify the report on the company Kroll, for he would like to "embed this Kroll issue within the Proceeding".

g. **Paulo Moisés**, accountant of the Opportunity Group's companies. The investigations pointed out to the fact that it was his responsibility the incorporation of the companies, alterations and the bookkeeping of these companies, and he would also act unduly by trying and organizing and disguising books and balances before the tax authorities.

h. **Humberto José da Rocha Braz (Guga)**, partner to the company *MB2 Consultoria Empresarial Ltda*. He holds the position of coordinator for negotiations in the area of informatics; there was reason to believe that he was in charge of the distribution of tasks to Guilherme Henrique Sodré Martins (Guiga), always following orders by Daniel Valente Dantas, ranging from issues related to corruption to espionage by means of people hired for such purpose.

i. **Guilherme Henrique Sodré Martins (Guiga)**, partner to the company GLT Comunicação Ltda., a contractor in the area of publicity, including for public bodies. It would be devoted to the lobbying activity.

j. **Luís Eduardo Rodrigues Greenhalg (Gomes or LEG)**, is an attorney and has a law firm, but his acting in the criminal organization is turned to lobbying with high-ranked authorities of the Executive Branch and state-owned companies, such as the Brazilian National Bank for Economic and Social Development – BNDES.

Dependência: DEL. POL. DE JUQUITIBA - SP — FL.: 001
Boletim Número: 000077/2002 — Emitido em: 20/01/2002
01D0D10131A1315646

BOLETIM DE OCORRENCIA DE AUTORIA DESCONHECIDA

NATUREZA(S): HOMICIDIO QUALIFICADO
LOCAL: EST. DA CACHOEIRA, SN - KM 328 DA BR 116
COMPLEMENTO: Dè CARMOS - JUQUITIBA
TIPO-LOCAL: VIA PUBLICA-RUA/AV./VILA/PRACA
CIRCUNSCRICAO: OUTRAS DELEGACIAS
DATA OCORRENCIA: 20/01/2002 HORA: 01:30
DATA COMUNICACAO: 20/01/2002 HORA: 14:26
ELABORADO EM: 20/01/2002 HORA: 14:28

Registrado sob o nº 023/02
Livro nº 21 fls. 54/09
Juquitiba, 20/01/2002
Escrivão

Vitimas:
- CELSO AUGUSTO DANIEL -- Nao presente ao Plantao -- Documento: RG 4.213.963-2 SSPSP
Pai: BRUNO JOSE DANIEL -- Mae: MARIA CLELIA BELLETATO -- Natural de: SANTO ANDRE - SP
Nacionalidade: BRASILEIRA -- Sexo: M -- Cor da Pele: Branca -- Nascimento: 16/04/1951 50 Anos
Estado Civil: Casado -- Profissao: PREFEITO -- Instrucao: Superior Completo -- Endereco Residencial:
RUA STO. ANDRE, 38 APTO. 34 -- CENTRO -- STO. ANDRE - SP -- Endereco Comercial: -- PRACA 4è CENTENARIO, SNè
CENTRO -- STO. ANDRE - SP -- Fone: (0011) 4436-4857

Testemunhas:
- JOSE CARLOS DE SOUSA -- Presente ao Plantao -- Documento: RG: 15.597.396-4 SSPSP -- Pai: ANTONIO MARTINS
Mae: MARIA JESUS CARLOS DE SOUSA -- Natural de: LINHARES - ES -- Nacionalidade: BRASILEIRA -- Sexo: M
Cor da Pele: Branca -- Nascimento: 11/07/1960 41 Anos -- Estado Civil: Casado
Endereco Residencial: -- EST. CACHOEIRA - R ABILIO DE CASTRO SILVA -- SITIO DR BORGUETTI -- JUQUITIBA - SP
Fone: (0011) 4681-4173
- IRAN MORAES REDUA -- Presente ao Plantao -- Documento: RG 29.777.352-5 SSPSP -- Pai: OSNI GIMENO REDUA
Mae: AUREA MORAES REDUA -- Natural de: SAO PAULO - SP -- Nacionalidade: BRASILEIRA -- Sexo: M
Cor da Pele: Branca -- Nascimento: 12/04/1978 23 Anos -- Estado Civil: Solteiro
Profissao: GER. FUNERARIA -- Endereco Comercial: -- RUA VIRGILIO BUSNELLO, 127 -- CENTRO
ITAPECERICA DA SERRA - SP -- Fone: (0011) 9895-2330 -- Nome da Empresa: SERV. FUNERARIO DA SERRA LTDA.

HISTÓRICO

Presente nesta Delegacia os Policiais Militares SD TIRAGY e SD PM TOLEDO, noticiando que nesta data, por volta das 07,40 hs, receberam uma informação anônima por meio do 5º Pel/PM, dando conta de que no local acima mencionado, mais precisamente na Est. da Cachoeira, distante cerca de 150 metros da rodovia Br. 116, no Km. 328, pista norte-sul, havia um cadáver do sexo masculino, com perfurações provocados por arma de fogo. No local, os policiais constataram a veracidade da informação, tendo sido preservado o local, enquanto que foi acionado o Delegado de Polícia Plantonista de Itapecerica da Serra, Dr. Alexandre P. Constantinou, que compareceu no local tomou as demais providências, acionando a Autoridade Seccional que também compareceu no local, visto que a

SECRETARIA DE ESTADO DOS NEGÓCIOS DA SEGURANÇA PÚBLICA
POLÍCIA CIVIL DO ESTADO DE SÃO PAULO
Departamento de Polícia Judiciária da Macro São Paulo - DEMACRO
Delegacia Seccional de Polícia do Município de Taboão da Serra
Setor de Homicídios e Proteção à Pessoa - SHPP

ASSENTADA

Aos vinte dias do mês de Janeiro do ano de dois mil e dois, nesta cidade de Taboão da Serra, na sede da Seccional de Taboão da Serra no Setor de Homicídios, onde se achava presente o Delegado de Polícia Assistente, Doutor **Antonio Carlos Munuera Silveira**, comigo escrivã de seu cargo, ao final assinado,- ai – às 19h00, comparece a testemunha adiante qualificada, devidamente intimada, sendo inquirida pela Autoridade, responde o que adiante segue. Do que para constar, faço este termo.

Eu, Luiz Francisco dos Santos, Escrivão de Polícia que o digitei.

TESTEMUNHA:

Nome: *CARLOS FERNANDO OLIVEIRA BORGES*
RG n.º
Filiação: Osvalda de Oliveira Borges
Data de nascimento: 30.01.1981 Local: São Paulo-SP
Estado Civil: solteiro Profissão: auxiliar administrativo
Endereço residencial:
Telefone:

Às de costume disse nada. Testemunha compromissada na forma da lei, prometeu dizer a verdade do que soubesse ou lhe perguntado. Advertida sob as penas do falso testemunho.

SECRETARIA DA SEGURANÇA PÚBLICA
SUPERINTENDÊNCIA DA POLÍCIA TÉCNICO-CIENTÍFICA

INSTITUTO MÉDICO LEGAL

NÚCLEO DE ANTROPOLOGIA

INTERESSADO: Delegacia Seccional de Polícia de Taboão da Serra
REQUISITANTE : Dr. Romeu Tuma Junior, Delegado Seccional
REFERENCIA: IP 009/02
LAUDO nº 01/02

1-Histórico: -Recebemos, através do Dr. Carlos Delmont, no dia 28/01/02, um envelope de papel pequeno, pardo, do IML, com a inscrição Cadáver nº320, que segundo sua informação, foram cabelos por ele recolhidos da vítima Celso Daniel, quando do exame necroscópico, bem como um saquinho plástico da SSP/SP-SPTC, com a inscrição Santana-Pêlos-Porta-Malas. Posteriormente, nesse mesmo dia, através do Ofício 043/2002, referente IP 009/02 (Seccional de Taboão da Serra), mais 02 invólucros plásticos, translúcidos, contidos em um envelope pardo do IC, que tinham no seu interior pêlos que foram encontrados no porta-malas do veículo VW/Santana, de placas CCC 2703 Embu-SP. No dia 29/01/02, através do Ofício BIOQ 013/02 foi encaminhada amostra colhida por aspiração do porta-malas do veículo Santana (suspeito) com lacre 0010925 (azul) para exame comparativo dos mesmos.

2- Descrição: recebemos para exame o seguinte material que aqui foi designado como se segue:

- A- Cabelos da vítima Celso Daniel colhidos por ocasião da necrópsia;
- B- Pêlos recolhidos do porta-malas do veículo Santana, trazidos pelo Dr. Carlos Delmont, designados pêlos nº 1, 2 e 3;
- C- Pêlos recolhidos do veículo Santana, durante diligência de busca e apreensão na Rua Urca, nº 23, Jardim São Vicente-Embu/SP, por nós designados pêlos 4, 5, 6, 7, 8, 9 e 10;
- D- Pêlos recolhidos por aspiração, aqui designados pêlos 11, 12, 13, 14, 15, 16, 17, 18, 19, 20, 21 e 22.

2.1 Exame dos pêlos A (cabelos da vítima Celso Daniel):

2.1.1- Exame macroscópico: um chumaço de cabelos brancos, entremeados por fios de tonalidade castanho-escura; tais cabelos são do tipo lisótrico para cimótrico e medem entre 2,1 a 4,3 cm de comprimento.

SECRETARIA DA SEGURANÇA PÚBLICA
SUPERINTENDÊNCIA DA POLÍCIA TÉCNICO-CIENTÍFICA

3.6. Os pêlos de nº 5 e 16 não apresentam bulbo o que prejudica uma melhor avaliação.

3.7 Os pêlos de nº 13 e 14 são do tipo cimótrico enquanto os da vítima são do tipo lisótrico para cimótrico.

3.8 As características qualitativas e quantitativas avaliadas neste exame piloscópico não permitem afastar a possibilidade dos pêlos nº 5, 13, 14, 16, 18 e 21 serem da vítima Celso Daniel.

Nada mais havendo a acrescentar, encerramos o presente laudo.

São Paulo, 04 de fevereiro de 2002.

Dr. Daniel Romero Muñoz
Médico-legista

Dra. Ligia M. Fernandes Silva
Perito Criminal

Fls. 02 SNJ

PRESIDÊNCIA DA REPÚBLICA
Controladoria-Geral da União
SAS Q. 1, Bl. A, Ed. Darcy Ribeiro - 70070-905 – Brasília, DF
Tel.: (0xx61) 412-7241 e Fax 412-7230 – www.presidencia.gov.br/cgu

Ofício n.° 649 /CGU-PR

Brasília, 16 de julho de 2003.

A Sua Senhoria a Senhora
CLÁUDIA MARIA DE FREITAS CHAGAS
Secretária Nacional de Justiça
Esplanada dos Ministérios, Bl. T, 4° andar
70064-900 – Brasília, DF

Ministério da Justiça
SJ
08015.011272/2003-39

Assunto: Solicitação de cooperação

Senhora Secretária,

Cumprimentando-a, informo a Vossa Senhoria que se encontra em curso nesta Controladoria-Geral da União, processo onde são examinadas supostas irregularidades em fundos de investimentos com sede nas Ilhas Cayman e registrados junto à Comissão de Valores Mobiliários – CVM, como investidores institucionais estrangeiros.

2. Objetivando instruir referido processo, gostaria de solicitar a Vossa Senhoria, com fundamento no art. 18, § 5.°, VII, da Lei n.° 10.683, de 28 de maio do corrente, e após verificação da documentação anexada, fosse analisada a possibilidade de retomar os contatos com as Autoridades Monetárias das Ilhas Cayman, a fim de obter informações acerca da eventual participação de investidores residentes no Brasil nos fundos "Opportunity Fund" e "CVC/Opportunity Equity Partner L.P.".

3. Por oportuno, comunico a Vossa Senhoria que se aplica, aos documentos ora encaminhados, a classificação de sigiloso, no grau de reservado, na forma das disposições do Decreto n.° 4.553, de 27 de dezembro de 2002, que regulamenta o art. 23 da Lei n.° 8.159, de 8 de janeiro de 1991.

Atenciosamente,

JORGE HAGE SOBRINHO
Subcontrolador-Geral

00190.000262/2003-35
(13/28)

OBS. COM ANEXO

Ofício – SNJ

Fls. 31

Marcelo Alexandre Andrade de Almeida

Assunto:	Oportunity Found - CVM
Status:	Não iniciada
% concluída:	0%
Esforço estimado:	0 horas
Esforço real:	0 horas
Proprietário:	Antenor Pereira Madruga Filho

Dr. Antenor,

Recentemente recebemos ofício da Controladoria Geral da União para que fosse analizada a possibilidade de retomar os contatos com as Autoridades Monetárias de Caymam, a fim de obter informações acerca da eventual participação de investidores residentes no Brasil nos fundos Oportunity Found e CVC/Oportunity Equity Partiner L.P. Vale ressaltar que os contatos cessaram, pois a CVM não garantiu que as informações fornecidas seriam utilizadas somente para instrução de procedimento administrativo instaurado, já que, se encontradas evidências criminosas no decorrer da investigação, as informações deveriam ser transmitidas ao Ministério Publico para a promoção de investigação criminal, assim como para outras autoridades públicas, como Banco Central e o COAF. Diante desta circunstância, Cayman Island Monetary Authority não autorizou o envio das informações requeridas.

Conversei a respeito do caso com a Dr. Maria Claudia. Ela me pediou que lhe atribuísse uma tarefa para entrar em contato com a Autoridade Monetária em Cayman, afim de obter informações de como deve ser encaminhado o formulário de cooperação para que seja devidamente atendido o pedido. Aguardo resposta.
Cayman Island Monetary Authority - tel. 345-949-7089 Cindy Scotland (Managing Director)
Estou encaminhando o processo para sua bandeja de entrada

Atenciosamente,

Marcelo

Trata-se de cooperação cuja competência é da Comissão de Valores Mobiliários, não cabendo a este Departamento um contato direto com a contraparte da CVM em Cayman.

O assunto deve ser resolvido em reunião entre a CVM, o DRCI e a CGU.

À Assessoria para agendar.

Bsb. 22/12/03

Antenor Pereira Madruga Filho
Diretor

MINISTÉRIO DA JUSTIÇA
SECRETARIA NACIONAL DE JUSTIÇA
DEPARTAMENTO DE RECUPERAÇÃO DE ATIVOS E COOPERAÇÃO JURÍDICA INTERNACIONAL

Official Letter No. 3833 /2007/DRCI-SNJ-MJ

Brasília, June 5, 2007.

Ms. CHERYLL M. RICHARDS
Solicitor General
Legal Department
P.O. Box 907 GT
Grand Cayman

Subject: **Request for Mutual Legal Assistance in Criminal Matters between Brazil and the Cayman Islands in the matter of José Dirceu de Oliveira e Silva.**

Dear Madam,

1. In the capacity of Brazil's Central Authority for mutual legal assistance in criminal matters, I hereby forward a request for mutual legal assistance in criminal matters pertaining to the above referenced case.

2. The request aims at the transmission of the bank documents related to the account No. 660-46652, held at the Delta Bank, particularly the documents used to open this bank account, including the signature card, so that the Brazilian Federal Police can identify its owner as well as other people with power to make financial operations using this bank account, and the three months account statement.

3. Please feel free to contact me should you need further information.

Sincerely,

Ana Maria Belotto
General Coordinator

/lcr

SCN Qd. 1 Bl. A Sala 101 Ed. Number One
Brasília – DF 70711-900 · Telefone: (61) 3429-8900 · drci-cgrap@mj.gov.br

MINISTÉRIO DA JUSTIÇA
SECRETARIA NACIONAL DE JUSTIÇA
DEPARTAMENTO DE RECUPERAÇÃO DE ATIVOS E COOPERAÇÃO JURÍDICA INTERNACIONAL

Request for Judicial Assistance in Criminal Law

1) Addressee: Central Authority of Cayman Islands.

2) Sender: Assets Recovery and International Juridical Cooperation Department/National Secretariat of Justice/ Brazilian Ministry of Justice

3) Subject: request for judicial assistance in criminal law aiming to obtain information about the existence of bank account and its owner due to the fact that there has been an accusation indicating that Brazilian authorities supposedly have bank accounts in foreign countries, that were not informed to the Brazilian Financial Authorities (Federal Revenue Service), in which they would hide money obtained with corruption and, therefore, would also commit money laundry crime.

4) Reference: "Magazine Veja and Daniel Dantas" Case, in which one of the suspects of having a bank account in a foreign country is JOSÉ DIRCEU DE OLIVEIRA E SILVA.

5) Summary: The Brazilian Department of Federal Police started an investigation aiming to find out the veracity of the facts reported in an article published by a weekly magazine called Veja, in which it was made an accusation informing that Brazilian Authorities had bank accounts in foreign countries, that were not informed to the Brazilian Financial Authorities (Federal Revenue Service), in which they would have hidden money obtained with corruption and, therefore, would also have committed money laundry crime. On the other hand, if it is proven that these bank accounts do not exist, the ones responsible for this accusation, according to Brazilian Laws, will have committed the crime of calumny.

Police Investigation Number: 002/06-COAIN/COGER (criminal procedure n.º2006.34.00.0184-3 filed to the 12th Federal Bench in Brasília/DF)

Police Authority responsible for the investigation: DISNEY ROSSETI

MINISTÉRIO DA JUSTIÇA
SECRETARIA NACIONAL DE JUSTIÇA
DEPARTAMENTO DE RECUPERAÇÃO DE ATIVOS E COOPERAÇÃO JURÍDICA INTERNACIONAL

Federal Government Attorney (Prosecutor) of the case: JOSÉ DIÓGENES TEIXEIRA

Federal Judge of the case: JOSÉ AIRTON DE AGUIAR PORTELA
Judicial Decision Decreet: bank secrecy removal of the authorities indicated in the Veja magazine article.

Subject of the Investigation: This request aims to find out if JOSÉ DIRCEU DE OLIVEIRA E SILVA has a bank account in Switzerland or if he was the victim of a false accusation, harzadous to his honor, done by FRANK HOLDER and others.

Qualification of the person whose bank secrecy will be removed:
Name: JOSÉ DIRCEU DE OLIVEIRA E SILVA
Mother´s Name: OLGA GUEDES E SILVA
Social Security Number: 033.620.088-95
Date of Birth: 03/16/1946

Crimes:
a.) Money Laundering, Article 1, V, Paragraph 1, I and II, and Paragraph 2, II, Federal Law n.º9.613/98
b.) Calumny, Article 138, Government-Decree n.º2.848/40 - Criminal Code.

6) Facts: On may 17th of 2006, the weekly magazine called Veja, in its edition n.º1956, published an article called "War In The Basements" in which it was reported that Brazilian Authorities had illegal bank accounts in foreign countries and that Mr. DANIEL DANTAS had hired "foreign spies" to make up dossiers, which were probably false, based on clandestine financial investigations done abroad.

DANIEL DANTAS, owner of the financial group called Opportunity, has already been the target of investigations held by the Brazilian Federal Police in which he was suspected of having committed several crimes against the Brazilian Financial System as well as of having illegally had access to the financial and communication secrecy of many people. He has been pointed as the mentor of a spying and extorsion net in Brazil.

MINISTÉRIO DA JUSTIÇA
SECRETARIA NACIONAL DE JUSTIÇA
DEPARTAMENTO DE RECUPERAÇÃO DE ATIVOS E COOPERAÇÃO JURÍDICA INTERNACIONAL

held by the Brazilian Federal Police against the Kroll company, the group Opportunity and Daniel Dantas.

During the investigations the Brazilian Federal Police was able to find out the numbers of these apparent existing bank accounts as well as documents containing data about the funds transactions in these bank accounts.

Strong evidences that the bank accounts don´t exist and that the funds transactions were false appeared during the investigations.

To completely elucidate the facts and prove the existance or non-existence of these bank accounts, it was requested to the Federal Judge of the 12ª Federal Bench in Brasília the removal of the bank secrecy of the authorities that were mentioned in the Veja magazine article as well as it was requested the judicial assistance of the countries in which these bank accounts would supposedly exist, so that these countries can inform if they do exist or not.

If the existence of these bank accounts is proven, the authorities who own them will be criminally prosecuted for corruption and money laundering.

On the other hand, if it´s proven the non-existence of these bank accounts, the ones who have falsely accused the Brazilian authorities of owning them will be criminally prosecuted for calumny crime.

7) TRANSCRIPTIONS OF THE BRAZILIAN LAWS:

BRAZILIAN CRIMINAL CODE
CALUMNY

Art. 138 - To calumniate somebody, imputing falsely fact which is defined as crime: Penalty - detention, from 6 (six) months to 2 (two) years and fine.

LAW N.º9.613, OF MARCH 3RD OF 1998.
MONEY LAUDERING
CHAPTER I

MINISTÉRIO DA JUSTIÇA
SECRETARIA NACIONAL DE JUSTIÇA
DEPARTAMENTO DE RECUPERAÇÃO DE ATIVOS E COOPERAÇÃO JURÍDICA INTERNACIONAL

Crimes of Money Laundering or Occultation of Goods, Rights and Assets

Art. 1º - To hide or to dissimulate the nature, origin, localization, disposal, movement or proceeding property of good, rights or assets, directly or indirectly, of crime:

V - against the Public Administration, as well as to request, for him/herself or for somebody else, directly or indirectly, any kind of advantage, as a condition or price to practice or not practice administrative acts;

Penalty: Reclusion from three to ten years and fine.

§ 1º It is subjected to the same penalty whoever, to occult or to dissimulate the use of goods, rights or values proceeding from any of the related antecedent crimes in this article:

I - converts them into legal assets;

II – acquires, receives, exchanges, negotiates, gives or receives as a guarantee, keeps, has in deposit, moves or transfers them

§ 2º It is also subjected to the same penalty whoever:

II – takes part in a group, association or office even though having the knowledge that its main or secondary activity is directed to the commitment of the crimes foreseen in this Law.

8) Description of the requested assistance:

1- Removal of the bank secrecy of the following bank account:

BANK ACCOUNT: 660-46652
ACCOUNT OWNER: JOSÉ DIRCEU DE OLIVEIRA E SILVA
BANK: DELTA BANK
COUNTRY: CAYMAN ISLANDS

CAYMAN

2 – Solicitation to the ~~Swiss~~ authority to send the this bank account opening card, together with the copy of the documents used to open this bank account, including the signature card, so that the Brazilian Federal Police can identify its owner as well as other people with

MINISTÉRIO DA JUSTIÇA
SECRETARIA NACIONAL DE JUSTIÇA
DEPARTAMENTO DE RECUPERAÇÃO DE ATIVOS E COOPERAÇÃO JURÍDICA INTERNACIONAL

power to make financial operations using this bank account, and the last three months account statement.

9. Objective of this Assistance: To prove the existence or non-existence of this bank account and, in the case of being confirmed its existence, to receive the documents that will allow the Brazilian authorities to identify its owner.

10. Procedures to be observed: It is solicited the maintenance of the CONFIDENTIALITY

Brasília/DF, May 14th, 2007.

JOSÉ AIRTON DE AGUIAR PORTELA
FEDERAL JUDGE OF THE 12TH BENCH

Legal Department
Cayman Islands Government
PO Box 907 GT
Ansbacher Building
Grand Cayman KY1-1103
British West Indies

CAYMAN ISLANDS

Telephone (345) 949-7712
Fax (345) 949-7183

Our Ref: CJICL 270/07

September 6, 2007

BY FAX AT FIRST INSTANCE

General Coordinator
Ministerio da Justica
Secretaria Nacional De Justica
Departmento de Recuperacao De Activos E Cooperacao Juridica Internacional
Coordencao Geral De Recuperacao De Activos

Attention: Anna Maria Belotto

Dear Madam,

Re: Request for Mutual Legal Assistance in criminal matters between Brazil and the Cayman Islands in the matter of Jose Dirceu de Oliveira e Silva

I write on behalf of the Cayman Islands Government Legal Department and hereby acknowledge receipt of your letters No 3833/2007/DRCI-SNJ-MJ and No. 6174/2007/DRCI-SNJ-MJ with the enclosed request seeking to obtain bank documentation from Delta bank pertaining to Mr. Oliveira e Silva.

Having perused the documents, we have noted firstly that the request seeks assistance from the "Swiss authority" whereas only a pencil amendment was made to insert "Cayman" authorities. As such, we find this discrepancy will require proper amendment in order for us to have proper jurisdiction to offer assistance.

Additionally, there are several questions which arise from the facts as disclosed for which we seek clarification and/or further information. These are as follows;

1. Who is Jose e Silva, is he a Brazilian national?
2. What is Jose e Silva's relationship or connection to the investigation?
3. Was he allegedly defamed or is he believed to have received monies by virtue of corruption?
4. What is the nature of the allegations to provide reasonable cause to believe that the offence of calumny and corruption have been committed?

We are cognizant that the facts highlight that an account exists but we are unable to correlate this information with the complaint of calumny and with Jose e Silva.

Further, we would be obliged to have a copy of the article published in the magazine;Veja sent as an attachment to your request (***with the amendment as noted again).***

Please be advised that in order to satisfy the criteria as set out by the Criminal Justice (International Cooperation) law which governors our authority to offer mutual legal assistance, it is imperative that the request received complies with this law. Accordingly, we would appreciate your attention to the questions as these would comprise relevant additional facts in order to successfully apply to the Grand Court Judge for a production order for Delta bank to produce the documentation sought by your authority.

We await this additional information in order to execute your request.

Yours faithfully,

Gail Johnson-Goring (Mrs.)
Senior Crown Counsel- International Cooperation
For the Attorney General
Cayman Islands Government Legal Department
Ansbacher House- Ground Floor
P.O. Box 907
GeorgeTown
Grand Cayman KY1-1103
Tele; 345-949-7712
Fax: 345-949-7183
email: gail.johnson@gov.ky

DEC. 19. 2007 3:03PM 345 949 7183 NO. 6876 P. 2/5

Legal Department
Cayman Islands Government
PO Box 907 GT
Ansbacher Building
Grand Cayman KY1-1103
British West Indies

Telephone (345) 949-7712
Fax (345) 949-7183

CAYMAN ISLANDS

Our Ref: CJICL 270/07

December 19, 2007

General Coordinator
Ministerio da Justica
Secretaria Nacional De Justica
Departmento de Recuperacao De Activos E Cooperacao Juridica Internacional
Coordencao Geral De Recuperacao De Activos

Attention: Anna Maria Belotto

Dear Madam,

Re: Request for Mutual Legal Assistance in criminal matters between Brazil and the Cayman Islands in the matter of Jose Dirceu de Oliveira e Silva

We refer to our letter dated September 6, 2007 (**copy of letter enclosed for ease of reference**) seeking further information in respect of your request.

We have not received a reply and would kindly request your urgent attention thereto. Alternatively, we would appreciate your office indicating whether the information sought is still required.

Please be advised that we anticipate a response within six (6) months of the date hereof, failing which we will consider the matter closed.

Please do not hesitate to contact me should you require clarification or have enquiries into this matter. *(Spanish translation of this letter attached hereto.)*

Yours faithfully,

Gail Johnson-Goring (Mrs.)
Senior Crown Counsel- International Cooperation
For the Attorney General
Cayman Islands Government

URGENTE

MINISTÉRIO DA JUSTIÇA
SECRETARIA NACIONAL DE JUSTIÇA
DEPARTAMENTO DE RECUPERAÇÃO DE ATIVOS E COOPERAÇÃO JURÍDICA INTERNACIONAL
COORDENAÇÃO GERAL DE RECUPERAÇÃO DE ATIVOS

Ofício n. 9731/2007/DRCI-SNJ-MJ

Brasília, 20 de dezembro de 2007.

Ao Senhor
DISNEY ROSSETI
Delegado de Polícia Federal
Chefe da Divisão de Operações de Inteligência Policial Especializada
Departamento de Polícia Federal
Diretoria de Inteligência Policial
Divisão de Operações de Inteligência Policial Especializada
SAS Quadra 06, Lotes 09/10, 5° andar – Ed. Sede DPF
70037-900 – Brasília – DF

C/C: JOSÉ AIRTON DE AGUIAR PORTELA
JUIZ FEDERAL SUBSTITUTO DA 12ª. VF/DF

Assunto: **Cooperação Jurídica Internacional em Matéria Penal – Casos Paulo Fernando da Costa Lacerda, José Dirceu de Oliveira e Silva e Luiz Gushiken.**

Senhor Chefe de Divisão,

1. Referimo-nos ao Ofício nº. 6854/2007/DRCI-SNJ-MJ, de 20 de setembro de 2007 (cópia inclusa), pelo qual informamos a Vossa Senhoria sobre a necessidade de que o pedido de cooperação jurídica em matéria penal dirigido às Ilhas Cayman, relativo ao caso José Dirceu de Oliveira, fosse aditado para satisfazer a exigências do *Cayman Islands Attorney General's Legal Department.*

2. Além de solicitar a correção material do referido pedido de cooperação, para que passasse a mencionar 'autoridades das Ilhas Cayman' em vez de 'autoridades suíças', foram formulados os seguintes questionamentos:

i. Quem é José Dirceu de Oliveira e Silva? Ele é nacional brasileiro?
ii. Qual a relação ou conexão de José Dirceu de Oliveira e Silva com a investigação em curso no Brasil?
iii. José Dirceu de Oliveira e Silva foi supostamente difamado ou acredita-se que ele tenha recebido dinheiro devido a corrupção?
iv. Qual a natureza das alegações que fornecem razão para crer que a suposta ofensa de calúnia e corrupção foram cometidas?

SE 853700001 BR RC 073579'64 8 BR ra/lcr

SCN Qd. 1 Bl. A Sala 101 Ed. Number One Brasília – DF 70711-900
Telefone: + 55 61 3429 8905 ' Fax: + 55 61 3328 1347 ' drci-cgrap@mj.gov.br

3. Lembramos que as autoridades das Ilhas Cayman reconheceram que os fatos apresentados realçaram a existência de uma conta, porém aquelas autoridades não lograram correlacionar as informações com a denúncia de calúnia e com a pessoa de José Dirceu de Oliveira e Silva.

4. Na oportunidade, as autoridades das Ilhas Cayman noticiaram, ainda, a necessidade de que fosse encaminhada, como arquivo anexo, cópia do artigo publicado pela Revista Veja, o qual fora citado no pedido de cooperação.

5. Finalmente, aquelas autoridades informaram que o mencionado pedido de cooperação deveria preencher todos os requisitos legais das Ilhas Cayman, para que seu atendimento pudesse ser viabilizado.

6. Por esse motivo, muito agradeceriam se os questionamentos acima mencionados fossem devidamente respondidos, tendo em vista que compreendem questões adicionais relevantes para lograr uma ordem judicial para que o Delta Bank produza a documentação requerida pelas autoridades brasileiras.

7. Feito um breve resumo do que fora solicitado no Ofício nº. 6854/2007/DRCI-SNJ-MJ, de 20 de setembro de 2007, informamos a Vossa Senhoria que, no dia 19 de novembro de 2007, via fac-símile, recebemos do *Cayman Islands Attorney General's Legal Department* expediente no qual é registrado o não recebimento de resposta das autoridades brasileiras até o presente momento.

8. Por essa razão, o *Cayman Islands Attorney General's Legal Department* gostaria de saber, com urgência, se por acaso persiste o interesse das autoridades brasileiras na obtenção dos documentos relacionados à conta 660-46652, de suposta titularidade de José Dirceu de Oliveira e Silva, no Delta Bank.

9. O *Cayman Islands Attorney General's Legal Department* aconselha que uma eventual resposta seja enviada no prazo máximo de 06 (seis) meses, caso contrário considerará o caso encerrado.

10. Este Departamento permanece à disposição para quaisquer esclarecimentos que se fizerem necessários.

Atenciosamente,

Ana Maria Belotto
Coordenadora-Geral

STJ
000100
44

Declaração

08/11/2009.

EU. LI KWOK KUEN. BRASILEIRO. CASADO. RG.
Nº 6026791. DATA 08 DE NOVENBRO DE 2009
LOCAL CDP III PINHEIROS.
EU. DECLARO. NO DIA 21 DE SETEMBRO
DE 2009. NO SEDE POLICIA FEDERAL LAPA
SÃO PAULO. SEGUNDA FEIRA MANHÃ. ME
CHAMOU DE NOVO. PARA DEPOIMENTO. NO SETOR
DE INTELIGENCIA. MAIS ESSE VEZ SEM ADVOGADO.
ENQUANDO. ENTREI NA SALA. TEM UMA
ESCRIVÃ COM COMPUTADOR LIGADO. e
PERGUNTOU MEU NOME. EU CONFIMAR.
MEU NOME LI KWOK KUEN. ESSE
MOMENTO ENTROU DELEGADO DA OPERAÇÃO.
DELEGADO COSTA. PEDIU ESCRIVÃ SAIR NA
SALA. ELE QUER CONVERSAR PARTICULAR
COMIGO. FECHOU A PORTA.

ORA. SR LI VOCÊ ENVOLVER.
TEU FILHO RENATO. ANDRE. TEU PRIMO.
e TEU CASULA MARCELO LI ACABA DE.
PRESO SEXTA FEIRA. e VOCÊS VÃO PARA
CDP III PINHEIRO. LA e MUITO RUIM.

AI EU COMECEI CHORAR MUITO. DIZ.
PORQUE. PRENDER MARCELO LI. FORTALEZA.
NÃO TEM NADA VER. ELE MANDOU UM COPO
DE AGUA PARA MIM ACLAMAR.

DEPOIS ACALMEI. DELEGADO CONTINUAR.
FALAR DIZ. EU POSSO FAZER UMA TROCA
VOCÊS NÃO VÃO PARA CDP PINHEIROS. EU
SEGURAR VOCÊS AQUI POLICIA FEDERAL
CUSTODIO. AI EU PERGUNTEI QUAL e TROCA.
DELEGADO DIZ. SABADO. ROMEU TUMA JR
e ASSESSOR GUILHERME VEM AQUI. CONVERSOU
COM ELE. e MUITO BRAVO. MUITO BRAVO

STJ
000101

e VAI TE ABADONAR VOCÊ. e DIZ PORQUE.
e COMERCAR CHORAR DE NOVO. e
MANDOU OUTRO COPO DE AQUA PARA MIM
DELEGADO COSTA NOVAMENTE DIZ. EU QUERO. FAZER
TROCA COM VOCÊS NÃO VÃO CDP. III. VOCÊ
ENTREGA UMA PESSOA. e FALA TODO. SOBRE
ELE. EU PERGUNTEI QUEM É ELE BATER
A MESA. e DIZ TUMA. AI EU FALEI
EU FOI ASSESSOR PARAMENTA DEPUTADO TUMA JR
DURANTE 4 ANOS. 2002 A 2006. SÃO GENTE BOA.
PAI DELE NEM FALA. SÃO PESSOA HONESTO.
AMIGO 20 ANOS FAMÍLIA. AI DELEGADO ENTROU
UMA SALA. PEGOU ALGUMA PAPEL NA MINHA
PASTA (ONDE APRENDEDO MINHA CASA). SÃO
PAPEL DE PEDIDO LEGAL ANISTIA. COLONIA
CHINÊS. PERGUNTOU PARA MIM. O QUE QUE
é ESSE PAPEL? EU DIZ SÃO PAPEL ANISTIA
FOI APROVADO ANISTIA JULHO A DEZEMBRO. ASSOCIAÇÃO
CHINÊS BRASIL-CHINA COLONIA CHINÊS PEDE
AJUNDA AGENDAMENTO NA INTERNET. NADA
é ILEGAL. FAMILIA TUMA SÃO HONESTO.
ELES NÃO FAZ NADA ILEGAL. NÃO FAZ. NÃO FEZ
NÃO DEIXAR ~~DE~~ FAZER. NADA ILEGAL.
ESSE MOMENTO. ENTROU AGENTE PF. e DIZ.
TEM DOIS ADVOGADOS. LA FORA. e DELEGADO COSTA
COMEÇAR FICAR APAVORADO. ANDANDO PARA LÁ e
PARA CÁ. PARA DE OUVIR EU FALANDO. e
LIGOU TV DE CIRCUITO. VIU E ADVOGADO LA FORA
RAPIDAMENTE PEDE EU SAIR NA ~~SALA~~ MIM
ENQUANDO EU SAIR ENCONTREI
MEU ADVOGADO. VOLTEI P/ COSTODIA
EU ASSINANTO. TODO. VERDADEIRO.

Li Kwok Kwen

8/11/2009. [signature]

Este livro foi impresso na Gráfica Ediouro.
Rua Nova Jerusalém, 345 Bonsucesso, Rio de Janeiro, RJ.